李达全集

汪信砚 主编

第二卷

人民出版社

国家社会科学基金重大招标项目
"李达全集整理与研究"（批准号：10ZD&062）最终成果

国家出版基金项目
"《李达全集》（1—20卷）的整理、编纂与出版"最终成果

目　　录

女性中心说（1922.1）

劳农俄国研究（1922.8）

从科学的社会主义到行动的社会主义[*]

（1921.5）

马克思底学说，有许多人将他分为社会学说和经济学说两种。马克思学说是一个体系，原不能这样截然区别出来，但为研究便利起见，把它分为社会学上的学说和经济学上的学说两种，也不见得就有什么妨害。

然而马克思底这两种学说，更可以细分为四项。

恩格斯在马克思的墓前，曾经有了一篇告别的演说，把马克思比作达尔文。这便因为达尔文在生物学领域内发见出来的东西，马克思在人间社会里发见了；达尔文阐明了生物个体底进化，马克思却阐明了人类社会底进化了。

成了马克思学说体系底基础，成了出发点的东西，就是这个社会进化底原则，马克思学徒叫它作"唯物史观"。

达尔文发见了生物进化的法则，马克思也同样的用唯物史观把人类社会进化底法则说明了。但是生物进化底法则在实际上转动着的枢纽（Mechanism）是什么呢？达尔文为要答复这个问题，就发明了生存竞争和自然淘汰的假说。同样，人类社会倘是依着唯物史观底法则进化，这唯物史观底进化在实际上转动着的枢纽又是什么呢？马克思回答说，这是阶级争斗。阶级争斗说就是马克思底第二项学说。

复次，马克思又说明阶级争斗根柢里横亘着的经济上的历程（process）。马克思从他的价值学说出发，把资本制度下劳动盘剥底机械的历程分析出来。马克思经济学说，就是把那躲在阶级的意识和阶级争斗根柢上所有经济实事

* 本文亦发表于 1921 年 7 月 8 日上海《民国日报》副刊《觉悟》（但其文末无"李达附识"和"陈望道附记"）。——编者注

底分析说明。梭勒尔说,《资本论》是阶级争斗底历史的研究,这话确有一面的真理。

但是马克思经济学说里,更有重要的真理,不可忘却。马克思又同样地从价值学说出发,把资本制度应当崩坏底纯经济的纯机械的历程也说明了。

所以马克思经济学说底任务是在说明资本制度应当崩坏的纯经济的纯机械的历程。马克思一面说明了这纯经济的纯机械的历程,同时又认识了资本主义移到社会主义的历程上那自动的人类的要素。马克思以为革命的无产阶级就是从资本主义移到社会主义的历程上自动的要素。那修正派错误的地方,就是将马克思经济学说所证明资本制度底纯经济的纯机械的历程误认为说明资本主义推移到社会主义的马克思学说底全部。

马克思依据了这第四项重要学说,就是革命的无产阶级学说,就将实现社会主义之实际上的历程阐明了。

罗素曾经做过《到自由之路》(*Proposed Roads to Freedom*)一书。他在这书中努力描写那可以使我们得着最大自由的新社会的组织和构造。但是读了罗素《到自由之路》一书的人,都会知道这小绅士阀的哲学者,好像连那到自由的“路”,还没有告诉我们。他不但没有把到自由的“路”告诉我们,就是他自己也不会想知道什么是到自由的“路”。他是到俄国去过的。俄国无产阶级走到了自由的“路”,已经明明白白地摆在那里。可是罗素对于俄国无产阶级“建议”(proposed)于他的“路”,他却不要看。这条“路”并不止是“建议”的“路”,这条“路”就是已经被俄国无产阶级踏实的“路”。可是罗素——这仰慕自由的哲学者——却不想走这条“到自由的路”。他不但不想走这条“路”,而且连那横在他面前的“到自由的路”,看都不愿意看。罗素不过是描写了自由社会便满足的一种智的手淫者罢了。他是仰慕自由的人。但我们却不能忘掉无产阶级方才踏上“到自由的路”的时候,首先起来呼号反对的便是这个哲学家所代表的小绅士阀伪善者底阶级。

《到自由之路》的著者,什么“路”都不会告诉我们。马克思在50年以前,却已将这“路”明白地指示我们了。能够把“到自由的路”指示我们的,也只有马克思一个人。马克思在1871年著过《法国内乱》(*Civil War in France*)一书,那书上说,“劳动阶级单靠掌握现成的国家机关要达到自己的目的是不能的"。他又在 1874 年著的《哥达纲领批评》(Gotha Program) 里所说的更是明白,他说"从资本主义社会到社会主义社会底中间,必须经过革命底变形的时期。这时期中须有一个政治上的过渡期。这政治上的过渡期,就是无产阶级底革命的独裁政治"。马克思在 50 年前早就发见了革命的无产阶级与独裁政治的学说,把唯一的"到自由之路"指示我们了。

但有一件事却也不可忘记:马克思革命的无产阶级独裁底学说,并没有含着离开唯物史观说独立或者把唯物史观说修正的意思。这是唯物史观说当然的结论与应用。依马克思说:历史是依唯物史观底法则进化的;它的作用在根本上是机械的。资本制度因为它底内部包含着矛盾,终必按着机械的历程崩坏。但这机械的历程,必定要成为人底心理现象表现出来。只有一层,这个历史底唯物的历程,并不是在一切人底意识上平均正确地反映出来,首先感觉到的大抵是少数的无产阶级,多数的无产阶级,只是仿佛感觉着。所以大多数的人还是半无意识地被历史的必然性拘束着。因此革命事业,必定是这些少数无产阶级底先锋首先着手实行。所以无产阶级独裁政治,在一方面说,是无产阶级强制粉碎反对阶级,使他们和自己阶级同化吸收的一种组织;同时在别一方面,又就是使大多数的无产阶级从资本主义的心理解放出来的组织。

然而罗素和各种无政府主义者,他们却排斥一切的强制,要求"自由"。这些"想在二十四点钟内实现理想社会的人",他们的前提,就是一切人在资本制度之下都能够从资本主义的心理解放出来。否认一切有组织的强制,这无非是等候一切人们自觉,这不外是否认革命。他们就是一面要自由,一面又否认"到自由之路"。

依马克思经济学说看来,社会主义是始于空想而成为科学。而由革命的无产阶级和无产阶级独裁政治底学说看来,科学的社会主义,又是始于行动的社会主义而成为实行的社会主义。

这篇文章是日本社会主义者山川均先生特意为本杂志作的,他把行动的社会主义介绍给我们,这实在是一篇最切要的最有效的文字,读者都自然能够知道,用不着我来絮说。只是我要借着这个机会,把山川先生介绍给读者。

山川先生自少就研究思想问题,能通英、德、法三国语言,笃信社会主义。

二十岁时因办《青年底福音》杂志受了三年六个月的监禁,后来又因办《平民新闻》,遭了忌讳,被监禁一月半。后来又因办《劳动者》杂志,触犯《新闻条例》受监禁两月,又因赤旗事件(社会革命),受妨害官吏执行的罪名被监禁两年,后又和荒烟寒村办《青服》杂志,主张联合权和罢工权,被禁锢四个月。他这种抵抗官权努力运动百折不挠的精神真够令人佩服。他现在和他的夫人菊荣女士合编《社会主义研究》杂志。著作有《动物界底道德》、《社会主义底立场》、《社会主义者底社会观》、《马克思传》、《马克思资本论大纲》、《劳动组合运动史》、《马克思经济学》、《劳动运动与社会主义》、《马克思学说体系》、《劳农俄国研究》等书。

译者李达附识

山川均、堺利彦尔先生本来都要做一篇文章来,但堺先生要到北海道巡回讲演去了,没有空闲,所以现在本社只接到山川先生底一篇。山川先生原也很忙,而且同他夫人山川菊荣先生一样,现在正患肺病。他在这样的情状里却还替本社作这样扼要的文章,本社同仁真是非常感激。

山川先生底原文,本想翻成罗马字文刊在志末,但因为时间底关系,就省却了。而且李达先生底译文,已很忠实,不附原文似乎也没有什么妨害。

陈望道附记
1921 年 4 月 12 日,在上海。

(原载 1921 年 5 月 1 日《新青年》第 9 卷第 1 号,署名日本山川均著、李达译)

《共产党》第四号短言*

（1921.5）

欧洲有许多报上常说：共产党是什么一个怪物，有何魔力，使他们的党势在欧美各国都有一日千里之势？我以为这个疑问很容易解答。资本主义不能够解决现社会致命的困难，维系现社会最大多数的人心，这是不可掩蔽的事实了；继它而起的：无政府主义，除无政府党外，都觉得它是一个没有方法实现的空想；议会派的和平改革在英德法都试验过不行了，在政治腐败的国家更不必实验了；因此大家既不取无政府的空想，又不取议会派敷衍现状的方法，不趋向主张破坏而且有建设方法的共产党还有何路可走？

共产党和议会派不同底要点，是主张阶级战争，不赞成在资本阶级的政府底下讨恩惠；和无政府主义不同底要点，是主张在现在及近的将来，政治上经济上都要有相当强制力的法律，不赞成一概不加限制的自由。

有人责备俄国共产党主张劳工专政，不合乎德谟克拉西。我要问他：是不是要让资本家帝制派都有政权才合乎德谟克拉西？有人责备俄国共产党用武力对待反对派，不合乎公理。我要问他：是不是要让资本主义的英法军队打破莫斯科驱逐共产党，或是让柯尔恰克丹尼金统治俄国才合乎公理？

共产党底根本主义，是主张用革命的手段改造经济制度，换句话说，就是用共产主义的生产制度来代替资本主义的生产制度。共产主义的生产制度是怎样呢？就是主张一切生产及交换工具都归公有，不许私人把财产用作生产或交换工具来增加他的私有财产；却不是"平均财富"这类浅陋的主张，也不是"彼此通财"那样普通的习惯，我们不可认错了。

（原载 1921 年 5 月 7 日《共产党》第 4 号，未署名）

---

* 本文原标题为"短言"。——编者注

无政府主义之解剖

（1921.5）

一、作这篇文字的旨趣

无政府党是我们的朋友，不是我们的同志。

无政府党要推倒资本主义，所以是我们的朋友。无政府党虽然要想绝灭资本主义，可是没有手段，而且反不免有姑息的地方，所以不是我们的同志。

无政府党何以没有绝灭资本主义的手段，何以反不免姑息那资本阶级？就是因为他们所信奉的无政府主义在理论上在事实上都有许多矛盾的缘故。

近来中国大陆相信无政府主义的人渐渐多了。他们究竟有确实的信仰与否，我可以不问。可是据我的观察，他们之中多不免感情用事，他们的努力多用在无益的一方面，总不想从实际上做革命的功夫，这或者也许是各位朋友们所能原谅我的质直说话了。

我因为要约同这些朋友们加入我们的队伍里，共同对世界资本主义作战，共同剿灭世界资本制度，以便早期实现社会主义的社会，所以写了这篇文字出来和各位朋友们商量一下。并且我们希望和这些朋友们以外的兄弟们，也要先把这无政府主义的内容了解一个大概。

恩格斯在1875年把他那部《空想的与科学的社会主义》的原意发表的时候，早已说明那含着无政府共产和有政府共产的两种主义，在理论上并不是单一的东西。又1892年，克鲁泡特金著《面包略取》一书的时候，也把社会主义和无政府主义分立起来。社会主义和无政府主义，本来是有不能相合的历史。

可是我作这篇文字的旨趣，也不是故意和那些相信无政府主义的朋友们挑战，实在是因为我们的目标，是望着社会主义的社会进行；我们既然望定了这个目标,就要尽力约同大多数的同志,积极地向前猛进。所以我们务必择定那必定可以通行到这目标的道路上进行,所以我们要希望我们的朋友们,不要向着那不可通行的道路上前进,免得耗费有用的精神干那于革命无益的事。

我有一句话要声明的,我们关于主义上的讨论和批评,总要根据理论说话,不要感情用事,专闹意气。我预料我这篇文字发表后,必定引起许多论难出来的。但是若有关于学理上的讨论,我很虚心领教,若是感情的文字,就恕我不作答复了。

还有一句话要声明的,这篇文字中各项评论,也不是完全出于我一个人的创意。我相信亚东的学者们,六根不全的居多,要想自立起来不倚伴他人的门户来作关于主义学说的评论,恐怕很少。我这篇文字所采取的材料,多系从我们同主义的别处同志的文字中得来的。这些疑难点,都是无政府主义大家的书籍中的矛盾,所以我特意地采集起来作为一个有系统的研究。

二、无政府主义之起源和派别

无政府主义,通例分为两种。一为个人的无政府主义(或称哲学的无政府主义)。一为社会的无政府主义(或称科学的无政府主义)。个人的无政府主义创始者要推斯体奈(Max Stirner),他在 1845 年著了《唯一者与其所有》(*The Ego and his own*)一书,已经成了具有理论的体系的学说。社会的无政府主义创始者要推蒲鲁东(Proudhon),他在 1840 年,著了《财产是什么?》(*Qu'est-ce que la propriété*)一书,已经明白主张了无政府主义。所以这两种无政府主义的鼻祖,就是斯体奈和蒲鲁东两人。

个人的无政府主义的特质,主张个人绝对的主权和自由,单靠完成个人实行无政府主义。所以个人的无政府主义,主张自我,主张改造内部生活,主张发展心意性格,改造内部生活精神生活,与社会主义的本质完全不对。自斯体奈以下,埃菲特尼择黑巴梯、玛喀都属于这一派。

社会的无政府主义的特质,把思想的重心放在经济改造上。要把环境革新,实现无政府主义。在打破现经济组织社会组织这一点说起来,很与社会主义相似。希望均贫富,反对特权阶级,反对私有财产,这些地方,也与社会主相似。只是排斥中央政府权力，并且要绝灭一切政府，这是与社会主义完全相反的地方。自蒲鲁东以后，巴枯宁（Michael Bakunin）、克鲁泡特金（Peter Kropotkin）都属于这一派。

无政府主义的分派，约如上述。各分派的共通要素，就是否认一切政府、一切国家、一切权力。至于实现主义的手段，大都是不外于暗杀、破坏和暴动，可是也有主张用平和手段的。主张用平和手段的是蒲鲁东、玛喀、达卡诸人，主张用激烈手段的是巴枯宁、克鲁泡特金、约翰莫司特诸人。克鲁泡特金在巴黎无政府党机关报《反逆》上，曾经说："我们的运动用笔、用舌、用剑、用枪用炸弹、用投票纸。"莫司特在他所著的《科学的革命战术与投弹者》书上，也说："教会、皇室和宴会室都可以抛掷炸弹的。"1881 年无政府党在伦敦会议，决议用暴动的手段比笔舌的手段为优。1883 年在万国劳动同盟里决议用暴动实行无政府主义的手段，作为纲领。所以把无政府主义的历史考察起来，不能说与暴动阴谋虐杀无关系。所以有人说社会主义的历史是政治运动的历史；无政府主义的历史是暴动、虐杀、阴谋的历史，这种批评也很有一些理由的。

无政府主义的共通要素和实行的手段，已经在上面说明了，以下再把各派主义学说的内容，分别评论于下。

三、斯体奈和蒲鲁东的无政府主义批评

倡导个人主义的无政府主义的人，就是斯体奈。他所创的无政府主义是极端的无政府主义，又是极端的个体主义。他否认一切政府，否认一切国家。他把自由分为三种。一为政治上的自由，一为社会上的自由，一为人道上的自由。他的自由是至高无上的自由，他连社会都要否认的。他主张用联合代替社会。他要无制限地发挥自我。这就是他的无政府主义的内容了。这种个人的无政府主义，据我看来，是非常彻底的。我要上天就上天，我要入地就入地，我为求我的最高自由，就是死了，也是实行我的主义，世界上再比这种更彻底的主义恐怕没有了。别人说人是合群的动物，我也可以说人是完全孤立的动物。我不愿在这现代的文明世界里生活，我偏要返还到原始时代的状态，这是我的自由。我对于这种主义不愿多加批评，人类本不免有这样特别的人实行

这种主义，不过不发达罢了。

其次再评社会的无政府主义者蒲鲁东所提倡的无政府主义。他本是法国空想社会主义者中最有力的分子，后来竟变了创设无政府主义的人。他在所著的《财产是什么？》书上，主张废止私有财产，行自由联合的社会组织。他主张废止私有财产，各人就平等的职业。他也曾把劳动时间看作是劳银价值正当的标准。他和47名的无政府党员在里昂公会决议，发表了《无政府党宣言》，始终贯彻他这种主义。但是他的学说中自相矛盾的地方很多。他在《财产是什么？》书上，明明主张了废止私有财产，可是后来又在他所著的《在革命和教会的正义》(Of Justice in the Revolution and the Church) 书上，却又说：他并不主张废止财产，他说他的立场并不像卢梭、柏拉图、布朗那种共产主义。于是他主张财产是不可分的东西，是集合的东西，所以一定要行集合财产制度。但是有一层，他并不是团体主义者。依黑司（Hayes）《政治的及社会的近世欧洲史》(A Political and Social History of Modern Europe) 看起来，蒲鲁东的无政府主义明明是准据个人主义的。他这种矛盾，实在太明显了。马克斯斥他是没有识见的人物，实在也说得合理。他的无政府主义是没有科学的体系和哲学的基础的。

四、巴枯宁的无政府主义批评

巴枯宁所提倡的无政府主义，是团体的无政府主义。其内容可以从三方面观察。

第一，社会的方面。一切人类不是孤立的存在，乃是团体的或集合的存在。人类的社会生活，也和别的机体一样，是有机的统合的存在。所以人在地上的各种存在物中是最有思想的最有共同性的生物，人类有了这种普通生命，所以造成了世界。

第二，政治的方面。社会是自然发达而来的，并不由何种契约而生。社会受传统的习惯所支配，不受法律所支配。所以社会由个人自发的冲动而进步，不由立法者的思想和意思而进步。他本据他这种自然的论理来反对国家、反对政治、反对权力。说国家是共同的大墓地，妨害人的自由和生活力。说国家党为特权阶级所有，为僧侣贵族资本阶级所有。所以主张废灭"国家、教会、法庭、大学、军队、警察"。

第三，经济的方面。人既然是团体的集合的存在，所以在经济方面当然主张财产上的团结主义。一切土地农业器具及资本，均归团体所有。

以上三条是巴枯宁的无政府主义的精髓，以下逐条检讨出来。

第一条是可以承认的。

第二条就有矛盾了。社会的成立，本不是立法者的功绩，这是很对的。若是因为有了立法者的缘故，就说国家是害恶，这种演绎法便是错了。说"此时""此地"的国家是特权阶级的所有是可以的，若说"将来的""他处的"国家也是特权阶级的所有，这便不对了。若嫌特权阶级的国家不好，只好把特权阶级打倒建设无特权阶级的国家就好了。他死了不过四十多年，世界上国家的历史，已经变了。就是他出生地方的俄国，已经由资本阶级的特权阶级移到劳动阶级的非特权阶级的手里来了。德国也是标榜社会民主主义的国家了。所以巴枯宁所反对的那种国家，若指他所生存的时代的国家说，是可以的；若说一切国家都是特权阶级的国家，就不免是独断了。

第三条的思想，尤其矛盾。巴枯宁答萧得的话，说他所主张的团体主义绝不是共产主义。那么他所主张的财产上团体主义，虽然不否认个人的所有，然在生产手段说，至少要成为超越个人的所有，变成为团体的所有。团体的财产必定也有所有主，所有主若是团体，就有团体的意志和精神和人格，这是显然的道理。既然有了团体的意志、精神和人格，就有一种力成立起来。照这样说，巴枯宁所主张的财产上的团体主义，必然要渐渐地把生产手段集中到国家或公共团体的手里，这是自然的论理的结果。无政府主义者犯了这种惹起有政府的大癖病，可说是无政府主义的破产了。克鲁泡特金有句话批评财产上的团体主义说："这种主义必定要用一种比任何政府还要强的政府的权力才办得到。"巴枯宁无政府主义的大矛盾就在这种地方。所以巴枯宁若主张无政府就应该抛弃财产上的团体主义；不然，就应该抛弃无政府主义。无政府不能集产，集产不能无政府。巴枯宁的团体的无政府主义，在理论上不能成立。所以他的无政府主义主张，是从对于国家和教会的感情上的偏见发生出来的。

五、克鲁泡特金无政府主义的批评

克鲁泡特金是无政府主义的集大成者。他所创建的是无政府共产主义。这主义流行颇广,各地信奉的人也多,可是这许多年以来,为这主义运动的人,也没有显出什么效验。能够明白了解这主义的内容的人少,能够批评这主义的人更少。我们东方同志无水君曾经作了一篇有系统的批评文字,指出无政府共产主义的根本谬误,我特意将那篇文字摘录一个大概出来。

克氏的无政府共产主义,可以从生物学,心理学,社会学,经济学,哲学,科学各方面观察。这里先把这主义内容思想大纲,奉出十条于下。

第一,在人类居高位的生物界中,有相互扶助的本能,除了少数妨害者以外,都受这种本能的支配,社会中多数的人都营自由幸福的生活。

第二,人类本是依据这种相互扶助的本能营自由合意的社会的生活的,可是有少数为自己欲望蔑视多数人的本性的人出来,蹂躏自由合意的生活。少数者违反多数者的意思,造出法律,政府国家和权力阶级。

第三,无论何种形式何种内容的国家,政府,中央集权都不合理。

第四,一切财富(一切物质和精神的学问发明都在内)是过去几多年代的人类共同努力生产出来,遗留于现代的人类的。所以我们人类之中,无论何人都不能单独占领,也不得主张什么权利。

第五,各人的欲求是各人自己的权利。一切人无论是病人或是废疾,有生存权利,更有享乐权利。要满足这欲求,取得这权利,必须实现无政府共产主义的社会。

第六,将来在资本主义的社会里起的社会革命,非以建设无政府共产主义的社会为目的不可。

第七,无论什么性质的代议政治和劳银制度,都是维持拥护资本主义的。

第八,分配之标准依各人的欲求而定。

第九,生产的行为由各团体各部落自由合意经营。

第十,废止货币。

以上是克氏无政府共产主义的十大纲领,以下逐条严密的简洁的加以批评。

第一，克氏对抗达尔文派的相互斗争观，提供了相互扶助观，这实是学界中一个新贡献；是进化论的进步；是人类社会的福音。可是相互扶助的这种观念，也不完全是克氏的发见，达尔文自身，多少也承认了的。只是达尔文力说自然进化的要素，注重相互斗争，闲却了互相扶助的一方面。克氏把达尔文所闲却的和他的学徒所蹂躏的相互扶助的本能，特别注重详细说明，也忘却了相互斗争的一方面。于是单把相互扶助的本能，应用到无政府主义的学说上去，却把相互斗争的本能置之度外了。"和睦共同""斗争征服"这两类本能互相对立，无论动物和人类都是具备的。若说人类没有"斗争征服"的本能，怎么会产出那"少数的妨害者"？若说相互扶助是大多数人所具有的本能，相互斗争是少数人的偶发性，那么，那种偶发性不念从那大多数的心理中发生出来的么？斗争心和互助心都应该看作是人的本能，克氏本不能否定的，他所说的，"除了少数妨害者以外"的话，明明是矛盾了。

第二，既然有了矛盾的前提，就不免有矛盾的立论。他说一切国家，政治，法律，权力阶级都是蹂躏多数人自由生活的少数人造出来的，而且将来的国家政治法律，也是违反多数人意志而成为少数人的机关的，这话却未必然了。资本主义机关的国家法律政治，本是劳动阶级所痛恨的；若是社会主义的国家政治法律，劳动阶级就会欢迎之不暇了。

第三，克氏排斥国家、政府的名称，以为采用中央集权名称，无论在何种形式、有何种内容，都不合理。这种议论都是从大小的矛盾的前提出发而得的矛盾的结论，纵使劳农俄国的独裁政治不是多数派的独裁而为劳动者的独裁，他也是反对的。

克氏说国家资本主义以外没有国家社会主义，也没有国家共产主义。有许多地方他非难社会主义；又有许多地方，他却用社会主义四字，说"我们社会主义"。前者所说的社会主义，当然是说有政府集产主义，同时又是国家资本主义。后者所说的社会主义，就是指无政府共产主义。

克氏把国家社会主义当作是国家资本主义，恐怕是想错了罢。劳农俄国的社会主义，克氏怎样看待呢？若说是国家共产主义，那就是非常新奇了。

第四，一切财富是过去几多年代的人类共同生产出来遗传于现代的万人的,无论何人不得横领独占,这是很正常的思想。由这种思想推想起来一看,把现时资本制度撤废的时候,这一切财富也不能说归劳动阶级所有,应该要归那包括资本家劳动者的万人所共有。因为如此就要反对设立任何形态的中央集权机关,那么,他所说的"万人",当然包括世界十五亿人民的全体,没有种族的差别。这种假定的思想,就要陷于蔑视时间空间的空想了。若是认定有种别有国别,就要反对中央集权,那就更成为空想了。克氏说:"我们相信不疑,私有财产制度撤废以后的社会,必然的产出无政府共产主义的组织,无政府到共产制,共产制到无政府,两者明明是近代社会革命的趋势,是平等的要求之表现。"照这样说撤废了资本制度,就可以实现无政府共产主义;那么,把现在的劳农俄国做比喻,无论如何总是做不到。克氏若说现在的劳农俄国还没有撤废私有制度的话,那就完了,不消说得了。

第五,人有生存权,更有享乐权,这种思想,人人都共鸣的。可是要实行获得这种权利,满足欲求,而必待无政府共产主义实现方能办到,这种思想,就有弊害有缺点了。从资本主义制度,一飞脚跑到社会主义制度①,这种想法,未免把人类社会进化的理法看错了。这种努力是无效的努力,这种牺牲是无益的牺牲,反使民众革命的力量越发薄弱。资本主义之后,当然是社会主义,如今要跳过社会主义的阶段,直接地实行无政府共产主义,结果无非是使众人不努力绝灭资本主义罢了。实在地说起来,资本阶级并不怕人提倡什么绝对自由绝对平等的社会那种抽象的思想,他们所怕的,还是那种最有力的具体的即时可以实现的社会主义制度。

第六,克氏说:"共产主义不单是我们所期望的,实际上站在个人主义基础上的现社会,其进路不得不趋向于共产主义的。"但是事实上绝不是这样的,资本阶级的独裁只能变为劳动阶级的独裁政治,资本主义社会只能变为有政府共产主义的社会,不能变为无政府共产主义,这是现时的大趋势。

第七,克氏在《面包略取》书上,说集产主义的理想有两重谬误,一方面要撤废资本制度的统治,一方面又支持代议政体和劳银制度。他又在《近世科学与无政府主义》书上,说代表的政府无论为自任、为选举,或为平民阶级独

---

① 从前后文看,"社会主义制度"似系"共产主义制度"之误。——编者注

裁政府,都是没有希望的。可是他这种议论在劳农俄国出现以后,早已不能成立了。过去虽是这样,将来未必也是这样。现在劳农俄国所行的独裁政治并未拥护资本主义,大家都知道的。

第八,克氏主张把各人的要求做分配的标准,这是很对的。可是他反对货币制度,这是无政府共产主义经济方面的缺点。若不用货币制度,按着各人的要求,来行分配,势必用"物质经济"。这种办法在真正无政府共产社会实现的时候,当然可行,但是在资本制度刚撤废后以的社会里就不可望。无政府共产社会既是空中楼阁,所以经济学说也成为空理了。

第九,无政府共产主义在经济方面有一个难点。生产行为由各部落、各团体自由合意经营,这是无政府共产社会中的事,在别的社会里就不能实行的。若说要按照各人的要求来行分配,无论无政府共产社会中人如何有程度,总不免供给和需要有矛盾的地方。克氏以为革命以后的社会,各人每日只劳动四五时就可以满足一切欲求的。在现时的劳农俄国说,也只是每日四五小时的劳动。可是俄国不得不用中央集权管理生产的,假使俄国把中央集权撤废了,把消费委诸各人自由要求,那么,生产的自由放任,必定要遇着很大的难关。这种地方,人人都可以想到的。

第十,生产事业若是发达到了极点,取之不尽,用之不竭,这种社会,本可以不用货币经济的。不然,若要废止货币就难办到了。我不赞成废止货币的,不但是要废止资本主义和营利经济来做前提,实在说,货币还要跟着经济组织改造,或者依据理想来应用的。若是人类社会进化的理法不错,那么,资本主义制度之后,必是社会主义的社会而不是无政府共产主义的社会。所以排斥货币而用物物经济,绝难办到。

以上十条之中,一、二、三这三条是生物学的心理学的方面的根本谬误。四、五、六、七这四条是社会学方面的缺点,八、九、十这三条是经济学方面的思想的缺点。结果十条之中能够完全赞成的是第四条的全部和第五条的前半部,其余的都是迷想、空想;若不是谬误,便是含有谬误根据发生出来的缺点的思想。

要之,克氏的思想,也和那些把小我人格与大我人格合为一致的人的思想相似,一大半可以当作宗教看的。革命家不可无信教的热情,而革命的思想却不可有宗教的内容。革命思想,要有实际的理论的内容,要在现时可以彻底实行的。克氏的长处也是马克思主义的长处,马克思主义更有较多的长处。克氏的主义不如马克思主义。

六、结 论

共产主义也好,团体主义也好,都不能成为无政府主义。不特不能成为无政府主义,实在更觉得有需用政治的必要的。能够成为无政府主义的,只有个人主义。

一切无政府主义,对于人性的研究太乐观了,对于政治太悲观了。对于人性,与其乐观,不如悲观,较为合理。实在地说起来,将来实现的新社会中与其乐观不如把悲观做基础实行建设,反为万全之策。例如就生产消费设想,假令放任就不能均平,所以把生产和消费都归中央管理,较为稳妥。就是有许多人要规避劳动,也有设法使各人为社会作工的必要。有许多人所嗜好的物品,也要使他们习惯了为社会割爱。至于强制,程度虽有不同,而在某时期,却有行使的必要。监狱也要的,警察也要的,因为要对付反对共产主义的人。军队也要的,因为要对抗那些资本主义的敌国。

所以我奉劝我们相信无政府主义的朋友们,总要按照事实上理论上去为有效的努力,不要耗费有益的精神。

一切政治的经济的社会的组织和各种制度,都是人类久远的历史集积而来的,并且受了合理的判断所指导所开拓所蓄积而成的,正所谓根深蒂固,绝不是一人或数人的意见和感情表现所能颠覆所能绝灭的。要干这种革命事业,必定要具有一种能够作战的新势力方能办到的。说到这里,我要推荐马克思主义了。

(原载 1921 年 5 月 7 日《共产党》第 4 号,署名江春)

"神秘"、"神秘主义"等四个文学名词释义[*]

（1921.5）

　　神秘（Mystery）——言语思想不能说明、理解，而且超越理论和认识以外的事物。

　　神秘主义（Mysticism）——事物的真相，超出寻常理论和认识以外，要理解它，就不可不沉思冥想、默会神灵的秘密，这就叫作神秘主义。

　　古典主义（Classicism）——重形式而轻内容，重智识而轻感情，排斥个性的特色，而专注重统一和规律，崇奉先哲的典型，这是古典主义。

　　浪漫主义（Romanticism）——反对古典主义，排去一切因袭，解放个人的感情，要求高远的理想，创造新文明新生活，这是浪漫主义。

　　（载 1921 年 5 月 13 日上海《民国日报》副刊《觉悟》，署名李达）

---

　　* 这是李达为《民国日报》副刊《觉悟》的"文学小辞典（三）"所撰写的文学名词解释，标题系编者所加。——编者注

马克思派社会主义

（1921.6）

一、马克思主义之分派

马克思学说出世以后，从前的空想社会主义变而为科学的社会主义，于是社会主义就为马克思主义所代表，一说社会主义，就晓得这是马克思主义了。但是近来各派社会主义发生，范畴复杂，遂有所谓马克思派社会主义和非马克思派社会主义的名称，马克思主义就不能代表社会主义了。

马克思派社会主义，究竟是包含一些什么主义，恐怕还有一些研究社会主义的人弄不清楚的。他们自己要提倡马克思派社会主义，却自己不知道，倒反指摘别人所提倡的马克思主义为过激主义，加以过激派的头衔，使别人害怕，不敢公然主张。揣他们的心理真是可笑之极，也许是不懂得马克思主义的派别所致。我觉得有就这中间的派别说明的必要，所以作一篇马克思派社会主义的文字。

从前说马克思主义的派别的人，多半列举正统派和修正派两种，至于工团主义（syndicalism）和组合社会主义（Guild socialism），却不当作马克思主义看的。若提到多数主义（Bolshevism，中国人多译过激主义或劳农主义，我主张译为多数主义）那更不消说了，一般人不特不承认这是马克思派社会主义，反说是无政府主义，这事正和北京政府中人说"劳农俄国"即是"无政府主义"的话，是一样的无识可笑。

所以我特在这里把马克思派社会主义分为五种范畴。即是：一，正统派社会主义；二，修正派社会主义；三，工团主义；四，组合社会主义；五，多数主义。

二、正统派主义

既说是"正统派"当然是纯粹的马克思主义了，但是我却不敢这样说。"正统派"的名称是在 19 世纪末叶柏伦斯泰因一派倡修正说的时候才发生的。正统派的代表柯祖基，因为要保存马克思主义的本体，和修正派争论非常激烈，世上的人就是到现在都承认他确是马克思主义代表的学者。但是依我看来，我们只可说正统派社会主义中所保存的马克思主义的质量以修正派为多，却不能说就是纯粹的马克思主义。因为在正统派和修正派分裂的时候，当时的马克思主义，似乎完全变成了德国社会民主党的社会民主主义，已经不是纯粹的马克思主义了。所以我说正统派社会主义不是纯粹的马克思主义，不过是马克思派社会主义中一个分派。

马克思主义的本质怎样？这一层我曾在本志①八卷五号《马克思还原》一篇文字上说明了，而且在这里也无赘说的必要，所以只就各派别发生的历史和内容，叙述一个大概。在 19 世纪 70 年代前后，马克思社会主义输入欧洲各国，各国相信马克思社会主义的人，都很热心运动，希望社会革命的早期实现。他们要实行马克思的学说，尽最善的努力，排斥妥协，直接行动。他们晓得确认资本家特权，妨害社会主义的发展，他们晓得社会党，应该归纯粹无产阶级组织；他们的目标在根本的社会改造，不在现存制度的改良；他们的手段，是结合无产阶级，行组织的阶级争斗，所以要行革命的政治运动，在共产主义基础上，建设共产社会；所以反对温情主义，反对劳动救济的立法；反对和资本阶级提携，反对共同运动，反对工会运动。综合起来说，这时候马克思社会主义者的运动就是要用无产阶级的直接行动，实现无产阶级的共产社会。所以这时候的社会运动者，很能彻底实行马克思主义的。

可是这里有不可掩的事实，社会革命，完全是无产阶级的事，全靠无产阶级自己觉悟，革命运动才有进展的希望。在这个时候，资本主义虽然日见扩张，劳动阶级的人虽然日见增多，可是劳动者阶级的自觉和阶级的心理，尚属

---

① 即《新青年》杂志。

十分幼稚,所以劳动者的组织和运动还没有十分发达。因为这个理由,所以当时的产业虽然进化,虽有集中的倾向,却没有照马克思的预言那样急速成就。小产业中产业似乎增加了,农业方面的实验,也和马克思的预言相反,地主之数不特不减少,反而增加了,商业上的恐慌,也似乎不多见了。社会主义者看见了当时的状况,不晓得自己对于促进劳动者阶级的自觉的努力不足,反以为马克思的学说不易奏效,于是就改变方向,在实行和理论上发生变化了。譬如德国的社会民主党,在这时候早就改变方针,采用了议会主义。所以在表面上德国社会民主党虽然奉行马克思主义,而在实际上已成了民主主义了。后来愈演愈进,到了19世纪末叶,当时的马克思主义者之间,发生冲突,于是就有正统派和修正派分立起来了。正统派自然是标榜纯粹马克思主义的,在当时的人固不消说,就是现在的人也很有人承认正统派是马克思主义的嫡派。但是正统派有一种根本的谬误的地方,就是误解马克思的学说,坚守民主主义,支持议会政策。马克思主义是否采用民主主义和社会政策,这是马克派中一个新近发生的最重要的问题。关于这个问题的讨论,有柯祖基和列宁脱洛基两派人的著书和辩论,我想凡是研究了马克思主义,又读过这两派的著作的人,一定能够了解谁是真正的马克思主义者。

三、修正派社会主义

修正派的代表,首推柏伦斯泰因(Edward Bernstein)。他于1899年脱离正统派,关于实行社会主义的手段,主张逐渐地受国家干涉。他著了很多修正马克思学说的论文,要从社会主义内部,改革社会主义。他对于马克思的"唯物史观说"、"剩余价值说"、"资本集积说"、"资本主义崩坏说"、"阶级斗争说"都加了严格的批评,要大行修正运动。他这种主张,也得了一部分人的信仰,而尤以德国社会民主党人受影响的最多,这是不可掩的事实。

修正派运动,同时在英法两国,也发生了。法国虽然有喀特(Guesde)一派,坚守正统说,可是又有米勒兰一流提倡改良主义。米勒兰主张实行社会主义最好要和一切政党提携。他排斥马克思派的意见,反对无产阶级共同团结,来行无产阶级革命。所以他反对喀特派,又反对梭列(Saures)。梭列主张劳动者地位改善,在某种程度,虽然可以和国家妥协,却不愿社会党和别的政党携手;换句话说,他就是希望继续阶级斗争,推倒中产阶级的国家。喀特也是主张用阶级斗争来实行社会革命的。

英国也是一样,正统派的社会民主同盟的势力衰弱以后,独立劳动党的劳力增大起来了。独立劳动党是从费边主义产生出来的,即是修正派。

德国的柏伦斯泰因法国的米勒兰、英国的韦卜这一流人,都把进化的思想,注入本国社会党的纲领之中,社会主义,就变成了进化的或改良的主义了。

总合这些修正派的学说,虽然有种种不同的地方,可是这个进化的社会主义的特征,可分为以下四项。(一)产业协会或消费协会之发达,(二)助成产业归市有或国有的倾向,(三)组织地位改善的工会,(四)使劳动者获得选举权,(五)由国家征收累进的所得税。

进化的社会主义运动,其目的或对象,在学说上和马克思派社会主义并无不同。即是,两派的主张,都是要推倒私有的现时个人的私有制度,把生产机关移归社会管理,来组织新社会的。但是进化的社会主义,在学说上虽然有了这个目的,而在实际上,正统派的呼声较高,修正派运动的态度,却是非常冷淡的。

到了近年来,马克思还原的呼声,一天比一天高了,这一派的学说,在事实上,已不能引起我们的注意。

四、工团主义

1907 年国际社会党在巴黎开会的时候,讨论了社会主义和工团主义的关系。当时演说的人,多指定工团主义的发生是社会主义复兴的新倾向。他们猛烈地批评那进化的社会主义或议会的社会主义,已经渐渐地消失了阶级斗争的思想,证明了真正的马克思主义已不存在,而自称奉纯粹马克思主义的人,都采用议会主义去了。但是工团社会主义是什么呢? 工团主义的名词,本有劳动组合主义的意思。法国的劳动组合,最初分两派,一是改良主义,一是革命主义。前者的目的在减少工作时间,增加工银,改良劳动状态;后者的目的专在革命,并不希望减轻资本主义的弊害,而在根本地改革社会组织。但是后者比前者势力较大,到了 20 世纪初期以后,就支配了法国全部劳动运动的精神。

工团主义根本的思想是阶级斗争。依工团主义者的意见,社会是由掠夺者和被掠夺者两大阶级而成。雇者和被雇者的利益完全相反。所以劳动者应当和那些握有生产机关的资本家,继续斗争。但是劳动者要得经济的解放,就要凭借自身的力量,在经济上行有效力的战斗,所以按照以前的经验,信赖议会政策,专从事投票的竞争,不惜和别的阶级妥协,反失掉革命的精神。所以工团主义反对民主主义,他们不重在态度冷淡的多数,而重在有"自觉的少数"。工团主义反对生产机关集中在国家手里,以为国家是束缚个人的。

工团主义的理想,在使劳动者有自主的"自由工场",主张劳动阶级的解放,由劳动阶级自动。工团主义反对专从事改善劳动者地位的运动,主张行自然的总同盟罢工,而不主张准备罢工基本金。

工团主义以直接行动为主,说社会常在战争状态,资本劳动两阶级之间,有最大的隔阂,利害完全相反。所以劳动要用一切手段征服资本阶级,继续努力奋斗,末了行总同盟罢工,一举而实现社会革命,变更一切社会组织。

工团主义一方面固可以说是马克思主义的反动,一方面又可以说是马克思主义的还原。工团主义不相信资本家社会自然的破灭,不相信社会是自己的运命的结果所产生的。只相信根本的变革,是劳动阶级多年牺牲和争斗方能做到的。马克思说:力是旧社会孕育新社会的必要的产姆。工团主义却主张把这力提早运用的。在这种地方,工团主义似与马克思主义相反,但是工团主义者却自称保存马克思主义的神髓的。据 Lagardelle 说:"阶级斗争若包含社会主义的全部,社会主义全部就包含在社会主义之中,工团主义以外阶级斗争是没有的。"G.Sorel 也曾说过"马克思主义在工团主义的形式复兴起来了"。

工团主义也不描写理想中的社会,据法国著名的一个工团主义者说:"若要将目的确定,就惹起无穷的争论,有人说,我们的目的在实现无政府的社会;或者说,我们的目的在实现善于统治善于经营的社会。这两种意见正确与否,我没有断定的责任。譬如我要到某地方去,总要等到旅行完了之后再定,到这时候旅行的目的地自然明了的。"

工团主义相信大革命的时候,劳动阶级一定要起来统治社会。劳动阶级就会要掌握从来资本家所有的一切生产机关。他们会要组织协会管理工场矿山铁道,各协会联合组织中央大协会,开全国会议决定许多职业和产业的关系,尽统治的责任。

工团主义的国家也有统治的人。各职业的全国会议选出代表开总会议,决定各协会会员所应受之分配额。有余裕的协会,又可以补助没有余裕的协会。

工团主义,否定政治的方法,但是依工团主义看起来,所谓"总会议",当然要用代议制度作基础,这不是别开妥协、术数和种种政略的门径吗?而且社会上各人的结合,不专在经济一方面,必定还有行政裁判、国民教育、宗教等必要的东西,工团主义排斥政治的结合,主张经济的结合,这显然是一个缺陷。

但是工团主义主张劳动者的成功,与其依赖政治的行动,不如依赖经济的行动,所以不赞成工会受政党的利用。工团主义的新运动使产业的各国,都注意于工会的组织了。譬如英国的工会,非常萎靡不振。可是受了工团主义新精神的刺激,也渐渐进步起来了。英国的进步的劳动者也认定产业的团结是一件重要的事情,要借团体运动要求管理产业了。于是产生了组合社会主义,这也可以算是受了工团主义的影响。

五、组合社会主义

组合社会主义与集产主义和工团主义都不相同,实在地说起来,这是把集产主义和工团主义的要点结合起来,另成一种新形式的。

组合社会主义的意义,就是用工会和国家共同经营产业的提案。生产机关归社会公有,委托工会管理。但是管理的权力,不仅属于生产者,消费者也可以经由地方团体,或中央团体发表自己的要求。生产的程序和方法,虽然归工会管理,而生产的种类和缓急,却不能决定的。组合社会主义者,想把现在的工会,变成合理想的组合,使适宜于将来产业的管理,推倒工钱制度,以达到与国家共同管理产业之目的。其第一步在结合劳动者向这目的的进行,和资本阶级对抗;第二步要求共同管理产业,使国家收买资本家,许组合经营产业。

组合社会主义不干涉生产者的自由,拥护个人权利。所谓组合有全国和地方的区别。全国的组合,大概是处理物品标准之决定、商品贩卖,以及需要供给之调节等事。地方的组合在一定范围之内,行产业的自治。组合的职员,由组合的会员选举而出。全国的组合作成一个中央机关,即是组合总会;这总会是生产者方面最高的权威,和消费者方面最高的权威的国家对立的。组合总会和国家又各派代表组织共同委员会,掌管产业上最高的事务。生产者和消费者,因为这个委员会,可以时时接触,互相协议,就不至有一方面的利益和他方面的利益相冲突的事情,所以能够共同拥护全社会。

国家的收入,每年用单税法形式,按照各组合所得的纯利益提出若干充作国家的收入。国家得到这宗收入,就用来办理教育、公共道德、裁判和国际事务。

但是这里有一种反对论:在近代社会之中,各种复杂的活动,关系非常复杂,像组合主义者的主张把国际关系委托国家管理,把生产事业委托组合管理,恐怕没有这样容易分划界限的。因为国际关系,每每含有经济的生产问题;而经济的生产问题,又每每含有国际关系,所以不能明白地分别出来。

况且组合制度,就是成立,恐怕也不能保持产业的平和。这种思想,也是一种空想。组合社会主义者,以为人性本善,遇于相信人类有爱他的本能;殊不知要使人类不为利益生产而为效用生产,若没有一种强制的权力去指导,必不会达到新社会的境界的。

六、多数主义

当多数主义初次得势的时候,世人都把这当作洪水猛兽,或以为这是无政府主义,想合世界一切暴力,去完全歼灭它的。后来看了劳农俄国的施设以后,多数主义的真相,渐渐明了;但是劳动专政一层,却惹起了全世界各方面的非难。社会主义以外的各色各派的人,无论是贵族绅士阀资本家,当然都要反对的,非社会主义的人反对社会主义,乃是必然的道理,我们可以不必计较。只是最奇怪的地方,莫如社会主义者反对社会主义,尤莫如马克思社会主义者反对马克思社会主义。

多数主义的施设,完全遵奉马克思主义,这一层我想人人都应知道的,但是马克思主义者如所谓正统派代表柯祖基一流人,却极力地攻击,不承认多数主义是马克思主义,我们却不能无疑意了。所以我想就列宁、脱洛基和柯祖两派关于辩论"劳动专政"的著作和言论,略略地做一个质直的介绍:一面研究"劳动专政"是否出自马克思学说,一面说明多数主义的本质意义和实行的方法。

多数主义指导的原理就是劳动专政,我们要完全了解多数主义,要了解多数主义是否马克思主义,只就劳动专政一事研究清楚就很够了。据列宁、脱洛基的申说,劳动专政纯粹根据马克思学说,但是柯祖基却极力否认,并且著了《劳动专政》和《民主主义? 独裁政治?》(这是《劳动专政》书中的一部分,另印单行本的)两书,由理论批评多数主义所主张的劳动专政,不承认这是马克思的主张。柯祖基说,若没有民主主义就没有社会主义,力说社会主义非和民主主义结合不可;并且说马克思纵然主张劳动专政,但这是政治状态的劳动专政,而不是政治形式的劳动专政,即不是劳农俄国所行的劳动专政。劳农俄国所行的劳动专政,是否马克思所说的劳动专政,还须由列宁的说明来说明;至于柯祖基所说的和社会主义结合的民主主义,当然是德国式的社会民主主义了,这一层我在上面说过,我觉得这并不是发源于马克思主义的。

马克思在他所著的《法国内乱》一书上曾经说:"劳动阶级要想达到自己阶级的目的,单靠掌握现行的国家是不济事的。"又在1874年著的《哥达纲领批评》里面说:"由资本主义社会移到社会主义社会的中间,有一个政治的过渡时期。这政治的过渡时期,就是劳动专政。"又在《共产党宣言》上说:"劳动阶级的革命,第一步在使劳动阶级跑上支配阶级的地位。劳动阶级就用政治的优越权,从资本阶级夺取一切资本,把一切生产工具集中到国家手里,即是集中在组成支配阶级的劳动阶级手里,全部生产力就可用大速度增加起来……劳动阶级若和资本阶级战斗,迫不得已,自己不得不组织一个阶级,用革命手段,把自己造成一个支配阶级,并且用权力扫除旧生产条件,于是阶级对抗的存在和一切阶级的自身都要扫除的,无产阶级的优越权也要废除了。"这几段话,就是多数主义行劳动专政的思想的源泉,经列宁引申立论之后,凡是曾经研究社会主义的人,都是不得不承认的,无论柯祖基如何曲辩,而劳动专政发源于马克思主义一事,已有确切的根据了。

多数主义何以反对现代的民主主义,反对议会政策,而必欲实行劳动专政呢? 这是因为议会政策是资本阶级社会的政治机关,和阶级斗争的思想绝对不相容的。据列宁说一切民主主义都是对立的,换句话说,就是阶级的民主主义。以前的民主主义不过是一阶级的机关;资本阶级的民主主义,不过是资本主义专制的表现。所以劳动阶级的民主主义(即劳动专政)要努力把资本阶级的民主主义打破。又资本主义虚伪地主张一切阶级的政府,而在事实上却是一阶级的政府。所以劳动阶级的革命,也率直地组织劳动阶级的政府,以期实现一切阶级的民主主义。

劳动阶级的意义怎样? 依列宁在他所著的《国家与革命》一书上说:"劳动阶级革命的独裁政治,是被压迫的人为图谋粉碎施压迫的人而造成的先锋的支配阶级之组织。"他又在他所著的《劳兵会论》上说:"劳动专政是一句伟大的话。这句伟大的话不可空用,这是征服绞取者和恶人而且具有勇敢、强权的铁血支配。"他又在论社会革命的文字中说:"说共产党的暴力的人,全不懂劳动专政的意义。革命的自身,是纯粹的强力的行动。专政的语义,由各国语言说起来,不过是用强力的意思。所以强力和阶级的意义在这里是非常重要的。革命的地位越是困难,专政的程度越是辛辣。"所以由列宁这些解释说起来,劳动专政的意义就是劳动阶级对于资本阶级运用的强力政治。

劳动专政的意义,在上面说了,劳动专政的本质又是如何呢? 据列宁说,劳动专政的本质,即是一阶级对于他阶级而行的革命的强有力的国家。换句话说,所谓劳动专政,就是劳动者的国家。至于劳动者的国家又是什么? 列宁的解释,也和马克思恩格斯的意见相同。据马克思说,国家是阶级支配的一个机关;是一阶级压迫他阶级,因此造出法律,使这种压迫继续持久,借以缓和阶级冲突的机关。又据恩格斯说,国家是一定发展阶段之中的社会的一个产物,是阶级的冲突和经济的利益不能和协的一个证据。列宁因此引申他两人的说话,演出自己的国家观,他说,国家是阶级冲突的产物,是那些不调和性的表现,所以国家只限于在阶级冲突不能调协的时候发生的。反面说,国家所以存在,是阶级冲突不能调和的证明。所以依着发展的程序说起来,在资本阶级国家之次的是劳动者的国家;而这种劳动者的国家,已不是真正的国家,要不外是在劳动专政的形式里实现社会主义。所以资本阶级的国家是资本阶级专政;劳动者的国家是劳动阶级专政。

劳动专政的作用怎样？这也是应当说明的,据列宁说:劳动专政的目的在征服资本阶级,根本铲除资本主义的一切思想、风俗习惯和制度,确定社会主义的根基;一方面用强制的权力,破坏资本阶级压迫劳动阶级的机关,从资本阶级夺取武装,把劳动阶级武装起来,制服一切反革命的反动力,因此徐徐地经过这政治的过渡时期,巩固新社会的基础。

劳动专政用什么形式表现出来呢？依列宁说,劳动专政的形式,是成了劳动阶级和下等农民永久专政的典型的劳农会共和制度。脱洛基也说:劳农会是劳动阶级的组织,其目的在为革命的权利而战,所以劳农会又是劳动者阶级的意思的表现。至于劳农会的组织,依列宁说,一切劳动者和下等农民都包含在内,所以劳农会是劳动阶级运用主权征服资本阶级的机关,把一切立法上行政上的权力,一致结合,不以地方分别选举区域,而以工厂工作场等产业的单位为选举区域的。至于劳农会组织的详细,在这里不便多为介绍,暂从省略。

七、结　论

综合上述各派社会主义而论,范畴虽有种种不同,但在社会改造的根本原则上,都是主张将生产机关归社会公有的。不过所采用的手段,各派各不相同,或者采用直接的适宜的手段,能够早日的达到目的;或者采用间接的迂缓的手段,愈实行而离去目的愈远。至于各派所采手段所以不同,或者因为各国国情和国民性不同所致,但是我相信近的将来,各派都要在同一的目的地会合的。

第三国际,已经可以代表各国社会党的进步派,都是赞成劳动专政,采用劳农制度的,这也可称是各国社会运动最新的趋势了。

中国何时能够发生社会革命？中国社会革命究竟采用何种范畴的社会主义,大概也是要按照国情和国民性决定的。未到实行的时候,我们也不能预先见到,所以不敢说中国应实行多数主义,却又不敢说中国一定不适宜多数主义。

本文参考书如下：

拉金的《马克思派社会主义》

列宁的《国家与革命》

柯祖基的《民治吗？专政吗?》

列宁的《劳兵会论》

室伏高信的《列宁主义批评》

（原载 1921 年 6 月 1 日《新青年》第 9 卷第 2 号，署名李达）

列宁底妇人解放论[*]

（1921.6）

去年列宁公布一本小册子，题为"劳农俄罗斯中劳动底研究"。这一篇就是其中的一节，可以窥见列宁对于妇人解放思想和施设底一斑。

"实际上，当最近十年之中，在全世界的民主党，绅士阀共和国的指导者之中，能够做到像俄罗斯一年间所实现的妇女解放事业的百分之一的，一个也找不到。（在俄罗斯中）凡含有剥夺妇女权利的意味的屈辱法律，一切都已经废止了。例如妨害自由离婚的规定'私生儿'的父权，以及其他亲属关系等的法律，现在都没有了。"这等法律，现在正行于文明各国，正所以表彰绅士阀与资本主义底羞耻。在这一方所成就的进步，我们有夸耀的权利。但是我们越是把绅士阀的法律和制度的基础颠覆得净尽，我们的事业，就越发显明是预备的性质，差不多是在准备着一片干净的地面，使地上面可以立起建筑物。可是我们现在还没有从事起造建筑物的。

别的且不用讲，妇女们依然做着家庭的奴隶，育儿和庖厨等事束缚着她们，她们做着不生产的活动，种种家庭的琐事，苛酷的也有，卑贱的也有，简直成了一个苦痛的连锁，他们若是还在这种境遇之中，解放的法律，对于她们简直没有什么效力。

"无产阶级，若不是已自己掌权，来和家庭奴隶制度开战的时候，更切实些说，社会若不曾达到全体依据社会主义的家政组织的基础而组织完成的时候，纯粹的妇人解放，纯粹的共产主义，不能实现的。"

* 李达转译的这篇文章，对列宁思想的介绍所依据的是列宁的《伟大的创举》一文，该文于1919 年 7 月由莫斯科国家出版社印成单行本（参见《列宁全集》第 37 卷，人民出版社 1986 年版，第 20—22 页）。——编者注

这种计划的实行,固然开始了,还说不到结果。然而我们对于这些柔嫩的前途有望的萌芽,绝不轻视。公共食堂和幼稚园等,就是它所生的芽,离成熟固然还远得很,但是在社会的生产与社会生活之中,依了男女渐趋平等的事实,或者还算是妇女实际的解放的导线。

这些方法,并不是新的。和许多的社会主义设备一样,也是由资本主义所组织而成的东西。然而在资本家政治之下,这等单单是例外。他们这班人,在许多时候和境地,提出了千万种投机、贪欲和诈欺等恶迹的实例,或者是无产阶级中最良分子,看了也是不憎恶,也不反对的这等设备,只是绅士阀慈善的机关变形。

我们已经掌握了这等制度的大部分了。现在这等制度已经失去了从前的性质了。

我们从来不拿这等设备,到闾巷中间去吹,可是绅士阀那边却已经完全晓得颂赞这制度的功绩的方法了。销行极广的绅士阀报纸,夸赞这事业,足以抬高国民的荣誉;我们的报纸却不愿破费许多时间,去赏赞我们的民众的庖厨功绩。

我们既不干吹听的事,可是这些制度,却是自然而然的根基了。这种主义做的,譬如节省劳动,节省食物的供给,改良卫生状况,而且使妇人从家庭的奴隶变为自由人之类,皆是。

（原载 1921 年 6 月 1 日《新青年》第 9 卷第 2 号,原文作者不详,署名李达转译）

"自然主义"、"新浪漫主义"等七个文学名词释义 *

（1921.6）

自然主义（Naturalism）——描写客观的自然，发挥人生自然的性情，如实的描写，如实的说明叫作自然主义。

新浪漫主义（New-Romanticism）——描写人生神秘的梦幻的方面，暗示人生隐蔽的方面，把人所不能见到的真相，用具体的方法表现出来，叫作新浪漫主义（古典主义，代表古代文艺思潮；浪漫主义，代表中世文艺思潮；自然主义，代表19世纪前后的文艺思潮；新浪漫主义，代表最近的文艺思潮）。

象征（Symbol）——事物的自身不须说明，而直接的发挥某种意义，叫作象征（如用花表美人，用剑表武士，用白色表纯洁，用赤色表热心之类）。

象征主义（Symbolism）——文学上注重多用象征的作品的倾向，称为象征主义。

写实主义（Realism）——注重现实，排斥理想，把观察和分析做基础，直接描写客观的自然和人生，不加作者私意的，称为写实主义。

唯美主义（Beauty of Beauty School）——说人生至高至上的事实，不是真，不是善，只有美；把美当作官能上的快乐解释，把快乐当作人生或艺术的究竟目的，称为唯美主义。

理想主义（Idealism）——反对写实主义，凭作者胸中所蓄的理想标准，于题材加以取舍，表现出来的，称为理想主义。

（载1921年6月6日上海《民国日报》副刊《觉悟》，署名李达）

---

* 这是李达为《民国日报》副刊《觉悟》的"文学小辞典（六）"所撰写的文学名词解释，标题系编者所加。——编者注

《共产党》第五号短言[*]

（1921.6）

  我们共产党在中国有两大使命：一是经济的使命，一是政治的使命。我们中国经济底组织及状况，在世界各文明国中，不用说是很幼稚的了；但是这幼稚的经济底组织及状况，一方面固然是悲观，一方面也可以说是乐观。乐观在哪一点呢？正因为它们的组织及状况很幼稚，改造起来不像欧美那样伤筋动骨。现代的经济变动是世界的不是国别的了，大家不要妄信经济组织及状况幼稚的国家仍然采用资本制度；一起首创造，不必再走人家已经走过的错路了，这就是我们共产党在中国经济的使命。

  君主政治的滋味，世界各地民族中，总算我们中国人尝得最足了。代议政治在中国虽说实验底岁月尚浅，而就一般的教育缺乏及中上阶级之腐败无能力看起来，代议政治在中国比在欧美更为无缘。所谓国会省议会区议会，无一不演出种种怪状醉态，简直到了末路了；所谓"议学号"的先生们，在人民头脑里比粪坑还臭千百倍。什么武力统一，最好也不过像民国元二年光景；什么联省自治，不过是武人割据改换了一个名称，试问南北各派政党，哪一派免了鼠盗狗偷，哪一派有改造中国底诚意及能力？全国民在这彷徨歧路之中，哪一派人是用光明正大的态度，挺身出来，硬起铁肩，担当这改造政党、改造政治、改造中国底大责任呢？这就是我们共产党在中国政治的使命。

（原载1921年6月7日《共产党》第5号，未署名）

---

  [*] 本文原标题为"短言"。——编者注

现代的斯干底那维亚文学

（1921.6）

一、丹麦文学之概观与布兰兑斯

斯干底那维亚——即是丹麦、脑威①、瑞典三国——的文学，在我们国里（日本）不大注重，只不过常常听得人说脑威易卜生和瑞典斯脱林褒格（A. Strindberg）两家的名字罢了。近代斯干底那维亚文学比较英德法俄四国的近代文学并没有什么逊色。而且就我看起来，斯干底那维亚的文学作家，大概都是我平日很仰慕的，所以叙述起来的时候，也和那曾经游历了外国的人喜欢写游历记一样。只是我的游历记或者有些不正确，所以我又参照了许多散文的指南的记录。

丹麦是那不幸的皇子韩列德（Hamlet）（按：此是莎士比亚著名戏曲之一）的故乡。这一国称为韩列德的故国的，也有一个原因。这一国的文学的特质好像梦中光景，忧郁气象，又是薄暮朦胧的色彩；这种地方，实是韩列德的式样。这一国近代的文学，可说是从布兰兑斯（Georg Brandes）为始。只是叙述的时候，还是要顾念到布兰兑斯以前的浪漫文学。浪漫派从亚丹、奥伦休尔格尔（Adam Gottlob öhlenschläger）②为始籍，《柯列乔》《阿克散尔与

---

① "脑威"即挪威。——编者注

② 奥伦休尔格尔（1779—1850）是丹麦最大的浪漫诗人；他从脑威大文家亨利克斯蒂芬斯（Henrik Steffens）处间接受到德国大文豪斯乞林（Schelling）的影响，在本国鼓吹浪漫主义的文学，所以可说他是"把19世纪前半期德国浪漫主义的花移植到丹麦"，并且因此还使丹麦文字也进了一步。继他的功绩的人有勃立区（Steen Steensen Blicher）和格莱维克（N. F. S. Grundtvig）两人。

淮鲁布格》*等书把19世纪前半期德国浪漫主义的花移到丹麦国内,此外还有派鲁丹·梅兰尔(Frederik Paludan Müller)、海伊勃尔克(Johan Ludvig Heiberg)、勃尔克沙(Vilhelm Bergsöe)①等许多名人,但是我最亲慕的名人还是"童话之王"安特尔然(Hans Christian Andersen),他的著作除《即兴诗人》之外,还有许多富于浪漫情趣的小说,如《弹弦者》《O.Z》《该死呢该活呢》《两个男爵夫人》之类;可是具有美质的完全作品,恐怕还是要算那篇《无画的画本》了。此外有自述传《我一生之童话》也是不能忘记的。

　　布兰兑斯是丹麦文学的近代开山祖。他生于1842年,初学法律,后来研究哲学和美术,受本国哲学者乞尔克柯尔(Sören Kierkegaard)的影响最多。后来游历欧洲数年,自1872年起,在古本哈琴大学讲演《十九世纪文学的主潮》,论述英德法各国的浪漫主义运动,攻击祖国因循姑息的旧势力。他曾惹起激烈的反对,后来又聚集新进气锐的青年门弟子,改革了丹麦文学,成了全斯干底那维亚文坛的主权者。他作了《易卜生》《乞尔克柯尔》《拉撒尔》(F. Lassalle)《尼采》《法朗士》(Anatole France)诸人的评传,此外还有《近代之精

---

　　* 雁冰(即沈雁冰——编者注)按:

　　此篇原文的人名都不曾附注"西文",现在这篇西文人名,是译后填上去的。但是从日本字音倒切出西文音,往往不能切合;假使原文讲到的那位文学家是讲得较详的,我们原可以一望而知的断定是某人,但是生田春月君原文做的太简单了,有好多文家仅举一名,这样的按日文音凑西文音,没有事实可做旁证,或者难免欲弄错了人;但我可负责地说一句,即使错了人名,总不会错出斯干底那维亚以外去。

　　国内一般读者对于斯干底那维亚文学恐怕也不过是"常常听得人说脑威易卜生,瑞典斯脱林褒格两家的名字罢了",所以我又把这两篇文中所引的诸文家,统统就我所知道的,加上一点说明。

　　① 梅兰尔(1809—1876)算得是丹麦浪漫文学的健将,是诗人是剧作家。丹麦浪漫文学以童话大王安特尔生,诗人布特乞尔(Ludvig Adolf Bödtcher)及梅兰尔三人为领袖;然而最重要的还是梅兰尔。他的大作哲学的悲剧《加拉末思》(Kalanus)是一部极重要的著作。

　　海伊勃尔克(1791—1860)是丹麦布兰兑斯以前的最大、最有势力的批评家;他在浪漫文坛上的威权犹之布兰兑斯在写实文坛的威权。他的母亲叙伦布尔·奥莱斯伐尔(Gyllembourg Ehrensvärd)即是一个大小说家。

　　勃尔克沙(1853—)是丹兰(可能为印刷错误,应为丹麦)写实主义文学既盛后浪漫主义最后反抗时代诸浪漫作家中的一个;在这一伙中有诗人加伦特(H. V. Kaalund)等,及童话小说家加尔(H. F. Garl);但是最有名的两个小说家却不能不推布洛斯布尔(J. C. C. Brosböll)——他发表作品都用假名 Carit Etlar——和勃尔克沙两人了。勃尔克沙最有名的著作是一部小说叫作《在产宾群山》,是1871年的作品。

神》《人与作品》《莎士比亚研究》《俄罗斯印象记》《美学研究》等著作,而其主要的著作,还是《十九世纪文学主潮》一书。布兰兑斯批评的范围,几乎说遍了欧罗巴全土。有确实的主张,却又不偏于嗜好;是印象的著述而不流于散漫,有理智而又不失于冷淡;这种情理并到的批评,可算是最好的批评模范了。

受了布兰兑斯的刺激而起的新作家中,最有大才的是约柯伯生(J. P. Jacobsen)、托拉哈姆(Drachmann)、亨道尔孚(Schandorph)诸人。其中除安特尔然(H. C. Andersen)以外,尤推金思·彼得·约柯伯生(Jens Peter Jacobsen)是丹麦最初博得世界的声名的散文作家。他本学习自然科学,翻译达尔文的学说研究海藻类,曾得到大学的奖赏,而且他又是纯粹浪漫主义的大才人。他那种印象派绘画般的描写和清新的文章,不单是斯干底那维亚的文学,就是德国的文学,也受了他的影响。他不幸害肺病早死,他所作的文明史的小说,《玛利亚柯鲁勃》(Marie Grubbe)和一代大著作《两个世界》都是杰作。布兰兑斯批评他说"约柯伯生是现代散文中最大的色彩家,北方文学中用言语描写的东西,没有比得上他的"。书中那男英雄和女英雄对于地面上所有的东西都不满意,要想在星球中求那惊异和爱慕的对象物(译者按:此指其著作的事实)。《莫干斯》(Mogens)之中的杜拉(Tola)所唱的歌说:"活在希望里,活在希望里!"这种气概,纯然是浪漫主义。但这也不是中世的浪漫主义,乃是受了近代科学洗礼的新浪漫主义。由此可知布兰兑斯已经把写实主义的根柢付给新作家了。

霍尔干尔·托拉哈姆(Holger Drachmann)[①]本是海洋画家,又造成功一个文学作家。他的代表作品就是《海与海岸的故事》。他是多方面的作家,到处发挥抒情诗的才能。沙孚斯·亨道洛孚(Sophus Schandorph)[②]是自然

---

① 托拉哈姆(1846—1908)是丹麦的"布兰兑斯时代"的三大名家之一;这三大名家:一是约柯伯生,二是托拉哈姆,三是亨道洛夫了。托拉哈姆在先作诗,1872 年出版的小诗集很不起人注意,后来在 1877 年接连出了几部诗集和小说,才使人慢慢注意起来。遂跻于当代名人之列了。他也是主观派文人,和约柯伯生等一样。在他们身上,可以看出丹麦的自然主义文学不曾大盛,而旧浪漫派的缺点倒先洗刷净尽了。

② 亨道鲁夫(1836—1901),他原来也是个理想派的文家,和上述两位一样;但是在 1876 年40 岁的时候,他发表他的短篇小说集《乡村生活》却是写实派的作品;在 1878 年发表的小说《没有中心》也是自然派的作品。所以生田春月说他"描写乡村生活最能表现他的写实手腕"了;实在他这两篇写实作品倒不很受当时人的欢迎呀。

主义的作家,描写"乡村生活"最能表现他的写实手腕。但是写实主义的大才人倒底要算是赫尔曼彭格(Herman Bang)①。彭格是沉郁的运命论者,他的厌世主义就是自然派作家的厌世主义。他的处女作是《无望的一族》,又有《道傍、乞纳》及《无祖国》等作;他的特色就是"始终如一"。此外还有布兰兑斯之弟伊特孚·布兰兑斯(Edvard Brandes)、伊利克·斯柯拉姆(Erik Skram)、加尔·克尔鲁泼(Karl Gjellerup)以及彼得·南生(Peter Nansen)(他曾作了《玛利爱利丝的日记》发挥女性的纤细之笔法)等诸人②。还有与杜介涅夫略相类似的作家,即是亨特立克·邦托辟丹(Henrik Pontoppidan),他曾经得过诺贝尔奖金,有《利克·倍尔》(Lykke Per)和《幸福的海斯》等大著作③。

其次,有反对写实主义反抗布兰兑斯的新人。郁尔干生(J. J. Jörgensen)④是此派代表的作家。他著有《圣佛兰琐》一作,他是私淑于浮洛奈尔休斯曼的人,传播法国象征派的新声;他又信仰罗马旧教。此外他著有《回心、使徒、巡礼记》诸作。

还有借喜剧《二二为五》作为讽刺,征服了德国剧坛的人,就是柯斯泰夫·威特(Gustav Wied)了⑤。这个善于讽刺的滑稽家,他在所著的《恶意的权力化》《罗因巴哈男爵夫人》《跳舞的鼠》等小说上,表现出那笑里隐藏的沉郁和真挚出来。我只读了那篇《跳舞的鼠》;这是一篇小都会的小说;似乎带些古本哈琴的讽刺,靴匠的固执的复仇和那细君苦恼丈夫的方法,都很令人惊

---

① 彭格(1858—)是继续亨道洛夫的有名作家,和布兰兑斯之弟伊特孚等人齐名。

② 伊特孚·布兰兑斯生1847年;斯柯拉姆亦生1847年,布兰兑斯曾赞他是丹麦"自然主义文学的正宗";他的杰作有《格屈特柯尔蒲生》(Gertrude Coldbjörnsen),1879年出版。

克尔鲁泼生1857年,是诗家小说家道德学家和生物学家;他自来著书都没有定向,虽然是1878年顷便已引人注意的作家,却是直到晚年方定其方向在写实派一面。他的杰作是《条顿人的教训》,1882年出版。

南生是1861年生。他是丹麦近代文人中最能在"文笔"上出风头的作家,词句之美丽,少人及得;杰作是《玛利亚》,1894年出版的。

③ 邦托辟丹是1857年生。《利克贝尔》是1898年出版第一卷的,出完有8卷之多。在反自然主义的一群作家中要算他是一个首领。

④ 郁尔干生(1866—)是托拉哈姆晚年变换色彩倾向理想主义后的有力的帮手。

⑤ 威特1858年生。

异的。此外还有加尔·拉尔生（Karl Larsen）①曾著有《一妇人的忏悔》一书表示自然派的手法；又有女流作家卡林·米哈列丝（Karin Michaeli）②曾著有《危险的时期》，表示了女性的性的烦闷。

二、脑威文学之概观

脑威文学有由易卜生和般生（B. Björnson）两人代表之气。北方巨人易卜生的名，妇孺皆知，用不着我们来絮说。他不特是世界的作家，而且是近代戏剧的创始者，留有不朽的声名。他所作的《傀儡家庭》，"Hedda Gabler"，《群鬼》，"Rosmersholm"，《海上夫人》等作品，恐怕没有人不知道的。只是他的"Brand"，"Peer Gynt"等大著作我国（日本）文坛界很不注重，是何理由，令人难解。易卜生本是世界的人；至于般生却是国民的了。他是牧师之子，自己也成了国民的牧师，终生奋斗。所以世人把他叫作脑威的西莱尔（Schiller）。般生有《挑战的手套》、《傀儡以上》、《国王》、《新结婚的一对》、《乔那答》等戏剧的作品，但是就剧坛上说起来，他似乎被易卜生压倒了。般生的本领还是在小说界擅长。描写脑威山岳地方青年男女的小说，叫作山岳小说或农民小说，在近代乡土艺术中，占有特殊地位，影响于德国的乡土文学不少。《阿鲁纳》、《婚礼之曲》、《金纳佛沙》、《鲁拜克》、《幸福的少年》等等，都是这一类的作品。这些都是为了教育脑威的国民而作的，都是纯洁优美的传记，描写山国少年倾慕南方、倾慕功名的气概，描写男子被柔和少女的爱情所牵引的径路；这种作品偏多。般生小说中最好的有《神之道》和《玛利》两篇。《神之道》研究信仰问题，极其深刻；《玛利》描写女性的不幸，又极其悲惨。此外的作品还有《亚撒龙之发》和《市港上旗帜飘扬》两作。

易卜生、般生之次，有名的作家是凯兰德（A. Kielland）和郁纳斯李（Jonas Lie）③。

---

① 拉尔生（1860— ），他是反写实主义作家大盛后的唯一的有名的写实文家。他最擅长的作品是描写下级人民生活的作品。

② 米哈列丝生年等不详，唯知她尚有"The Governor"，"Elsie Lindtner"等作而已。

③ 凯兰德（1849—1906）是脑威19世纪末的大小说家，和郁纳斯李齐名的。那时脑威的戏曲家有易卜生和般生两人大放光明，小说家便有凯兰德和李。李在文学界的势力延连尤久，他那纯洁新鲜的描写和卓特的人物是自始至终受人欢迎的。

凯兰德(Alexander Kielland)生平企慕莫泊三,擅长于短篇小说,却比莫泊三更要健全,尤有斗争的讽刺的色调。他自己说:他私淑于哈伊纳(Heine),这也是可注意的。他是艺术家,很能奋斗。30岁时,才著《短篇集》问世,后来又著有《卡鲁曼》、《华尔失》、《劳动者》、《雪》等长篇著作,最后著有《拿破仑之周围》,统前后都是代表急进思想,很能够和本国伪善的旧道德和教会奋斗的。他又富滑稽之才,《卡鲁曼》篇中的卡鲁曼用望远镜监视女儿一节,说得很有趣味。他描写动物,不但描写表面,还要描写动物的心理;这也是一个特色。此外还有《泥炭沼》篇中的老鸦,《国民祭》篇中的鹭,还有某一篇的狐,都给我以难忘的印象。

　　郁纳斯李是坚实的写实家,又是一种神秘家。他的特色在他的处女作《透视者》一篇中表现得最好。《领港者与他的妻子》、《提督之女》、《终身奴隶》等都是他的代表作品。此外还有亚纳·茄尔布格(Arne Garborg)、亨斯·具格尔(Hans Jaeger)①,闺秀作家卡米拉柯勒(J. Camilla Collett),阿玛丽斯柯拉姆(Amalie Skram)等诸人②。阿玛丽是丹麦作家伊利克斯柯拉姆(Erik Skram)之妻。她和最初的良人曾过了些苦痛生活;因此痛苦的经验,她成了峻烈的自然主义作家,又成了妇人问题的争斗者。她专描写不幸的结婚,攻击男子的暴虐。她的处女作《康丝丹林克》一篇,早已酿起了非常的物议。亚纳·茄尔布格(Arne Garborg)是苦学而成,由小学教师造成作家的。他有《自由思想家》诸作③。

---

　　①　亚纳·茄尔布格(1851—　　),农人之子,居脑威西南部僻乡;他早年的著作都是用本乡农家俗语做的,因此很少人注意。1890年他用普通语作了一部《疲倦的人》,方惹起国人的注意;但后来他到底回复到早年著作的面目,专做有力的农家小说。

　　亨斯·具格尔(1854—　　)本是一个水手,不做水手后就在文学上用功。他的手法完全是自然派的手法,描写人生的地方逼真左拉;他的杰作是1893年出版的《病的恋爱》。

　　②　卡米拉柯兰(1813—1895)是脑威大诗人惠其兰特(Wergeland)之妹,在脑威文学界中,她是第一个提倡忠实描写日常生活的人;著作有《省长之女》——1855年出版——最好。她也是运动妇女解放的先锋。

　　阿玛丽·斯柯拉姆(1847—1903)的著作以文字美妙、富有地方色彩见称于世。最好的著作是描写勃尔真地方风俗的短篇小说。

　　③　参看注十三。

三、哈姆生及其他

其次，为脑威文学开一生面的人便是最近得了诺贝尔奖金的克纳·哈姆生（Knut Hamsun）了①。他在青年时代，曾游历美国，过了种种冒险的生活，他抛弃自然派客观主义，专开拓主观方面，注重心理描写，颇与俄国作家相近。他的处女作是《饥饿》，描写古本哈琴一个穷文人的贫苦，以及因贫困发狂的气象，极其深刻之致。他的杰作有《编辑人莱恩格》描写脑威首都政治状态的内容，又有《浅土》一篇，描写文学者和商人社会。在哈姆生之次，有鲍具尔（John Böjer）②，近时他的作品都陆续译成英文，传诵于世。《虚伪之力》一作，最为著名。此外还有戏曲家龚纳尔·哈伊勃尔格（Gunnar Heiberg），彼得·亥克（Peter Egge）③，亨斯·金克（Hans Kinck）④诸人。

四、瑞典文学及斯脱林褒格

瑞典近代文学作家在世界著名的是斯脱林褒格和拉绮尔洛孚（Selma Lagerlöf）。斯脱林褒格是近代一大天才家易卜生都要被他压倒。瑞典在以前虽然有浪漫主义大才人，如亚姆克斯脱（Karl Jonas Ludvig Almqvist）⑤，丹尼尔（Esaias Tegnér）⑥，雷德倍尔格（Viktor Rydberg）⑦，及自杀的虚无主义者亚纳

---

① 克纳哈姆生请参看本刊海外文坛消息第一、第十五、十六、十七、五十六等条。详细介绍，我拟另作一篇，此地不能容下了。

② 参看本刊第四号史传论文。

③ 龚纳尔·哈伊勃尔格（1857— ）是比较的后进者，但近来亦非常著名。他的著作有《画楼》，是诗体的戏本，1894 年出版；又有喜剧《姑妈乌尔立茄》也算不错。最好的是 1904 年出版的那篇《恋爱悲剧》。

彼得·亥克（1869— ）亦是后进的戏作家与小说家；1900 年出版的《约柯伯与克利斯多佛》很有价值。

④ 金克（1865— ）亦是一个专用方言来做农民小说的作家。

⑤ 亚姆克斯脱（1793—1866），瑞典浪漫主义时代的大小说家，做过许多神话的故事。

⑥ 丹尼尔（1872—1846）是浪漫时代唯一的大诗人。详细介绍另作专论。

⑦ 雷德倍尔格（1828—1895）瑞典在 1884 年时，文坛上受了写实主义的冲激，分出新旧两派来。结果是新派占胜势；然而当时也很有几个大才人替旧派作最后之反抗，如雷德倍尔格和加尔·思诺尔思基（Karl Snoilsky）便是。

德勃反斯德（Arne Dybfest）①、奈苏（Martin Andersen Nexö）②等一流人；但是在世界上擅名声的人以斯脱林褒格为始。他的父亲是商人，母亲是下婢出身，生来就饱受饥渴和恐怖，前半生为生活问题奋斗了。他的自叙小说有《下婢之子》，又有半自叙的小说《赤屋》，把一生的景况都一一描写了出来。而尤以《赤屋》一篇可称为划分瑞典文学新纪元的名篇。他极憎恶女性，结婚三次，离婚三次。最初之妻埃逊是无名的女优，第二次之妻乌尔是维也纳的女流作家，第三次妻波瑟是有名的女优。他所作的自叙小说《愚人之忏悔》就是描写和埃逊的关系。他的自叙小说，还有《地狱灵魂之发展》、《不和》、《孤独》诸篇，把发狂时的心理状态，都描写了出来。又有《瑞典人之运命与冒险》、《历史的缩图》等历史小说，此外又有《柯得克之室》、《黑旗》、《岛地人民》等小说。但是他在世界得有名誉的作品，还是《裘丽亚小姐》、《父亲债鬼》等戏曲，这些都是用自然主义的手法描写深刻的性之争斗和阶级争斗的。

　　还有一个作家，即是乌拉·哈恩松（Ola Hansson）③，他与斯脱林褒格完全相反；他崇拜女性，他早年到德国，有一半德国化了。此外的作家还有理想主义作家赫腾斯丹（Verner von Heidenstam）④、波尔·哈尔斯托罗姆（Per Hallström）⑤、白斯（Albert Ulrik Bååth）⑥、莱佛尔丁（Oskar Levertin）⑦及诗人

---

　　① 德勃反斯德（1868—1892）是一个无政府主义者，是一个颓丧的自我主义者，但又是一个具有非常天才的诗人；散文亦做得很好。他有《弦歌集》行世。

　　② 奈苏据我所知是丹麦作家，有《得胜者波尔》、《蒂得——人之女》等作很著名。原作者归入脑威疑是误入；我先疑是 Sven Nilssen，因为和假名拼音还近，但查原文中假名拼的奈苏的全名，马丁·安特生两个字很是清楚，所以我就断定是丹麦的奈苏误入于此了。

　　③ 哈恩松（1860—　）在 1884 年前早有诗集行世，著名小说有 "*Sensitiva Amorosa*"，1887 年出版。

　　④ 赫滕斯丹（1859—　）恐怕是瑞典现代最大的诗人，我做的《脑威现存文豪鲍具尔》中亦有说及。他是个反对写实主义悲观主义的诗人。1888 年始印诗集。后来又著了 "*Endymion*" 和 "*Hans Alienus*" 两本小说，极端提倡浪漫的理想主义。他也做了许多有趣的文学评论。

　　⑤ 彼尔·哈尔斯托罗姆（1866—　），少年时代侨居美国，1891 年始发表空想的小说。著有民歌集，短篇小说集，神话与滑稽小说多种。有一篇戏曲名 "*A Venetian Comedy*" 颇受人欢迎。

　　⑥ 白斯（1853—　）亦是诗人，是瑞典第一个采用自然主义到诗界中的文人。因为他是服膺自然主义的，所以他的诗的字句不很美丽，而很质朴自然。

　　⑦ 莱佛尔丁（1862—1906）亦是九十年间的瑞典大诗人，以词句美妙著称，同时齐名的有个克莱（Emil Klein），然不及莱佛尔丁之诗于美妙之外兼带东方色彩。

佛罗亭(Fröding)①诸人。

五、女流作家

女流作家有拉绮尔洛孚(Lagerlöf),女流思想家有爱伦凯(Ellen Key)。拉绮尔洛孚是法国乔治英国伊丽娃以后的女流作家,是新浪漫主义的大才人。乌思卡·莱佛尔丁(Oskar Levertin)说她是"最可惊异的文学上的破格者",并非过誉。她不过在瑞典僻地当过多年女学校的教师,30岁以后,应某杂志征文,她发表了瑞典的散文叙事诗《哥斯泰·菩尔林的故谭》(*The Saga of Gösta Berling*),忽然间就博得了世界的名声。这是把哥斯泰·菩尔林做中心的浮龙哈提的传说,是密尔顿式的情趣横溢的杰作。此外的作品,有两大长篇,一是把西希利亚做背景的《反基督之奇迹》,一是描写北方农民生活与耶鲁撒冷巡礼的《耶鲁撒冷》。又有描述地主之子和某少女的恋爱小说《地主邸舍的故事》和《亚鲁奈之宝》、《基督教之传说》、《眼不能见之纽》等篇。她是得了诺贝尔奖金的女流作家②。

爱伦凯是有优秀的头脑的女流思想家。她的初期的批评著作,很有许多有价值的。此外还有著了《玛利亚纳之金》一篇,在世界上很有名誉,而后来自杀的倍奈迪克逊(Victoria Benedictsson)③,又有戏曲作家阿尔费特·阿格莱

---

① 佛罗亭(1860—1911),请参看本刊海外文坛消息第五十条。

② 拉绮尔洛孚,本文中已讲过一些,但我还想讲几句;因为我对于此人有特别的兴味。

她是1858年生于伐姆兰(Värmland)地方,幼时饱听老人讲古代的传说,故富有浪漫思想。没有怎样读过书,20岁时在乡间小学教书,直到30岁后,此时也做点小说。1891年,*Idun*杂志悬1300百元之赏求一篇小说,限定字数并限定日期。她于征文截止期前八日内动手把一篇旧稿删改,加了四十多页,于截止日之晨投进;到后来发表,果然是她的中了选;这就是那篇《哥斯泰菩尔林的故谭》了。此后她早不教书了,专做小说。1907年乌不萨拉(Upsaia)大学授以哲学博士学位,1909年得诺贝尔文学奖金。这个消息一传,很使英美人大吃一惊,因为她的不夸张的描写法是美人看了欲打瞌睡的。

③ 倍奈迪克逊(1850—1889)以描写愁苦生活之小说(*Från Skåne*)著名,她是瑞典诸女流作家中之鼻祖;她的《金钱》有人拿来和斯脱林褒格的《赤屋》相比。爱伦凯曾替她做过传。

她的著作除《金钱》而外,有《玛利亚纳》一篇,也很出名;生田春月原文把这两篇合为一篇疑误。

尔(Alfhild Agrell)①,历史小说家玛的尔达·玛令(Mathilda Malling)②和有名的柯莱芙斯卡的友人莱佛莱尔(Anne Charlotte Edgren-Leffler)③以及勃莱曼尔(Fredrika Bremer)④等人;瑞典真可称为女流作家的出产地了。

雁冰再志　5月11日

（原载1921年6月10日《小说月报》第12卷6号,署名日本生田春月原著、李达译）

---

① 阿格莱尔(1849—),剧作家兼小说家,剧本中以"*Rescued*"一篇为最,1883年出版。

② 玛令,1864年生,有名的历史小说家,曾取拿破仑事实著写小说,轰动一时。

③ 莱佛莱尔(1849—1893)以作易卜生式的问题剧著名,她是瑞典最早的讨论社会问题的女子。

④ 勃莱曼尔(1801—1865),她是19世纪中期时许多诗人中最出名的一个女诗人。除丹尼尔外,无人可与比肩。

以上加注各文家的话,恐怕仍是太简略了一点。但是为"时"、"地"所限,只可如此将就了,易卜生、般生、斯脱林褒格三人因是大家已知了的,所以不注。哈姆生和鲍具尔我在别处说过,所以也省力不再说起;约柯伯生则因本期另有拙著之论评一篇,所以也省去了。

绅士阀与妇女解放

（1921.6）

一

中流阶级做本位的女权论,主张把现时资本主义社会的本质照旧存在,只求在旧社会内谋部分的女权扩张,这不过是第三阶级民主主义的一个支流罢了。教育职业参政权等,都是女权论者所主张的,都是当然要承认的,可是这种主张,也只有少数妇人,而尤以比较的是富有阶级的妇人们,多少得了些自由,而大多数无产阶级妇人的运命,不会有变化的。对于现社会中的病根的经济组织,毫不注意,而单就表面上两三种结果努力运动,也只是枉费心力罢了。

近来就在日本国内,官立私立诸大学对于妇人也解放了,诸官厅也雇聘妇人了,在种种劳动里显出要求妇人的倾向,一天广似一天。虽在日本没有像欧美那样有组织的妇人运动,没有公然仇视舆论要求解放教育和职业的行为,而这些方面的门户却自然地解放了。这事自然不是因为日本男子比欧美男子还要进步,乃是世界大势和社会需要所逼迫,不得不在女子自己要求以前把这些门户开放的。

就是妇人参政权,也少有从根本否定的那样彻底的顽固。普通选举和别的显著的社会变化若是发生,这问题当然还能容易解决的。

这类的事,都是有制限的自由,就是在资本主义经济组织仅于有产者有利的社会里所能认定的自由。就是向来专做家庭奴隶的妇人活动,只扩张到赁银奴隶方面为止,此外并没有根本的变化。所谓妇人解放,是要使妇人成为自己行动的主人翁。所以单单把家庭中做男子的奴隶的女子引到劳动市场去做资本家的奴隶,这并不能算作解放。要之,妇人解放,离不掉一切人类解放而单独进行,而欲望全人类皆得解放,那就除了改革那一切奴隶制度的根源的经济组织以外,并无他法。所以专讲一部分的改良的女绅士阀运动,对于问题根本的解决,没有多大的贡献。

英国女子参政运动巨擘西维亚·班霍斯德女史,因为多年经验的结果,晓得绅士阀女权运动无效,就愿献身鼓吹共产主义,她的思想发展的径路,对于这一点,也给了有兴趣的暗示。

女史的父母,是费边社会主义者(Fabin Socialist),母亲爱米林·班霍斯德夫人,当南非战争之时,愤费边协会非战的态度不明了而脱会,她就是这干部的一人,那战斗的参政团体即妇人政治及社会同盟,就是她们母子做中坚的人物,名声很大的。

西维亚女史在他们所办的共产主义机关杂志上,主张激烈;她说:"议会是为着欺骗劳动者而组织的资本主义社会制度,此外并没有什么意义。"她因为有这种主张,就被当局斥她鼓吹破坏国家,主张革命,曾经受了6个月惩役。女史当时曾向法庭说:"我的思想在我未生的时候已是这样的了。你若惊讶,那是我同你完全在别一世界中做事的缘故。我父是社会主义者,我受了我父的教养,所以我向来就有了这种思想。我当初运动参政权的时候,我已发出了这种思想,只在当时还未十分觉得选举权是一种无聊的东西罢了。我以前对于资本制度努力下了缓和药。大战之始,还没有为妇人讲求过适当的救济方法,因此有很多人抱着濒死的儿童跑到我那里去,我就设备了四个寝台收容这些病儿,在晚间看护他们;我又开了一处医疗所;我一切经验,都是表示对于难救的组织要投缓和剂,终归无效。这种组织是错的,非革命不可;我为这种革命,要牺牲我一生,你们要把刑罚威吓我,是做不到的。我所受的唯一的苦痛,就是在我受罚的期内,不得不停止革命。可是刑罚的结果,终不能发生变化的,因为我和我的朋友们都痛恶资本主义,都要实行革命。我在杂志上所写的话,都是寻常茶饭事,无论是谁都能说的。经济状态的切迫,正在驱人不得不为生而求变化的样子。"

二

其次把柏伯尔那部说明妇人解放与社会主义关系的《妇人与社会主义》一书的序文译出来看看。

"我们现在栖息于这个着着进行的大社会的变化时代,我们看了社会一切阶级人心动摇和危机的增大,便可晓得社会有要求根本的变化之显著的倾向。于是有许多问题发生出来,各方面的人都热心议论,这些问题之中最为重大而且最为显著的一个,就是妇人问题。"

"妇人问题,就是研究在我们社会的有机体中,要赋予妇人应占的地位及平等权利,能按着最大的能力为社会出力,成为人的社会中有用的一人,该怎样使他的力量充分发达才好,依我们的见地看起来,又与别一个问题一致的。所谓别一个问题,就是说我们要把一切压制、榨取、贫乏、悲惨完全消灭,来实现个人及社会全体之肉体的精神的幸福,这社会究竟要怎样组织才好。所以就我们看起来,妇人问题,是现代一切人心里所通有的一般社会问题的一面,其终极的解决方法,唯有将社会中的悬隔和这种悬隔所生的恶弊除去,方能做到。"

这样说来,妇人问题,是要特别考虑的。古代社会中妇人的地位怎样?现在又是怎样?将来又是怎样?这些问题至少和人类中的一半有关系的。在欧洲各国,妇人占人口中大多数,所以这些问题,尤其与社会的大多数有关系的。而且世人对于历史上妇人地位发达的思想,误谬非常,所以这个问题,实有启蒙的必要。妇人运动,造成民众一切阶级及在妇女自身中偏见的主因。其中有许多人,以为妇人地位一定不变的,就是在将来也不会变的,妇人当然为妻为母在家庭中活动,这乃是一定的运命,所以妇人问题是没有的。这种人的想象,以为凡是与女子家庭的周围和家庭义务没有直接关系的事,一切都与妇人无关系。

于是我们晓得妇人问题也和关于劳动者地位的劳动问题一样,都有两种相反的论调。在主张维持现状的人,对于妇人只顾把"天职"两字幽闭她,以为这问题原是没有的。他们因为种种理由,不晓得几百万的妇人不能得到可以尽为妻为母的天职的地位;不晓得世间还有好几百万妇人因为正在那里感觉结婚是做奴隶,不得以在悲惨和绝望之间生活,以致她们的天职失败。这些似是而非的贤人们,对于这些事实,不加顾虑;对于那许多职业的劳动妇人,被人榨取劳动而过奴隶生活的事实,也一样不加顾虑。他们以为社会向来是这样,将来也是这样;他们依那种虚伪的假定,自己安慰自己,对于无产者的悲惨,完全不见不闻,对于这些不愉快的事实,也不见不闻。他们不承认女子与男子有相等的权利,可以享受一切文明的成果,减轻其负担,改善其境遇,而发达其一切肉体的精神的资质。妇人若更因为要享乐肉体上和精神上完全的自由,主张经济独立,即不依赖异性的好意和恩惠以谋生活,他们恐怕一定要忍耐不住,大骂这是"乱世"、这是"狂谬的解放"了。脱离不掉这种偏见的男女,总是这样想的。这类的人,好像是枭鸟,到处总喜欢黑暗,一见光明,就发出恐怖的叫声。又有一般并非完全盲目而好逞雄辩的人,认定现在这样女子的地位比一般社会的进步并不能算做不满足。他们虽认自谋生活的妇人境遇改善法有研究的必要,而对于已婚的妇人以为就没有难问题了。他们想许可未婚的妇人只可做某类一定的职业。还有一类人更进一步,他们主张两性间的竞争,不限定于低级的职业,凡一切高尚的学问、科学、艺术都可以竞争的。我们要求教育上的机会均等,各大学和别的教育机关都要收纳妇人。他们以为妇女当做官发挥手腕,——美国尤其是这样——还有少数的人,要求妇女与男子有同等的政治上的权利。这些人以为妇人也是人,与男子同为社会的一员,男子向来专把法律达自己的目的,使女子屈从,这种事实,就是妇人有参加公共事务必要的证据,所以主张男女政治的平等。

以上各种主张,似乎很有道理,可是内中有一种可注意的地方,就是那些主张,都不出现存社会组织的范围以外;这些改良案,对于是否能从根本上确实改善妇人的地位,没有省察到;只依着绅士阀和资本主义社会的思想,以女子与男子有平等的市民权,当作妇女问题的根本解决。许妇人得有职业生活,原是已成的事实,原是支配阶级为谋自身利益极力推奖的事实,他们却没有注意,并且自欺欺人。在现社会的状态,妇女的侵入工业界,实在激起劳动市场的竞争,发生不幸的结果,使男女劳动者的工资,因此低落。

在现社会中运动改善妇人地位的妇女们和助成这种运动的男子们,以妇人得到完全平等的市民权,为最后的决胜点。比那些识见狭隘、反对这种运动的人,自然大不相同。比那些恐怕于利己主义和竞争有害的卑吝动机所支配,而竭力杜绝女子受高等教育就高等职业的男子们,更是根本异致。可惜他们对于劳动者和资本家间所有的阶级差别,却没有注意到。假使主张参政的绅士阀果然达到目的,实现了男女平权,我恐怕性的奴隶制度——就无数的妇人说,现在的结婚,也在其内,——不能完全废掉,妻的经济的依赖主义,不能打破的。在现社会里比较多得幸福的几千妇女们,虽然受高等教育就高等职业,做公吏,大多数的妇女们,与她们仍然没有关系。而且全体妇人一般的状态,也并不因此改变。

妇人负着两重桎梏,第一,妇人对于男子守社会的依赖主义之结果,在社会上不得不困于劣等的地位;法律上形式的平等,虽然略略可以缓和这种状态,却不能完全救济的。第二,妇人因经济的依赖主义之结果所生的苦闷,既然是妇人所共有的;而且更是无产阶级的运命,与无产阶级的男子相等。所以我们的意见,以为一切妇女们,不问她社会的地位如何,在社会进化的过程上,实在代表被男子所压迫所虐待的性,所以靠变更现代国家的法律制度及社会组织,来除去这些不便,固然是妇人共通的利益。然而为妇人之最大多数计,还应该更进一步,彻底地改造现存国家和社会,庶几可以撤废于劳动妇人最有害的赁银奴隶制度及与现时产业组织和私有制度有密切关系的性的奴隶制度。

加入绅士阀的参政运动而活动的妇女们,却不认这种彻底改造的必要。她们受了特殊的社会地位的影响,视无产阶级猛进的目的为危险,认为有反对的必要。随产业问题的成长而增大之资本劳动两阶级的反目,在妇人运动之间,也明白表现出来了。这些妇女们,在阶级上互相敌对,比那些加入阶级斗争的男子们,更有许多共通点,纵使她们从另一方面进行,也可以一致的攻击敌人的。在现社会制度之下,一切男女同权的企图,即如适应体力能力以就职业的权利,以及社会上政治上各种权利,都是一样的;这是极重要极远大的目的。除努力达到这些目的之外,还要与男子劳动者相提携,造些制度法律使劳动妇人不至有肉体的精神的颓弱,维持她们的健康和体力,使得尽其为母的职分,才是劳动妇人的大利益。更进一步,要和同阶级的男子协力行动,为社会根本的改革而战,建立一种社会制度,使两性得以完全享乐经济的精神的独立,这又是无产妇人的义务。所以我们的目的,并不是绅士阀妇人运动唯一的目的,只在现社会制度之下,要求实现男女的平等;实在是要更进一步,把所有女子依赖男子,一人依赖他人的一切障害都要除去。妇人问题的这种解决法,是与社会问题的解决符合的。所以要想根本解决妇人问题的人,不可不和那为全人类利益而解决社会问题的人即社会主义者相提携。

从来能够把"妇人完全平等""脱离各种依赖主义和压制"等项,插入政纲之中的,只有社会党。这并不是宣传社会主义,实在是因为有一种必要。为什么呢? 就是因为两性社会的独立和平等若不存在,人类的解放,也是不可能的。

(原载 1921 年 6 月《妇女杂志》第 7 卷第 6 号,署名日本山川菊荣原著、李达译)

《共产党》第六号短言*

（1921.7）

　　数十年前,世界社会党人早就料定了资本主义瓦解的时期快到,将来世界一切战争都是帝国主义的战争。社会党人又预先警告了资本阶级:将来帝国主义战争演出大罪恶以后,无产阶级的报复手段,就是实行社会革命。

　　果然1914年的欧洲大战发生了!联合国的残忍也不亚于协约国的凶横,举全世界一切物资和财富,都为支持战斗力消耗尽了。结果,俄德奥的帝国主义完全崩坏,英法意也十分困倦了,只便利了美国和日本收了渔人之利。但是俄德的社会革命,建立了社会主义的国家,数十年前社会主义的预言,完全证实,赤色的潮流染红了全世界;资本主义的坟墓早就掘好了。

　　那些无识的帝国主义者的领袖们,却还想支持资本主义奴隶全世界。可是巴黎和会再也想不出弥缝资本主义的破绽法子来,国际联盟已成了"英帝国的外交局",威尔逊大炮达不到他所预定的宰割天下分裂河山的目的,脱退了国际联盟把野心集注到东半球来。哈定新做总统就师承了威氏的故智发起了太平洋会议。奸商的英国预计这桩利息不少就决然加入,狡猾的日本也满怀狐疑地加入了。还有那惯于掠夺中国无产阶级当猪仔的徐世昌,想乘机做个猪仔行长也欣然加入了。于是那班想充猪仔行走狗的政客们,也众口一声欢迎这个会议发出什么"正义""人道""门户开放""机会均等""领土保全"的呼声,这真是做梦呢!

　　太平洋会议就是英美日处分中国的会议,什么"正义""人道"就是掠夺和分赃;什么"门户开放"就是自由到中国夺取富源;什么"机会均等"就是均分

---

　　*　本文原标题为"短言"。——编者注

中国财富;什么"领土保全"就是把空壳留下来,利用那班中国的政客军阀做他们的账房和监工者,来搜刮压榨中国无产阶级供给他们的利益。

太平洋会议的效力如何,我们可以不问,但是它的作用,却不过如此。

中国的劳工呀!我们处到这时候,这是让那强盗的列国宰割我们,让那班政客军阀把铁锁系在我们肩上任凭他们掠夺压迫吗?或者讲求自卫的方法,把这要破产的社会夺到我们手里来行社会主义的改造?我们要扑灭世界资本主义,只有举行社会革命建设劳工专政的国家,方能挽救当前的危机,免掉将来的苦痛!

（原载 1921 年 7 月 7 日《共产党》第 6 号,未署名）

世界消息

（1921.7）

日本社会主义同盟

日本社会主义运动,已经有了二十多年的历史。明治末年,幸德秋水等人革命计划泄露以后,日本政府对于社会运动的压力加大,因而社会党人大受压迫,于是社会运动一时差不多停顿了。只不过界利彦、大杉荣、山川均、荒烟腾三等人,各守壁垒孤军奋斗罢了。

欧战以来,资本主义的势力,在日本发展得如同疫疠一般;日本的无产阶级,受尽了这疫疠的毒害,于是许多社会主义者,就陆续出现了。于是日本社会主义运动,一天一天的激烈,大家都觉得有增加战斗力,组织新团体的必要,而"日本社会主义同盟"就应运而生了。

最初发起的人是赤松克磨、荒田胜三、麻生久、界利彦、大杉荣、山川均、山崎今朝弥、大庭柯公、加藤一夫、加藤勘十、高鼻素之等三十余人。这些人或是老社会主义者,或是劳动团体中人,或是思想团体的人;凡是社会主义的人,都不分派别,一概网罗起来,要组织一个大大的团体。

发起之后,就大大地吸收党员,由发起人分赴各地游说,开讲演会、演说会,一面又发行《社会主义》杂志,努力宣传主义。

从去年 7 月发起,到 12 月为止,不过四五个月的工夫,各地方请求入党的人,就达到 3000 名之多。到 12 月 10 日正午就在东京神田美土代町青年会馆,开创立大会,选定赤松克、麻生久、服部小一郎、江口涣、布留川桂、桥浦时雄等人为执行委员,于是宣告成立了。

同盟成立之后,日本社会主义运动,气势大为紧张;他方面日本政府的压迫,也就跟着加大了。本年上期,各地工人罢工运动蜂起,色彩颇为鲜明,该"同盟"党员运动的效力不少。这可知日本社会主义运动,已经是成了一般民众的运动了。这"同盟"做的事业,首先就是图谋社会运动的联络,在地方设立支部,大阪、神户、盛冈、广岛、金泽等地方已经设立了支部的。其次扩充党员,其次在各地方开会演说,宣传主义;其次开讲会,聚集各会员为主义之研究。所做的事业,虽然没有积极的效果可言,但是该同盟的根基,确是站在无产阶级的地盘之上,将来的发展,实在是不可限量的。

本年 May Day 运动的时候,日本的劳动界,全靠这同盟的努力,在东京帝国政府压制之下,公然干了一面亘古未有的大示威运动,这是很可注意的。

五一运动以后,这同盟就准备开第二次大会,要确定新计划,发表宣言,大谋发展。但是东京政府看了五一运动的气势浩大,就害怕起来,对于社会运动要大施压迫,不消说,"同盟"中的分子,个个都是受了私服警察的监视的。但是这同盟中的重要人,很有不少的敏捷分子,能够脱去警察的监视,出来从容容地筹备第二回大会。第二回大会定在五月十日开会,但是开会之前,资本家的报纸,鼓吹得非常厉害,东京政府忙迫异常,好像"八公山草木皆兵"一样,警戒是十分严重的。

大会的形式,是标明"思想问题讲演会",但是东京政府,早就知道这讲演会的内容,就是"日本社会主义同盟第二回大会",所以警所的戒备是丝毫不稍懈怠的。开会时间,本定在下午 6 时,但是下午 4 时的光景,会场中早就人山人海,拥挤不堪。警厅防卫森严,到场示威的警察,差不多有 3000 名之多,见了注意的人物就捉去,其用意就是想把这"同盟"中主要分子看守,使这个大会开不成功。但是定刻一到,高津正道、八幡博道、江口涣、服部滨次、川口正助等人,忽然间在听众中显出来,跳在演坛上宣告开会了。警察看了这种光景,就向演台上跑去,想把这些主席的人捉去了事。高津正道晓得形势不佳,就立刻向会众提出特别动议,说:"刻下形势紧急,若是大会不能进行的时候,宣言的决定和委员的选举,一概委任现在的执行委员办理,赞成者请举手!"刚才说完,大众就一致鼓掌赞成,"社会主义同盟万岁!"之声,狂呼不止。警厅看了气愤不过,但是也没有方法遏制,只是绝对不许人在演台上开口,一面勒令解散。会场之中,布满了"自由人联盟和大众运动"的传单,又有大书"革命"二字红旗,高高悬挂,警察只是周章狼狈,依然是没法防止的。散会之后,又有一大群打着"无政府革命团"的大红旗,整队街中行走,警察团看了手慌脚乱,连忙跑去把大红旗夺了,把先列的人捉去几个,这个队伍就被冲散了。这"同盟"第二次的大会于是告终。这一回同盟中分子被东京政府捉去的,前后共有四十余名。

如今再把该"同盟"第二次大会宣言记录于下:

我们如今当着日本社会主义同盟第二次大会开会的时候,特在这里发表这个宣言。

自从去年12月9日我们结成这个"同盟"以来,到现在只不过半年工夫,从日本为始以至于全世界社会运动劳动运动的倾向,都发生了很明显的变化了。俄国劳农政府,因了继续不断的努力,巩固了它的基础,终究能够使那些周围资本阶级的各国,不得已来和它们俄国妥协通商。

英国的社会运动的气势,在一切方面都扬起了气势;使得那些资本阶级都日夜的战栗起来。而尤以那三角同盟的大努力,对于它们,实是真可恐怖的威胁。

其余自美国和法国为始,以及欧美各国的社会运动,都越发倾向于左派,其中如德意志、意大利两国,现在又要进到新的革命状态了。

又在东洋,无产阶级最近骤然增大了势力;印度朝鲜的独立运动,其内容渐渐地变成社会运动了。又如中国广东政府面目一新,加了赤色的浓度。

照这样的世界大势,实在是指示我们:基于真正自觉的无产阶级运动,已是明明进到伟大的革命时期了。

再回顾我们的日本,资本阶级越发横暴无所不至;无产阶级的运动,到处都受它们恶虐的迫害。尤其是没有言论集会自由一事,其迫害完全无可比伦。就是现在,我们的"同盟"成立以后,同志被逮捕入狱的,不知其数。他们这样暴虐,还不满足,更唆使各种恶徒团体,日夜威胁我们的生命。

他们又趁着经济的动摇,越发逞起他们的毒手,把劳动者当作敝屣一般,弃于街路而不顾。

世界大势既然是这样,日本现状也是这样。这时候,我们更要一新阵容,振起浑身的勇气和力量,攻击资本制度的城垒,行更猛烈的战斗。

照这样做去,到了我们的力量能够把这些压迫、横暴、不合理的事情扫除的时候,到了最后的胜利确实归到我们手里的时候,这时候才能够真正创建合于我们人类的正当的社会。

日本社会主义同盟宣言

以上我把日本社会主义同盟大概介绍过了,但是我有几句话要说;日本社会主义运动,已经有了民众的根据,这是一件很可喜的事。只是就他们宣言上看起来,他们还不会把他们所取的革命手段,明明白白地表示出来,这却是令我们些小总有点不能满足的。劳工专政是达到共产主义的唯一手段,我很希望邻国的同志们,一点也不要迟疑地、从速地去决定采用劳工专政。

日本神户造船工人大罢工之经过

日本工人近年来阶级的觉悟程度日益增高,每月罢工之举,不下数十起,最有色彩者,就是这一回神户地方川崎、三菱两造船厂的三四万工人的大罢工。他们在罢工后占领工场、示威运动、抵抗军警等举动,都可说近年来未有的快举。可惜他们的罢工,基金不足,罢工三十余日,终不能战胜那般有金钱势力的资本家,演出最后的失败。可是把他们的宣言看起来,他们那种悲愤填膺、卷土重来的决心和壮志,实在令我们佩服不止。所以我在这里慎重地把这罢工的经过,简单介绍出来。

(一)罢工的酝酿

三菱造船所工人,为要求增加工资,实行八时间劳动制,遂于6月24日开一委员会,决定要求条件,以为战争的准备。次日将要求书,提出于造船所当局。要求书的内容为团体交涉权的承认、实行八时间劳动制、每日增加工资5

角等九条件。船场当局接书后,极力设法软化工人;双方交涉无结果。

川崎造船所工人因船场主去年不分红利之故,大起不平,也于 6 月 28 日决定向资本家要求条件:(一)采用企业立宪原则,而实行工场委员制,(二)承认团体交涉权,(三)增给退职津贴金与男女工人等。随即举定实行委员和会计等。运动费由工人各出一日的工资,作为基本金。于 29 日将要求条件提交会社,声明若会社当局不容纳时,即用相当日手段对付。

三菱工人要求条件提出后,工场主方面不听,全体工人大愤,29 日起实行怠工。就和工场主管理人冲突,工场守警出来干涉,工人就和他们格斗,场内大起混乱,职工数千人,都愤愤不平。

川崎造船所电气部工人,以电正会名义,举出实行委员,和工场交涉无效。7 月 5 日,委员将经过情形印刷传单,趁工人在工场休息时,分配与全体;因此,全体工人都了然会社无诚意,表示示威运动。一方友爱会等六团体的组合联合会,本诸四日的决议,以贺川丰彦、久留弘三、佐佐木纯一、野仓万治四人为委员,慰问川崎工人并访川崎造船所当局,告以团体交涉权的意义,当局者不听。

二日以后,三菱工人愤会社不诚,即现险恶形势。各代表委员四出运动,准备罢工方法,而会社忽将代表中一人开除。所以五日□机部职工 800 人,又提出实施工场委员制度等六条件。一方面各职工,也每人拿出一天工资,慰藉被牺牲者。于 6 日晚,复开大演说会,弹劾会社。

川崎造船所当局,于 6 日那天,将工人举出的实行委员开除 17 人,工人益形愤极。7 日上午,一般工人和被开除工人一齐入场,各委员向全场游行演说,职工被感动,全体举行怠业。复由职工中选出警保员、通信员、巡查员等,将造船本场之一部,径行占领。

造船所职工既占领工场,一方兵库工场职工,也来川崎本场助威。7 日午后,集数千人做示威运动,大队访问三菱工场,高唱《劳动歌》,闹至晚间始散。至 8 日,川崎工人全体罢工。

(二)大示威运动

川崎工人于 8 日全体罢工,开始行大示威运动。先由本工厂整队向兵库分工场进行,途中高唱《劳动歌》。大队到兵库工场后,兵库分厂的铸工、机械工、木工、飞行机工、摩托车工各部工人3000余,即出来应接。会集后,复向三菱工厂出发。三菱工厂万余职工,久已罢业,到这日也出而和川崎示威队相会。会后排起万人大队,狂呼高唱,反向川崎工场进行,途中并访问各报馆,述说示威意义。午后,至三仓山公园三呼万岁而散队。

9日,全工厂都归职工手中,凡会社职技师等,一律不准入场,而各职员技师等惮于工人的权威,也都不敢近工厂大门一步,所以工厂里非常平静。是日午后,川崎职工委员在会社事务所和经理会见谈判条件,于是有职工七八千人,也拥至会社门前,呐喊声援,经理职员等都惴惴不安;所有会见没有结束,经理等就跑了。川崎工人占领工厂和示威游行等,极有秩序,而行动亦极严整,堪称阶级战斗的模范军。所以友爱会为欲使此模范军的阵容遍传全国,特将各节摄为活动影片,分送全国各劳动团体,巡回开演。三菱工人,于9日上午仍行示威运动。全体职工作蜿蜒数里之长蛇队,高唱《劳动歌》,并飘扬数十长旗,在大街上进行,先由三菱工厂,然后到川崎各工厂巡回一周。

10日,神户各劳动团体举行大示威游行。参加示威队的团体有,电正会(军乐队在内)、川崎造船造机造罐各部、三菱造船造机印刷各部、友爱会支部等,共35000人,排成十里大队,前队军乐高奏,后和以《劳动歌》,由神户市山上山下,进行示威。途中并有大坂住友伸铜所、大坂铁工所、大坂印刷工组合、相泽造船所、尼崎久保田铁公所等二十余团体底工人数千名,先后从各地方到神户车站,加入大队。神户工人见大坂各地工人前来援应,即全体到车站欢迎,高呼万岁,握手高歌,做种种感快之状。大队行至山下凑川广场,由示威总指挥久留弘三作壮烈的演说。对于大坂各地来援的队伍,则尽诚招待。这次示威,据总参谋贺川丰彦向人说,秩序严整,不但日本从古未有,即在英美也不多见,由此也可知其价值了。

(三)攻打工场

三菱会社当局,连日见各工人示威猛烈,遂将各工场大门严行锁闭,罢工职工不得入内。11日,三崎内燃工,和造船部工等约3000人,拥至工场门前,要求会社开门,会社当局不应,各工人遂用铁锹、铁榔头,将工场大门开破,闯入场内,联合电气工人,与场内警察守备队大演战斗。结果,工人警察互有损伤,异送病院,一部分职工遂将三菱电器工场占领。工人既占电气工场,大队复攻打内燃机工场,铁管、玻璃窗均被打破。及攻开内燃工场里门,又与警察血战一场,至深更始停战。

同日午后一时,川崎本工场电正会工人,排队向茸合分工场出发,攻开表门,先将工场占领,然后驱逐工场职员技师。复发向神户制铜所工场,工场主得悉,早已将铁门紧闭,不能攻破,仅用砖石将各门窗玻璃打碎而去。是日,川崎各工场工人,皆照常做工,较之资本主管理工场时尤为整齐。在造船造机各场,各设参谋本部,计划与资本主长期对抗。自茸合工场攻下后,全体万余工人,都作武装准备,各持应用武器,出场举行大示威游行,而场内则另置守卫工人。

(四)交涉决裂

三菱工人代表友爱会长铃木文治和三菱工场代表武田交涉。武田不承认团体交涉权,如若强求,宁销闭工厂,并归罪友爱会。铃木等大为愤慨,当武田面前,拍桌打椅,痛骂资本家一顿。并谓我们指导劳动运动,并非徒为卖名,你们不醒悟,工人自有相当的手段对付。出社后,遂电告神户罢工团,谓资本主方面毫无谈判余地,劝其努力开战。

三菱工人,接到东京交涉破裂的电信,即准备直接行动。而工场经理于12日夜间,即将各工场潜行锁闭,并宣布临时休业10天。次日工人来集,见工场内外张贴此种布告,仍然不紊秩序,继续举行示威行列,访问三崎各工场。一方面即举代表多人,向工场经理职员,要求下列条件:(一)休业中,廉价米和会社仓库卖品,仍由会社供给。(二)照常发给工钱,其他还有三条。工场当局对于第一项,没有意见。对于第二项,则谓须待20日再说。其他亦各含糊答复。工人复有他项要求,也全被拒绝。

(五)锁工场

川崎造船所,见工人宣布管理工场,很为危惧,于是依赖军警的力量,于工人回家的深夜,将本分各工场一齐锁闭。小门窗户等也严闭封锁。场内揭示临时休业 10 天(14 日起)。在休业期中,工人发给半额工资。一方面警察队、宪兵队、陆军队、分布工场四周,设武装防卫线,无论何人,不准越防线一步。海军水兵数百人,也到场警戒,至于工场原有的守卫,则举行总动员,其势汹汹,如临大敌。工人在街市排队游行的,也遭制止。

22 日是三菱工场休业十天满期,工人应该上工的日子。工人对于会社当局的这种妄想,毫不理会。于 21 日即开会协议,委员 73 人,赞成继续罢工的有 71 名之多,结果通过继续罢工。会社方面,揭示布告,说 22 日后不上工的以后不再发给工资。工人们既决心战斗到底,哪里还管你发工资不发工资?所以会社没方法,就只得宣告无期休业了。

(六)工警之血战

7 月 29 日,川崎造船所罢工团一万多人开大会,贺川丰彦和其他友爱会干事等都到场中演说。开会时,一万工人齐唱劳动歌,并由工人代表,高读誓文,然后整队向市街出发,行大示威运动,复由市街向川崎造船所进行。警察大队见工人队来围造船所,即布防卫线,制止工人。工人愤怒,大骂警察。双方相持不下,忽工人们一声呐喊,冲破防线,拥至造船所。这时警察队、宪兵队、骑兵队等,都来弹压。工人益愤,遂即投石向军队中乱击,势如暴雨。军警也怒,拔剑乱砍工人,双方流血的至 70 余人。

警察遭此大创,复开紧接会议,谋制工人。会议后,即暗派警察无数,到工人俱乐部和友爱会支部等处,将罢工团的干部人员,齐行捕去。计自贺川丰彦、久留弘三,以至佐佐木纯一、野仓万治,并其他各职员等,共拘去 120 人之多。

三菱造船所工人,亦集万人开会演说,忽闻川崎工人流血消息,遂即不顾其他,齐向川崎工场出发。途中三菱工人,异常愤激,唱歌号呼,声达数里。至楠宫神社前,齐欲入社门,被警察拦阻,工人大怒,即并力冲破警队,群入社中。警察见形势不佳,即行让步,不再制止工人,因得平安无事。

罢工团虽失领袖,但工人团结精神仍是非常坚决。30 日,川崎、三菱两处工人复联合示威。由和田宫神社,向凑川神社,至西门丁宅街,又和警队大战一场。工人负伤的都送入医院。警察方面也小有伤损。29 日工人方面被拘百余人,30 日又捕二百人,计前后拘捕的有三百多人,都在警署拘留。

(七)罢工团不受调停

29、30 日两战后,警署益加施行高压手段。示威运动,绝对禁止,即 50 人以上的室外集会,亦不准行。工人无法,即在室内开会,讨论对战方法。

会社方面,对于神户市选出的县议员等的调停,则一概拒绝,坚持原来主张,不稍让步。一方面仍继续开除工人。计前后两场共开除工人 800 人之多。此时警察则将罢工总指挥贺川丰彦氏送入检察局监留,准备起诉。

8 月 1 日后,神户市市长和县知事担任调停事务。但工场方面仍持坚决态度,不肯更易原来主张;而工人方面对于自己所要求的实施工场委员制度,和自由加入劳动组合,实施八时间工作等条件,也是不肯让步;所以调停无效。

(八)悲壮的失败

市长和县知事出任调停,依然没有效验。而一方工人因三四十天的战斗,也渐渐疲惫。团体精神涣散,至 8 月 8 日,工人自由复职的日渐加多。大部分工人见市长知事的调停,大都不利于工人,因即愤而宣言,不用调停,无条件自行上工。到了 9 日,果然两会社工人都自行复职了。那宣言附录于下:

我们工人,既没有刀剑,又没有枪弹,我们只是徒手,与你们这些横暴的资本家残虐的政府苦战四十多天。现在你们更加逞了你们的威风,想来压服我们工人;我们因为种种的关系,暂且饮恨含泪,向你们停止宣战。可是你们这样残暴的样子,我们永世也不会忘记;不但不会忘记,我们还要从事团结,从事运动,把我们劳动阶级打成一片,将我们真理的种子散布天下;倘是我们得着机会,我们还是要与你们血战一场,以获得最后的胜利。万恶的资本家呵!残暴的政府呵!到了那种末日,你们只是向我们发抖呢!你们休小视了我们的团结呵!还有一件我们不能忘记的事,就是有许多的职工,因迫于一时的生计,蔽于目前的利诱,以致中途畏缩;这种不道德的行为,实在是我们的大耻;我们为团结计,是不能不惩罚他们的,但是我们盼望以后不会再有这种不道德的行为,那才是我们的真精神。我们现在痛恨万分，有如利刀围绕，我们只有暂且收兵，等待时机，再谋恢复而已。

（九）罢工之价值

大家看了这些罢工的经过情形，必定说是工人的失败，但我却说这是工人的胜利。在资本主义势力跋扈的今日，工人自然没有资本家那样的持久力，失败是当然不能免的。资本主义正在自己掘自己的坟坑，不久终须自灭，只不过有迟早的问题罢了。所以劳动阶级，只要团体坚固，猛勇向前，一些小的挫折，值不得注意。最危险的事，就是怕了受资本家所软化，以致阻碍自己向上的热诚，这一回川崎、三菱的工人，始终坚持要贯彻自己的主张；主张不能贯彻，宁可忍痛收兵，养精蓄锐，以图再战。这种地方，是工人方面阶级的觉悟底表现，我们看了他们悲壮的宣言，和罢工中占领工场、敌抗军警的勇气，以及失败后联络工界的计划，就可以知道他们的志气不小了。"卷土重来未可知"，他们的大举动，不久又要出现的。

英国共产党大会

4月23日英国共产党在曼彻斯特开正式成立大会，到会者有31个支部的代表144人。还定 Macanus 为党之理事长。次决定党名为"大英共产党"。次决议六事。

（一）本党加入第三国际共产党。

（二）本党以建设共产主义共和国为目的。所有人民，在经济上社会上的地位一律平等。用社会革命打破现时工钱奴隶制度；用教育手段，使人民赞成共产主义；行社会的运动，促进劳动阶级之社会革命。

（三）为达社会革命目的，本党要劝诱劳动阶级，采用俄国劳农会议或劳动者会议制度。

（四）本党认无产阶级专政为推翻资本主义完成共产主义之必要手段，为预防捣乱党及反革命派之安全方法，特决定采用无产阶级专政制。

（五）本党立即实行教育民众，使他们了解共产的原理。本党要用极果决的行动,反抗资本主义。用产业组织、社会运动、革命政治、议会运动努力指导劳动阶级,向着革命的方面前进。

(六)凡赞成国际共产党之党纲者皆得为共产党党员。党员有诚实服从本党公意之义务。党之利益,应在一切利益之上。党员要负自己训练之责;以副本党的要求及必要。

(附记　英国国共产党现有两个机关报。一如周刊名"*The Communist*",一为月刊名"*The Communist Review*",此外更有小册子多种,发行期不定。)

美国 I.W.W 与国际赤色劳动组合协会

美国 I.W.W 的一个指导者赫维特氏,关于美国 I.W.W.对国际赤色劳动组合协会的态度,曾经对某报记者说过下面一段话:

"我是希望美国 I.W.W.一致投票赞成或加入国际赤色劳动组合协会的。我只是因为亲眼看见国际赤色劳动组合协会的理想实现才活着的。这就是我全部的希望。这就是 I.W.W.的理想。"

于是把英国代表出席于协议会的马菲所作的小册子,说协议会的代表者将要作劝告书劝 I.W.W.和别种没有加入而有工团主义倾向的团体加入该协会;一面又说:"我是不待他们劝告的。我晓得他们的计划和表示。我知道这是和我们协同进行的。他们现在所做的,都是 I.W.W.当初的目的和目标。我也可以说我的意见是:'美国一切纯粹的组合都可以加入莫斯科国际赤色劳动组合协会的。'"

有人问他,今年赤色劳动组合会开会议时,I.W.W.也会加入么? 他说:"我从没有听见过一句反对加入的话。"

赫维特的意见,自然不就是 I.W.W.的意见。但是他现在是参与 I.W.W.的执行机关的。他自从 I.W.W.创立以来,除了入狱的时间以外,每次都出席于协议会,大家都把他当作 I.W.W.的首领看待的。他的意见,自然在 I.W.W.之中,占有重要的地位。

他本是产业组合主义者,不承认政治的行动的。但是关系革命的方法,的确改变了,这一层我们可以从他所说的话的当中看得出来的。他完全承认要组织纯粹革命团体,作为革命的急先锋。这是表明一般美国产业组合主义者,已经渐次承认共产主义更广泛的政治哲学的倾向了。

莫斯科新苏维埃会议的形势

莫斯科新苏维埃会议的第一次会议,已于5月13日举行,此次苏维埃共有代表2015人,其中共产党员占73%,无党工人占25%,反对党仅仅占了2%。计孟色维克12人,社会革命左党6人,社会革命党4人,策奴维安社会党1人,无政府党5人。《劳动报》说:"就这次苏维亚的组织看起来,可以减少各种无意识的辩论,而从事实际事业。劳动界利益,将为此次苏维埃讨论的先决问题呢!于苏维埃开会的前一日(12日),共产党代表会举行会议一次,由克曼尼甫(Kamnev)主席报告其所拟共产党在苏维埃中的次序单,其中包括报告俄国内外形势、莫斯科粮食状况、预防疾病的方法、执行委员会中无量者代表的特别选举。无党者代表萨卡罗甫氏(Sakharov)代表无党者全体加入此次会议,在演说中,宣言他们已预备与共产党携手,要求于执行委员会中加入相当代表,最后乃决议允许无党者代表17人加入执行会会员。"

法国劳动联合会将加入第三国际

据莫斯科7月16日的来电,第三国际执行委员会会员法人洛列斯(Rorist)对洛列斯特通信社的记者说:"法国共产党,已经变成保护普通人民权利的人;法国劳动联合会,将要开大会决定加入第三国际或第二国际的态度,但就现时工人的倾向,大多数倾向于第三国际,大约不久即可加入第三国际。"

万国少年共产党第二次大会

7月9日万国少年共产党在莫斯科开第二次大会,到会代表150余人,代

表 40 国。据莫斯科真理报所载,万国少年共产党自举行第一次大会以后,全世界党员增加最多,据各代表报告,现时党员,已超过 80 万人。这些青年,都具有为共产革命牺牲之大精神,将来世界革命运动,其猛进必非常可惊。

万国女共产党大会

世界各国妇女共产党员于 6 月 11 日举行大会,到会者 82 人代表 28 国,决议以 3 月 1 日为万国妇女工人之纪念日。

(原载 1921 年 7 月 7 日《共产党》第 6 号,未署名)

国内消息

（1921.7）

上海劳动界的趋势

上海是中国第一商埠,工厂最多,劳动者之数,不下 50 万人。但是工人们都由各地聚合而来,分子非常复杂,言语风俗感情,很不一致。他们里面,有青帮红帮之分,又有广帮、宁帮、杨帮、苏帮、江北帮之分。帮既不同,感情亦异,所以往往互相排挤,转忘了共通的敌人的资本阶级。所以希望他们为阶级的结合,实是一件难能之事。

欧战以来,资本主义的势力,在中国大陆,愈益猖獗;因而劳动者所受的压迫和掠夺,也就跟着增加起来了。劳动者受掠夺和压迫过甚的结果,当然要发生觉悟出来。近二三年间,上海工界罢工举动迭发,虽然他们为了要求增加工银而然,却也可以说这是工人觉悟的起点。只是工会的组织,在以前也会有些人组织了一些莫名其妙的工会,如中华总工会之类,但是有名无实,并不知劳动运动的方法。至于办理得有精神有色彩的工会,要算去年组成的机器工会和印刷工会(近来听说,这两个工会,更要努力发展,图谋改造,想将来必更有进步)。

今年的上海劳动界,比以前更不相同,阶级的觉悟,也较前进步,罢工的呼声,差不多天天都可以听见。最大的罢工就是春间电车工人同盟罢工,不过两三天工夫,就把那些资本家吓得手慌脚乱,逼得他们不得不承认劳动者的要求条件。其次的大罢工,要算此次英美烟公司的工人罢工了;这层在后另行详述,这里毋须细说。

最近两三月间,上海劳动界反抗资本家的空气愈益紧张,工人自动的组织工会,创办劳动学校,都是很好的现象。照这样发展下去,不出三五年,上海劳动界,必定能够演出惊天动地打倒资本制度的事业来的。

上海英美烟公司工人罢工记

上海浦东陆家嘴英美烟公司老厂三层楼上的机车间工人,因为受不过洋监工的虐待,群起要求撤换洋监工,大班不允,遂引起了这次翻天掀地的数千人半月余的大罢工。现在我把他们罢工的经过写出来。

7月20号老厂机车间工人百余同盟罢工后,次日就派出代表数人往新厂机车间求援。新厂机车间以为义不容辞,并且也曾感受同一的痛苦,就于22日和老厂机车间表同情,取一致行动,全体200余工人也同盟罢工起来。厂主方面大显其威,将老厂代表张涛一名带往警署监押。两厂工人大愤,越发固结团体,全体共计约八九千人,都表示同情,相约加入同盟;又由两厂共举出代表十余人,组织代表会议,办理一切。议定开全体大会,共商对付。代表等在未开大会前,遂预备罢工宣言并传单数种,以便鼓吹反抗运动。至27号早7时,在吴家厅开两厂工人全体会,到会者途为之塞。会场中将宣言一致通过,并发布传单,议决不达目的不止。又发出宣言书说明罢工的原因,并要求八条件:(一)现在普遍地增加工资;(二)以后仍旧要按期加薪;(三)撤换虐待工人的监工;(四)罢工期内的工资无论如何要照发;(五)以后不准虐待工人;(六)星期六半天工及星期日的工钱无论如何要照发;(七)凡年节假期的日期也要照平日一样发工钱;(八)无论如何,不准开除工人的代表。

但是厂主威风太大,不肯允许工人的要求,工人的团体也坚固,不肯屈服,双方相持至十日之久。7月1号,工人开"全体大会"。厂主命一买办到会和解,众不听,要依照宣言上的要求奋斗到底。决议致函总经理,要求其承认条件,又致函警察署,劝其勿加干涉。于是工厂主方面的威吓利诱的手段也不中用了。

5号早6时两厂全体工人,举行游街大会,各执三角旗帜,上书"工人自决""还我血汗""增加工资""减少时间"等字样。全队绵延约三四里,每队后皆有大旗一面,上书"英美烟厂全体工人示威运动""劳工神圣""谁敢侮辱"

"增加工资""减少时间"等,齐投警厅,由代表等呈递呈禀要求维持生计,并要求将被拘工人汪有才开释,以安人心。徐厅长立派科员出外,向众开导,立将汪有才减轻一日拘役,权令速散。工人等始各应允,仍列回队浦东,复在吴家厅开大会,决定最后办法。(一)俟汪有才出狱,再向厂家议上工的条件,如有违者,即以严厉手段对付;(二)在罢工期内,如有同仁中伙食费无者,同仁当互相帮助;(三)与厂主议上工的先决条件:(甲)罢汪买办;(乙)逐工头王凤山;(丙)不得纵警察伤害工人。如以上三条不决定,绝不与厂主接待云。

次又通电各报馆、各工会、各团体,陈述英美烟公司克减工资、殴辱工人种种苛虐情形,请求主持公论。厂主见此情形,大起慌恐,大班毛利斯急派代表朱桂生往工人代表团请派出总代表数人,与大班开正式谈判,以谋早日解决。7号上午10时工人代表派出总代表4人,毛氏大班预备汽车一辆,到新关迎接工人代表。该代表刘奉臣等4人遂乘汽车至毛氏家,双方对坐谈判;毛氏称对于所提八条件除第一条外都可赞成。代表未允。

8号7时,全体两厂工人在吴家厅开大会。首由代表许某报告七号接洽经过,对于第一第二条,稍为让步。是日晚已有结束趋势,当时大班毛利斯商量,请其在条件上签字,并交出2000元,大班意见,允许发给1800元,唯此款必得大家上工后始能照发,至于签字一层则委朱某为其代表签字。9号晨朱君即将上晚和大班接洽结果,向众代表报告。大家以为照此情形不如承认为妙。至10号17时,两厂全体工人又在吴家厅召开大会,首由代表报告由大班毛利斯代表朱君签字之八条改正条件。(一)罢工期内赔偿损失1800元整;(二)现在各间普遍的增加工资每人至少5分;(三)工人罢工代表不得开除;(四)撤换洋监工及汪薇舟;(五)星期照发全天工资;(六)每年照例加薪两次每人每次至少5分;(七)以后不准虐待工人;(八)以上各条由大班代表签字履行以昭信守。当时又决定本日下午,放炮庆祝,全体一律上工。其交款手续,则先由朱君给一凭条于工人代表,约定星期日由双方代表同往大班毛利斯处领取。更定于下星期一开大会,讨论重新组织工会问题云。

此次罢工相持有二十多天,该厂所受损失已有百余万;而工人方面办事之精神毅力果能达到此种较素来更满意的结果,真是向来罢工所无的呀!愿该厂劳动界同胞,尚要努力勿懈才好。

上海烟草工人会将告成立

上海英美烟草公司的工人,自经过三星期的罢工后,都自觉到团体组织的必要。现在由他们发起组织烟草工人会,业经发出通告书,征求会员,听说签名入会的已有400余人,不久即可开会,通过章程,正式宣告成立了。

该会会章以联络感情、实行互助、谋改良地位、增高生活、得到共同幸福为宗旨。凡是上海烟草工人,都可以入会,又有特别尽力于该会的人或该会雇用人,经该会代表会议通过,虽非工人,也可认作会员。

至于该会实行计划,分为六项如下:(一)救恤会员:遇会员中有疾病死亡残废、衰老、生育的,本会得以相当费用救恤之;(二)扶助会员:遇有厂主虐待会员及无故停止工作等事,本会即极力援助;(三)娱乐机关:本会须设俱乐部游艺会等;(四)教育:本会须设学校、书报室、讲演会等;(五)帮助别种工人组织工会;(六)消费组合:本会得组织工人食堂,工人粮食杂费店等。

长辛店工会成立

长辛店的工人,自"五四"以来,就有点觉悟了。对于公共的事,很是留心的。今年1月间,他们办了一个劳动补习学校,除招收学生外,还预备好几种报纸杂志,给同仁阅看,并且常常请人讲演吸收新思想,所以工人求智识的机会越多,各人的脑袋,也比前清楚。开会的方法、结团体的能力也渐渐地训练好了。

5月间他们又组成了一个工会,办理很有条理。工会的组织,取代议制,由厂里每科选出来的代表,组织一个代表会,代表会推选出正副两个主任。工会所有进行的事务,都由这个代表会议决,再由代表会举出几个干事,去执行议决的事项。代表会定每两个星期开一次常会,有问题就讨论问题,没有问题就自由谈话。

该工会现在办了一个工人周刊,已出6期,办得很有精神。他们的努力,实可令人佩服,不愧乎北方劳动界的一颗明星。

广东土木建筑工人大罢工始末

广东土木建筑工人,约有 25000 余人之多,原有组织,分为五市十堂,团结力最为巩固。近年来广州市开辟马路,建筑业一天一天地发达,包工的东家行,都得了很大的利益。但是这些东家行,对待工人却任意克扣,掠夺横暴,比别种行业更为厉害。工人们整日劳苦工作,还不能养家活口,这是何等的不平呢。不单如此,东家行又怕那些工人们团结力巩固,是他们将来的劲敌,想出了一个破坏工人团体的法子来,就在 4 月间纠集私人倡办建筑总商行,冒充工人,呈请官厅立案。于是工人方面为维持生活起见,也起来一致要求东家行增加工资。

8 月 12 号工人数千,在土木建筑工会开会,议决致书东主,要求增加工银两毫,举出周国华、何逸云为正副主任,并办事员数十人,向东家行交涉无效,遂于 16 日早罢工,又举行游街大会,行示威运动。其进行办法,最有条理,先联合五市十堂组织一西友团,专任办理事务,组织颇称完密。又因罢工期中;以维持日食为最要,各堂特早的筹备罢工基金,又借各界有志者捐助,实储足 3 月之粮,仍恐届时未能解决,又组织土木建筑合作社,由工人自己营业,脱离资本家的支配。罢工之后,罢工团因为和某东行家冲突,公安局袒护资本家,将工人捕去 8 人,工人大愤,聚众数千,坐卧于警务处两日,要求释放。公安局无法,就把那一个工人送了出来,这也算是工人方面的小胜利了。近日各东家行因为罢工期内停了业,所受的损失太大,势不得不承认工人方面的要求。

26 日由古厅长出来调停,召集东行家和西支团代表在省公署会议,双方代表各十余人。古厅长提议要求东家行承认西友团所要求之第一条,东家代表起先不肯应承,后经古厅长劝说才俯首允从。其余条件均照旧章办理,西友团亦无异言,于是十余日之大罢工,遂完全解决。

最后胜利,仍归工人得到,这都是广州土木工人有阶级觉悟而团结巩固的效果,还望他们努力向前谋根本解决才好。

上海劳动组合创办劳动周刊

上海劳动届自从张特立、李启汉、包一德等创办"中国劳动组合书部"成立以后,劳动运动大有起色。工人的觉悟,也一天一天地进步。他们又办了一个劳动周刊,现已出4期,办得异常完善,大可以增进劳动者的智识,这真是教育训练劳工们一个最好的机关报。今特将该周刊的创刊辞揭载于下:

发 刊 词

这个劳动周刊是中国劳动组合书记部的机关报,换言之,就是中国全体劳动者言论机关。我们这个周刊是比不得有产阶级的报纸,有产阶级的报纸,是只记得金钱,哪里记得什么公道正义呢!我们的周刊不是营业的性质,是专门本着中国劳动组合书记部的宗旨为劳动者说话,并鼓吹劳动组合主义。我们希望中国的工人们都拿材料来供给这个唯一的言论机关,都来维护这个唯一的言论机关,扩大解放全人类的声浪,促进解放全人类的事业实现。中国的工人们,快快把我们的头抬起来呀!

(原载 1921 年 7 月 7 日《共产党》第 6 号,未署名)

大战与德国国民性及其文化文艺

（1921.8）

17 世纪前半期三十年战争的惨祸，把德国全土，化成了一个大废墟；德意志帝国从这个废墟中得着了复兴的运命，于是产生了普鲁士王国；这王国在当时虽然遭了拿破仑的蹂躏，受了空前未有的奇辱，可是德国民族的特色，强硬不屈的精神，终究能够打败拿破仑报复了以前的国耻，而且因此促成德国统一的命运，造成了联邦的基础，再败法兰西建设了德意志帝国，国富兵强，文化进步，渐渐地和世界帝国的英吉利争起霸来了。可是此次大战的结果，又把德国化为废墟，三百年来的蕴蓄，一朝荡尽，单单剩下了一些因为营养不良以致瘦弱的贫民，和一些因为佝偻结核正在垂死的儿童，人民自暴自弃，风俗颓废，道德败坏，达于极点了。但是在这里有一个奇异消息，出乎我们意想之外的：就是最近的报纸和旅行者的报告，多传说德国首府柏林现在竟成了欢乐世界。市民为严寒所苦，差不多连御寒的暖炉都没有的，可是市街上煤气灯电灯照耀，俨然和不夜城一样；一切剧场、酒菜馆、咖啡店，都是人山人海，拥挤不堪；伤风败俗的娱乐机关异常发达，正如雨后春笋一般，为柏林从来所未有；赌博流行；学生也堕落了，平日连买教科书的钱都没有的，却有余钱购阅淫书；这类淫书店乘着废止检阅的机会，竭力印刷，销行最速，价格越高，购读者越多。柏林郊外格尔奈瓦特地方赛马的赌赛金，和三鞭酒的销售额，较大战以前增加一倍之多，德国社会腐败，似乎到了一种程度了。不晓得考察方法的旅行者和那些战胜国中心存恶意的新闻记者们，看见了这个光景，都发电报、作报告，说德国虽然为了战争弄得国穷民尽，而一般人民却还有这种奢侈消耗的资力，所以联合国尽可尽量要求赔偿费。实在说起来，那种奢侈的现象，不过是德国小部分的人民，譬如在战争期内暴富的奸商，和战前所未有的密卖商人之类能够照这样的奢华罢了。至于大部分的国民,尤其是中产阶级的人民,已经是穷苦不堪言状了;这些人为了物价腾贵的缘故,所得的收入,不能支持生活,一切不用的衣服家具都卖得干干净净,甚至有些人连保寿险的保单都拿去抵押金钱支持生活的;强健的人平日虽然没有做过工,到这时候也不得不去做工,谋得些少副收入,作为补助了。有某地方,年轻的小学教师等,放课后都联合起来跑到矿山里去做六点钟未曾做惯的劳动;又有某牧师零落了去做煤坑工人;又有某古典学者,在铁路局做书记,只要有面包给他吃,就心满意足了。大学生多半是为饥饿所苦的苦学生,因为要得学费,不惜做种种苦工,到了晚间,或者做工场的劳动者,或者替工厂守夜。至于中等社会人,都没有钱雇女工,妻和女不得不躬亲操作家事;从前大学教授和大人先生的闺女,都把音乐和学问当作结婚的资格,可是到了现在,只要能够做家事,能够学会婢女的职务,就很贵重了;以后的结婚条件,恐怕要变了。又各大学校各研究所,因为经费不足,不能购买书籍和研究资料,内容贫弱不堪,这事由那些学者的会议和宣言书看起来,都很明了的。所以就现在看起来,德国的中等社会和智识阶级中人,都陷在贫苦无望的地位,若没有救助的方法,就要化为穷民了;此后德国的社会,就会要截然分作有产无产两大阶级,一是无德无识的战时暴富者和奸商,一是劳勤者和穷民;有数百年历史的德国文化,将要绝统,也料不定了。在大战以前,自然也有过许多缺点,但是将校和官吏,向来是德国社会的中坚,质素刚健,忠于职务,为国民的模范;到了大败衄以后,就大变了,数万人的将校团,遭了解散,都变为失业的人;做官的人也因为物价腾贵,陷于贫困状态,而且受了社会主义的感化,已没有先前那样的道德和习惯了;两阶级的势力,差不多等于没有;富豪奸商,异常跋扈,德国国民的道德观念都因此败坏了。

战争和革命使德国社会受了意料以外的影响和毒害,但是这也不过是一时的病的现象罢了。德国国民性,既然能够造出那样雄大的文化,恐怕不会因战争的惨祸就蒙损害的;实在说,不特不遭破坏,而且也不至于发生变化的。德国此次的败战,并不是德国国民性和文化的缺点招致而来,这种事实,已经由此次战争证实了,毋须絮说;反面说起来,现时的德国倒具有一种最适合于现代国家间民族间生存竞争的优点。现代的英德法日各国,处着这种国际关系,若要占优胜的地位,除了追踪大战以前的德国的旧迹以外,恐怕没有别的路可走罢！现在不是已经是这样的吗？

一

德国本来是受天惠最少的国土。气候颇寒，地土硗瘠，太古之时，全国都是森林沼泽；这种地质，若要使其适于耕作，适于居住，首先就要开拓森林，填充沼泽。森林之中，住有猛兽；四围又有敌民族来袭；太古的德国人民，确是在恶战苦斗之中图存的，这种事实，由德国古时神话和传说，也可以想象得出来。到了后来，耕作之地，虽然扩张；森林沼泽的瘴气虽然消散；气候虽然略略缓和；可是地质还是和先前的一样，居民非含辛茹苦，不能得食；像温带地方那样丰富的农作物，差不多没有；农民费几许劳力即得几许收获，并没有预想以外的酬劳。生长在这种境遇里，能够打胜环境，造出那样文化的民族的性格，也可算是生活意志坚强，精力元气旺盛的国民了。但是意志坚强锻炼而出的人，总不免有一种迟钝之感。德国人和法国人、意国人比较感情举动，都很冷静，所谓得黏液质的分量多，若是受了外界刺激生出反动，那种作用就透澈到灵魂的深奥地方，其结果非使全灵魂灼热起来不止。这种反应作用在法意两国人的心里燃烧的时候很短，而且易于发散，所以在法意两国人的方面是外延的，在德国人方面是内延的；德国人把这种倾向叫作向内性或深奥性（Innerlichkeit）。这是德国民族和欧洲别的民族不同的一个显著的特色。

这种民族的特性，也有禀自先天的，也有因民族生活状态助长而成的。德国人每年之中因为有半年是气候严寒的季节，所以都蛰居家庭之内度日，和那些在南欧洲方面常在家庭以外谋生活的民族不同，所以他们的心地和境界，当然有一种达背"自然"和"社会"的外界而趋向于内界的习惯，修养省察，从事内的生活，所以德国人动辄要倾向于独居主义、非社交主义、个人主义、独善主义；在国家生活方面，占势力的又是分立主义、群雄割据主义；所以数百年间语言文化虽同，却不能达到国民的统一。但是那种向内性能够使精神生活十分丰富，又随着外的境遇改善，于是渐次焕发起来，造出了近代史上最壮观的德国文化。德国文化从大体上说起来，在哲学方面有唯心论、有理想主义；在宗教上有神秘教;在文艺上有音乐、有抒情诗、有戏曲;在科学上有包括的综合和彻底的理论,有以发展为基础的学科,即如史学、言语学、有机化学、进化论等;在商工业、政治、军事等实际的方面,都有充实的内容和整然的组织的各种特色。此外还有一种特质,德国人坚韧不拔的意志、沉着、精力和向上心,都是无限,对于无论何种成功的事业,都不晓得满足,务要继续努力创造新文化出来;这种特质,是保守的英国人和有颓废停滞的倾向的法国人所没有的。能够把这种"无间断的努力"现为事实的人,就是歌德的"浮士德"。这"浮士德"的意思,就是"理想的德国人"。但是这样的人物动辄趋于极端。没有止境的空想;迷惑的怀疑;穿□的癖性;偏重的专门主义;奇矫偏癖;单纯、简素、明快、典雅之缺乏,晚近唯物主义盛行时代对于富与权力之渴望等性质;都是德国国民性和文化的缺点。若说此次大战的原因,是由德国人"有征服世界的野心",那么,德国此次的败坏,可以说是德国国民性和文化的结果;但是战争的胜败,以数和机械和机会为主,所以不能把精神的文化来下判断的。历代有文化的优秀民族被蛮族灭亡的也不少哩。

二

大战对于这种国民性和文化所施的影响如何？这种地方在前面已经说过了,德国国民性和文化,若果确是优秀,必不至遭战争胜败的偶然事变所破灭,绝不至受激烈的变化;不特不遭破灭不受变化,而且可以因此除去缺点,发挥特长,得着最新的发展。德国民族还是青年的民族,绝不会因为暂时的挫折就失掉生命力。但是就现状说起来,德国人刚才受了败战的疮痍,自暴自弃的事,或者是有的;颓废的现象或者是有的。肉体上、精神上的堕落或者是有的。这些都是过渡期内一部分的现象,已经在前面说过了,若更进一步,当作病的文化现象来研究,或者也是有趣的事情;但是我不能直接的视察现状,又不能搜集充分的参考材料,所以就现在说,大战告终以后,不过一两年的光景,战争的影响还没有在外面表现出来,有许多事实是不能得到的。所以在这里只述一二种显著的精神的现象,作为本文的结论。

三

战败国的国民意气过于沮丧,就不免悲观厌世,对于本国文化,心怀疑虑,这都是当然的事实;德国国民,也有这一种实例。1917 年斯宾格列尔(Spengler)著了《西洋之灭亡》(*Der Untergang des Abendlandes*)一书,出版以后,使德国思想界,大生变动。这部书是人类文化的历史哲学,由历史上的事实归纳起来,说明西欧文化将到破灭时代。依斯宾格列尔说,过去五六千年间,人类的历史,是八种成熟的文明的表现。八种的文明,就是中国、巴比伦、埃及、印度、亚剌伯、希腊、罗马、西洋及摩尔的文明;这些文明都经过了发展最盛的时代,或者完全灭亡,或者达到了灭亡时期。此外还有二三种重要的文明,可是都在没有成熟的期内灭亡了,不成问题。只是现在有一种正在发生的文明。这种文明得着新运命代替那西洋将死的文明,这就是俄罗斯的文明。以上八种文明,非常奇怪,都得了千年上下的命运;而且和植物一样,在一定地方繁茂,有小儿期、有少年期、有成年期、有老年期;其精神,都发挥了国民、言语、信仰、文艺、国家、经济等一切可能性;其形式的发展都达到极点;于是文化变而为文明,死灭的时期到了。凡是没有生长力而且已经腐朽的老树,犹然能够长保余年,用它的枝和叶,夺取周围那些幼树应该享受的光和空气;上面所述的各种文明,也和这种老树一样,犹能在数百年之间,妨害新文明的发生或发展。例如埃及、中国、希腊、罗马、印度、阿剌伯各国的老朽文明,都属于这一类。西洋文明实在已经达到烂熟的极点,其核心已经开始腐朽,将来只有死灭而已。以上是斯宾格列尔说的,他这种哲学,是一种宿命论;对于西洋文明的观察,充满了阴惨的悲观和辛辣的批评。据他所说,这部书在 1911 年,早已做成了大体的节目,到了 1917 年才发刊的;所以这部书和战争没有什么关系;而且也不是断片的著述;但是"德国文化败北""西洋文明破产""物质文明否塞"等类的思想和感情,翕然而起,投合了战后的人心;所以这部书也和往年乔伯仑所著的《十九世纪的基础》及兰戈勃思所著的《教育家冷夫林德》两书一样,都震动了德国的思想界。反对攻击他这部书的言论很多,但是我不是历史家,所以不愿加入批评,单绍介那书的内容为止。总而言之,凡是说西洋文明德国文化要破灭的悲观论,大为德国人所欢迎的一事,这明明是战后德国人带厌世的倾向的一种表征了,这书分上下两卷,下卷还未出版,但是由预告看起来,下卷所论列的问题都是最适合于现代的事。必须两卷都出版以后,方可以下精细的批评,方可以震动德国的思想界。

其次要说的,是德国文坛提倡表现主义一事。表现主义,本来是由于美术界印象主义的反动而生;这主义的起源,在大战以前就发生了,但是德国文坛开始倡导这主义的时候,还是在大战前期内的 1916 年,这是战后的今日德国文坛界一种精神的运动。依表现派的主张,艺术是体验、精神、主观三者的表现,并不是描写印象。印象的描写是使艺术家变成外界的奴隶,失掉至贵至重的灵魂。外界、自然,乃其印象,不过是艺术家因为要表现内界而使用的手段,不但是可以自由取舍选择,而且不妨变化改造的。所以在艺术品上表现的外界的事物,无论如何的不自然,无论如何的变换,只要艺术家的精神最强,最能直接地表现出来就够了。

这种主张的当否,可以不问。就现时文坛的局面上看起来自然主义、印象主义、象征主义、新古典主义等一切主张倾向,都行不下去了;表现主义,就是打破这种局面,要还原到艺术的根源的有深奥意义的革命运动,德国文坛的根底都正在摇动了;这种事实也不能说战争于人心没有影响;战争的惨祸和战败的屈辱,自然而然地使德国人心由外向内,使他们多得反省、冥思、沉潜的机会,使他们觉得对于自己的灵魂比对于自然更有兴味;这都是容易看得出来的道理。这时候高唱尊重主观和灵魂的艺术所以受人欢迎而且生出多大的反响,也不是奇事了。表现主义改造的革命的努力,在破弃以前文艺上一切技巧和花样。还原到艺术的根源,另创造新生命出来,这也是和德国人的生活,和文化上改造的革命的努力相响应的地方。我觉得表现主义的运动,不单是流行于一时,而且能使德国文艺受深而且久的影响,要和战争的体验相待相成,造出崭新的深刻的伟大的人物出来。德国文坛将来必有可观。

(译自《中央文学》第五年第三号)

(原载 1921 年 8 月 10 日《小说月报》第 12 卷第 8 号,署名片山孤村原著、李达译)

告诋毁男女社交的新乡愿

（1921.9）

男女社交的话,在现在还当作问题讨论,已经是很特别的了。但为那班半新不旧不知两性问题为何物或者不谈两性问题的新乡愿们祛除误解起见,又不得不说明几句。

那班新乡愿们说:男女社交的话,我们早已听说过了。这几年来,男女社交的结果怎样,不过是为一般青年男女开一个自由恋爱之门罢了,他们底智识是不够的,他们底生活是不巩固的,所以男女社交的话,我们听厌烦了。

像这班谩骂的语调,我们处处都可以听见。他们是时代落伍者,他们虽然生息于现社会之中,而对于现社会中事实却是盲然一无所知的。

现代的社会已不是男子居外女子居内的社会了。新机械生产的工业,已经打倒了家庭手工业;家庭的操作日益简单,大多数无产的妇女们,不得不跑出家庭随着男子到资本家的工厂作工;由中流阶级渐降而为无产阶级的妇女们,也不得不到社会服务,来谋生活的资料了。看呵! 资本家的工厂中,不是有许多男女在那里共同操作么? 社会上的公益机关不是有许多女职员和男职员共同服务么? 现社会照这样发展下去,男女的小家庭生活,渐成为社会的大家庭生活,这就是由资本主义的社会趋向社会主义的社会必然的途径。所以从此以后,男女接触的机会愈多,男女社交已不成问题;只是成为问题的,在如何促进男女社交的自由,如何保障社交自由的安全,来实现男女共同生活的协同社会?

至于青年男女因为交际自由而发生恋爱问题,自由离婚、结婚问题,这也是资本主义的制度之下必然发生的现象,也不可作为诋毁男女社交的口实的。

在现社会制度之下,婚姻是极不自由的,这一层,我想凡是有知觉的人,都感觉得到青年男女既然觉悟到恶劣的婚制结成恶劣的婚姻,就必然起来反抗旧婚姻制度。反抗的结果,也有自由恋爱的,也有离婚另娶的,甚至离婚不成而重婚的。这一层,我想就是那班新乡愿中,也许有这种现象。他们口中虽不谈恋爱问题、两性问题,其实何尝没有恋爱过呢?他们虽然说要做旧制度的奴隶,其实何尝不时时刻刻想离婚而另娶呢?

然而我对于这类新乡愿不愿多说话,我也承认他们是这过渡时代中必有的一种产物。

社会是由男女组织而成的,有男女始有社会,有社会就有男女;离男女两性讲社会,离社会无男女两性。世间并没有纯粹男子的社会,也没有纯粹女子的社会的,所以人类的生活,要适应社会组织的原则,改造不合理、不自然的环境,成为男女协同的社会共同生活。男女社交自由,就是达到这种生活必经的途径,任凭现在那班新乡愿来诋毁,也不济事的。

(原载 1921 年 9 月 14 日上海《民国日报》副刊《妇女评论》第 10 期,署名鹤鸣)

社会主义底妇女观

（1921.10）

一

犹太正教徒祷告文中有一条说：男子感谢上帝没有把他们造为女子，女子感谢上帝随意的把伊们造成了。这条祷告文，把文明时代开始以至于近代底妇女地位说明得很好。全人类历史上，女子地位恐怕再没有像基督纪元开始时代那样的卑劣、那样的受轻视了。据教会中神父底信条看起来，女子乃是圣人善人不可接近的猥污人，是把罪恶带到世上来的人。这种证据不是出于圣书吗？男子开始不是被女子诱惑的吗？上帝不是命令男子做女子底头脑的吗？我们现在还不曾知道比那作圣书的和教会神父更为轻蔑妇女底著者。若是自然和社会状态，不比教会神父底迷□更为坚强，恐怕现在这样底家庭不会在基督教国民之间出现了。

我们可以说：妇女底地位无论什么野蛮人蒙昧人之间，再没有比两千年前底罗马帝国更为低劣。女子连什么权利都没有，一生都在他人保护之下的。女子生下来就变成父亲底所有物，结婚之后就变成夫君底所有物。然而罗马法反成了欧洲大陆底模范法。

英国底习惯法虽不模仿罗马法而独立发达，可是就那不利于妇女的地方说起来，习惯法和罗马法不过是五十步百步之差罢了。

据习惯法看起来，夫妇在法律上只成为一个人；换句话说，夫妇虽是成为一个人，而这一个人却指夫君说的，结婚后妻子底存在就消灭了。

降到文明比较进步的时代，夫君方面可以自由和别的女子通奸，自己底妻子若和别的男子通奸时，就有把伊杀掉的权利。这种事就是野蛮人也不过如此罢了。又如在希腊、罗马底文明国中，父亲可以不得女儿底同意把伊嫁给别人，这种习惯就是在野蛮人中间也没有的。

文明时代开始以来，妇女底地位就日趋低下，已经失掉在蒙昧时代那样的自由和独立了。女子这种底地位还是到近代才改良的。

<h2 style="text-align:center">二</h2>

包芬氏从许多历史、传说、神话、风俗、习惯等材料之中，指出了古代曾经有母系制度存在底事实。最进步的北美印度人百年前后所行的母系制度，实是研究别处野蛮人习惯的参考材料，我特在这里引举出来。

北美休伦种和伊洛加种，同居在包容一二十家族底大家屋内，指挥之权委给最年长的老妇人。土地归一种族所公有，按人数分给各民族，每二年另行分配一次。耕种是妇女底专门工作。男子不过帮助着做些小工。关于利用土地和处分收获物等事，女子有全权办理，男子只从事于渔猎和战斗。结婚依女家长所指定，男子入赘于女家。

因为这样，所以女权很占优势，在伊洛加种族之间，妇女有宣战媾和之权。又如瓦安得族底氏长会议，女代表占 4/5，55 人中女子占 44 人，男子只占 11 人。

此外玛里亚那群岛泊尔纽几兰等民族，其风习都大同小异。

要之，母系制度，其种族在一定地方居住，土地专由女子开垦，家具亦由女子制造，男子只从事渔猎，蓄积些少的财产。

到了居住的土地一定而从事耕种的时候，人口就渐渐增加起来了。农业逐渐扩张，家畜饲养愈多，可以取得必要的食物，也无须采用渔猎底手段了。器具发明，制造品底分量增加，于是就和别的国体或种族行起交易来。经过多少时之后，于是维持家庭生活的资料专归男子经营，女子就专心做家事了。

女子底活动范围就照这样的渐趋狭小，从前伊们是人生必需品底生产者，到现在却大减少价值了。这个纯粹是经济的变迁，并没有什么感情的理由含在其间的。固然感情也是变的，而感情底变迁，却是经济状态变化底结果。感情绝不是最初的原因，而常由环境造出的，但这种感情一旦造出之后，又成为变更那无用的环境底有力的要素。

到了近代,经济状况不单是于妇人不利为止,其不利的程度较古代更加重数十倍。数千年来,妇人在立法底阶级上,至少是没有势力的。这完全是社会底经济状态没有把妇人当作经济的要素底缘故。

三

财产增大后,奴隶制度也同时发生了。奴隶制度,在生产力十分微小而劳动者只能获得一己底生活资料的时代,不会发生的。文明底进步,根据生产力发达底程序而来的;由这种意义说起来,奴隶制度也和妇女被征服一样,同是文明进步底结果。

古代希腊人,在人情上,在道德的意识上,都不能说比我们不如,但是他们却曾经维持了奴隶制度。在那时候或者因经济上的必要,或者因为别种事故,所以才维持这种制度也未可知;亚里士多德也曾为这种制度辩护过的。他们对于妇人不表敬意,对于妻子尤其轻侮。由此可知奴隶制度在妇女占优越地位时不能存在的。然而母系制度底时代和奴隶制度盛行女权衰弱底时代之间,究竟有什么差异呢? 这就是因为母系时代,妇人对于男子在经济上是独立的,奴隶时代底妇人依靠男子生活的缘故。

但是经过几世纪之后,妇女在经济上不能独立了。奴隶制度消灭,封建制度发生,农奴制度流行了;农奴制度也可说是奴隶制度底变相,在经济上和奴隶制度一样,使妇女受了同一的影响。

封建制度底形式和精神都是武断的制度。这种武断制度虽说是扶弱抑强,却并没有扶助过妇人的独立和尊严,也没有使妇人得到伸张势力的余地。

同业公会底制度是封建时代底特征。这制度使一部分得到阶级的特权和权力,使别部分人服役强制的工作。这时候民众底心中,还没有自由劳动底思想,没有生活权底观念。社会的秩序即是阶级的支配底思想,把一切人都支配住了。

在这时候,妇女不许经商。妇女若得不到遗产,就绝对没有经济独立的机会。未婚女子除了做下婢之外再也找不着谋生底法子,所以她们就不得不放荡而流于卖淫了。

四

15世纪末叶以来，蒸汽电气机械等发明出来，生产力增大起来了。美洲大陆和印度航路发见，商业繁昌，富人所积蓄的快乐之资，就作为营利底资本之用，基特尔制度不能适用，而自由贸易和自由竞争的时代，就从此时开始了。资本集积，商工业日益膨胀，劳动力剥削底事业，也从此时开始了。但是时代虽然新了，而除却少数有资本者以外，其余的平民，依然是没有土地、没有财产的。这些没有土地、没有财产底平民，就是劳动力剥削底对象。这种情势，产出了两种结果，一是雇主和雇主竞夺销路，一是劳动者和劳动者竞卖劳力。社会上从此就发生了资本和劳动底两大阶级。

这种经济组织，使妇人底地位和生活受了莫大的影响。奴隶制度、封建制度、基尔特制度虽然流行了数百年，妇女却从未曾在经济上占过重要的地位。以前的生产组织，没有妇女参与底余地。妇女对于人生必需品的生产上，并没有什么贡献，不过只是补助劳动者做些家庭琐事罢了。几千年来，妇人常处于被保护者底地位，没有什么市民权所有权的。

然而资本制度确立以后，妇女就被卷入经济生活底旋涡中去了。社会的经济的组织把生活改变，各人非自己谋维持自己底生活不可了。社会的财富都并归到富人手中，别的男女都非做工糊口不可。所谓法律，也不过保护私人财产和契约权，无男无女都在这种法律之下求得生活底方法。社会的状态一方面要利用妇女底经济力，他方面又有许多不便的法律和习惯，妨害妇女底活动，所以妇女解放底运动，当然要发生出来了。这种妇女解放运动，实是新生产组织招致而来的。因为新生产组织要大规模地利用妇人，所以不得不给妇女以财产权。所以妇女能够得到财产，并不是出于男子的侠义心，也不是出于进步的平等思想或正义的观念，实是顺应新生产组织底要求，便于利用那能够自由使用自己身体和财产底妇女。妇女若没有和资本家缔结劳动契约底自由，资本家就不能无限制地来剥削女子底劳动力，所以妇人解放底运动，是从新经济组织中发生出来的。

五

社会底习惯渐渐变了。妇人从事教育和文艺的也不少。而尤以投身劳动界做工钱奴隶的占居大多数。我现在姑且就这占大多数的妇女工钱劳动者说说。

劳动底妇女们所得的不过些小工钱，生活十分恶劣。道德上底影响很坏，生理上底结果也是一样。经济上底效果也是非常重大。妇女底劳动比男子底劳动低廉，资本家利用女工价廉往往喜欢用女工，所以在一职业上常有发生男女工竞卖劳力底事实，其结果使男子底工钱减低，而劳动阶级全体底生活程度也因而低下。所以现在底生产方法若不改变，劳动底妇女必然愈增愈多，这是不待言的了。

但是社会生产力发展底必然的结果，劳动者必定能够觉悟到自己的境遇要设法改善的。妇女们既然为生活所迫，变成工钱劳动者卷入了经济生活底漩涡之中，当然要发生地位向上底思想。所以，一旦觉悟到自己底能力，就想增高自己底地位，要求相当的教育。大势所趋，也没有人能够遏制的。所以妇女劳动被剥削底事实开始之时，近代妇人运动早就有了萌芽了。这是现代经济组织底结果，在社会制度底进化上，成了重要底元素。

每逢一个新时代底产生，常常附带有许多患难和苦痛的。譬如现在劳动的妇女们，在工场中劳动底结果，在道德上、在经济上、在生理上当然要受种种不良底影响，但是也不过是过渡期内底通有现象罢了。凡是于全人类有利益底变化，总不免于某种特殊阶级有损害的。机械底发明使得几千百万人失业，受了非当的苦痛，但在将来总有一天能够使一切劳动底妇女们消除苦痛，使个人和社会的生活增加利益的。工钱劳动底形式可以废止，妇女对于职业底选择也可自由了。妇女经济的自由可以得到，同时两性间完全的社会上政治上的平等也可实行了。

由以上所述的看起来，经济制度是和别的制度同时变化的，经济制度进化，妇人底地位也跟着变化。妇人底境遇看伊们从事于人生必要品底生产与否而改善。所以妇人问题还是经济问题，什么正义底感情，都不能解决这个问题。

在现在底经济组织之下，妇人要得到可以完全解放底经济的独立，实不可能。因为妇人经济独立底意思，并不是在处处地方独立，乃是一般的条件底独立。工钱劳动，绝不能产生一般的独立出来。所以妇女真正的经济独立，是不分已婚未婚，也不问体力的或是智力的，凡是做适合于自己天性底工作的妇女们，都能够得到充分的生活资料和娱乐，得到确实的权利。这种独立若是能够成就，社会上必定要发生大变化。至于这种变化底性质怎样，在这里也不暇详述。但就现在底事实说，社会底发展已经由个人主义进到社会主义了。竞争制度将达到极点而至于破坏了。所以妇女要得到真正的经济独立，只有从事社会主义运动。

（原载 1921 年 10 月 5、12 日上海《民国日报》副刊《妇女评论》第 10、11 期，署名山川菊荣著、鹤鸣译述）

介绍几个女社会革命家

（1921.10）

一、罗　扎

说起德国斯巴达卡司团底社会革命运动,我想没有人能够忘记罗扎女士的。当时社会民主党谢致孟一流人,冒着社会主义革命底招牌,行了似是而非的社会主义政策,一般民众差不多都被他们蒙蔽了。只有罗扎和加尔、里布克奈西等能够起来揭破他们底假面具,抱着必死的决心,恶战苦斗,要把热血染红了德国。他们虽然招了最悲壮最热烈的失败,可是斯巴达卡司团底精神永远存在,斯巴达卡司团领袖底一人罗扎女士底精神也是万古不灭了。

罗扎生于 1865 年,是中产阶级的女子。伊本是华尔索人,年少之时,就加入了革命运动,在德国留学时代受了德国官宪底注意,被解回俄国原籍,伊于是逃到瑞士留学,和德国、波兰底同志通声气。后来伊和一德国学生结婚,就归化于德国。

伊在社会民主党中,算是一个有名的马克思派学者,代表最急进的左派。伊能通六国语言,俄德法波四国语言特别擅长,每逢开国际大会底时候,都是由伊担任翻译的。伊底风采,伊底才气,都冠绝一时。又会演说,作文章,真不愧为社会党中第一流名士。伊又有高尚的趣味,又爱好文学和美术。伊又曾加入波兰社会民主党和那标榜国民主义底波兰社会党挑战。

伊所著的书有四种。资本之集中一书,是伊在柏灵社会主义学校中讲演底草稿,把《资本论》第二卷上所表现底思想,把资本主义的生产和军国主义底关系(如植民政策的膨胀和征服底关系)都阐明了出来。《波兰产业的进化》一书,是用马克思主义解说时事的。伊又因为要驳斥修正派,著了《改良呢？革命呢？》底小册子，对修正派主张无产阶级和有产阶级提携一层，痛加攻击。伊最后又著了《德国社会民主党底危机》一书，说明此次欧战底原因，由于国际间资本的帝国主义相互冲突，攻击黄色社会党变节主战，唤起无产阶级底觉悟。

欧战开始以后，伊和梅林·格克拉、拉加尔、里卜克奈西等少数人，都极力反对战争。1915 年 3 月，伊曾经演过一次最激烈的演说，伊对兵士说："我们当兵士的到战场去底时候，不可攻击外国底兵士，因为他们都是我们底朋友；不可不攻击本国底将官，因为将官是驱使我们去死的。"伊又诽谤德国皇太子和将校团，因此大触当局忌讳，被捕入狱。

德国革命勃发底前后，罗扎底活动，最可注意。伊底活动，就和伊作底文字一样，不惜牺牲生命完成无产阶级革命。大战期内不满意社会民主党底多数派，另组独立社会党，更约集急进的分子组织斯巴达卡司团，促进革命底运动。1918 年 12 月 30 日，伊就和加尔里布克奈西带领这斯巴达卡司团和谢致孟政府宣战，怎奈势力不敌，大遭失败，德国底无产阶级，也把他们抛弃不救了。失败之后，伊隐藏在民家中，后来为政府发觉，把伊和里布克奈西一并护送到监狱去，途中为一兵士所刺杀，这兵士是受了政府底嗾使的，所以罗扎和里布克奈西还是被冒牌的德国社会民主党底政府杀掉的。我们由这一点可以看出德国社会民主党底虚伪，更可以推知罗扎女士等革命的精神了。

1917 年 12 月伊在监狱里曾经写了一封信给里布克奈西底夫人，伊的全人格，差不多可以在这封信上看出来，我特意把这封信节录一段于下：

里布克奈西君进卢可监狱以来恰好一年了。一年前我和你住在一处，曾承你给了我很美的圣诞礼物，我现在还能记忆。

我入监狱以来，连这一回已是逢了三次底耶稣圣诞了。但是你也不要为我叹息，我还是和先前一样强健。昨晚我好久不能成睡，因为近来我在一点钟以前总是不能睡，却又非在十点钟以前就寝不可，所以在这黑暗乡中，想了无数的心事。

昨晚我想着我为什么这样愉快地度日，岂不是奇怪吗？譬如我坐在这黑暗的监房里，在这石头一般的被褥上睡觉；我住的房子，时时刻刻都和死的一样沉寂：我心里完全是和葬在坟墓里是一样的。监房前点着底灯笼，露出微光，影儿射在天花板上。有时听见远方火车行驶底微微的响声，有时听见看守底脚步声和咳嗽声。荒寥沉静，监狱生活底滋味，在这暗夜中传播了出来。

我现在独自一人，静寂地被包围在这冬天底严寒黑暗无聊无自由之中，我的胸襟却和在光辉的目光中散步而来一样，有一种未知的不可解的内面的喜悦在心中活动着。所以我在这黑暗之中，学得一种秘诀，把一切下等讨厌的东西去换那光明和喜悦，对于人生总是微笑而睡的。我常常探究我自身中这种欢喜底原因，探究而无所得底时候，结局只不过对于自身微笑而已。我相信这种秘密就是人生底自身。看不透的黑暗，若是真正地看起来，也和天鹅毛一样美的。这一瞬间我想着你，我想把这魔术底键分给你。我希望你无论何时，无论处什么境遇，都要觉到人生底美满，胸襟都要和在光明广漠的牧场中散步一样才好。……

二、克 拉 拉

名誉、地位、主义、党派，都和罗扎相同的，是克拉拉女士。伊和罗扎称为德国社会民主党底双璧，两人交谊最厚，形影相依，学问、文章、才辨都不相上下，真是世界女社会运动者中特出的人物。

伊生于德国撒基索地方，也是中产阶级底女子，幼时受过充分的教育，后又进过大学，当过教师。伊相信社会主义最笃，连骨髓都是社会主义。为人最刚直，攻击敌人的时候，尽力辩驳，不留余地，但是伊受敌人攻击的时候，态度也很坦然。

伊最初和一个俄国亡命客结婚，两人结婚后，同到巴黎，数年间生子二人。后来伊底夫君死了，生活非常艰窘。但是一方面尽力教养幼儿，一方面还是热心干社会运动（伊后来又和德国一个美术家结了婚）。

伊开始从事社会运动的时候，适逢德国社会主义镇压令实行的时代，这时候一切政治结社都受当局压迫，一切集会都在秘密中举行的。

伊当过社会党妇人的机关杂志《平等》底主笔 20 年。到 1917 年底时候，伊极力反对战争，遭了党中底忌惮，伊就辞职了。辞职后又为独立社会党办一个妇人杂志，后来伊成了斯巴达卡司团底指导者，脱离了独立社会党，所以连这个杂志也不办了。

伊作的论文很多，著书只有 5 种。1889 年著《女工人与妇女问题》，1906 年著《德国无产妇女运动之发端》，1910 年著《妇女选举问题》，1913 年著《马克思及其事业》，最近著《经过独裁政治到德谟克拉西》，攻击柯祖基反对劳工阶级。

克拉拉在欧战期内进过监狱，出狱之后又害了大病，斯巴达卡司团起革命的时候，正是伊生命危笃底时候，所以伊没有尽过多大的力。听说伊近来身体复了原，伊虽然达到 75 岁的高龄，还时常鼓吹无产阶级革命，为世界无产阶级吐气。

德国社会党底妇女运动，是世界无产阶级妇女运动中最有组织的运动，伊们常常打着无产阶级鲜明的旗帜干的，所以德国先前最有势力的中流阶级女权运动，到现在势力也衰弱了。而德国社会党妇人部底活动，仰赖罗扎和克拉拉两人指导的地方最多，所以我说罗扎和克拉拉，是世界无产妇女底明星。

（原载 1921 年 10 月 12 日、19 日上海《民国日报》副刊《妇女评论》第 11、12 期，署名鹤鸣编述）

女性中心说[*]

（1922. 1）

* 《女性中心说》由日本堺利彦编、李达译，1922 年 1 月由商务印书馆列入《社会科学小丛书》出版，至 1942 年共印行 6 版，各版内容相同。该书的"译者序"曾被收入人民出版社 1980 年 7 月出版的《李达文集》第一卷。——编者注

译　者　序

　　女性中心说是美国著名社会学者乌德《纯理社会学》(Lester Frank Ward：
Pure Sociology)书中的一章，经日本堺利彦根据原书另行编述出来，作为单行
本发表的。我曾经把乌德的原本和堺氏的编述本对照看过了。堺氏完全照乌
德原本编述，用显明顺畅的笔法，充分说明了乌德的精义。我认定我们与其看
乌德的原本，不如看堺氏的编述本，尤其明了，所以我特意就堺氏的编述本翻
译出来。

　　哥白尼的太阳中心说出世，旧时的地球中心说被颠覆了；达尔文的进化论
出世，旧时的人类中心说被推翻了；同样，乌德的女性中心说出世，旧时的男性
中心说也打破了。将来的社会组织的中心，必定要移转到另一方面去，这是我
们可以预期的。

　　我先前有一种感想：普通人都以为男性是女性的保护者，女性的人生观，
不过是男子的糟粕；我却以为女性是男性的保护者，男子的道德智识事业学
问，都是由女性训练创造出来的。只是这种思想，苦于没有证明，现在读了女
性中心说，更觉得我的说话，并没有多大的错误。

　　我并不是提倡崇拜女性的人，也不主张专应用女性中心学说，来改造社会
的组织。我只希望凡是要创造新社会的人，总要了解社会进化的历程，明白男
女关系的变化，根本地抛弃男性本位的、因袭的、道德观和一己的偏见，不要无
理解地排斥女性。

　　我是素来反对男女斗争的人，以为男女之间只有互助。男女两性是组织
社会的基本单位，有男女两性方有社会，有社会即有男女两性。世间没有纯粹
是男性的社会，也没有纯粹是女性的社会，所以社会本来是由男女两性做中心
组织的。

现社会经济的基础已经动摇了。社会根本的改造的大事业，横在我们面前，有志改造社会的男女们，彼此不可不有阶级的共存的自觉，共同携手参与改造事业，和那共同的社会的敌人奋斗，建设男女两性为本位的共同生活的社会。这也许是我译这书的一点用意了。

1921 年 7 月 6 日

李达 识

第一章　男性中心说与女性中心说

专说明两性关系的学说,有完全相反的两派。一是男性中心说,一是女性中心说。

主张男性中心说的人说:在生物完全发达的意趣上,男性常居于主要部,女性不过是附属物。生物界一切事物都以男性为中心。女性在本来的意趣上,固然也是必要的;可是这种必要的意思,也不过说是便于继续生命罢了,除了这事以外,女性是可有可无的。

主张女性中心说的人说:在生物发达的本来意趣上,女性常居主要部,男性不过是附属物。生物界一切事物,都以女性为中心。男性在本来的意趣上,也不是一定要有的东西;只不过因为异质交合,确保生物的发达;随了"有益者存在"的原则派生出来的。就人类和高等哺乳动物和某种鸟类看,一见好像表示男性优秀的现象,这也是特别例外进化的结果,于生物界全体的大意趣上,并无丝毫关系。这事都可从生物学和心理学上充分说明,又是限于某种特殊性质及比较少数种属的现象。人类社会中男性中心说所以流行的,是因为受了环境所制限的一种浅见的结果,又是固陋的传说习惯先入为主的结果。

兹就两说之中,先就男性中心说的内容,略为检查出来。

第二章　男性中心说之内容

一、动物界之事实

可补助男性中心说的事实,无论是普通的或特别的,都有许多显在我们面前。

就普通事实说,一切主要动物中,尤其是哺乳类鸟类中,人人都知道雄的身体比雌的身体要大,力也要强。此外如身体构造和机关,雄的方面,颇为复杂,装饰也整顿,色泽也华美,调和得很好。鸟类之中尤其显明,雄的不但身体大,色泽美;而且具有雌性所无的美声和敏活的动作。又如兽类,也不单是大小强弱有差别,而且雄兽也有特异的美装,如角与牙之类。

普通能够长成的雌性动物,比较雄性动物尤多有酷肖雏兽之点。所以又可以说雄是正当的完全发达的动物,雌是"发达中绝"的现象。

总括起来说,在我们常见的动物当中,雄性动物常用美毛美声,或用堂堂风采,或用特殊武器,或用强大体力,凌驾于雌性动物之上的。

二、人类男女之比较

更将范围缩少起来,特别把人类男女比较一看,大概也是一样的。

无论什么人种,女子的身体,普遍总比男子要小。身体小所以体力当然也要少。而体力较之身体大小的比例尤其要小。就是从容貌一点说,即如劣等人种中,普通男子至少比女子还要美些。

在比较进步的人种中,女子的美,由细工捏造出来的分量居多,所以男女的天然美,不能公平地比较出来,就是女子自身也觉得男子比较要美些。女子大概没有鬚,男子大概是有的。这种装饰品正与鹿的角狮子的鬣相当。

更进一步把脑的大小比较一看,男女的差异依然明显。从前有许多学者把文明人和野蛮人的脑取出来试验轻重大小,试验的结果,证明男子的脑髓在大小上、在轻重上,都比女子的脑髓为优。文明人的脑髓,男子平均有 620 格兰姆,女子平均不过 516 格兰姆。即是表示有一成四分以上的差异。

脑髓以外还有许多方面,女子不如男子。依普尔克斯(Brooks)教授所说的,普通的女子从身体调和的一点看起来,当不得男子的缩图(Miniature)。又"就全体说女子身体也不平均,头与胸围,比较的小;尻骨比较的宽,骨细,筋肉比较的纤弱"。

三、男女精神能力之差异

前面单就肉体的特质比较男女的优劣;而在精神的特质上,男子也优于女子。男性中心论者常注重男女脑髓的差异,脑髓有差异,精神能力当然也生出如许的差异。即是男子的脑髓大概比女子的大,所以在精神能力上,男子当然较女子为优。

这种地方,在事实上也表现了出来,早先女子差不多没有发明心;发明是文明的关键,发明心是人的理智的活动中最有益的作用;女子若是缺少发明心,当然不如男子了,这就是第一个证据。假如把这发明心用广义来解释,科学上的发明,也是其中的一部分,讲到科学上来,女子更赶不上男子了。欧洲各国有学士院,把各时代有名的科学发见者选为会员,可是我们并未听见有妇人当选的。原来选择者的鉴定,本不免夹着些偏见和传习,学士院的会员也不一定都是大学者。学士院会员中也很有一些滥竽充数的人,然而大概学士院会员,伟大的学者占多数。

康特尔(Alphonse de Candolle)教授把这种事实做基础,著了一部有名的《科学及科学者历史》(*History of Science and Scientific Men*)一书。他这部书在现时还算关于此类问题的名著,和那人种改造学者加尔顿(Francis Galton)所著的《遗传的天才》(*Hereditary Genius*)、《英国科学》(*Englishmen of Science*)两书齐名。这书中有一节题为"妇人与科学的进步",最适合于男性中心说的材料。特摘译一两节,作为参考。

"我们把欧洲重要的学士院会员名簿取出来调查过了,女子的名字一个也没有。这当然不是学士院的规则不许妇人入选的缘故,乃是因为妇人没有创造科学的事业的缘故了。从前翻译科学的著述,或者就种种问题著了书的妇人很不少,可是她们都没有够得上做学士院会员的程度。这也并不是对于她们没有同情。她们若是有实在的程度,当然要入选的。像斯达儿(Stael)夫人和桑德(George Sand)两位女士,到现在还活着,她们的确要成了法国学士院的会员了,波妞耳(Rosa Bonheur)女士若到现在还活着,她也要被选为美术院的会员了。然而这些人都是例外。纯粹有志要把科学当作科学研究的妇人很少。"

"男女间这样差异,究从什么发生的呢?要把原因说出来,并非难事。大概女子的发达停止期,比男子要早。而作成科学研究的基础的时代,普通是从16岁起至18岁为止。此外女子精神的方面,也没有深刻的特质。女子有一种癖性,只能喜好那由直觉所能领会的事情。冷静地、坚忍地专心从事实验思索,女子总是做不到。表面上离开显现的形式,当做真理来享乐的事情,女子总是不能堪的。此外女子的推理力,也比男子微弱。女子缺乏怀疑性。而这种怀疑性,乃是实验科学的出发点,又常成为实验科学的归着点。"

"其次,女子不如男子的地方,也不仅是发明心。即就创作才能说,女子也比不上男子。依佛朗西伦(R. F. Francillon)所说,创作的才能,完全是男性的特质。他说,女子是想象的动物。'自然'故意赋与女子做的想象的工作,女子犹然做不好,还要假手男子。女子曾经有过文学上的大著作的实例吗?我没有听见过女子创作过大脚本,世界有名的小说,一切都是男子作成的。"

把这些道理更加展开起来,女子对于一切美术的事业,也是无能力了。甚至有人说,女子之中并没有伟大的雕刻家,也没有伟大的画家,也没有一个伟大的建筑家或作曲家。

即就思索的才能说,女子也不是男子的敌手。所谓思索的才能,就是应用抽象的真理的一种特殊的精神能力。我们的精神,即是一步一步扩张概括的范围,驯致由混沌达到浑一的一种特殊的精神能力——即是思索的才能。前面说过了,女子只把真理当作真理考察的能力都缺少的。抽象的问题,差不多不能引起女子的兴趣。纵然是具体的事实,若于自身没有直接的利害关系,也不能引起女子注意。总括一句话说,女子缺乏客观的观察事物的能力。所有的不过是利害的观念。凡是不关系自身利害的事情,她们都不理解。

单就历史和世界现状一看,就可以知道女子将于人生一切问题并无交涉,并无价值。我们没有听见过什么大事业由女子指导而成就的实例。总而言之,人类重要事业,都是男子做成的,女子自古以来不过是继续人种的手段。

第三章　女性中心说之历史

一、乌德之新说

与上面所述的男性中心说相对立的,有女性中心说,似乎非常奇异。所以这里把这新思想的由来和历史略述出来。

成了一个有组织学说的这种女性中心说,完全是美国社会学者乌德创造出来的。乌德自己也说:"在我以前没有人提起这种学说,也没有人要辩护这种学说。在我以前差不多无论什么人都不想承认这种学说的。实在说,要求这种学说的人,以前的确没有。因为如此,所以若是由我的口里说这种学说不是我所发见的话反为迂腐了。"

1888 年,华盛顿市有叫作"六时俱乐部"的社交团体,这团体是在华盛顿市旅馆开的晚餐会,晚餐会完了之后,各会员挨次演说。这团体第 14 次的晚餐会,是 1888 年 4 月 6 日在华盛顿市上维拉次旅馆开的。当时有几个很有名的妇人出了席。这些妇人们就选了一个"性的平等"的演说题目。当日第一回的演说,就是仰仗乌德氏演的。

乌德把女性中心说发表于世的时期,以这一次讲演为始。当日莱列(C. V. Riley)教授在座,也和别人一样加入讨论了。这一次讨论时,乌德说了下面的话:

"我所举的实例,多从昆虫得来的,这事对于莱列教授,似乎给了他的兴趣。何以故呢? 因为后来不久,他从 1888 年 6 月份的 *Household Companion* 杂志,裁取重要的记载寄给我,我看那重要记载,却把我当日所讲演的概略也从 *St. Louis Globe* 杂志转载出来了,可是那讲演者的名字,并不是我,反是莱列教授。他对我道歉,他说:怎么弄错了名字,他自己也不知道。可是那篇记事,的确把我的学说的要点攫住了。这完全是一个很好的报告。所以我承认我的学说得以公布于世,这是第一次,这报告最初在"*St. Louis Globe*"杂志公布的日子我没有好好调查,我觉得总是这次晚餐会以后不久的事。莱列教授已公然说过是相信我这种学说的人。两人从此以后,也常常讨论这个问题。"

以前乌德教授对于这问题,久有很深的研究,因为发生了这件事,他对于这问题的兴趣,更增加了。不久"*Forum*"杂志,就请托他作这一类的文字。乌德就草了一篇《优秀的性》送给这杂志,登在 1888 年 11 月号。女性中心说由乌德自己亲手做成文字发表的,这是最初的一次。

二、乌德以前女性中心思想的倾向

这是女性中心说的旨趣。然而依乌德自己所说的,女性中心思想的倾向,也不一定要等乌德才发现的。把女性中心说弄成有组织的学说的人当然以乌德为始祖,而这种思想的曙光,在乌德以前,早由种种学者文人的笔墨传播出来了。例如孔多瑟(Condorcet)也这样的说过了。他说:"从来妇人很受了法律、制度、习惯、偏见的不正当待遇。现在把这事实作为前提,把妇人的道德力和男子的道德力比较一看,究竟哪一方面强大:我看在勇气、决心、胆量、宽容诸道德的方面,女子确比男子为优。所以两性自然的差异的问题,只有依据新的观察方能真正的阐明。"

自从孔德(Comte)和维阿(Clotilde de Vaux)夫人的关系以来,他的女性观大生变化,这是人人都知道的;但是在未受变化以前,他已经在他所著的《实际哲学》上断定说:"由社会的见地说起来,妇人确有第二意义的优胜性。"他又在《实际政治》书上,更加极力说:"女性在人类根本的特性上,确实比男性为优。这即是使社会性支配全人格的倾向。"

近代学者中最能脱除男性中心说的固陋和偏见的人,是爱里斯(Havelock Ellis)。他在他所著的《男与女》一书上,极力指摘男性中心说的谬妄,评定女性的真价值。他又极力说:"女性是新时代之母。关于教养子女诸事,女子比男子更有紧要而且永久的关系。从大自然的眼光看起来,女性是比男性更重要的元素。"他又努力打破那种"女性是'发达中绝'的代表者"的学说。他说:

"代表人类最进步阶段的人是小儿，是青年。男性的大人，不过代表那逆转于初期劣等时代的人。人类中最富动物性的人，是成人的男性。"

以上大概是抽象的意见。若是这种意见的话，与其说是关于女性中心说的立论，反不如表示男性中心说一方面为多。因为男性中心说是深入人心的巩固的人生观，是几千年来传习、固陋和偏见所筑造的一种社会的金城铁壁。所以赞扬或主张女性中心说的思想，比赞扬或主张男性中心说的思想，更为贫弱，这也是必然的趋势了。

三、母权制度之发见及其影响

还有鲍古芬（Bachofen）、玛克勒南（Mclennan）、莫尔干（Morgan）一派学者，曾经往来跋涉于许多未开化人种之间，发见了母权制度的事实，贡献了先人未发的卓论；只是有些遗憾，他们拘束于这种特殊事实范围以内，不能更进一步，发见那贯彻生物界全体的女性中心的理法出来。

可是此中也有一些学者出来，把他们所发见的事实做根据，比他们的见地有更进步的观察。例如拉尖霍富尔（Ratzenhofer）在他所著的《社会的认识》一书上，曾经发表过下面一段话。

"我想人群内的男女，大概是同权的。依我们所研究的结果，并不觉得男子在人群内常占优胜地位。由种种事实推究起来，妇人在当时确是社会的结合要素。在今日，男子和妇人比较起来，变化的范围广，而且变化的度数也比较的多；反之，妇人完全是人类种属隔世遗传的产物。这一说是从动物界生殖作用发达的形式以及最近关于人类男女自然的差别的研究发生出来的。这一说很和社会进化的行程一致。何以故呢？原来叫作'群'的，乃是人类种属发达而来的根本的形式，在这'群'里面，照上面所说，男和女就个人的方面说是平等的，后来因为种种（多与男子有关的）社会变动，就至于破坏了。所以在人类性的差异之中，属于第二意义的事，大概都是由'生存竞争'和'男子因生存竞争而得的社会的地位'发生的。即是当着猛兽来袭的时候，男性无论在精神上在肉体上所具有的个人的优秀，不得不发展出来，和他'群'斗争的时候，尤其努力。但是个人的优秀的事实，一旦发生出来，'群'内的平等就被扰乱了。女子因为这种扰乱,在自身的性的性质上,不得不采受动态度。"

"所以性的生活和衣食的方法,早已不照从前那样有平和的性质,这种要求个体的优秀的扰乱,就扩大起来,达到一定程度,一超过这种程度,'群'就开始分裂了。"

四、生物学者之态度

和人种学社会学比较起来,在生物学方面,于那种过去遗物的事实中,对于抵触一般信仰的现象,考察那深远的哲学意义的学者很少。莱列教授待乌德提倡始承认女性中心说,其经过已如前述;单就这一事看,也可以知道一般生物学者的头脑,很固执传统的信仰了。莱列教授,本是专门植物学者,像乌德所发表的事实,他当然早已知道一些。而且依乌德所说,莱列已是到了一种程度的哲学者。像莱列这种专门家,又具有几分哲学的头脑,犹然要听乌德的讲演才知道女性中心说,其他许多小生物学者,更不待言,他们当然不能踏出男性中心说以外一步了。

然而也不是生物学者中绝对没有表示女性中心说倾向的学者。乌德也说过,他在许多植物学者中,曾经发现一个与他的女性中心说意见相接近的人,这人就是米罕(Meehan)教授。

米罕教授曾经屡次说过植物中女性优秀的事实。他比较芸香的雌雄两花,观察那性的差异,发见了以下的事实。

芸香的雄花,比雌花散生的小苞更多,雄花的小花梗比雌花更为细长。这就是因为雄花的完成所消费的精力之量,比雌花所消费之量少的证据。雄花不过是完全叶和完全雌花的中间形式。

五、两性问题的一大革命

以上的例,也不仅是芸香如此。这种事实就植物学者说起来,当然晓得很多。只是他们以为抵触传统的两性关系,所以他们把一切都当作稀有的例外,付之不问了。生物学的发达因为这种固陋的精神所蒙的损害很大。生物学史上从前凡是可以证明人类动物的起源各种生物学解剖学上的事实,一概不问,一说到进化论就以为这是恶魔的声音;这种地方与前面不欲承认女性中心说的事实,都是同意义的社会事实。

依上面的事实看来,现在的男性中心说也和从前地球中心说一样,处在同一的地位;有哥白尼(Copernicus)的太阳中心说,而地球中心说的迷妄打破;有达尔文的自然淘汰说而人类中心说的偏见消除,现在有了乌德的女性中心说,就会要扫除那久入人心的男性中心说的迷妄,成就两性问题的一大革命了。

第四章　自然之命令

自然之上,有大智慧。自然常受这种智慧支配,自然常受这种智慧所定的目标指导。宗教家、神学者,大概都有这种信仰。因为如此,就是科学要把这种信仰打破都很不容易。自然界中事实上实现了种种道德的目的,但是也有许多都是由于毫未领会或者全然相反的许多要素实现出来的。人类已经达到的进步,有许多都是成了"完全离开人类意思而为人类所不经意的种种动的原因"的结果发生出来,与人类最初的希望正相反对。关于这件事,贡布诺维(Gumplowicz)教授曾经说过一段话。他说:"国家社会的经营者,往往单用直接的利害为目的才活动的;而社会的发达却往往超越人类利己的努力,达到自然所指定的目的。"

斯宾塞(Spencer)更就这种思想布衍出来说:"在征服和奴隶制度还未曾被人类觉得是不正当的期内,大概可以生出有利的结果。但是一旦相信这些与社会的道德法相抵触的时候,不特不助长顺应性的进步,反促进顺应性的退步了。"

总而言之,社会力这种东西,总是盲目地、无意识地向着一定目的进行。格尔兰(Gerland)说:"人类完全是必然的,机械的,由动物的状态发达而来的。"

神学者和目的论者,把这种超意识的自然力,看作是超越人类超越宇宙的一大智慧。他们说:这种智慧,包括一切,理会一切,成就一切。这种智慧又超越人智,虽有大贤人都不能测知这大意趣的真相。詹姆士(James)教授,曾经举出一个有趣的比喻。

"解剖台上载着的狗,发出悲痛声音,向着解剖人哭诉。这一瞬间的狗,完全在地狱里彷徨,找不出一线援救的光明,的确在绝对的要绝命的境地。可是在这种万分困难之中,无论是狗是人,也渐渐地得到拯救将来苦痛的一大救济。狗若能自己觉悟到这一件事,它也可以在危险万分之际,瞑目省察自己的运命,这就是赎罪之道。"只是狗与人不同的地方,狗没有这种信仰,人无论懂或是不懂,总能相信自己的苦痛的目的,向着好的一方面进行。但有一种奇事,越是自己相信受那不能见的力——即亚丹·斯密所说的"看不见的手"——所指导的那种刚强人,就越发相信个人的自由,越发相信自由意思的必要。

无论采用神学的说明或采用科学的说明,都是可以的,人类所以不能用自己的力制御自己的行为的原因,就是因为存有超越人类支配力的一个确实证据。

但是一旦踏到生物学的范围里,这种事实就和在社会方面的不同,不容易单纯地看出。这种事实尤以在生殖和性的问题内最为神秘。弄到这种地方,再加上些社会的制裁,把这些问题限定一些专门家研究,于是神秘的东西就弄成更为神秘了。

但是培根(Bacon)说:"有存在的价值的东西,都有学习的价值。"所以说到生殖的重大问题,我们务必要热心努力去启发人智。

第五章　生殖之方法

一、生殖与发育

普通说起生殖两字,都联想到男女两性的关系上去;实在生殖和两性,并不是同样的东西。生殖实是生物发育的一个方法。萧冰霍尔(Schopenhauer)说:"发育与生殖,不过是程度的差异。"赫克尔(Haeckel)也在所著的《普通形态学》上说:"生殖即是发育,生物即是超越那成为个体的身体组织而成长的事情,是取出自己的一部分而成为全体的事情。"

乌德由这个定义出发,移到生殖方法的问题。于是就引起一个疑问。即是,生物究竟怎样超越自己的身体组织得以成长? 这即是生物的生殖方法如何的问题发生了。这个当然不能一样说,实在有种种的方法的。概说起来就是准据自己的身体组织,由单纯趋向于复杂,表示渐有联络的进步的形迹。生物学者就活的有机体实地研究出来的结果,竟把这种联络阐明出来了。又有少数生物学者更进一步要把这种联络的论理的顺序说明出来。

二、无性生殖

一切生物的个体,成长至于一定限度,就不能维持原来的身体组织,而脱出旧组织继续发达,继续成长,这就是生殖。乌德把这种生殖方法精细调查,说明两性生殖以外,大概更有下列五种。

第一,最单纯的方法,是分裂生殖。如变形虫(Amoeba)、单虫类(Monera)那种由一片单纯的原形质而成的生物,成长达到一定限度之大,自然地由其身体中分裂而成两个同大的个体,这两个体成长时,又各分裂为两个体。这种生

103

物是照这样永久分裂继续发育下去的。此种分裂确是像单纯的,无论何种高等生物的成长,若把那构成身体的细胞的发育过程调查起来,也和这种分裂法一样的。即是一个细胞长大了分为两个,两个细胞长大了分为四个,又长大了又分为八个,于是就成为无数细胞,构成身体的全部。

第二为出芽生殖。前面所说的分裂生殖,是一个体分为同大的两个体;出芽生殖是分为大小两个体的。即是一个个体,突生出来,成为发芽的形态,这发生的芽,自然地由母体分离出来。这分离出来的长成与母体同大的时候,又自己发芽出来。这种方法,不仅是单细胞生物如此,苔虫类、蠕虫类、海蛸类,都是一样的。这个在普通人都知道的,是植物中最主要的生殖方法,植物的萌芽,就是这种方法的标本的东西。也不仅萌芽是这样,就是根茎、蔓枝、匍枝,都是由这种方法生出来的。

第三是胞子出芽的方法。个体中某一小群的细胞,与周围的细胞分开,渐次变成与母体同形的一个独立个体,就离开母体,独自成立了。这种方法在植虫类、蠕虫类、尤其在吸虫类最为通行;新个体长成,又复生出新个体,依次变换,与上述诸法相同。

第四是胞子生殖,位居第三方法和最单纯的两性生殖的中央。这方法与胞子出芽法略异,不是一群细胞乃是一个细胞由母体内部脱离出来的。这细胞到完全脱离母体之时,发达中止;由母体分裂以后,就成为一群细胞,就和母体成为同样的个体。这种方法,在某种劣等生物间行的。

以上都属于无性生殖。无性生殖这句话,是把有性生殖,看作是固有的东西说的,含有特别变态的意义。

然而这里还有一种特别的无性生殖。这一种无性生殖,与其说是无性生殖,反可以看作是有性生殖的退化,又可叫作单性生殖或处女生殖。这种方法正如卵之胚种细胞无须交精作用而成为新个体的一样。尤其是这种胚种细胞又可以受精,概说起来是因为受精的有无而别为男女两性的。例如人人都知道的,蜜蜂的卵,受精的变为雌蜂,不受精的变为雄蜂。所以照前面所说,把生殖作用从两性关系分离出来考察,就觉得这种方法,用严格意义说起来,不能叫作生殖作用。何以呢? 就是因为单性生殖作用产出来的都是雄的;此外因受精作用的结果,才能产出雌的来;只有雄,没有雌,种属就会要绝灭了。而且单性生殖中有一种植物虱可以看得出来的；不受精的卵反有变为雌性的事，所以这种情形很可以说是生殖了。

生物的生殖法，也不止上述数种。此外也许有种种中间的法则。不过没有遗传到今日来罢了。或者虽然传了下来，也许我们没有知道。然而单就以上数种方法比较一看，我们就可知道生殖方法由单纯渐趋复杂的径路了。但是生殖方法若单是这样，那么，生殖作用不过是继续生命发现的作用；所以若没有生殖作用，生命发现的作用，就不会成为永久的事实了。生命的发现也好，生命的保存（即发育成长）也好，生命的继续也好，都是同样的事情，所不同的地方，不过是枝叶的细目即是适应种种境遇而生的种种形态不同而已。

三、两性的交精作用

如上所述，生殖的目的，是生命的永远继续。即是使个体长成达于一定限度之大，使其生存至于一定限度的年龄，使其自身移作新个体，使其多造出新个体，这几件事，是生物界中自然的第一目的，有上述数种方法可以够用；若除此以外，就要需用别种方法了。

上述各方法，只关系于增加生命的分量，而生命力的发展，却不仅是分量的增加，还要成就性质上的进步。但是虽然说性质，毕竟还要归着到分量上去；所以分量的增加，常是真目的，而性质上的进步，反是手段。无机物进化到有机物依然是以增加物质的分量为目的；凡是附带而生的事物，都是偶然的结果。虽然由偶然的结果发生出来的事物，有时也很占重要的地位，但若不能援助根本的目的，也是不能存在的。要而言之，生命力正在向着一切方面突进而前的时候，无论是偶然的结果，或是分支分派，凡是有益无害的方法，都可由"益者存在的法则"继续存在。于是就有交精作用法则发见出来了。

交精作用即是异质混合的作用；异质混合即是打破自然界的沉滞，诱起变化进步的动的原理。至于叫作发育的生殖，本来都是静的东西。前面所述各种生殖方法，不过是仅照原形存在的作用。若要更进一步，造出有利的组织上的变化，就有加入动的作用的必要，这即是异质混合的交精作用。

这种交精作用若是进步，必然呈出两性的现象。但是两性这句话若对于初期的现象而言,就容易惹起误解。因为世人一说到两性,就联想到界限分明的雌雄男女上去。所以对于上述各种方法与两性毫无关系的生殖作用,并不注意。然而实际上营两性生殖的生物,在数字上,没有全生物界一半的数目。总之,两性交精作用,在生殖上不是根本的必要条件,不过是因为要谋生物的进化向上而求变化的第二义的方法。所以说来说去,生殖作用和两性作用,在根本上完全相异。

四、接合作用

交精生殖,以接合为始。只是在单细胞生物的一方面,是两个体的全身相结合;在多细胞生物的一方面,是从两个体的身体分离出来的细胞相接合,这就是两者不同的地方。原来"两性"这个名词,即是就交精生殖的一方面说,对于低级生物差不多说不去,所以我们要把那易生误解的话避去,把一切交精生殖叫作复合生殖;前述各种生殖方法表示区别。于是一切复合生殖,又可以说是依接合作用而行的。但是单细胞生物的接合,和多细胞生物的接合,虽然有上述那种区别,而这两种都是两细胞接合生成一新个体的。

就接合作用说,以前的学说,都以为单是两个接合的细胞合为一体,生成一新细胞;这新细胞再行分化遂生出胎子。这种地方,两个接合的细胞互相抱合而成长,所以生殖即是发育的原有形态。但是近来胎生学进步,就知道接合作用绝不是那样单纯的过程,而两细胞的核心以外的部分,确互成为营养物而消费的。这些问题在这里不暇细述,只不过要专就这些事注重的说一说。就是,接合作用,本是确保性质互异的遗传要素相结合的普通方法;但是这种结合要素,在最初不一定有所谓"两性"的差异。所以生物学者普通都说两性在最初是同一的:有说两性在起初并未分化的。实际上无论如何观察,在两个互相接合的细胞间,多不能看出什么差异的地方。不过说这种细胞只有两个的意义,所谓差异也是这一点;所以无论什么细胞也许有什么差异,但是人智有限,到底不能一一辨别出来。

有许多地方,一方面大而静止,一方面小而活动,这种差异是有的。但是既然有两个细胞结合的方法发生作用,那就不是偶然的性质,必定有深奥的理由存在了。即是在细胞自身的内部,那种结合的行为必定含有一种根本的理由。换句话说,甲细胞与乙细胞接合,绝不是偶然的结果;这种结合,必定是因为对于任一细胞有利才结合的。即是有一种利害观念存在细胞之内才相结合的。但这种利害观念,成为"节约的法则"的结果,只赋予两细胞的某一方面,他一方面完全立在受动的地位的。由同样的原因,就生出两细胞大小的差异。其结果,而男性细胞(即精子细胞)普通比女性细胞(即胚种细胞)其柄较小,而具有强烈的欲望和敏活的运动机能,因此得以自由地、活泼地寻求对手的胚种细胞,把自己的身体,投进这胚种细胞之内。接合作用照这样的变化就成为真的两性结合,但是同性细胞彼此单纯的结合与充分发达的异性细胞彼此的结合之间,必要经过种种中间的阶段,这是自然的道理。

但是如上所述,既然把细胞别为两性,把接合作用最后阶段,叫作两性结合,两性之中必然又有两种区别了。这两种区别,即是细胞的两性和两性的个体。这事正与单细胞生物的两性和多细胞生物的两性之差异相当,而精子细胞与胚子细胞,可以看作是各个独立的单细胞生物。但是普通多细胞生物中所说的性,没有生殖细胞的两性的意思,实是个体的两性的意思。

至于细胞分化的议论,就我们现在的智识程度说,不能再进一步研究,所以这个问题,只说到这里为止;以下再就两性问题别的方面调查出来。

无论是同种细胞的接合,或是精子细胞与胚种细胞的结合,一切交精作用,都是徐徐顺次进行而来,绝不是一朝一夕由无性生殖移到交精作用的。原来依无性生殖而成的生物,不仅是进化发达受了限制,而且必定自然灭亡的,所以现在只有极小部分的生物,属于这一类。但是这里又有"交代"的现象,成为无性生殖的变化发生出来。即是无性生殖屡次继续之后,渐次入于囊胞状态而就眠,以后又从新接合,或营别种交精作用。把种种两性生殖法总和起来一看,所谓两性生殖,在起初都是"交代"的,所以无性生殖的期间渐次缩短,竟至于完全消除了。而且从这种状态起以至正当的交精生殖为止,又必须经过长期的径路,所以结局还是依顺应的作用,达到这种最后的状态的。

前面也曾说过,交精作用对于生殖也不十分重要。只是因为有利于种属的生存发达的理由,所以对于某种生物交精作用就成生殖不可缺的条件了。以下所述的自体生殖单性生殖,要不过都是过渡时期的一时状态。

五、男性之起源

生殖与两性完全是两事，前面已经说了。又营无性生殖的生物，本来不能说是男性或女性，但是普通都把产子的生物看作是女性的。女性是生子的。所以一切生子的生物都看作是女性。生物学者关于分裂生殖，也常使用"母细胞""女细胞"的名词。所以说生命始于女性，久由女性继续的这种话，在言语上学问上决没有不合理的。依据这种意义，又可以说：由分裂生殖到两性生殖，经过无性生殖的全时代只有女性存在的。总括一句话说，生命始于女性。

此外再把生殖的发展调查一看，这女性中心说，更为有效。即是女性从太初以来，存在继续，并无变化；男性是从中途发生的，虽有种种变迁发达，却不能成为生物界全体的现象，所以现在无男性的生物种属比有男性的生物种属为多。

要之，女性是生物的本源根干，男性是后代的派生物。男性在长时期之内，不过单尽交精的任务；在现在多数下等生物中，男性除了交精以外并无别种任务的。

第六章　男性是派生的附属品

一、雌雄大小之隔绝

把两性作用最单纯的形式说起来,为保存女性原型起见,要借交精的微小劣弱的男性的补助。生殖细胞中,形体的大小是最大的差异,而女性细胞(即胚种细胞)常比男性细胞(即精子细胞)大。譬如就人类说,卵子约为精子之大的 3000 倍。就某种寄生物说,女性之大与男性的数千倍相当。达尔文书简中有一段有趣味的观察,今把他引用在下边。

"前次我就某种蔓脚贝,发见一件趣事。这是只有女性的蔓脚贝,别的地方与普通的蔓脚贝完全相同,只有一个特色。这个贝壳的两片大壳内有两个小袋,两小袋中都藏着一匹小雄偶。还有一件趣事,这是具有两性的蔓脚贝;她自身虽然具有两性,却还要几匹预备的小雄偶伴着她。甚至于有 7 个预备的小雄偶的。造化的配合,真是不可思议已极了。"

达尔文这种观察,后来经许多学者证实了。赫胥黎(Huxley)极力地说:在某种生物中,男性附属于女性,完全靠女性之力生存的。别奈登(Van Beneden)也说:"蔓脚贝中有一种叫作 Abdominalia,雌雄异体,而雄比雌小,都附着雌体上的。"

又下等生物中男性的寄生现象也不少。男性的任务,只是交精。在某种线虫类中,寄生于女性的男性腹腔中,充满的只有睾丸。依达尔文所试验,这种男性完全缺乏消化机关的。所以别奈登更加把这事形容出来,说"男性不过是为女性所养的睾丸"。

以上所说的,本是特别例外的事,可是单就这一点看,也可以知道男女两性作用,在最初所以发生的原因了。女性占优胜的事实,不独是单细胞动物为然，就是无脊椎动物的大部分，多少也有是这样的。而尤以蜘蛛类中，这种事实最为明显。大蜘蛛捕食小蜘蛛的话，人人都知道的，这种地方本来非常奇怪，可是由女性中心说看起来却是很平常的。

螳螂类大小的悬隔，虽不如蜘蛛类，但是雌螳螂非常狞猛，雄螳螂要赌着自己的生命方能达到交精的目的。关于这一层，有一点实验谈，把它写了出来。

把一匹雄螳螂放进饲养雌螳螂的笼内。雄螳螂起初惊愕要想逃避，雌螳螂立刻跑来把它捉住。雌螳螂最初使雄螳螂的前左脚跪下，把它的胫骨和大腿骨吃了。其次把雄的左眼取食了。这时候雄螳螂才觉得自身与雌螳螂相接近，于是屡屡向它要求交尾，可是达不到目的。再次雌螳螂又吃它的右脚，又吃完它的头，渐次从它的胸吃到它的腹。这时候它还要求交尾，雌螳螂才开始开放一局部，准它达到交精的目的。大约经过四点钟之久，雌螳螂还是狞猛，雄螳螂不过剩一后脚微微颤动，表示未死而已。到了第二天早上，雌虽将雄解放，而雄身已化为皮壳。

一切昆虫在蛾的时期内，通例雄比雌小。幼虫时代，大小的差度，虽然略变，而多少总有差异的。蚕类的茧也有雌雄的区别。昆虫种属中普通雄比雌小，甚至没有摄取食物机关的虫类也有许多。这种昆虫，因为太不完全，所以把幼虫时代所蓄积的事物食尽之后，就不能再保持生命了。这就是证明雄的任务专在交精的充分的证据。

这类中最显著的实例，还是蚊虫。依霍瓦特（Howard）博士说，充分长成了的雄蚊，似乎不及摄取食物，雄蚊的口和雌蚊的口，构造完全不同，食物的方法，当然也是不同。又如蚤的夫妇也是一个普通的例。

还有一个关于雌类的伟大的实例，就是蜜蜂。普通人称雄蜂为"惰蜂"差不多只为交精而存在的。若是蜂的数目过多，就为"工作的蜂"——中性的蜂——所杀。此外脉翅类、鳞翅类、直翅类，也是一样，雌比雄大而且美。

以上所述，虽然都是无脊椎动物的实例，但是脊椎动物中下级的东西，也是这样的。就是鱼类，雄也比雌小。又如雄鲑的小，人所熟知，渔夫多称雄鲑为"种鱼"，捕得即放，因为雄鲑太小，即捕得亦无价值，不如放生为善。鸟类本是男性中心说的根据，然而也有像鹰鸟那样，雌鹰比雄鹰大而且美的。

哺乳动物与鸟类相同，普通雄比雌大而且美，可是由身体的大小和色彩的强弱看起来,雌雄差不多没有区别。啮齿类大概都是这样。

二、植物之雌雄分化

前面就原生动物所说的事,对于一切原生植物也可以说得通的。在单细胞生物中,动植物的区别差不多没有;所以赫克尔(Haeckel)于动植物以外,别设原生生物的单细胞生物的特殊部门,把生物界分为三类。凡不属于动物、不属于植物的生物,都属于这一部门。但是多细胞生物却不然,男性之进化,动物和植物,大不相同。

多细胞植物中所谓个体,究何所指,这是一个问题。若说一株树的枝和芽,都各叫作个体;两性分化,就可说是植物界全体的共通现象了。但是若将同一之根所生的枝和干总括起来说是个体,两性分化就有下列的三个阶段。

第一,雌雄同花。即是雌雄两机关在同一的花内的。

第二,雌雄异花。即是同株而雌花雄花各自另行构成的。

第三,雌雄异干。即是雄木与雌木相异的。这是完全的两性分化。

植物的雌雄同花,即是动物的阴阳同体,英语都叫作 Hermaphroditism。但是植物的雌雄同花,与动物的阴阳同体不同,绝不是异常变则的现象。显花植物,最初都是雌雄同花,但因为自身受胎,于种族保存不利,所以生出别的种种方法来。但就个体的意义说,同一之花虽有雌雄两机关,却也不限定是原来的 Hermaphroditism。例如雌雄两机关,虽在同一的花中,若有媒虫的仲介而行异花交精,这就不是 Hermaphroditism 了。而且虽然说是异花,却是同木的花,若把这同样的木看作是一个体,这当然也是一种 Hermaphroditism,若是把花当作个体看的时候,就不对了。若是把个个雄蕊雌蕊当作个体看的时候,当然更不对了。

一切在最初是纯粹 Hermaphroditism 的雌雄同花,往后就依"益者存在的法则",雌雄同花,只剩留在形态上,而实际的交精就与雌雄异花或雌雄异干没有差别了。更进一步,就变成纯粹的雌雄异花,变成雌雄异干了。即是长期存在的种属,雌雄分离更为显著,譬如柳类都是雌雄异花,檞类都是雌雄异干。

如上所述,若把雄蕊雌蕊都当作个体看,植物两性大小强弱的差别,就比动物更为明了。即是雄蕊不过单尽交精的任务,授精以后,立刻衰萎;雌蕊受精以后则发达成长遂至于结实了。更有一种普通看法,把一株木当作个体,比较雌雄异干的植物的两性,这时候雌木雄木之间差不多没有差等。雌雄异干,单依性的分化由雌雄同花转换而来,所以当然没有差等的。若是雌雄两性植物,两性差等过于显著,待至转为雌雄异干之后,一方的性就要萎缩,他方面就充分地发达起来。实际上这种事实也有的,女性总是占优胜。这是男性在雌雄同花时代所有的势力失坠,女性反充分发达的结果。或者在交精以前势力上并无差异,而交精以后男性立即衰灭了。这种实例最显著的是大麻。通常大麻在交精时期以前,雌雄差不多没有差异。一入交精时期以后,雄木把花粉渡与雌木,雄木就停止发达,顿呈黄色,渐至枯死,而受胎的雌木反越发发达起来。即是受胎之后,雌木变高变大,麻的纤维,都是由雌木取来的。

有说雄木在授精以后所以凋落,实因为麻株过于稠密;授精之后,雄木若依旧残留,消耗地力,就要妨害雌木的发达结实,所以自然的调剂上,要使雄木首先凋萎的。这说也是一理,而依据乌德的实验,就是麻株过于稠密的地土,雄木也在授精以后停止发达的。不过稠密的地方,只是停止发达,在一定季节内犹能生存而已。

此种现象也不限于大麻。乌德发表女性中心说的七年以前,在他所著的《华盛顿市及其附近的特产植物一览》上,曾经举出许多同类的例。

三、生物的根干是女性

由以上的实例,我们能够得到结论。即是生物的根干是女性,男性是后来派生的。即是男性在生物各种属中将祖先代代传来的异质混交,因此更生变化发达,由中途派生出来,最初只不过以交精为任务。所以无脊椎动物的全部及脊椎动物的某种属中,男性比女性弱小,本来的任务,还是交精。女性自最初起差不多没有变化,只是男性就渐渐变化(或进步)了。所以"女性代表遗传,男性代表变化"的学说发生了。普尔克斯演述这种意义说:"卵子是遗传法得以出现的机关,精子是得以发生新变化的机关。同种类的雏鸟的两性和亲鸟的两性相比较,男性的变化最大。"

　　这一说动辄被人利用,以为男性常占优胜,而女性不过单是"发达中绝"的样本。但是事实却与此相反。女性本来是通常正则的状态,男性不过是含有最强大的变化性的变则的状态。例如鸳鸯,雄的羽毛,非常美丽,但这也不是鸳鸯类固有的特色,反是因为"异常变则"而派生的现象。雌雄差异未能辨别的雏鸟的羽毛,确是这一种属的原型的特质,雄的美毛,不过是中途派生出来的附属现象。

　　总之,女性在最初,差不多没有变化,常常成为生物学组织的重力的中心点。这即是哥德(Goethe)所说的"顽强的不变力",实在就是种属。

第七章　男性之发达

一、男性之欲

如上所述,生物的原始体,却是女性,男性还是后来发生的。但是现存生物中,也有许多和那成为根干的女性一样的发达了。男性本来因为异质交合之便单尽授精任务而生的。所以男性在初时是女性的附属物,或比女性最为劣弱。但是这里有个问题发生,生物界全体,既然以女性为中心,何以在进化的过程上,男性渐次发展,遂至于具有与女性同等的体格,或者有与女性相异的发育呢? 说到这里,我们就可以知道女性占优势是普通正当的现象。只是成为问题的地方,就是男性为什么能够发达到现在的程度一事。乌德对于这一层,曾有下段的说明。

原来男性因为要尽授精的任务,对于自己的活动,就不得不感觉本能的兴趣。而且因为要完成授精的任务,这种兴趣,也是不可缺的要素。所以男性必赋有一种炽烈的性欲,统生物界之全体说,男性往往很热心地、很活泼地探求女性,要努力把新的遗传要素注入女性身上。譬如在某种下级生物的男性,浑身都是睾丸构成,由这种事实看起来,我们就可知道男性的任务和活动,都集中于授精一事了。又如上面所述的男性螳螂,赌自己的生命和女性接近,待达到目的的时候,自身就被女性咬杀,由这种事实看来,也可以知道男性的本能在交精一事上是很强烈的了。

如上所述,男性的性味、男性的性欲,实是自然的呼声,是自然的命令。男性受了这种命令的指示,就不惜牺牲一切,来完成授精的任务。人类社会性的变则状态,也是根据这种理由而成的。就社会说起来,因为要维持各时代的秩序制度,对于两性关系,附加了种种制限;但是陆续出来冒大危险要打破这种制限的，毕竟是因为男性有一种本能，能够适应自然的根本法则，完成异质交叉变化促进的目的。男性螳螂赌死接近女性，正是同一现象。由这种意义说起来，为性欲问题，要把社会的制度打破，当然是顺从自然的最高制度而行的了。埃里斯(Havelock Ellis)说：宇宙的保存性，不必包括人类社会的保存性。人类只蹋踏于地球的一局部，只能思考百年或数百年间的事实，这种狭隘微弱的人类智慧，当然不能和大自然的伟大智慧相一致，所以有时完全相冲突的。若是人类的智慧，经由一部阶级或片面的性的褊狭经验而应用的时候，这种倾向更甚。于是我们由这种见地来说，就不得不断定宇宙的保存性比人类的保存性更为安全。我们就没有自由来设定人为的性的障壁。

以上是埃里斯的学说，依这一说，人若为自然的命令把社会制度作牺牲，这种行为就算是犯罪，要受处罚。但这是人为的犯罪，绝不是自然的犯罪。把犯罪当作好事看的人，当然没有的。人若是犯了罪，自己必定想着是作了恶。但是虽然如此，而社会上犯罪的人，依然没有减少，就可以知道自然的命令很有力了。什么危险，什么刑罚，在自然的命令面前无效。

生物界照这样的成就了多大的变化进步，但是自然因为要达到根本目的，把男性作牺牲并不介意，只要女性安全，生命就易于发展。百个男性，不能尽授精的任务，并不足惜，若有一个女性不能生殖，就要大受损失。所以下级生物之中，男性之数常超过女性。

二、女性之淘汰力

男性之欲与女性之欲，性质完全相异。女性自然也有和男性一样的性欲，然而总不会自己去寻求对手，所以男性能动，女性就成为受动了。

但是女性另有一种为男性所全无的性欲。除了交精和生殖以外，还有可以达到第三种目的的欲望。男性常有一种大变化性。这种无限制的变化，实是危险。进化上所要求的要素，并不仅是变化。品质和分量，实在是一样的重要。女性就是品质的保护者。因为变化有进步的、有退步的。变化过度，就陷入变则状态。所以变化就有受指导调节的必要。当指导调节之任的，就是女性。女性是种属的根干，立于男性与男性的竞争之间，从容选择于自己种属有利的男性。"自然"向着男性的命令说:"授精呵! 异质交叉呵!"又命令女性说:"要知道取舍方法,选择最良的对手!"所以在数字上,男性超过女性的事实就发生真的意义。男性之数越多,变化越繁,女性常认识这种变化,依自己的本能,选择于自己种属最有价值的男性。

这种选择心,是女性特有的本能,与男性的性欲,其性质完全相异。在植物和最下级动物中,虽缺乏这种本能,却有一种美感和趣味性;这种美感和趣味性,能使那劣弱微小的男性附属物,发达至于与成为根干的女性相类似。

三、男性体格之强大与美丽

如上所述,成为过程的根本的要素,是遗传性。所谓遗传性,即是说父母所生之子,继承父母的性质的事实。但是前面已经说过,母性的性质,即是种属的性质,只有遗传,不生变化。变化实从父系的性质遗传而来的。所以女性用自己的趣味性选择优良的男性,男性这种优良性又遗传于子。年深月久,就生出变化,造成种属的第二义的性质。但是女性方面,已是种属的根干,依自然顺序发达,所以这种第二义的性质,多显现于男性方面。乌德把这种过程,叫作女性淘汰(即是从女性方面发动的淘汰),与广义的雌雄淘汰表示区别。此事在后面再过细说。

蜘蛛的男性,微小劣弱,前面已经说过,所以女性选择男性,以体格强大为主。这也不仅是蜘蛛如此,即在一切下级生物,女性最初也是选择体格强大可以和自己相当的男性;所以男性首先因此得以接近女性了。普通生物学者说两性差异的时候,专注重色彩、声音、角、牙和别的武器装饰;动辄要忘记两性最初的差异,在于体格大小强弱不同,而男性先受女性淘汰的。

女性淘汰,不单是女性美的趣味成就的,男性的嫉妒心,贡献也大。男性因为有嫉妒心,所以互相竞争,竞争的结果,男性之间,就发生投合女性所好的性质。男性间彼此竞争,何者最为有效,这也不外于体格强大。于是一方面女性的趣味性,要选择体格强大的男性;他一方面男性间彼此竞争,又助长这种倾向,所以男性渐渐地把"强大性"完成了。这种事实固然也有在例外的,但大致总是如此。所以生物之中,有最古的历史的鸟类哺乳类,男性不单是体格强大,而且在武器上、在装饰上也生出了种种特征,男性依次继续发达,就渐渐地要凌驾女性,遂至于要颠覆女性中心的根本原理了。

四、女性的趣味性

如上所述,男性在生物发生以后方出现的,在最初只当作精子细胞,单以补足胚种细胞为目的。胚种细胞在精子细胞未发生以前,早已存在,曾经独立生殖许久的。精子细胞是促进变化发达的机关,绝不是生殖作用的必需条件。后来,女性(即本性)生物中,趣味选择的本能发达,女性所选择之性质依遗传之法则,渐次蓄积起来,男性遂得一种可以匹敌女性的强大性。于是生物学者一方面说女性,一方面说男性,把男女两性,看作是同等资格,最近甚至把交精作用当作生殖不可缺的条件了。这种话当然是皮相的见解。

女性的趣味性,不但是和前面所说的那样,专要体格强大,而且又激起男性种种装饰的特征。鸟类中女性的趣味,尤其锐敏,更有美丽的羽毛,做装饰的好材料,因此产出空前的美装来。

孔雀、极乐鸟、鸳鸯等鸟的美丽,人所熟知,那种雄壮的装饰,只有男性具备,女性的姿态却很质素的。所以美丽的男性,互相竞争,把那种美丽在女性面前炫耀出来。

男性中心论者专在这种地方,行皮相的观察,要证明男性的优秀;殊不知这些现象,原来是女性的美感和趣味性反映出来的。昆虫的趣味,把植物的花的美表现出来,其理完全相同;生物的趣味性,下自昆虫,上至人类,差不多完全共通的。

又如鹿的角,也是女性淘汰的结果所生第二义的性质,这是最显明的事实。总之,无论说是鸟类或是哺乳类,凡是男性身体的强大、活动、美装等项的发达,都可以看作是女性淘汰的结果。

女性的淘汰,以美为标准,上面已经说了;但是普通不以为是美的性质;譬如勇气,也是归女性所选择取舍的,勇气的性质与体格的强大美丽的性质一样,也是取悦于女性的最大要素。所以男性彼此之间,因为要得女性的爱,就演起了激烈的竞争。但是这种竞争,也不见得如何猛烈残忍,男性彼此也不一定相争相杀,也无所谓最后得胜者生存。所以这种竞争和生存竞争不同,因争爱而牺牲生命的也少。男性的勇猛和强大,不过是对于竞争者的武器,绝不是用来压伏女性的。女性在外观上,虽然比不上男性,但是取舍选择之权,依然操在自己手中的。所以主张男性的勇猛、强大、美装、美音等项是"男性优秀"的根据这种话全无意义。男性中心说,男性优秀说,在这种地方,失却地位。

男性虽如何强大勇猛,可是那种强大勇猛的本领,并不是用来保护自家子雏的。譬如男性最发达的鸟类哺乳类中,如野鸡、孔雀、七面鸟、狮子、水牛、鹿、羊等类,关于子雏养育的责任,均归女性担负;而且女性还有一种为男性所不及的本领,无论什么猛兽,见了人类没有不逃的;只是有了幼畜的雌兽,见了人类并不害怕,而且鼓起非常的勇气,要和人类奋斗的。即如狮子,人称为百兽之王,可是牡狮多少有些胆怯,牝狮却很勇猛。所以猎人遇了牝狮,特别警戒。人若存敌意,戏弄雏鸡,母鸡就张翼竖毛,向人剥啄,这就母鸡勇猛的实例。这时候雄鸡做什么事呢,不过和别的牝鸡戏弄罢了。

五、男性开花

男性因女性淘汰而禀受的武器武力,差不多完全用来和同性的种属相竞争的,对于敌人的战斗,却没有什么效用。女性在这时候,只望着那为自己而互相竞争的两个男性在那里争斗,若是某男性斗胜了,就把某男性选为配偶,因此果使对手方面所以占优胜的特质,越发发达增进起来。所以男性的发达,有些地方像虚伪的,有些地方像游戏的。说起来,这就是虚饰虚荣。乌德把这种事实叫作"男性开花"或"男性花装"。

男性开花和男性优秀不同。虽说是男性开花,而就生存的最严肃的一面说,依然是女性优秀,不能发见男性支配的事实。所以这种现象不过表示生物进化的倾向;其真意义就是把男性低下的地位,引到现时华美壮丽的地位,因此使生物界的进化向上发达,超出以前的地位以上。在鸟类和哺乳类中,一见好像是男性占优秀,其实并不是因为女性中止发达,不过是男性发达过度。总之男性开花是一种病的现象。上面所述男性过剩的发达,多少仍传到种属全体,因此种属全体,也进化到一定的程度。男性因受女性淘汰而生的第二义的特征,发达到一定程度为止,又转移于女性,这是达尔文所承认,最近的古生物学也能证明的。

第八章　女性仍占优胜

一、动物期和人类期的境界

似人猿之中,男性开花的事实,也是有的,但没有照上面所述的那样显著。普通说似人猿,大概指无尾猿而言,但是有尾猿之中尤其与人相似。乌德说曾见过爱尔兰人面孔的有尾猿,俗语称为海猫的有尾猿,很像非洲人,其中又有像英国人样的有尾猿。

这些猿的面孔,什么地方和人相像,说起来自然要把面孔的形状做基础,但是还重在毛色的匀配。他们的口腔上部差不多没有毛,这是和人相同的地方,至于两颊的周围,所有的毛比别部分的毛较长,恰和人的须胡髭相像。人类中男子的须,最是显著的性的特征,这也可以看作是由猿的时代遗传而来的。本来就这些猿之中两性第二义的差异比较起来,虽然不能十分明了,但是Gorilla Chimpanzee、Orang、Gibbon 等似人猿之男性的体格,多比女性强大,而且备有坚固的颚和齿。

其次就似人猿说,虽曾发见了颚骨的一部分,而于男女派生的特征无从知道。但是一般学者都假定男性强大,而且有种种别的特征。

上面所述似人猿,通常称为 Pithecanthropus,更进一步,又有称为 Neander-thal 人的一种。在这两种似人猿之间,还有一些学者假定有一种存在欧洲三期层时代的似人猿,称为 Homosimius 的种属。

这是一种假定,本难确实了解,其头盖如何,当然无从发见。只是从器具和家宅的遗物推究起来,也许有这类似猿的人。有某学者把这种似猿人分为Thenay 人、Otta 人、Puy-Courny 人三类。依这种学者说,这三类之中,第一类用火分裂燧石,其他二种用燧石打碎燧石。这三种都能利用自然力,所以由这种地方看起来,已经不能看作是似猿人,反可以编入人的部类。

由"似猿"转到"似人"的过渡期内,其间的经过情形,当然无从知道,但是依进化论说起来,这个过渡期中的变迁,绝不突然急变的,反可以看作是经过几层中间的连锁,徐徐变化而来的。所以在动物期和人类期之间,当然不能引出明确的线索。原始人类的事,只说到这里为止,其次专就历史上出现的人类考察出来。

二、男性脑髓之发达

人与他种动物相异之点很多,最显著的就是理性的发现。人所以能够征服地球,完全靠着这种理性。而这种理性之力,又使男性把女性征服了。

男性因为女性的趣味性,生出种种第二义的性的特征,促进那种"男性开花"的结果,就是到了"男性开花"达到极点的时代,女性仍是支配男性,并未曾因为男性的特征,受过男性支配的。无理性的动物,不外如此,所以这也是最好的方法。聪明的"大自然",绝不会把性的优越权委付纷乱无常的男性,招来种族的灭亡。

但是就"理性"这个名辞说起来,有一句话要注意的,普通所说"理性的"一句话,当然是指"合理的"的意思。所以都觉得理性的动物,绝不至做不合理的事。更进一层说,"理性的"这句话之中,还含有正义或道德的意义。

但是在这里说的"理性"的名辞,并没有上面所说的那种意义。就最单纯、最具体的事物说,推理研究也是理性的作用。原始人类的事实,唯有就这种意义说是理性的。人类的理性,成为纯粹利己心的奴隶发生出来;最初的目的,完全在好好保存欲望的目的物。所以理性代替本能,成就目的,就是主要的任务。但是理性要有一定限度的力。从一方面说起来,理性本有远心的性质,到一定程度为止,要受本能的驾驭。人类以前的动物,一切都由本能的力,维持女性的优秀,防止种族的灭亡。至于人类,理性才开始支配本能。即是人类的理性能够脱去本能的羁绊,同时又能防止种族灭亡的危险,保有充分的力量。达到这种程度的时候,理性常常自灭的。因为理性动辄要造出混乱的人,所以"自然"把这种昏乱的人削除了。

　　脑髓的发达，大部分还可以看作是派生的性的特征，在前面述雌雄淘汰的地方曾经说过，生物学者，说起雌雄淘汰的结果，往往注重角、声音和色彩等装饰的特征，动辄蔑视那更为重要而且是根本的男性体格强大的事实；这里就脑髓发达的事实说，也是一样，他们以为脑髓是男女两性所共有的，所以不把脑髓发达一事当作性的特征，而以为是最初以来男女共通的现象。殊不知这种想法错了，脑髓在最初也是成为女性淘汰的结果发达而来的。

　　要得女性爱情，惹起男性间的激烈的争斗；而男性竞争得胜的条件，以聪明伶俐为主，所以渐渐成了诱起脑髓异常发达的原动力。而其发达的大部分，当然要在男性上显现出来。

　　男性脑髓的发达，以人类的男子为最显著，就是脱了本能的束缚，也不至于和别的动物一样遇到种族灭亡的危险。照这样发达下去，男性体格，充分地强大起来，于是使用他的优越的武器，可以任意地压迫女性了。因为前面曾经说过的，男性本来是利己的东西，并没有受同情所制裁的理由。换句话说，就是理性不受道德的束缚，可以自由发展权威的。这就是人类界男性开始占优秀的时期。从此以后，男性只知乘势压伏女性；从来全生物界女性所有的自由取舍选择的最大特权，也完全移到男性的手里去了。

三、女性支配

　　上面所述的事实，也是经过几千万年的长时期逐渐演进的，并不是初入人类舞台，女性的优越权就突然间移到男性的。就是成了人类以后，女性也曾有许久保持了本来的优秀。取舍选择之权，依然归女性所掌握的。雌雄淘汰的事实也和别的动物一样，最初也是女性淘汰。变化常在男性方面的。

　　现在有某种种族中，这种事实，多少还有几分存在。譬如孔哥（Congo）人的男子，有故意毁伤自己的身体的习惯。这种习惯，据人种学者达喀（Tuckey）说，这是男子因为要取媚于妇人的动机，才这样干的。因为负伤是勇气的表象，所以妇人往往欢喜有伤痕的男子。男子因为求女子爱，故意把身体毁伤，好像这伤痕是在战场中受的一样，使女子看了好爱他。这种类似的实例，别处地方也有很多。

　　总而言之,女性的地位,就是入了人类舞台以后,也是在男性之上掌握了取舍选择的特权。这种特权由女性移到男性,自然经过了长时期的变迁,至于缓急的程度,以人种优劣如何为定。原来当时的人种,各在各的群内,互相厮守,所以群和群的交通,差不多没有的。某群虽然因为特殊事情,男性优越的状态,发生较早;他群却因为反对的事,女性优越的状态,变化较迟。若不晓得这个理由,以为各群都是一样的同时的变迁,这便错了。世间上也有人相信唯有本国所行的结婚形式,是最普通、最明确地由自然之力规定的;其实男女结合的形式,最重习惯,所以完全由各种社会特殊的事情规定的。

　　由似人猿移到人类舞台的时候,男性或者在体格强大这一点比女性为优。但是女性在当时还是掌握着取舍选择之权的。这事可以从现时各种下等人种之间所遗留的事实上看出来。

　　这种事实中最显著的,是女性支配。女性支配的事实,因为人种的差异,其程度、其程式有种种不同,绝不可一概而论,但是根本的特色,却处处相同的。就这个问题说,到现在为止,搜集起来的事非常之多,这里没有介绍的余地,只是女性支配的一件事,现在至少从二十多种的人种中的事实,观察认定的。其中也有印度 Assan 地方的 Khasi 种族,也有 Malabar 海岸的 Naiars 种族,又有 Bornes 的 Dyaks 种族。其余主要的种族,有 Sumatra 的 Batta 人,有非洲西部的 Dahomans 种族,有非洲中部的 Mombuttus、Madagascar、New Britain、Australasia 等地的土人,和东部 Brazil 的 Botocudos 等地的人种。

　　单单这点实例差不多也可以把全世界各方面都列举了。这些人种散在的地方,和现在的文明各国,相隔颇远;所以要证明现在的文明人种之间从前也有过这类的事实,就难得充分的材料;然而欧洲人的先祖,尤其是 Bretons 和 Scots 人之间,证明女性支配的记录,却依然存在的。

　　要之,无论什么人种,必定有一次要经过这种时代的。由这种意义说起来,女性支配的事实,差不多可以看作是一切人种共通的现象。

四、母权制度之现象

　　关于这一层,有一个有力的证据,就是母权制度的事实。1861 年人种学者巴霍芬(Bachofen)调查各色人种的古代法律和记录,发见亚利安(Aryan)和瑟姆(Semitic)两人种之间曾经依母系继续血统的事实。他由这种事实出发,对于太古人类两性关系,下了一番新解释。从来视为绝对不变的真理的男性中心说,因此受了非常的打击。

其后马克勒南也就别的许多现存人种中发见了同样的事实。

其次莫尔干就亚美利加印度人也发见了类似的事实。莫尔干因为要研究野蛮人的社会,曾在纽约州印度人伊洛加种族之间住过许久,后来又加入了塞奈加族。他于是发见了这些种类之间,因为父子关系不能明了,血统都由女系继续,以至发生固定的母系制度的事实。

野蛮时代女子地位权势超越男子一事,到现在已成了确定的事实。历史上的传说所以多载女酋长的事实,也可以因此充分说明出来。传闻北美休伦人种,一族由十一氏而成,各氏选出女子四人男子一人为代表,代表集合开氏长会议,即是这氏长会议,由女子四十四人男子十一人组织而成。由此一事,也可以想象女权很占优势的了。专说什么女子自古服从男子,什么女子本来不干与政治这一类话的现在文明社会的妇女们,对于这些事实怎样看法呢。

五、母权制度之原因

人类最初也是动物。现在稍受教育的人,差不多没有人对于这种事实怀疑的。但是能够了解这种事实的真意义的人却是很少,这种事实单就他们对于男女结合一事,没有理解的地方可以看得出来。动物的亲子关系,不过只是母子的关系,父亲不过只尽授精的任务。而授精的原因,又不过是单纯的盲目的欲情,绝没有觉得授精的结果就会养出儿子来。所以动物也不晓得交精和分娩间存有一定的因果关系。男性只以满足欲情为目的寻求女性,对于女性尽授精的义务。女性对于分娩,也不晓得男性授精是必不可缺的原因。女性只知依自己的本能,养育爱护自己的产儿。换句话说,它们只是想做,并不相信有不得不做的义务。

这些话,就动物界说起来,大概可以说得过去,但是稍或懂道理的人,就相信上面的那段说话,不能说明人类的事实。这种见解,当然是大错,其实人类在最初也是这样的。为父的能够认识自己的儿子，为母的对于自己的分娩，能够认识男性所尽的任务，不过是后来的事情；在最初的时候，也和别的动物一样，把交接和分娩，想做是没有关系的事情。这就是前面所说的母权制度的根本原因。

儿子虽然生了出来，儿的父亲还不能知道，在这个时代"父亲"的观念当然没有发生的理由，所以亲子的关系，都只是母子的关系。交精和生殖两件事，在前面已经说过，从根本的意义说，完全不同；而且两方面当事者各人的思想，也当作是两不相同的思想看待的。生出的子女，多隶属于母系，为父的完全没有关系。所以母权制度绝不是特别例外的现象。这种制度在人智还没有完全发达的原始民族，倒是顺序的结果。况且既然承认人类起源于动物，所以由理论上说起来，必定要达到这一种的结论。

由今日的男女道德看起来，原始的男女关系，最是放纵无忌。譬如群婚、乱婚、一夫多妻、一妻多夫等类事实，在现时顽固的人看起来，都以为这类事，是恶魔干的。想到我们祖先曾经做过这种不道德的事，恐怕会要战栗起来。所以有些人种学者，要努力把这种事实遮盖的。但是到了现在，无论怎样做，都做不到了。就是比较进步的人种间，这种实例，也可以搜集得许多出来。

这些事实，在这里没有一一列举的余暇。我只能就这方面举出最热心而胆大的学者列土诺（Letourneau）的说话，当作这些事实的结论。他说："在原始人类最低级的文明社会中，和结婚的名称相当的现象，一点也没有。当时的男女结合，完全是必然的无意识的事件；而这种结合，只受一个法则所支配。这法则就是唯有最强者得以达到交接的目的的法则。"

他在这里所说的"最低级"的社会，就我们看起来，也不一定是"最低级"的。因为他所说的"最强者"，当然是指男子说的，最强的男子能够支配性的结合，已是人类社会较为演进的时代了。我们在这里，并不是论男性占优势，不过是说明女性曾经占优胜的时代的人类。所以那个时代，比他所说的"最低级"的社会，还要低级。取舍选择之权，依然操在女性之手，所谓"最强"的事实，当然是男性取悦女性的要素。但是这也不是完全如此。实在"最强"的要素以外，还有"美""勇""忍耐"这一类的要素的。

第九章　男性之优胜

一、为父的意义之要求

母权制度存在，由于理性不足，前面已经说过，到了后来理性发达，交接和分娩的因果关系，渐渐地明了起来了。女子单单一个人不能独自生子的事实，也明了起来了。这就是推倒向来女性支配的社会组织，重新产出男性支配的社会组织的根本原因。但是这种自觉，也不是一朝一夕发生出来的。在未开化人的心理中觉得最明了的事实，就是小儿的存在，以分娩为先。而分娩当然是女子的责任，所以未开化人都很相信子女是从女子身上来的。男子不能分娩。不能分娩的人，对于子女当然没有关系。所以男子和生子有关系的事情，无论如何，他们不能知道的。

分娩必有多少苦痛。母亲因此必要在一定期间内卧床休息，所以她们一说起分娩，必要联想到这种事实。她们相信分娩和卧床、生产和病痛，都是接连发生的。她们离开分娩，就不觉得有子女的存在，离开病痛，就想不到分娩的事情。这三个过程，在她们看起来，都是同一的事实。

所以若是对着那时候的男子，说他们于生子也有关系的话，他们必定要否定，并且要举出证据，要努力地说他们自己并没有因为生子害过病的。他们的想法，以为没有因分娩害病的人，完全与生子没有关系。

到了交接和生产的因果关系渐渐明了以后，依着自然的顺序，男子自然晓得要子女认他为父了。就杂婚时代说，交接和生产的关系，虽然明白理会，而某人究竟应为谁人之父，还不能知道。所以男子方面，虽然要想做父亲，也无从做起。然而无论如何没有开化的人种，到某种程度为止，必定要行一夫一妻或者一夫多妻的制度。这种倾向似人猿和某种高等动物，都有几分表现出来。

所以男性因为这种关系,能够看出自己所生的子女来。这时候男子一定要得着为父的资格的。

然而分娩必定要害病,这是那时候男子这样想念着的;所以男子要想得着为父的资格,非亲自害过那分娩的病不可。但是不分娩的,当然不会害分娩的病。所以男子就不得不想出最后的方法来,要假装害病了。即是当着妻子分娩的时候,他也要跟着一样的卧床服药了。

这件事我们倏然间看起来,似乎很蠢的,而实际上现在未开化种族中的男子,有许多还是这样的。这种事,普通叫作 Couvade。这 Couvade 已经成了许多人种学者研究的问题,所以这里避去重复的说明,单指摘那社会的意义。

列土诺曾经把这种现象说明了。他说:男子在长时期内不晓得他自己和女子怀孕有关系。所以一旦感觉到这种事实,就发明 Couvade 的法则。即是男子已经认定他自己有为父的资格,所以在妻子分娩的前后,装病服药替她分受痛苦。这种习惯已经许多人种学者发见出来,无论什么人种,总有一次要经过这种事实。

对于上述那种事实,唱反对论调的人也不少。譬如曼格西司(Mancusis)那种种族之中,虽有这种习惯,但依然是母权制度,还没有移到父权制度的。若以为 Couvade 是承认父权的表征,在那种母权制度的种族中,就不会发生这种的习惯了。

但是母权时代的习惯,并不因为有 Couvade 的事实就完全废弃的。对于子女的全权,也不至因为 Couvade,就完全由母系移到父系来。Couvade 的目的,不过要证明生子一事,不完全依靠母亲,父亲也很尽力的,所以父权问题,还是后来发生的。即是 Couvade 是移到父权制度第一步的手段,绝不是父权制度的自身。

二、男性支配

为父的资格,一朝依着这个习惯确立之后,其次发生的重大结果,就不难想象而知了。使男子能够自己觉悟为父的意义的力量,是理性的发达,而理性的发达又影响别的方面。Couvade 本来是父母对于子女同权的意义,但是父母同权的一件事,就惹起男女竞争的事实出来了。

在这时候以前,男女两性,绝对没有用体力竞争的事情。女性支配时代,一切取舍选择之权,操在女性之手,只有男子和男子间互相竞争的。用体力压迫女子使她服从的事情,男子并没有这种梦想。动物的贞操是绝对的。因为贞操是选择不是拒绝。这个定义,对于动物的贞操和人类的贞操,都可以说得过去。在这种意义上,贞操可说完全是动物的东西。

然而由女性支配移到男性支配的时候,女性完全把这种贞操失掉了。同时男性崇拜女性的心理也失掉了。"男性开花"于是完全凋落了。女性的权威和男性对于女性的服从,到这时候已成了过去的梦。男性自己晓得"为父"的意义和"为父"的权威,渐渐晓得自己的实力的强大。这里所说的实力,在当时当然是重在肉体上的实力。又男性在这时候,又开始晓得女子在经济上的价值了。男性于是用自己优秀的实力,不单是强制女性满足性欲,而且要使女子服种种劳役。女性支配既然倒坏,必然要移到男性支配了。男性支配于是起来了。父为家长制于是发生了。父家长制实是女性支配倒坏后自然的结果。其原因专由于理智的发达。理智发达,能够打破本能的羁绊,这就是女性支配移到男性支配的根本原因。男性于是变成了支配女性的人,就以为女子应当比自己还要微弱、还要愚钝,而且应当图自己欲望的方便的人了。女性于是归男性所有了。

三、妇人被征服

父权制度的结果首先发生出来的现象,是妇人被征服的事实。男子把女子当作奴隶使用,做种种残忍的行为。这种现象,自然成为女性支配倒坏直接的结果发生出来的,而其原因,当然由于理性的发达。

上面虽然说理性发达,而理性也不一定和同情心相冲突的。理性发达到了一定程度,必定和同情心相伴而生,但是能够达到这种程度,却是不容易的事情。人的精神中最初发现理性的曙光的时候,完全在利己心的奴隶的地位。这个利己的理性,把原始人类精神中的道德感情闭塞了。

道德的感情,非在理性十分发达之后,不能发现;所以在当时单纯的直觉的理性中,到底没有发生道德感情的余地。所谓同情,在为他人设身处地把他人的苦痛在自身上反映出来的时候,方能发生的;这个反应若是越强,越鲜明,对于他人苦痛的同情,也越强。在女性支配开始移到男性支配的时候的人类,原来没有过这种反映力的。就是那种些小的曙光,也是后来表现出来的。当时的人类,虽然完全缺乏同情心,却很晓得满足自己的欲望。而且他们也很有知识,讲求种种满足欲望的手段及方法。我们要把这种利己的理性和爱他的理性明白区别,也不必回溯到太古蒙昧时代去。就是在现时的文明社会中,那些因为要满足自己的欲望,想得数金数十金,不惜杀戮无辜人民的残忍人,也非常之多。由这种意义说起来,犯罪也可说是野蛮时代的遗物。要之,文明发达的程度,就是使人把他人的苦痛在自己心中反映出来的力的程度。这种力越强,越能够努力除去那在自己心中反映的他人苦痛,文明发达的程度也跟着增高了。

如此,人类社会到了妇人完全被征服的时候,就入于黑暗时代。我们若有能力,我们要把这黑暗时代的叙述,完全删去。我们的先祖,曾经做过这类残忍的行为,我们回顾起来,实在是一件很大的负担。但是若因为先祖曾经有残忍行为的理由,就把这个时代的经过完全删去不述,不免于女性中心说的联络上发生遗漏。说明的统系,就不免破坏了。所以我们为说明的顺序上的便利,还是要把这个时代的记述写了出来。

四、男性支配之下妇女之境遇

斯宾塞关于这个时代女子的境遇,曾经说过:"人类历史中,发生了种种的惨事。吃人的事也有的。拷打的事也有的。把人的肉体供献神灵的事也有的。但是这些惨事,大概都是暂时发生的,做这类事的范围也不普遍。只是把妇人当作动物看待的一件事,却是很永久而且很普遍。从现有半文明的社会,追溯到非文明的社会,观察妇人状态,再追溯到以前野蛮蒙昧社会,把虐待妇女的事实想象起来,我们觉得妇女所受过的以及现时正在身受的苦痛,实在是出乎我们的想象以外。妇人因为男子的利己心,受了无限的苦痛。妇人的不幸,实是男子利己心的结果,是男子没有同情心的结果。妇人所受的苦痛,就是达到她们所能受的限度的时候,她们的体力早已不能忍受了。若是更进一步要超过这个限度以上,她们除了死灭以外,无路可走了。她们的死灭,即是种属的死灭。实际上妇人因为受了无制限的虐待而死灭的事例很不少。因为这种原因,所以自招灭亡的种属是很多的。"

以上并不是夸张的说话。我们在大体上,承认这种说话有充分的真理。只是他把虐待妇人一事,当作"动物的"待遇来形容,我不得不有一句抗议的话。虽然我们人类所犯的罪恶,多起源于兽性,但是把虐待妇人一事,也说是兽性的结果,这便错了。因为男性虐待女性,完全是成了人类以后的现象,人以外的动物,绝没有虐待女性的事情。不特不虐待女性,而且都受女性支配的,这是动物界通有的现象,前面曾经屡次说明了。

还有一事不能佩服斯宾塞的说话的。据他说,虐待女性的现象,越是追溯到人类历史的太古时代,越发厉害,这也不是事实。若是划分一定的时代考察起来,虐待妇人的现象,自然是越追溯到古代越发厉害;但是从那时代再追溯到古代去,妇人的地位,倒越发增高起来,要遇到女性支配的时代了。从大体上说,斯宾塞的话,本有真理。而且说妇人所以被征服由于男子缺乏同情心一句话,尤其得当。关于这个问题,他还有下面一段话:"无论在什么民族中,其爱他心的平均程度,大概可以由妇人地位的高下,推测而知。由这种意义说,原始人类的爱他心是很低的。非文明社会中的妇人待遇,实是动物的待遇。普通都是把女子当作男子的附属物看待,个人的自由,原来没有承认的。这种奴隶状态,是蒙昧时代妇人的地位,所以不单是男子,就是妇人自身也以为这是正当的。因为如此,所以当时的社会中爱他的精神,可以说是很微弱的。"

列土诺对于这一层也曾说过:"人类尊重弱者的感情,是文明发达之赐,为原始时代所未有的现象。无论看全世界上什么社会,妇人总是比男子微弱的。妇人即是弱者。所以社会的发达,越是幼稚,妇人的地位越低。妇人的地位,实是文明发达的标准。"

男性支配时代中妇人的地位,可以证明的事实,其数无限。这里不暇一一叙述,只列举二三种较为显明的事实。

据人种学者埃亚(Eyre)所列举的事实看起来,澳洲土人夫妇之间,差不多没有真爱情。男子只把奴隶的劳役做标准,评定女子的价值。试向澳洲青年发问,问他们为什么要娶妻。他们必定异口同音地答应说:娶妻是因为要使她砍材、汲水、整理食物,并且要占得她的妆奁。他们虐待妇人非常厉害,有一点不如意,就要打她。把枪矛洞穿妇人胁腹,绝不算奇事。妇人不受打扑伤、不受枪刺伤的人很少。埃亚说曾经亲眼看见过受了刺伤的妇人。

其次斯宾塞对于非洲加菲亚(Kaffirs)种族,有下面一段话:"加菲尔人之妻,除了做种种家事以外,还要服一切苦役。她们是丈夫的牛马。我亲自听见过加菲尔人一句话。他说:夫买妻,妻有为夫劳动之义务。"

玛拉加西(Malagasy)土人的酋长,由外边回家的时候,妻子屈手跪膝,在门口匍匐而行,于是用口舐丈夫的脚。这种风俗,在那地方很流行的。列土诺说:"非洲地方,差不多无论什么地方,妻子都是丈夫的财产。丈夫把妻子当作呆兽,有使役的权利。他们驱使妻子和用牛一样。"

列土诺又说喜马拉雅地方土人的风俗说:"Djemnah 河源附近的 Aryan 人种的印度土人,曾经模仿西藏的一妻多夫制度。他们实际上买卖妇人,但是在富列撒(Fraser)视察他们的时候,农民社会的妇人价值,大概由十卢比起码到十二卢比为止。他们把自己的女儿卖出去,并不觉得什么要紧。兄弟们共聚一妻,又可以把共通的妻子贷给别人。"

依前面所述,高等动物中体格强大一点,男子多比女子为优。人类也是一样。男性体格强大一件事,就原始人类说,是使女子隶属于男子的根本条件。一达尔又说:"男子的身体和精神都比女子强大。野蛮时代男子压迫女子比别的动物的男性压迫女性尤其厉害。"斯宾塞也说:"野蛮时代的男子,其道德不定比女子不如,而在极端利己的人之间,强者虐待弱者,却是明白的事实。这种虐待,有许多的方法,凡是使弱者做不愉快的劳役,也是这些方法中的一种。"据莫伦霍斯(Moerenhaut)说,纽西兰(New Zealand)人种中,父亲卖女儿,兄弟卖姊妹的时候,他们当着那些未来的丈夫说:"若是某女子不合你的意,任凭你把她卖了、杀了或者吃了都可以的。"要之,在男性支配的社会里,女子完全是男子的财产;有时把她当作呆兽,有时当作奴隶,差不多一切虐待,她都受尽了。

现在的文明人,听了这些事实,其所以不能十分理解的原因,就是因为不晓得人类丝毫没有道德感情而且对于他人痛苦没有同情的时代中所有的事实。就是在现在的文明社会中,那些和野蛮时代一样的虐待妻室的事件,每天报上都常常登载的。现时已经有了法律的制裁还是这样,若是没有法律没有警察取缔,恐怕这些惨剧还要增多的。

现在的人,道德心也算是很发达了,假如就是没有法律制裁,就是没有警察取缔,恐怕不至于有那样苛酷的结果,只是在男性支配的初期,这种道德心,完全没有发芽,所以当时的状态,比我们所能想象的尤其厉害。

利己的理性之发生,把人类引到动物以上,同时又把女性从来的优秀地位,降到奴隶的地位。理性的光明,使男子觉悟"为父"的意义,同时又使他晓得自己的优秀的体力。这种自觉,是使女子处男子下风的根本原动力。女性于是被男性征服了。

五、家族的意义

说起家族来,好像觉得是很神圣的东西。孔德说家族是社会的单位,是社会的堡垒。他这种说话,差不多对于原始人类,没有什么研究。他所说的那种家庭的事情,实在是非常悲惨的。所以他对于家族,照那样无自觉地去崇拜的,不幸他的家族说倒受了许多社会学者的信奉。他们虽然不把家族当作社会单位,虽然不把家族当作神圣,但是至少总把家族看得非常重要的。

孔德认定家族一语的本来意义,是"下仆"或者是"奴隶"。据语言学者的研究,家族(Family)一语,本来从渥斯甘(Oscan)语的 Famel 而来的,这 Famel一语又是拉丁语 Famulus(奴隶)的语原。至于这些语句一切都和 Fames(饥饿)一语的语原相同或否,现在还没有确定。总之,罗马人所用的 Familia(家族)一语确没有当作我们现在所说的家族的语义——即是包括父母和子女的家族——用的。这种意义的家族,他们普通都用 Domus 一语。这些都是言语学上的议论,于本书的研究没有关系,不细说了。

我们现在第一要弄明白的,原始时代的家族,究竟怎样。在女性支配的社会里,严格的意义的家族,自然是没有的,因为那时候的人,还没有懂得"为父"的意义。母亲也和别的哺乳动物鸟类和其他种种脊椎动物一样,都尽自己的本能养育子女。但是到了男性支配的时代,妇人就陷在奴隶的境遇,妻和子都化成了男子的财产。单就那时候说，男子本来也曾为了女子奋斗过的，但是他们奋斗的目的，并不像先前那样要得着女子的爱，乃是因为要把女子占为自己的所有物的。他们因为独自一个人要占许多女子，所以互相战斗了。所以弱者和劣败者不得不守独身，强者和优胜者，就可以独占许多的女子。

这种一夫多妻的生活，使得男子地位更益巩固，遂至产出了父为家长的大家族。

所以原始时代的社会是由父为家长的家族和独身男子构成的。这些独身男子之中比较劣弱的人，就被逼而为族长的奴隶。妇人固然是奴隶了。就是女子也有应该服役的义务了。于是为父的、为家长的男子对于家族全体就掌握了绝对的支配权。

人类学者里巴特（Lippert）不晓得这种原因，却以为这种变迁，是由于武器和器具发明的缘故。他说："武器和器具发明以后，人类得以狩猎，狩猎之事，以男子为主，女子因为要养育子女不能外出狩猎。于是男子就开始把搬运单纯小行李的事交给妇人们做了。男子就有借劳动养育妇女小儿的必要了。结婚是由经济上的必要而行的。男子因为专事狩猎所以体格越发强大起来了。所以男子就渐渐凭借体力，欺凌妇人，遂至于全然支配妇人了。"

以上是里巴特氏所说的梗概，但是他对于男子的体力所以优越的原因，还没有真正的理解。他的学说和乌德的学说比起来，稍有不相一致之点，只是说明当时社会变迁的地方，叙述得较为明了。在没有生物学素养的人类学者所提出来的说明之中，他的学说，比较的缺点还少。

家族制度的现象，是男性支配必然的结果。所以拉尖霍富尔说："父的家长权，即是家族的根本条件。在以平和的男女关系为特色的群居生活中，或者也许有夫妇关系。但是使这种夫妇关系得以成为一个永久关系的，完全是以家族内支配征服的事实为基础的。经过这两现象以后，永续固定的夫妇关系，才开始和人间固有的欲望一致。但是社会之家族的结合，本来有经济的基础，所以妇女幼年的地位（有时两亲的地位）大概因为这种结合降下了。于是一家之父把自己的妻子，降到劳动者的地位，自己单靠妻子的劳动取得衣食，有时虽然亲自劳动，不过只是打猎，或者和野兽奋斗，这就算很多了。为妻为子的这种地位，可说是人类社会中最普遍的现象。"

他又就别的地方说:"无论是一个男子征服一个或数个女子,把自己的子女当作劳动者使用;也无论族长的大家族受最年长的家长所指挥,从事同样的经济的活动;也无论数男子共有一个女子;也无论现在这样的一夫一妻制度怎样普遍;可是下面所说的一件事,绝不会变的。就是前面所说的家族,既然说是家族的时候,总不外是立在两性关系基础之上的经济制度。"

要之,男子压迫妇女幼年使其服从的一事,是家族制度发生的根本目的;因为有了家族制度,于是向来用至上的优越权支配了、淘汰了男子的妇人,到现在完全相反,倒成为男子的奴隶了。所以乌德说:"家族就是社会之瘤,是不自然的男性支配的赘物。"

第十章　买卖婚姻及掠夺婚姻

一、结婚的三个意义

结婚一语有三个意义。第一,男女彼此任意结合。第二,男子对于女子或女子对于男子的任意结合。第三,使女子和男子结合的行为。

三者之中,第一种不是能动的,也不是受动的,乃是相互的。所以英语以外的欧洲语,多用相互动词。譬如法语说 Sépouser,德语说 sich verheiraten,正是此意。我们说"结婚""结了婚",也是这一种的结婚的意思。

第二和第三种结婚,都是能动的,通常用他动词,但是意义上很有差别。譬如法语说 épouser,德语说 heiraten,我们说"娶"都是第二种的意义;又通常德语说 verheiraten,我们说"完娶"都是第三种的意义。而就英语说,都可以用 marry,而在第三种意义说通常多用 To give in marriage。

结婚的用语的研究,不在本书范围,我们宁可就这些用语的例中,研究历史的意义。

从历史上说,结婚在最初只有第三种结婚的意义。其次行第二种意义的结婚。最后到了高级文明的社会,才行第一种意义相互平等的结婚。又第二种结婚的意义中,男子对于女子或女子对于男子所行的结合,在最初只不过是男子对于女子的行为,所以在这种情形说起来,女子同意与否不成问题,是纯粹的"取妻"的意义。到了后来女子对于男子而行的结合,也包括在这种意义之中了。

要之,结婚的最初的意义,完全限于前面所述的第三种,所以族长可以把属于自己所有的一切妇人,自由处分,在这个时代除了这种方式以外,没有别种意义的结婚。前面曾经说过的,当时的族长,把妇人当作有一定价值的物品

135

看待;若是他觉得牛、马、矛、船和别的器具比自己所有的妇人的价值还要高,他就乐得把自己所有的妇人去交换这些物品。所以当时所说的结婚,不过是族长对于这种交换的允许。他们把自己所有的妇人卖给别的男子的时候,通常说是使她们结婚。就是前面所说的"完娶"的意思。久而久之,这种贩卖结婚,就生出种种复杂的仪式;但是无论行的什么仪式,贩卖结婚还是贩卖结婚;共同的根本条件,是"男子领有妇人",和"蔑视结婚的妇人的意志"。

二、买卖结婚之变迁

到了后来,种族之间彼此时生冲突;社会的同化现象,渐渐普遍;被征服的种族的妇女,变成征服的种族的奴隶,而且也不止是女子为然,就是男子也成了征服的种族的奴隶了。于是奴隶制度完全变成了社会一般的现象。但是这种现象,倒反于妇人有利了。为什么呢? 因为一般的奴隶制度的结果,使阶级的基础固定,同时上流阶级的妇人,其身份虽然比同阶级内的男子不高,但是比较下级阶级的男子,却很高贵了。

又,社会的同化现象,把族长制度的基础更加弄巩固了,族长制度在结婚上发生的重大影响,一方面使结婚的形式更趋复杂,他方面使妇人奴隶的境遇,稍得缓和。当时的结婚,通常都是一夫多妻制,到了游民阶级发生以后,一夫多妻制的基础越发巩固了。贵族阶级权力阶级中人,随自己所愿,可以得到很多的妻子。男奴隶越多,妇人的境遇略好。上流游惰阶级,争设深宫后院,蓄藏美女,并不课以劳役,只以满足欲情、繁殖子孙为事。

但是别的方面,既如下流阶级和中流阶级(既不是贵族也不是奴隶的人)之间的结婚,反带合理的倾向,甚至有实行一夫一妇制度的。异种族的混血儿,遂得完全成就了。

其次,国家发生法律制度完成以后,结婚受法律的规定,渐渐具备人类制度的形式了。然而这些经过,不是像这里三言两语所说明的那样易于成就的。就是通常我们称为古代的希腊罗马时代,结婚的进步,也是非常幼稚的。在荷马时代,正妻和妾的区别虽然明了;但是那种区别,和现在所说的正妻和妾的关系稍有不同。好像是他们所说的正妻,是从同一上流阶级得来的妻,他们所说的妾,是从下层阶级得到的妻。

荷马时代的结婚依然是买卖结婚。妇人都有一定的价值,和别的商品同样的买卖。照这样得来的妻,即是当时的正妻。但是当时所称的正妻,是通常赠送土产于他人后得到的谢礼,说起买卖的话,当然是买卖,不过没有买妾那样显然罢了。

依列土诺说,在罗马的初期,妻是夫的奴隶,属于家族,不过是动产的一部分。像喀多(Cato)那样君子,犹然把他的妻子马西亚(Marcia)借给友人霍登西斯(Hortensius)而不辞。又罗马男子为夫的有殴妻的权利。圣·奥格斯丁(St. Augustine)的母亲莫尼亚(Monica)说:"罗马的结婚,除了订'劳动契约'的意义以外没有意义。"

其后妇人买卖的习惯,继续了很久。而且那种买卖,还有种种的形式。贵族的妇人,当着十个证人的面前,和未来的丈夫,领受久比塔(Jupiter)神的司祭人所给的果子,这就算是结婚了。但是这种结婚的仪式就是没有,而结婚的根本,还是买卖。就是贵族出身的妇人,到了结婚之后,也不得不归丈夫所有。

结婚形式的变迁,在这里没有细述的余暇,只能说到这里为止。无论在什么形式之下,到近代为止,结婚总是用"夫以妻为财产"的事实做基础的。结婚一事能够脱离极端的买卖的性质,转到前面所述第二、第三两意义的结婚的,还是后来的事情。

三、掠夺婚姻之起源及其遗风

上面所述的重在买卖婚姻,还有一种结婚制度,就是当时的掠夺婚姻。这种掠夺婚姻的发生,在生物学上有很深远的意义。本来"自然"这种东西,照前面所说的一样继续使异质混合,要防止变化发达的中绝。生物界所以有雌雄两性的现象,就是为了这个理由。但是"自然"这种努力,在动物界只保存着雌雄异体一事,就不再进行了。而且也没有再进行的必要。

但是到了人类舞台,营血族团体生活的时候,近亲之间性交的倾向太烈,势不得不讲求方法,防止这种倾向发生。这也不是各人自己理会这种事情的,乃是人的综合智识或本能,觉得非如此不可的。最初的时候,以族外结婚为主,同族结婚极端禁止,业已成为习惯,犯禁的人,多受死刑的重罚。

以后因为战斗征服种族合并的事实陆续发生,异质混合的方法,大规模地行起来了。其中最主要的方法的一种是掠夺结婚。这种习惯,就是在现在的野蛮人种之间,还现为种种的形式继续存在。纵然掠夺的事实没有,而掠夺的模拟却成了结婚的仪式了。

澳洲的风俗,青年想得妻子的时候,常借友人的援助去掠夺,掠夺过来之后,就让那些友人挨次和她亲近,然后方成为自己专有的妻子。又南美某种族之间,做夫婿的男子,请托他的友人,到对手的女家,开领取女郎的谈判,谈判之中,本身的男子,私地牵马跑到女家附近的地方,用巧妙的方法,把对手的女子夺出来,使她坐在马上逃走。于是女家的人,大家都跑了出来,叫唤追赶。新郎拼命保护马上的女子,向附近的森林中逃了进去。这就叫作结婚的仪式。不特是仪式是这样,就是女家不肯承认那桩婚事,也可以用这种方法,好好地把女子夺出来,逃到森林里去,就算完了事。还有许多和这种相似的例。譬如日本的风俗,当着女子出嫁的那一天晚间,有向男家投石的习惯,这或者也许是追逐掠夺者的遗风。又日本的风俗,男女成婚之后,必定要到他处去旅行,这叫做新婚旅行;这种新婚旅行,或者也是古时夺女子而逃的遗习。西洋有叫做 Charivari 的,用粗野的音乐,嘈杂新婚者的耳鼓;这种风俗,就是被掠夺的女家,袭击新夫妇隐藏的所在的遗俗。

古时罗马时代,这种掠夺的遗风,有许多见诸仪式的。据历史上的传说看起来,这种掠夺,确是实在的。撒贝恩人种大举袭击罗马人,夺去了许多妇女,这是有名的故事。这件事或者是那些以攻击近邻为事的种族,因为儿女太多生厌,尤其是女子,长大的时候,被别的种族领去,觉得长久地把女子养在家里,是一件蠢事,所以当着生出女孩的时候,大概要杀掉的;于是乎某地方或者某一时缺乏女子,因此养成了掠夺女子之风,遂至于大起战斗,行大规模的掠夺婚姻了。

要之,这样的掠夺婚姻,成了一个固定的组织,长时期内,在各处都风行的。只是后来人口繁殖,产出国家的形式,掠夺婚姻,渐渐地失掉本来的意义,遂至变成模仿的形式了。

掠夺婚姻最初的理由,也是照前面所述的依着“益者存在”的法则,完成了异质混合的任务助成了种族的发达进化。这也是由"大自然"的立场来说的，人类各个人，当然不是有意识地开始行掠夺婚姻。他们只因为有一种好奇心，觉得没有看惯的异种的女子很有趣味的，所以任意地无意识地开始行掠夺婚姻，也许是后来渐渐成了普遍的结婚形式的。然而就"大自然"说起来，人类利用这种好奇心，终究能够把前面所说的根本目的成就了。

照这样行的掠夺婚姻，在社会进化的某时期内，差不多是各种族间共通的结婚形式。所以要把这婚姻法调查起来一看，就晓得后代的掠夺婚姻，所以受社会上的排斥，必定是前代的婚姻法，遗下一些影响；这些影响怎样，要在这里研究出来的。

四、掠夺婚姻之哲理

成为人种学的现象的掠夺婚姻哲理，可以概括为下列四项：——

第一，无论什么种族的女子，要欢迎那比自己的种族较为高等种族的男子。

第二，无论什么种族的女子，不欢迎那比自己种族较为劣等种族的男子。

第三，无论什么种族的男子，要欢迎那比自己种族较为高等种族的女子。

以上三项，是人种学上根本的一般原理，仔细检查起来，就可晓得这些都是使一切种族进步发达的更普通的原理的结果。劣等种族的女子，听从高等种族的男子的时候除了单单的情欲以外，还有一种很有力的潜伏意识的动机。这种动机，即是使自己种族向上的自然命令，情欲即是为这种命令所鼓动的发动。同样，高等种族的女子，排斥厌恶劣等种族的男子的时候，其根本的理由，也是因为名誉不好，此外还怕自己的种族堕落；这种事实虽然没有意识，但是有更深刻的感动。又劣等种族的男子，所以要冒危险求得高等种族的女子，也是除了满足情欲以外，还有使自己种族向上的更深刻的动机，伏在里头。黑人虽然自己晓得私刑的报复可怕，但是往往要掠夺强奸白人的妇女，这都是听从大自然的至上命令的。

所以劣等种族的男子，对于高等种族的女子若有野蛮举动，在高等种族说起来，是种族的堕落，他们把这件事作为犯罪努力防止，也不为无理；但是由劣等种族说起来,除了情欲的满足以外,还顺从深远高尚的大自然的命令有很可以表同情的理由。这种事情比较雄螳螂、雄蜘蛛赌自己生命和雌螳螂、雌蜘蛛接近还要勇猛,所以从种族说起来,实是很可赞赏的。但是依同种的理由说起来,被害的高等种族对于加害的劣等种族,要用种种严刑酷罚,也不是没有理由。他们若不用这种方法,防止劣等种族的野蛮行动,自己的种族终至于要完全堕落了。所以他们要尽力量所能,应用严刑酷罚,以免和劣种民族的血液相混。其结果,牺牲高等种族谋劣等种族向上的事是很少的。这事由异质混合的大自然的目的说起来,确是很有趣的现象;就人类种族全体计,宁可希望各种族自由交叉混合的。

然而犹幸有第四种的混合法。即是:

第四,无论什么种族的男子,若是得不着高等种族的女子,不得已,就是劣等种族的女子也愿意了。

上述四条必然的归结,要发生下述的结果。即是异种族相混合的时候,父多代表高等种族,母多代表劣等种族的。这种结果,究竟于人类全体有幸福与否;反之,母属于高等种族,父属于劣等种族的时候,究竟有利与否,到底不是我们现在的智识,所能充分判断的。总之,结果总要生出差异,就是了。

第十一章　男性淘汰

一、男性美的趣味

人类道德的堕落,因为初期的社会同化,即是因为征服而起的社会同化就达于最高点了。自此以后,人类智识道德渐渐向上,野蛮时代所呈的惨状,也逐渐缓和了。本来男性的发达进步,是女性美的趣味的庇荫。这种美的趣味,就是到了人类,也绝不至完全消失的,只是为重新发生的男性利己的理性所遮蔽了。所以男性就凭借这理性,凭借女性淘汰的结果而得的体力,遂至把女性压伏了。

美的趣味和脑髓的发达同时并生,男子也不是完全缺乏的;但是美感是温和的兴味,所以在强烈的性欲发动之前,美感是不足道的。向来所谓淘汰,是女性对于男性而行的淘汰,即是女性淘汰。这时候男性能够满足性欲就够了。男性要想如何选择女性的话,差不多不成问题。所以在男性的眼光看起来,一切女性都一律是性欲的对象。比较、识别、判断等精神作用,一概是女子的特权。

但是后来因为有战争和征服的事实,而社会开化所行的阶级制度发生,于是人的脑髓,因为异质混合,更加发达起来。这时候就上流游惰阶级说起来,单纯的性欲满足,绝不是性的生活的全部了,他们随自己所喜,可以贮藏许多妻妾了。女子的供给,多至无限。他们从这无限的供给之中,开始比较善恶美丑了。原来劣等的物质欲望满足的时候,同时要生出高尚的精神欲望,这是社会学上的定则。所以他们能够逐渐涵养了美的趣味。他们因为这种趣味,更求一种戟刺的,助长他们已经充分满足了的情欲。

女性淘汰于是完全停止了。男性支配,妇人征服,完全阻塞了女性淘汰的作用,造出肉欲全盛的时代。但是到这时候,已经过长期间的动乱时代,渐达到平和时代,一部分少数男子,开始自由发挥精神力了。于是生出了男性淘汰。后来长在历史上,惹起了重大的影响。

二、淘汰的语义

男性淘汰对女性淘汰而言,是男性方面对于女性行淘汰的意思。普通说官吏淘汰的时候,行淘汰的人在官吏以外,官吏即是被淘汰的人;照这样说法,所谓男性淘汰当然是女性对于男性而行的淘汰,所谓女性淘汰当然是男性对于女性而行的淘汰了。但是在这里说的淘汰,意思是相反的。这里说的男性淘汰,是男性对于女性而行的淘汰;女性淘汰是女性对于男性而行的淘汰,这是要希望人人经意的。这即是自然所行的淘汰叫作自然淘汰的意思是一样的理由。

通常生物学上说淘汰,只限于自然淘汰、人为淘汰、雌雄淘汰三种;自然淘汰和人为淘汰,意思是很明了的,只是雌雄淘汰一语,却太过于空放。雌雄淘汰,究竟是谁淘汰谁呢,淘汰的主动力,还不能明了。于是乌德为除去这种弱点起见,把雌雄淘汰分为三种。第一是女性淘汰,即是女性对于男性而行的淘汰。第二,男性淘汰,即是男性对于女性而行的淘汰。第三,雌雄互相淘汰,即是男女互相行的淘汰。

达尔文用雌雄淘汰一语,专指女性淘汰而言,但也不一定是把男性淘汰置之度外。他所著的《人类之由来》一书上,有下列一段说话。

"例外的事实,也有男性行淘汰而不被淘汰的。这是女性方面,比男性为美,在这种情形,女性的美,或者是绝对的,或者是主要的要遗传到女性的子孙方面。男子的心身各方面,都比女子为优。所以男子占得淘汰权毫不足怪。女子处处觉得自己美。若是自己的能力能够做到,就想要尽力装饰的。女子的装饰欲比男子更强。雄鸟的美丽羽毛,本是为取悦对手的雌鸟才生成的,而人类的女性却借这雄鸟的羽毛,装饰自己的身子。女子照这样的在长时期内,为美所淘汰;所以后来世世相传的美的变化,多少总遗传于子孙了。子孙之中,尤以女性所禀受的美居多。所以女子更比男子美。但是女子不单是把那种变化传到女性子孙,而且也传到男性子孙,所以在男子继续依那种美的标准淘汰女子的时期内,男女双方都渐渐成就了那美的变化。"

三、男性淘汰之结果

在男性趣味尚在低劣的时代,男性所选择的性质,动辄有专尚奇怪的倾向。譬如 Hotteutot 地方的妇人多臀肉,即其一例。但在这种地方,无论男女,都可以生出第二义的性的特征。

康特尔(De Candolle)曾就一夫多妻制和男性淘汰的关系说:"一夫多妻制,是滥用权力的自然的结果。这是虽然有不良好的结果,但是因为常常选择美丽壮健的妇女的缘故,遂使富人阶级的肉体日增进步,这也是一种长处。"

上面所说的那种结果,当然以僧侣游惰阶级为限,但是在一夫多妻制度的时代,其影响总是很大的。尤其是土耳其贵族的后宫,到现在还是女性美的养成所。他们在邻近各国,搜罗肉体最发达的妇女,蓄在后宫。他们尤其喜好手足小,臀部发达得好,色白而美的妇人们。所以女性更加进步了。我们看见古代希腊雕刻品那样的优秀,以为这是艺术家的想象力构造出来的,这便错了,当时成了他们模范中的美人,实在很多的。

四、女性美之发达

在那样的长远的年月之内,男性淘汰,只限定于社会上一部分的阶级,使女性美得着种种变化,助长了复杂的性质。因为女性美和男性美一样,完全是第二义性的特征,所以美的表现,绝不是永远继续的。年少的时候,妇人无论如何美,一到年老,艳色没了,美也衰了。而且当时的女性美,以肉体的美为限,而精神的美,全然不顾的,所以美的继续性,比现在的妇人还要少。先前女性淘汰时代,所谓"男性开花"的地方,男性的发达,总不免有假装的游戏的事情;所以男性淘汰的结果生出来的女性美,也不免有这种不自然的性质。

然而男性美和女性美之间,又有种种显著的差异。譬如男子绝不喜欢身体强大的女子,宁可欢迎纤弱的女子。又如勇气、才智那些道德的精神的性质,男子对于女子也是不希望的。所以女子道德的精神的方面,一点也不发达。又如生殖力,差不多不受淘汰,所以男子的生殖力旺盛,女子越发有不妊的倾向。所以若是按照这种调子依次进行,而没有别的原因,减少这种趋势,恐怕女子要限在社会上寄生虫的地位,和那达尔文在书札上所揭载的蔓脚贝(寄生的)女性变成了一样。

要之,游惰阶级的男子,总想尽力量把女子诱到那种寄生虫的地位。中国人往时喜欢女子缠足,这是人人都知道的。他们不能等待淘汰和遗传的迟迟进行,所以专用一种束缚的道具,假人为的方法,造出那三寸金莲不能行走的妇人。

这些不自然的倾向,作为别论,总之,男性淘汰,于人类(尤其是女子)肉体上发达的进步,贡献得很多的。

第十二章　历史上的妇人

一、表现在中世纪文学上的妇人观

依上述种种影响,其结果遂使女性由最初的优秀地位堕落下来,完全变了男子的奴隶的状态,余波所及,就是现在的文明各国之间,也留着一些陈迹。许多人说起妇人来,就觉得是纤弱的没有价值的东西,不过是男子的道具。这即是男性中心说全盛时代中的现象了。

厌恶,轻蔑妇女的思想,在希腊罗马犹太印度和其余各国古代文学上充满了。从 15 世纪到 17 世纪的欧洲文学上,诽谤、笑骂、嫌厌妇女的文句,非常之多。欧洲中世纪流行的妖术,实在不过是这种极端的男性中心思想,和僧侣宗教的迷信相结合而成的东西。当时把事实寄托妖术,实际上不过是嫌恶污辱女性的风气。

譬如欧洲 15 世纪末叶得了法王许可而公布的 *The Witch Hammer* 一书上有一节说:"圣父们常常说过的,世界上善恶两方面都有三种极端的东西。一是舌,二是祭司,三是妇女。三者之中,尤以妇女为最甚。古来没有不受女子所烦扰的时代。贤者梭罗门(Solomon)因女性的诱惑,陷于崇拜偶像。所以圣 Chrysostom 说,妇女是友情之敌,是不可避的刑罚,是必然的恶,是自然的诱惑所迸出的泪泉。妇女从造出的当时为始,已是恶魔之友。女子(Femina)一语,含有不信的意味。Fe 是信(Faith)的意思,Mina 是'减少'(Minus)的意思。女子是男子的肋骨造的,所以女子的性质和肋骨一样的弯曲。女子与其说什么德,还是倾向于罪的方面。所以女子喜欢妖术,妖术比什么罪还要坏。巫女是恶魔以上的恶魔,恶魔只对于造物主犯罪,巫女却对于造物主,对于救主都是二重犯罪。"取出男子肋骨创造女子的创世纪上一句话,是妇人征服最好的口实。波瑟（Bossuet）应用这种文句说："妇女啊！不要自夸其美！你们是肋骨制造的。肋骨有什么美？"

二、印度之妇人观

再说到印度，这种倾向更甚。印度的谚语，嘲笑女子的最多。例如说："女子和靴子一样，合脚就穿，不合脚就舍掉了。"又如说："女子像蛇一般。美的也有，毒的也有。"

又如把有名的"Manu 经典"看起来，轻蔑妇人把妇人当作奴隶看的思想很多。那经典上说："女子在幼时依靠父亲，在青年时依靠丈夫，丈夫死后依靠儿子或男人的亲戚。若是没有父，没有夫，没有男人的亲戚的时候，依靠政府。"又说："女子当常常快乐，就是对于不忠实的丈夫，也要把他作为神灵敬奉。"又说："使男子堕落的是女性。"所以男子因为这些缘故，无论对手方面，或是自己的姊妹，或是母亲，或是女儿，都要绝对地不和女性同席，这是那经典上的命令。

三、欧美近代各国的妇人观

比起东洋来，欧美近代各国，并没有怎样的把女子当作奴隶看待，但是也有不对的地方。而尤以德国为最甚。

一国文明程度，可以由妇人待遇的情形推测出来，这是人人知道的，但是由这个标准推测起来，德国是近代各国中文明程度最低的国家了。礼拜日、休息日，夫妇携手散步的时候，就英国说，照顾小儿的是男子的责任；但是德国人却很不以为然，斯宾塞曾经听见两个德国人说了讥诮英国男子这种行动的话，心里觉得很受辱的。

德国人最嫌恶美国妇人，他们说起美国妇人，常用 Emancipirt（已解放的）字句来形容的。这自然是一种冷语，正和我们说"新女子""已觉悟的女子"的话，是一样的意思。

比起德国来，法国人在这种地方，却很文明的。虽是拿破仑法典中，充满了嘲骂妇人的语句。拿破仑曾经比较男女说出有一段话。他说："妇人本来是给男子生子的。妇人是男子的财产；男子不是妇人的财产。妇人把子女给男子；男子不把子女给妇人。树木是园主的财产，同样，女子是男子的财产。但是要生子，一个妇人是不够的。单单一个妻子倘若病了，怎样办呢！妻不能生子，已经不是妻了。所以男子一定要有几个妻子。"

拿破仑法典，后来只删去了一部分，事实上到现在还有势力，但是法国人民的舆论，比法律更为进步。在尊敬妇人这一点，据乌德说，美国占第一位，法国占第二位。

自有历史以来，妇人常为偏枯的法律所苦。就初期的法律说，妇人是财产的一部。后来的法律虽然把女子看作财产的条文废止了，但是妇人差不多没有承继的权利的。有时虽有继承权，而分受的分量是极少极少的。乌德说：他当法律学生的时候，曾经把特别待遇妇人的法律，列为一表，单是英国普通法律中，这类法律也充满了十数页。这些法律不外是男性中心说，取法律的形式表现出来的；所以不单是男子，就是女子自身，也觉得这些法律是应当服从的了。

英语说妇人是 Woman，有人说 Wo 字是从子宫的 Womb 一字转变而来的。今日语言学上，虽然不承认这种解释，但是说 Womb 也好，说 Wife 也好，Wo 字总是女性的意思。后半的 Man 是男子的意思，和德文 Mann 字相当。德文称男子为 Mann，称人为 Mensch，英语称男子、称人都用 Man。所以英文 Woman 一字，是用称男子的 Man 字做前提的，这可以看作是把男子看作本体，把女子看作派生的思想的结果。前面把 Female（女性）一字当作无信解释，自然是错了，但是 Fe 字是从 Fecundity（生殖）一字的 Fe 而来的，所以 Female 一字，明明是生殖的意思。要之，"优美""高尚""名誉"这些好名词里头，绝没有含着女性的意义，所以对于骂女子的话有 Wench（淫妇）Hay（鬼婆）等字，而相当的骂男子的话却没有的。

四、妇人之本性与神秘力

妇女照这样的受了四方八面的责备和冷淡，从来一说起女子，就觉得她是不可思议的、可怕的东西。表面上轻蔑她,心里还觉得她可怕。女子受了长时期的压迫和轻蔑,把本来的价值都遭掩蔽了,但是往往有发挥女性本领的勇妇贤女出来,却把男子的迷梦叫醒了。女子造成战争原因的事实很不少。又有代表美、勇、智的女神。Semiramis, Cleopatra, Elizabeth, Victoria 女王这种女英雄,也出得很多的,又如前面所述的女巫,也是使男子害怕的勇猛的女代表。此外诗和小说和戏曲上,赞美女性的美和勇的文字也不少。要之,女子虽然一方面受男子轻侮,一方面还被人当作是一种伟大的神秘力看待的;所以男子无时无刻没有一种恐怖心,以为若不用严重取缔的手段,去压迫女子,将来必定有时要生出可怕的事情出来的。

五、男女差异发生之原因

压迫女子的口实,往往也提出一种理由的。譬如说,古代男女的差异,并不甚大,但是文明进步,女子在精神的、肉体的方面都不如男子了。现时列本(Le Bon)也说,巴黎男女脑髓之差,差不多和古代埃及男女脑髓之差的二倍相当。在南美某种族中除了性的差异以外,男女间差不多没有别的差异的。依 Manouvrier 的调查看起来,石器时代妇人的头盖,平均是 1422 立方生的密达,现代妇人的头盖,平均的减少到 1338 立方生的密达了。

这一说确实与否还不能知道。假定这一说若是确实,就能够使我们得到什么教训,我很想考察一下。

列土诺曾经有一个说明。他说:原始社会里,男性多是游惰,一切苦工作,都由女子做的。凡是人要劳动,体力必要强壮,所以妇人不知不觉得到了强健的身体。

这个说明确有一些真理,但是还没有充分地说明出来。本来使女性服一切劳役,还是移到男性支配的社会以后发生出来的现象;在女性支配时代,女子多少或者也要劳动的,但是劳役多由男子担任。所以若用劳役的有无,决定体力的强弱,在女性支配时代,男性的体力也应该比女性为优了。但是把种种事情斟酌考察起来,当时的女性至少也有匹敌男性的体力。

但是后来到了男性支配的时代,女性完全降在奴隶地位,得不到充分的衣食,被男子强制去做苦工,所以女性的身体大见衰弱了。此外又因为男性淘汰的缘故,专欢迎微弱矮小的女子,所以渐渐地生出现在这样的男女两性的差异了。而且按照遗传的法则说,女性若是衰弱了,男女双方都要衰弱的;但是男性占有别的种种便宜,可以少受这种影响;所以在长时期内,女性方面,自然更加衰弱得多了。

其次到了有历史时代以后,妇人所受的压迫,依然苛刻,妇人在社会上、在法律上所有涵养心身的利便,都被夺去了。就这件事想起来,妇人多少也能够于文明进步有所贡献,实在是不可思议了。男性中心论者,轻视妇人在政治上、科学上、学术上都没有能力;他们却不晓得这能力的源泉,差不多把妇人闭塞了。我们与其嘲笑妇人无能力,宁可和洛尔伯(Jacques Lourbet)同样的大声绝叫。

"说妇人对于科学艺术等创造事业没有多大贡献的这句话,是不可以说的! 男性从来对于妇人,加了许多压制,就是到现在,妇人还被酷虐的压迫所苦的! 妇人在表面上似乎比不上男子的,完全是这个缘故。妇人的本性,绝不比男子弱。现在的妇人所以劣弱,完全是习惯和遗传的结果!"

赫胥黎(Huxley)曾经批评妇人的才能说:"妇人普通在肉体、智识、道德的力量上,虽然不能说和男性相等,但是有许多妇人,她们的力量确超出男子之上,这种事实,我是不能看过的。现在有许多事业,就是最虚弱、最愚劣的男性都可以自由开发的,但是对于有精神、有才力的妇女,反强制地禁止她们去做。这种办法,究竟根据什么正义什么政策,我实在不解。近来常常听得人说妇人在肉体上是没有能力的,这或者是由于妇人身体组织的性质而生的。但是十有八九总是人造成的,即是她们的生活方法的产物。说妇人神经过敏,说妇人游惰,说妇人虚弱! 但是这些缺点并不妨事的,若是使她们办理有一定目的的健全事业,使她们在少年时代和男性同做健全的游戏,一定可以除去的。"

六、现今女子心身的缺点

要之,今日男女的心身两方面所以有差异,就是因为女性在男性中心世界观底下受了苛刻的待遇的缘故。又文明越进步,男女的悬隔越大,其原因就是因为人类历史越溯到过去,越和女性支配时代相近的事实而生的。女性支配的余波,到了有史时代以后,还继续了很久;所以唯有女性行支配的时候,除了和女性淘汰产出的男性开花并生的装饰特征之外,男女心身的两方面,并没有价值上的差异。但是到了女性支配倒坏,成为男性支配世界以后,一方面女性的进步停止,同时在他方面,女性又受男性压迫,开始渐渐衰弱了。

但是女子心身衰弱的原因,并不止此。因女性支配的结果产生的男性支配,于这一方面也有影响。男性支配的结果,女性的美比以前固然要发达些;但是女性的体力,女性的精神力,同时也退步了。为什么退步呢? 就是因为上面说过的,当时男子只欢迎柔弱、温顺、玩具般的女子的缘故。

上面所说的两个原因之中,第一是父为家长时代的产物,第二是后来发生的游惰阶级的产物,所以这两个原因,可以看作继续了有史以后人类全部历史的两倍以上的时期之久。总之,今日许多人,当作女子的劣性列举出来的种种事实,大概都是从这些原因发生的;所以我们觉得现在女子的心身所以有种种的原因,并没有什么可怪的。我们觉得可怪的,倒是女子既然受了长年月的压迫,何以心身上还没有衰弱到比现在更甚的地步。

第十三章　妇人之将来

乌德的女性中心说，就是这样的粗述一个大概为止。乌德在最后还有一个摘要，简单地说明了上面的事实，但是我在摘要之前，要就将来妇人的地位说几句。

乌德的女性中心说，只不过是他的大著《纯正社会学》中的一节，本来没有作为单行本发表的。所以妇人的将来怎样的问题，不能离开《纯正社会学》另说的，在"妇人的将来"这种严密的意义上，不作为《纯正的社会学》上所处理的问题，就过于谦让了。

乌德关于这个问题，只给了些很简单的暗示。最近两世纪女子的地位显然进步了。这不是女子已经过衰弱的极点要向上了吗？将来不是要变为非男性支配也非女性支配的男女同权制度的时代吗？将来不是要变为男女绝对不受他人支配，各人自己支配自己的时代吗？

乌德的暗示，不过如此。我们在大体的顺序上当然是赞成的。只是就那经过的转换说，我们有我们的想法。老实说，到了人类时期以后进化的事实，照序文上所说的，我们对于乌德的说明，很有不能承认的地方。

第十四章　摘　要

　　无论是单细胞生物或是多细胞生物，凡是生物，都靠营养摄取补助自体的消耗。营养摄取，就是发育。发育超越个体更进于他个体，叫作生殖。所以生殖不能和发育对立，恰可看作是发育的一个形态。

　　其次在种族发达上，异质混合是有效的，所以自然淘汰的结果，生出交精作用的一个现象。交精作用是由附属于最初一个体的机关行的。即是女性自身兼有男性机关，所以叫作自家受精或雌雄同体。

　　到了后来，这种机关脱出母体独立起来了。但是虽然独立，却比母体更微细，恰和寄生母体身上是一样。于是母体因为这个目的，就把这寄生的东西，放在自身特别造出的囊内袋起走的。这时候睾丸就是男性的全部，但是到了后来，这种睾丸渐渐独立，和母体接触，也有一定的期限。要之，男性在最初不过是由母体（即女性）脱出的睾丸。女性自此时以后以至于人类，依然照旧是母体，睾丸更经过种种变化，就变成功一个男性了。

　　最初的单纯睾丸能够照那样的发达变成功一个男性生物的是靠着什么力量呢？这完全是靠着母体（即女性）取舍选择的力量变成的。女性从许多授精者之中，选择最适宜于自己的要求的，排斥不适宜于自己的要求的。女性照这样的选择得来的特质，遗传于子孙，使男性越发变化越发适宜于女性的要求。

　　但是男性本来依母体的生殖作用而生的，所以在长时期之内，自然要遗传母体的一般性质。母体也必须选择与自己相似的男性。即是女性造男性，务使他与自己相似，所以男性由最初没有定形的睾丸渐次变成与母体相似的形态了。若是没有这种理由，恐怕男性要变成与母体完全不同的形态。现在有因生物种类不同的缘故，男女形体，很不相同的。

　　但是交精作用,所以能够成为生殖的一个方法发生出来的,绝不是偶然间发生的现象。这是要经过长时期的程序,逐渐变成的。又,虽在交精作用已行之后,而这种作用也不一定是不可无的东西。有些生物在许多年代之间营普通顺当的生殖,而往往取交精生殖的方法的。像这种偶发的交精称为“交代”。在许多下等生物和一切植物中,出芽生殖,即是顺当的生殖,结实生殖即是交精作用的结果。即是这些生物,既已营了交精作用,却还依然维持原有的生殖法的。动物之中,交精作用,每当最初的生殖行为的时候,成为附带现象发生出来,到了后来,却成为生殖自身的条件了。一般人每每说起生殖就误解为交精的意思,完全是因为这个缘故。

　　照这样说起来,男性在生物史上,比较的还是后来发生的,依着上面所说的理由,渐次变成与母体相似的形体。但是最初的男性,单为交精而生,所以不能超出极微小劣弱的范围。这种男性,没有营养机关,也没有生存力,交精完了之后(或者不为女性所选择,得不到交精机会)就立刻要死的。

　　男性因为女性的选择,渐渐变为与女性相似的形体,但是女性还要选择别种性质的。这种选择,是女性中美的趣味性发达的结果,因此选择而出的性质,一切都是关于美的装饰的东西。所以男性一方面和母体相似,又在这些特质之中向着与母体相异的方面发达了。所以许多鸟类和哺乳类之中,男性能够具有女性所无的美装了。这叫作第二义的性的特征。

　　又男性之数过多,激起男性间的相互竞争。相互竞争的结果,男性在武器体格等方面,也显然的发达起来了。但是这些武器体力,也绝不是用来压伏女性的,乃是完全向女性求爱,不过是博得女性选择之具。所以鸟类和哺乳类中,这些特质,更加向上发达,呈出了“男性开花”的状态。人类直接的先祖,即是似人猿,也存有几分男性开花的陈迹。男性犹有几分比女性要大、要强、要美的。

　　上了人类舞台之后,男女两性的差异,依然继续。淘汰依然由女性行使的。女性的体格和美装,虽然不如男性,却依然掌握淘汰之权。女性依然是种属之王。

　　但是交精和生殖的关系,女性男性都不知道的,都觉得一切子女,单由女性造成的。所以子女的请求权,都在母亲手中。在这种状态继续的时期内,女性依然是种属之王。这即是女性支配。这种状态,继续了许久,有很多事实可以证明出来。

人类能够脱出动物状态散布于世界各地,完全由于脑髓发达的庇荫。人类更由脑髓的发达,认识交精和生殖的因果关系。同时男性自己觉悟"为父"的意义,晓得子女的产生,并不是女性一方面做得到的事。

于是男女之间发生革命了。女性的权威堕地,淘汰之力,由女性移到男性,女性降到可怜的奴隶地位,成了男性支配的世界了。于是产生了父系家长制度。父家长制度,继续了许久。这时期内,女性完全化为财物了。除了当作财产的意义解释以外,女性的意义丝毫没有的。女性实在受了一切不能忍受的虐待。

后来种族和种族的战争日多,女性的地位,比较稍好。捕虏成了奴隶,种族内生出阶级。游惰阶级的男子,能够蓄养多数女子了。男子的美感发达了。男性淘汰盛行了。其结果女性的身体,发生了显著的变化。这虽不过是一部分的女子如此,但可以充分地造出女性美的典型。称女性为美性,就是从这个时候开始的。但是男性淘汰的结果,总是于女性不利的。男性淘汰,把女性的体力,弄得微弱不堪,使女性增大依赖男子的心理。

通观有史以来一切时代,女性总是继续忍受不平的法律、偏枯的道德和无情的习惯。她们没有可以发挥实力的机会。她们就是有实力、有要求,也得不到实现这实力得到那要求的适当机会。所以女性的压迫、女性的排斥,完全达到极点了。

只是最近两世纪以来,欧美比较进步的几国,女性的地位,略略增高了。将来的女性,究竟在什么方面变化,现在还不能断言,总之前途有望就是了。

李卜克内西传[*]

（1922.1）

一、革命底精神

若是李卜克内西不死，德国也会变成共产主义的国家，俄德两大劳农共和国必然要携手企图实现世界革命的计划，我想全世界到现在都要共产主义化了。我们追想着李卜克内西底伟大，一面要努力奋斗，继承他的革命精神，同时要把他毕生奋斗的历史写了出来，使他革命的精神永远不死。

1918 年前德意志帝国崩坏之后，代旧政府而统治德意志的，是代表中产阶级改良主义者的德国社会民主党；反对改良主义的德国社会民主党政府，举行共产主义革命的，是有名的德国斯巴达卡斯团。这斯巴达卡斯团底指导者是谁？就是伟大的李卜克内西和伟大的卢森堡女士。

李卜克内西是无产阶级的代表，他的主张在推倒德意志帝国政府，建立无产阶级专政的国家。他这种革命的精神，在德帝国正要崩溃的期内，表现得最为热烈。大战期中，他在德帝国议会里宣传共产革命，不单是攻击那班帝国主义的政党，使他们体无完肤，就是对于那爱伯尔特、谢致孟所率领的多数社会党，也不肯和他们妥协。他在议会内就极力宣传主义，攻击政府，他在议会外就指导民众，企图革命。他的生命，可说是热与热的继续。

二、悲壮的失败

代表中产阶级的多数社会党，一旦取得了政权的时候就心满意足，不想再

---

* 本文亦发表于 1922 年 1 月 15 日上海《民国日报》副刊《觉悟》，并被收入人民出版社 1922 年 1 月出版的《李卜克内西纪念》。——编者注

向前进行了。而李卜克内西，却不愿这革命做到中产阶级革命为止，要努力促进到无产阶级革命去的，所以在 1918 年 11 月 13 日德皇退位的后四日，柏灵和各地方劳兵会开大会时，他就提议德国应仿照劳农俄国革命成例，组织赤卫军拥护革命，可惜爱伯尔特一派势力太大，他的提议被否决了。于是李卜克内西就下了大决心来谋划推倒社会党底政府，和同志卢森堡指挥斯巴达卡斯团，举行无产阶级革命。从 1918 年 11 月起至 1919 年 1 月初旬，斯巴达卡斯团底活动，非常猛烈，劳农者和兵士加入的也不少。12 月 9 日夜李卜克内西乘机起事，和社会党政府演起闹市战斗，终因众寡不敌，被政府军占了胜利。而斯巴达卡斯团活动因此稍受阻碍。

但是，李卜克内西革命的精神，依然要乘机发动的。1919 年 1 月初，德国社会党政府所举行的政体会议选举底结果，有产阶级大占胜利，无产阶级大愤，李卜克内西和卢森堡，率领斯巴达卡斯团推翻政府，演出巷战，失败就擒。1 月 15 日李卜克内西和卢森堡，被警察署解送中央司令部，途中被凶恶的社会党政府所嗾使的凶恶兵士用乱枪把他们两人打死了。壮志未成，而死于黑幕之中，想世界无产阶级都无不悲愤的。

三、斯巴达卡斯团

斯巴达卡斯团的意义怎样？我特在这里说明一下。

斯巴达卡斯团的名义，是借用古代罗马有名的奴隶斯巴达卡斯底名字。斯巴达卡斯的风姿堂皇，最有勇气，真不愧为一个有血性的男子。他曾做牧童，又充过军人，后来做了山贼的头领，有一天带领部下举行大规模的掠夺，被人逮捕，卖给剑士之家充当奴隶。

他于是又煽动周围的奴隶，举行了奴隶暴动，而这个暴动就扩大起来了。前后三年之间，他和罗马军奋斗，得了好多次数胜利，到纪元前 71 年，才被罗马猛将格拉斯所擒，死于非命。

李卜克内西，并没有做过奴隶，他也充过军人，也纠合和奴隶一样的穷民，乘机推倒当时的政府，他那种勇气，也不愧为现代的斯巴达卡斯了。

因此之故，李卡克内西一派，对于谢致孟一派自称斯巴达卡斯团，要和俄国的共产党为一致的行动。

所以斯巴达卡斯团和俄国共产党完全相同,要即时实行无产阶级专政,图谋根本上改造的。

四、李卜克内西底一生

加尔·李卜克内西底父亲,是威廉·李卜克内西,他是一个实行的革命家。小李卜克内西出世于 1871 年,正是老李卜克内西因谋革命而被捕的那一年。我想他出世的时候,早已禀受他父亲底革命的精神了。他是莱卜几地方的人,少时入学于本地方的学校,后来游学柏灵,卒业于大学,一面做律师,一面为主义奋斗。

后来他充了军人,取得了中尉的地位。然而什么军人和律师,都不能拘束他的意志。他的热诚和勇气,更胜过他的父亲。他和他的父亲都是革命的实行家,却不是无用的学者。

1906 年 9 月,他在德国青年团体讲演《军国主义》底题目,后来把这讲演记录出来,作为一本小册子出版。至 1907 年 4 月 23 日,德帝国政府认定此书带危险思想,禁止发行,将李卜克内西处了一年半的监禁。当着审问的时候,德皇命法官用特别电话通报李卜克内西的口供。所以人人都说这个案件是德皇亲审的。公判之前,检查长对他说:若谢罪可以减刑,他却严词拒绝,喝破德皇军国主义底谬妄。

他入狱之后,柏灵劳动者异常愤激。当时适逢普鲁士议会改选,他们就公举这在监狱中的李卜克内西做议员。他出狱之后,就进到议会里,向着军阀猛烈的攻击。议场因此秩序大乱,他曾经几次被议长强制的命令退出议场。

五、议会中之活动

李卜克内西利用议会宣传主义底事实,大引起劳动者注意,因此波丹斯班多炮兵工厂职工就选举他为德意志帝国议会底议员,于是德皇和军阀,在帝国议会中遇着了一位强悍的敌手。

1914年德政府提出第一次军费于议会时，社会民主党议员多抛弃平日的主张，表示赞成了，只有李卜克内西等13人表示猛烈的反对。一时竟传说他因为反对战争而遭枪毙。

他是一个预备中尉，列名军籍，政府因此命他到战场去，他于是出征于波兰方面。他在战地通告德政府，主张抛弃侵地，无条件与交战国讲和，他这种目无军阀的气概，真足令懦夫吐舌三寸。

议会开会时，他从战线回到议会出席，政府提出第四次军费案，柏伦斯泰因等32人在表决以前都退出议场，只有他一人强硬反对，大声叱咤，直到最后为止。

到第五次军费案提出时，强硬反对的人多到20名，社会民主党干部人员，大不以这20人为然，决议把他们宣布除名，李卜克内西也在其内。

当时李卜克内西又做了一本小册子，名为《敌人在国内》，这小册子经政府禁止发行，克拉拉女士因为发行了这小册子，也处了监禁。

其次，李卜克内西在议会中，又反对政府检阅各种书报底原稿。同时又揭发政府各种阴谋，并斥军队举动之横暴等等。政府方面惊慌失措，议会人心鼎沸，惹起了很大的骚扰。共产党人能够利用议会攻击政府的，要推李卜克内西为第一人。

六、"五一"示威运动

社会党非战派人员，因为要促进和平，于5月1日举行了大大的示威运动。于是处处发生暴动，牺牲的人数很多。接连几天，德国国内到处都有这类运动，妇女们因为要求政府早日把他们的丈夫和儿子从战线遣回来，所以也加入了这个运动，因此妇女死伤的也不少。同时各地又发生食粮暴动，形势更加重大，死伤者竟有300名之多。

这次运动底结果，李卜克内西和同志八名，以煽动者的罪名，被政府逮捕了。按德国议会成例，议员被捕，得多数议员同意，可以要求政府释放的。但是这一次却不然，议员公然把这种提议否决了。最奇怪的是，柏灵法律家也嫌恶李卜克内西，法律新闻竟把他的名字从法律师名册削去了。

李卜克内西虽为议员，却是军人，所以这次被逮，交由军事法庭审判，被处了两年半的监禁，他从此就过监狱生活了。

七、革 命

1918 年 10 月初旬，德国革命底烽火，在各州蔓延起来了。9 日晨，一代的英雄威廉二世，也不得不退位了。11 日爱伯尔特内阁成立，组织了谢致孟一派的联立政府。但是，李卜克内西一派，却是反对这种联立政府的。

李卜克内西，在革命前数日，政府为缓和舆论起见，才把他释放出狱。他出狱后，柏灵几万群众高叫万岁来欢迎他，这时候，他竟变成了乱离的人心安慰者。

他于是开始用实力反抗社会民主党，指导斯巴达卡斯团，举行了无产阶级革命，他因此遭了上面所说的命运。

然而李卜克内西虽然未能竟成大志，但是他在德国栽下的无产阶级革命的种子，必然在德国要发生大波涛，早晚要与社会民主党政府为敌的。看呵！现在的德国共产党不是正在继续着这种使命吗？

（原载 1922 年 1 月 14 日《晨报》副刊，署名李特）

俄国的新经济政策

（1922. 1 — 1922. 2）

　　自从俄国在去年4月、5月、6月之间发布许多法令采用新的经济政策以来，激起各国论坛上无数讨论。"俄国改变了以前的政策了"，"他们放弃共产主义了"，这些呼声，不断地从资产阶级和小资产阶级的报纸中传出。然而说俄国改变政策的，同时又是反对俄国现在政府最激烈的人，由他们的反对看来，似乎俄国还保存着与资本主义不相容的共产主义的元素在那里一样。他们似乎也不相信他们自己的话了。

　　俄国改变了以前的政策么？他们放弃了共产主义么？我们要从三方面研究这问题：第一，俄国共产党最初执掌政权时代所预定的政策与现在的政策的比较；第二，从他们所信的主义上观察现在政策的基础；第三，这政策实行以后的利害。现在先讨论第一问题。

一、俄国共产党执政时代预定的政策与现在政策之比较

　　俄国现在的政府在4月、5月之间所颁布的法令是农业征税，允许自由贸易和奖励私人生产事业。其实这三件事已经是十一月革命①期内所预定的计划而且在俄国共产党执政的第一年（1918年）内已实行过或准备实行的。现在的改变，不过回复到以前的地位罢了。因为种种外面环境的压迫，使他们在1919年至1920年中间不得不采取离开他们原来计划的方法，战争以后他们

————————

　　① 即俄国十月社会主义革命。——编者注

160

才有机会注意及国内的形势,他们才能取消战时的非常手段而回到以前的正路。至于他们推翻资本主义,建设无产阶级在政治上经济上的专政到完全实现社会主义的时期,恢复为世界战争所破坏的世界革命运动和俄国国民的经济的计划,他们以前是如此,他们现在也是一样,他们何曾丝毫改变呢?

依着一般小资产阶级、资产阶级的意思,布尔札维克的政策要像以下那样,才可谓之为不改变,就是(1)凡是生产事业都应收归国有;(2)完全禁止私人贸易,虽至合作社,亦只能隶属于粮食管理部之下,担任分配的职务;(3)国家完全专有农村经济的生产物。但这可惜不是布尔札维克的党纲了。布尔札维克所需要的只是国有大工业及运输工业。在 1918 年的初期他们下令停止由地方或中央的机关将一切生产事业收为国有的动作。同年的 6 月,他们又规定资本在 50 万卢布(按照当时卢布的价格)以下的均停止没收。小手工业,家庭的和小资本的工业,他们均未丝毫惊动。他们的目的何曾是没收各种生产事业呢?

至于私人的或合作社的贸易,可说劳农政府从未想过废止,而且认为这是为维持几百万小生产事业所绝对必要的。他们不但不废止私人的贸易,而且在 1918 年 11 月发布法令允许从前封闭的工厂复业,规定国家的任务,只是经营国有的大工业生产品的贸易,至于手工业和家庭工业的生产品的贸易他们完全放任,由私人或合作社经理。由此看来,他们也没有禁止私人贸易的意思了。

再就征收农业税观察,这也是 1918 年的年底规定了,而未能实行的。那年的 10 月 30 日通过农民须征收物税的法令,并附有详细的实行方法,虽因为战争的缘故未能实行,但因此也可见劳农政府后两年来采没收农民除自给以外的一切物品的政策是出自不得已的了。

由此看来,俄国共产党自执掌政权以来,他们的政策与现在是一样的。中间虽然经过变更,如小资产阶级和资产阶级所想象的那样,但这是他们所未及料,不唯对于他们无益,而且很有妨害。至于他们为什么在 1919 年至 1920 年变更他们的政策呢?那就是因为受环境压迫的缘故了。环境的原因约分为两种:

(一)由于一般小资产阶级的怠工。在 1918 年劳农政府已经许可私人经营事业了。但当时的小资产阶级预料劳农政府是必倒的,所以都取怠工的手段。因此法令虽然存在,而一般工厂则仍旧封锁。他们当时标语是"让我们等他们倒罢;但不要连累及我们"。劳农政府在那时不得已而自身同时担当经商人的职务和组织小工业的事业,虽然那工厂只有十数工人。只有在1920年秋季以后,兰格尔打败了,劳农政府稳固的观念打入一般小资产阶级的脑中,才渐渐由私人组织小生产事业,以减轻政府的职务。

(二)由于国内战争的持久。俄国在瓦解的经济组织的基础之上已举行三年半的战争了。他养着500万的军队。在1919年至1920年间,军火的工业是全国唯一的工业。一切需要都以他是否为战争所需要为评判的标准。因此大部分的粮食都以之供给军队和城市中军火工业的工人。但他不能由和平方法取得,所以迫而采用强制的方法征发农民的剩余粮食了。农民因反抗地主的反革命运动,不得不与劳动阶级携手,所以在那时亦忍受此牺牲。但战争时期过去,农民知道再无反革命发生的时候,他们就不能忍受这种征发。而劳农政府由战争入于和平,必须解散一半军队,使从事田间工作,所以也不像以前那样的严厉了,所以重新采用以前所定的政策,以增加农民的生产量,以缓和农民的反感。

由上看来,在这过去两年之内,俄国政策的改变,实非出于本心,完全由环境所迫而然的。但俄国共产党不是相信马克斯主义么?马克斯主义不是主张劳动阶级专政,收生产工具为国有,实行社会主义么?现在布尔札维克许私人贸易,实行国家资本主义,不是抛弃他们的主义而专与环境妥协么?关于这一层,我们就要研究俄国现在改变政策的马克斯主义的基础。

二、俄国新经济政策之马克斯主义的基础

俄国现在实行的经济政策,无论他是原定的,或是改变的,都是含着意思一与农民妥协。允许自由交换商品,就是允许自由贸易,允许自由贸易就是回复到资本主义。这不是对农民退让么,这不是对农民妥协调和么?调和是马克斯主义者认为正当的么?我们先讨论这一问题。

妥协与调和,在马克斯和因格尔斯看来有时是必要的。关于这一点我们

用因格尔斯的话证明。因格尔斯在批评"布浪基派共产主义者的纲领"里边说：

> "我们是共产主义者"，布浪基派的共产主义者在他们的宣言里说，"因为我们想直接达到我们的目的，不在这行程中间的站驿停留，反对任何的妥协，这种妥协只是展缓我们胜利的时日，延长我们的奴隶境遇"。
>
> 德国的共产主义者是共产主义者，因为——要经过这些站驿和调和，这些站驿和调和不是他们创造的，而为历史的发达的行程所造成的——他们清楚地看见而且永久地追寻一个最后的目的——废止阶级和创造一种使无有私有财产、土地和生产工具的余地的社会制度。33 个布浪基派的共产主义者是共产主义者，因为他们想象着他们能跳过一切站驿或调和，而且他们坚信有一日事情"起大掀动"，大权会落于他们之手，"共产主义即可实行"。所以若是这不能立刻实行，他们就不是共产主义者了。
>
> 我们看这是如何婴孩的简单啊，——要像如此的不耐思索！

我们看这一位科学社会主义的创造者的教训，就可以知道妥协和调和只要不是卖主义的，只要是为环境所迫，也是可以许可的了。再就日常经验而论，经过许多次罢工的无产阶级，也知道当罢工之时，他们或因缺乏经费，或因疲困之极而外面无援助者，有时毫无所得地上工，与他们最恨的压制者妥协。俄国的革命在工业不十分发达，农民占 4/5 的国家成功，他们因维持政权起见当然要与这占大多数的农民妥协，所以采用许多过渡的方法，以缓和农民的反感。他们的这种精神何曾违背马克斯主义的原理呢？

至于他们所采用的方法，也是无背于共产主义的。无产阶级革命对农民问题的态度，在俄国革命未起以前，已经过无数的科学社会主义者的讨论了。考茨基，当他未变节还是马克社会主义者的时候，对于无产阶级革命对农民的态度也说或者无产阶级革命时，须使农民中立使其不助第三阶级。因格尔斯也说将来无产阶级对于大地主须剥夺其财产，对于中等农民或须加以扶助。俄国共产党党纲本着这原则也规定了竭力与"殷富农民奋斗，不扰及中等农民，扶助穷苦农民"，这正是本着马克斯主义而与农民的妥协。他们不扰及农民的财产,自然须许可农民自由营业,自由交换商品。由此看来他们的方法又何曾违背共产主义呢?

其次便是国家资本主义问题了,据马克斯的教义,无产阶级专政,收生产工具为国有,实行社会主义。现在自称马克斯主义的布尔札维克,他们何以实行国家资本主义呢?

怀疑布尔札维克的这种方法的人,实在毫未理解马克斯主义。马克斯在《哥达纲领批评》里,曾说过在共产主义与资本主义之间,必有一过渡的时期,这时期就是无产阶级专政。过渡是什么意义,他不是说,用在经济学里,是说在那种制度之中,有一部分是资本主义的元素,有一部分是社会主义的元素么? 马克斯并未详细叙述在这过渡时期的经济怎样,他是故意如此的。因为各国经济进化的程度不一,所以在无产阶级专政的时期内,资本主义和社会主义的元素的比例亦因之不同。他所认为重要而坚持的,即是无产阶级专政,至于经济上的设施,完全应由各国的社会主义者考查各国的情形而决定。俄国当未经过十一月革命的时候,他们考查俄国的经济状况的结果,就知道俄国有实行国家资本主义的必要了(见列宁 1917 年 9 月所著的《危迫的大灾祸与如何战他地》[①])。他们在革命后一年即准备实行国家资本主义(见列宁在 1918 年所著小册子),虽然因战争的阻碍延缓两年,但俄国的实行国家资本之有益,已是毫无可疑的了。

或许有人对俄国,因为要实行国家资本主义,俄国的中产阶级就很够了,为什么要布尔札维克执政呢? 这种反对,我们只可怜他做了名词的奴隶,而不考查实际的事情。俄国现在是谁的国家? 是中产阶级的呢? 还是劳动者的呢? 若是他为中产阶级所有,那么国家资本主义便是压制劳动者的武器了,若是他为无产阶级所有,那么国家资本主义便是反抗家庭工业手工业、小资产阶级的唯一武器,便是加速到社会主义的过程(因为实行社会主义的唯一条件就是要有大工业,国家资本主义便是准备这种大工业)的工具,那有什么可反对的呢? 人人都知道现在俄国在国内的敌人完全不是资本主义,而是想做资本家的小资产阶级和农民。为防止他们的私人企业得着势力起见,必定先要

---

① 即《大难临头,出路何在?》。——编者注

发展国家的大工业。于是就有租让政策，于是就提倡合作的资本主义了。租
让政策是以一部分不重要的实业租与外国资本家开发，同时又由外国取得大
机械自己开发本国实业。合作的资本主义，且兼鼓动合作的精神为将来社会
主义的预备。总之俄国苏维埃政府是极力想在无产阶级专政时期内引导那不
可避免的资本主义的发达，向着国家资本主义的道路，而且预备在近的将来将
他变为社会主义的，不懂这个的人他只是做了一定的公式的奴隶罢了。我们
现在讨论新经济政策实行开放的利害。

三、俄国新经济政策实行以后的利害

上面说过，允许私人贸易是对于俄国农民的妥协了，但这种妥协不危及苏
维埃政府的生存么？农人有剩余生产的，可以私自买卖，那么富的农民可以囤
积了，可以贮存资本雇用贫民做工银劳动者了。资本制度不将重现于俄国么？
并且农民得这机会，可以多多收获，他的境遇将较工人为优善，俄国工人多半
是从田间来的，他们或者被引诱而抛弃工厂生活向田间去。俄国是以农立国
的国家，若仅靠输出农产物与西方商品交换，即可以存活。俄国的无产阶级专
政是工厂劳动者的专政，劳动者被引诱向民间去，这些都是俄国政府的难题，
他们将如何解决呢？不更失却他自己的根基么？

关于第一层，俄国政府是有法防止的。因为与外人通商的结果，国家的工
业可以借输入机器恢复，而且亦可得着很多工业生产品。以这些商品交换农
民的生产品，农民所剩余的就很有限了。即以他所余来振兴小工业，但小工业
的势力是不敌大工业的，俄国的实权不仍在国家的手中，即无产阶级的手中
么？政府的事业只是国有大工厂矿工业，铁路轮船运输工业，断不致国有及于
小船厂、花坞和装饰铺子。聪明的无产阶级专政是在他能懂得如何利用，并且
如何使别的阶级的有组织的经济能力随着主要经济的潮流流动。在现在的时
候，引导国家的经济生命的是属于那所有运输工业、大工业和有政权在手中的
人物呢，还是属于造鞋子的、造马鞍的、几百万种不同的家庭工业呢？不待言
自是前者引导国家的经济生活了。所以即令由自由贸易而发生私人的资本主
义，但他的势力微小，只于增加生产力有益，而万无危及苏维埃政府存在的

危险。

再就第二层讨论。这问题也是不重要的。若政府只征收农业税，则农民因有许多粮食可以贮蓄的利益，也自然乐于耕种极多的土地了。因之农业的税收亦形增加，工厂劳动者的供给亦不虞缺乏。何至有到田间去的思想呢？而且除农业税之外，更可以享有工业生产品及农业生产品，自然劳动者底生活不亚于农民，更无去工厂而往田间的可能了。况且运输工业和政权都在苏维埃政府手中，一切通商都由政府代表，他们可以以农业产物交换大机器，农民只限于地方的自由交易，他们何能专断输出农产品只交换西方的商品呢？

但是新经济政策的实行，便毫无危险么？那又不尽然的。如若国家不能供给充分的工业生产品，那么农民便有机会大肆囤积了。若是铁路工人饥饿，农民给予他一部分的粮食，使铁路供其使用，那国家的运输就发生大纷乱了。还有一层，农民或者藏匿一部分的粮食，因之少纳税收，这都是俄国的危机。尤其又怕的便是俄国共产党或者容得渗入小资产阶级的分子引起本党的堕落。总之，倘若世界的他一国不起无产阶级革命，俄国的政策，也许是一失败了。各国的无产阶级呵，俄国的同胞，四年来为主义为世界无产阶级奋斗，已经显露他们的英勇，历尽各种艰辛支持危局了，你们还不起来救援他们么？你们还不起来推翻你们国内的资产阶级，援助俄国，兼以援助你自身么？社会革命的存亡关键就在你们身上了。

（原载 1922 年 1 月 15 日、2 月 5 日《先驱》第 1、2 号，署名李特）

平民女学是到新社会的第一步[*]

（1922.3）

有钱有势的人，不愿意无钱无势的人有智识；男子不愿意女子有智识。因为无钱无势的人若有了智识就觉悟到自身所处的地位，发生反抗运动，要脱离有钱有势的人的掠夺和压迫。女子若有了智识就觉悟到自身所受的苦痛，生出反抗行为，不甘做男子的奴隶和牛马。所以，有钱有势的对于无钱无势的行愚民政策，男子对于女子行愚民政策。数千年来，所有一切教育权都握在有钱有势的人手里，都握在男子手里。法律的、社会的、经济的种种限制，使得无钱无势的人不能得到读书的机会，使得女子不能取得读书的资格。所以教育变成了特权阶级的特权，学校变成了他们压迫欺骗民众的工具。

近几年来，中国人民受了民治潮流的激荡，人人都知道教育应该普及，但是在现今的军阀财阀的恶势力范围之下，任凭那班热心教育的人如何筹备，教育总不会普及的。且就中国现时官办的学校说，各项教育经费均被军阀财阀挪借一空，学校的生命也朝不保夕；其次如私人创办的学校，除了以营业为目的或含有政治臭味者外，为开发民众智识而办学的实在很少，而且也无论是官办的或私人办的学校，规定有种种严格的制限，无钱无势的人绝不能受教育的。女子，除了少数叨庇父兄的余荫的以外，大多数都是无钱无势的，一方面和无钱无势的男子一样，要受有钱有势的人的压迫；一方面又要受无钱无势的男子的压迫，旧制度的限制，旧礼教的束缚，无论如何，女子总难得到求智识的机会。所以无论提倡新文化的人怎样鼓吹开放大学，都不是根本上的办法啊！

---

[*] 平民女校于 1921 年 10 日在上海创办，由李达兼任校务主任，它是中国共产党培养妇女运动干部的学校。——编者注

我们不说远了,单就现在的状态说,第一,现在抱有热烈的求学欲望而无学校可入的年长失学的女子正不知有多少;第二,因为经济问题而不能求学的与不能继续求学的女子正不知有多少;第三,甘受机械教育而被教育机关摈斥的或不甘受机械教育的女子,也不知有多少。至于为旧制度、旧礼教所束缚所窒息永远不知求学的女子尤其不可胜数。在资本主义制度未推倒以前,我们暂不去作什么不分贫富、不分男女都受平等教育的空谈,只要就前述三项女子着想,想一个教育伊们的法子出来也就难能了。

但是就现在的各种学校——观察起来,能够收容这三项女子的学校,除了这创办的平民女校之外,一个也没有。说到这里,我就不得不推荐这平民女校实是满足这三种女子求学欲望的第一个学校了。

平民女校有下列三特点。

一,为无力求学的女子设工作部,替伊们介绍工作,使取得工资维持自己的生活,实行工读互助主义。

二,为年长失学的女子设专班教授,务使于最短时间,灌输最多智识。

三,为一般不愿受机械的教育的女子设专班教授,使能自由完成个性。

由以上三点看起来,我们可说平民女校实是以前所未有的学校,虽然将来发展怎样,还不能知道,而就现在说,伊的确是为女子解放而办的第一个学校了。

现在感着智识缺乏的女子一天比一天多了,假使全国各大都市都能照样地把平民女学创办起来,使这类有觉悟的女子都能够得到求学的机会,那么,我想不上几年,真的女子解放的先锋队到处都要组织起来了……

大家不要把平民女学等闲放过了,注意呵,平民女学是到新社会的第一步哩!

(原载 1922 年 3 月 5 日上海《妇女声》第 6 期,署名李达)

说明本校工作部底内容[*]

（1922.3）

近来时常有人写信来问平民女学工作部的内容，我们认为有详细答复的必要，特在这里说明一下。

当我们学校初办的时候，有不少热心的人对我们说："平民女校办有工作部，这不是实行工读主义吗？工读主义，第一次失败于北京工读互助团，第二次失败于留法勤工俭学会，现在你们也仿行起来，将来能免第三次不失败于平民女校吗"？我听了这话就对他们说：这一层我们早已熟虑过了，我们决不会演出失败的，因为我们的办法和北京工读互助团的办法不同，和留法勤工俭学会的办法也不同的。现在我且把所以不同的地方说了出来。

留法勤工俭学会之所以失败，是因为无工可做，却不是因为学生不肯作工；北京工读互助团之所以失败，是因为团员多不肯做工，却不是因为没有工做。我们就这两点看来，可以知道学生若是肯作工，工作一定很多的；学生若是刻苦作工，一定可以取得维持学生生活的必要费，这一点我相信无论何人都承认的。

譬如上海地方，女子所能胜任的工作，如成衣、制袜、刺绣、洗涤等项工作颇多，只要是勤工俭学的女学生，每日除了读书时间外，若做工五小时，得工资就可以付偿一日的膳宿费。因为每月的膳宿费不过六七元，每日平均能取得工资两三角就够了。

这是就一般已经学会某种工作的人说的，至于向来不会做工的人就怎样办呢？这就不得不定一个学习时期了。譬如不会成衣的人，必须学习，在学习

　　* "本校"即上海平民女学。——编者注

时期内,工作所得自然不能敷用,这不敷之数,就非自己设法弥补不可了。但是最初虽不会成衣,若努力学习,没有学不会,而且也可以获得与本人工作能力相当的工资,为数虽不敷用,而所差亦无几了。

其次,工作部学生亦有应注意者数事:第一,须有刻苦耐劳之精神,切不可好逸恶劳,懒于操作。第二,须有严格自制的意志,切不可倚赖他人或仰助学校。若不明白这两点,就不能在本校工作部做工读书,本校亦不能为力,只有请其退出工作部了。

末了,还要简单地说几句:本校工作部是为一般愿作工读书的女子而设的,凡入工作部的人,都要靠自己作工维持生活,本校尽可能设法代为介绍工作,却没有能力给以经济上的补助。若是不了解平民女校的精神,而以为只要加入工作部就可以不做工而生活,这便大错!

（原载 1922 年 3 月 5 日上海《妇女声》第 6 期,署名鹤）

对于全国劳动大会的希望

（1922.5）

据最近报纸所载,中国劳动组合书记部发起了一个全国劳动大会,召集全国各工会代表于五一节在广州开会,并闻已得南北各工会同意,大会决可按期举行。我知道这个消息,实在异常欢喜,我认为这是中国劳动界破天荒的举动,与1864年万国劳动者的大会有同样的重要意义,禁不住要在这里说几句话,并表出我对于这个大会的希望。我的希望可分以下几项。

一、要组织永久的全国劳动大同盟

"劳动阶级的解放,全靠劳动阶级自己来实行的。"自从"万国劳动者团结起来!"这一句标语传播于世界劳动者以来,到现在已经74年了,这时期内工业先进各国劳动者的团结,一天比一天巩固,因而资本阶级的运命也一天比一天促短了。中国劳动界既然感到有大联合的必要,举行这个大会,就应该有永久的结合,组织个全国劳动大同盟,作为劳动阶级解放斗争的策源地,然后这次大会之召集才有意义。

二、各处工会要设法化除乡土观念

马克思说:劳动者是没有祖国的。同样,劳动者也没有省界的。世界上的人类只分为两大阶级,一是资本阶级,一是劳动阶级。所以人类用阶级来区别,而不用国界或省界来区别。劳动者若分地域的界限,劳动阶级便分裂了,分裂则势力减弱,就不能从资本阶级手里解放出来。中国工人乡土观念最重,

171

大同团结最不容易。譬如上海,工人中分帮最多,所以总难结起团体来。又如此次海员罢工,工人中有不明大义者如宁波帮水手,他们竟甘心为外国船主利用即破坏罢工而不顾,其原因大概是乡土观念太重,以为海员罢工是粤帮水手的事与己无干。殊不知这是大错了。像这种分域□限的事很多,实是劳动界大团结的一个大障碍,望此次与会各工会设法化除了才好。

三、工人不要怕社会主义

近来各地工会有一个最大毛病,就是怕社会主义。这真奇怪,工人怕社会主义就永远免不了要做资本家的奴隶,什么事都完了。我常常听见有人说,有许多工会见了干劳动运动的人就指为过激派,不敢和他接近。过激派是反对资本家的,只有资本家怕他,工人为什么也害怕呢?过激派就是讲社会主义的人。社会主义是主张把现在资本家手里的一切工厂、土地、房屋、机器原料都收归劳动者管理的。像这样以工人的利益为利益的人,工人还不欢迎,倒拒绝吗?工人若说社会主义马上难于实现,这是可以的,却至少不要害怕。这一点我很希望此次赴会各工会代表极力对自己的会员解释。

四、立法运动

劳动阶级,得到解放,当然要推倒资本阶级,但在中国,劳动运动正在萌芽时代,军阀财阀势力,又异常猖獗。他们仇视劳动运动,撄其锋者,就以军法从事。今年湖南劳工代表黄庞两君被赵恒惕杀害,劳工会被封,黄庞两君不过因调停罢工,致以嫌疑被杀,这是何等不平的事。又如罢工处刑,公然载在中华民国法律之上,工会不能称法团,劳动出版物,不能公然发行,或者加以宣传过激主张罪名,即行查禁,这种野蛮举动,实为各国所未有。年来中国为劳动运动而牺牲或受害的人很多,我以为实有干立法运动之必要。我们的宗旨固然不是向特权阶级的政府讨自由,而眼前的阻碍亦应设法除去才好。至于立法运动究竟怎样办法,我主张属于南方政府势力范围内之工人,可以向南政府当局请愿,南政府标榜民治主义,我想这种在第三阶级治下应得的最小限度自由,南政府当能许可的。至属于北政府势力范围内的工人,首先也当去为合法的运动,若果军阀财阀执迷不悟,就有显出实力给他们看。或行示威运动,或举行有意义的罢工,若果团体坚固,始终不懈,他们也无可如何的。因为劳动阶级的要求,在最初总是不为特权阶级所承认的,除非劳动阶级的实力充足了。至于目前所急需要求者,大概如下:

（一）承认劳动者有罢工权；

（二）制定工会法；

（三）制定工场法；

（四）实行八时间劳动制；

（五）保护童工,女工；

（六）制定劳动险法。

以上六项,是我现在对于此次全国劳动大会的希望,从此以后,就要更进一步了。

（原载 1922 年 5 月 1 日《先驱》五一纪念号,署名李达）

批评艺术社的洋画展览会

（1922.6）

年来国内对于艺术的要求和兴味似乎渐渐地高起来了。就图画一门而论，半年之间已有展览会四五起。虽其间派别不同短长互见，然其动机同出于一种从事艺术运动的决心乃无可否认之事实。更可见知识阶级的目光已渐从功利和物质的注视，移于艺术的欣赏了。

艺术社洋画会在本年各项画会中为最近之一起。在设置和出品方面都有一二特点可言。先论设置方面：

（一）入场收费——前此数起都是自由出入的，这一起他们，收费两角。对于这一层我以为有利亦有弊。利呢，可以防止社会的轻忽艺术，而用看画张的心理入内乱闯；看客不混杂，使赏鉴家得以从容批阅，实则违背艺术民众化的原理，杜绝了一般可以为艺术引起兴味的后天艺术家的机会。不过现社会对于艺术家，既无何种好处，他们一方牺牲了心力时间，一方又要赔累经济，未免太苦，收一点费，以资小补未为不可。唯看客的人数，就远不如天马会、中日联合会了。据执事的几位女士说，我去的那天有一个人，已经到了买票处，知道收费，大嚷不如游新世界，五层楼十五折的石梯爬了上来又爬了下去的。宁愿游新世界的人，来不可喜，去无足惜，但于此见普通一般人，多未觉知艺术的需要，近之足为艺术家叹，远之足为文化前途忧哩！

（二）会场——会场假泥城桥宁波同乡会之五层楼。光线与场所均佳。清风徐来，添不少欣赏兴味。唯设备尚嫌简单。画后布幕颜色虽极适合于目光，但未能画衬托能事。

（三）附加西洋名画——这是绝对应当的，因为国人赏鉴西洋名画的机会实觉太少，报纸杂志所介绍又驳而不纯，艺术家自当精选名品供人欣赏。

再论作品：

天马会多描写自然的作品而缺乏描写人生的作品，得此次展览会后，可弥补一部分遗憾。唯人生是多方面的，本次展览会中尚只反映人体美与人生快乐的一方面，很希望他们以后把注意力扩大为艺术界放一异彩。

批评艺术的准绳不外美善真三字。在萌芽时代的中国，善字最难说，评者亦不宜苛求，所以我愿以唯美的眼光，来批评该会的作品。

画共七十余幅，油画最多，素描次之，水彩画只十余张。油画素描中，更以人体占其多数，计有裸体八九张，画像四五张。裸体画中，以 30 号许敦谷君之油画裸体及 52 号陈抱一君之素描为上乘。54 号陈君所作之裸体似与许君作品同出一个模型。30 号画其侧面，54 号画其正面。比较 30 号所吸收的美为多，布局亦略胜。以笔触色调论，54 号实居上，惜地位太局促，筋肉大弛。52 号布局与描写均佳。俞君寄凡作品蕉叶下裸体与灯光下裸体两张，前者光线极佳，后者可当一真字，唯色调令人不快。画像中以 mandolin 一张最为有神；W 女士的小像，与 Z 君像次之。风景画中，陈君之油画三潭印月里的一部色彩、调子、笔触、布局，都好，为最上。洪野君之水画，潮与初夏亦佳，唯洪君作品，色彩的刺激性过多，殊难博人同意。此外有日人门松弦一君素描三张，印象派的色彩特著。俞君的爱之神一张，似属于文学上象征主义之作品。此种作品不知其意义者，殊难评定可否。

我个人对于会中作品的意见，大概如此，不过我并不是艺术专家，门外说话，殊少是处。且甚愿艺术界中，能有无门户之见，而公正直言的批评家出现，这一类人是现时所缺乏的。

（原载 1922 年 6 月《时事新报》副刊《学灯》，署名江春）

评第四国际

（1922.7）

一

第一国际是受了马克思的影响于1864年在伦敦创立的，第二国际是统续第一国际于1889年在巴黎成立的，第三国际是复活第一国际于1919年在莫斯科成立的。

第一国际拟定了无产阶级解放的方针，指示了世界革命运动的策略；第二国际把无产阶级组织了、训练了；第三国际把第一国际计划实现了、完成了。

第一国际是因为当时政治形势所迫，不得已归于停顿的；第二国际被一般机会主义改良主义的领袖引上错路，已丧失无产阶级的信仰了；第三国际起来摘发第二国际的虚伪，重新决定用武装的争斗，企图世界革命，建设国际劳农共和国，以劳农政府的形式实行无产阶级专政。

第三国际成立以来，恰好三年了，全世界共产党的运动发展得异常迅速。据第三国际书记部的报告，差不多无论什么国家，凡是有劳动阶级存在的地方，都有了共产主义党派的组织，而且他们的活动，很引起世人的注目。可知第三国际很得了世界无产阶级的同情和援助。所以第三国际正如旭日东升，无产阶级都景仰它、支持它，第二国际正如西山落日，快要沉没，无产阶级都唾弃它、离开它了。

然而同时成立的又有两个国际，一个是骑墙派所组织的二半国际，一个是极左派所组织的第四国际。二半国际是德意志独立社会党、法兰西联合社会党、英吉利独立劳动党等团体所组织的。他们既不加入第三国际，又不加第二国际，徘徊歧路，无所适从，虽欲独树一帜，而自去年经英国劳动党拒绝后，已是不能支持了。只有第四国际是德国共产劳动党和荷兰葡萄芽游哥斯拉夫以及英国相似之团体所组织的,他们打着共产主义的旗帜,却不肯和第三国际合作,这确是耸动世界无产阶级观听的事实,很值得我们研究。

据第四国际的宣言书看起来,据第四国际理论的指导者郭泰的言论看起来,第四国际也和第三国际同奉共产主义,也赞成无产阶级专政。就这点说,可知第四国际所信奉的根本原理完全和第三国际相同,其不同处只因为一手段有差别。换句话说,第四国际所有和第三国际对立,并不是因为主义不同,乃是因为些少的问题闹孩子气罢了。

第四国际对于第三国际的政策所不满意的地方,大约可分为下列五点,今依次论述于下:

第一,指导者的问题;第二,劳动组合运动;第三,议会运动;第四,农村运动;第五,俄国的新经济政策。

二

无产阶级要实行革命,必有一个共产党从中指导,才有胜利之可言。1917年俄国革命之所以成功,与1871年巴黎共产团之所以失败,就是因为一个有共产党任指挥而一个没有。无产阶级革命的目标在夺取政权实行劳工专政。政权必须用武装方能夺到手,既用武装就不能不有严密的组织,什么劳动者自由的结合,完全没有用处。阶级争斗,就是战争,一切作战计划,全靠参谋部筹划出来,方可以操胜算。这参谋部就是共产党。关于这一点,我以为第三国际的主张是对的。

第四国际不赞成无产阶级有独立的政党,以为无产阶级革命应由全体无产阶级加入,而不承认少数先觉劳动者所组成的共产党立在指导地位。这种主张在理论上我是赞成的。谁也希望个个无产者都变成革命的英雄,因为无产阶级全体若都觉悟了,资本阶级自然要倒的。这样,与其依赖少数指导者来指导革命,当然不如使全体都变成指导人。但在事实上不是这样。"阶级"和"政党"并不是一样东西。就现在说,世界无产阶级大都被一般机会主义者、改良论者、基督教徒,以及有产阶级爪牙弄污秽了。换句话说,多数工人阶级觉悟的萌芽,都被那班黄色领袖践踏了。他们被那班领袖的邪说所迷,还不感觉无产阶级革命的必要,甚至有时还甘愿为有产阶级所利用。照这样,若如第四国际的主张,要希望全体无产阶级都变成革命的指导人,这恐怕要成问题了。无产阶级若没有一个共产党来领导,绝不能从有产阶级手里,从那班昏迷的领袖们手里解放出来的。

大凡一个革命,总是少数发动,多数顺应的。少数有革命精神的先组织一个精密的团体,把这种精神贯彻到全体,从事组织,训练,以至于成就,却不是顺从多数的意见的。刚才说过,世界无产阶级还陷溺在不觉悟的途中,譬如欧战当时,各国大多数劳动者都被爱国的社会主义所惑,反把有产阶级争利益而战。像这种无觉悟的大多数工人,应该由少数有阶级觉悟的人来启发他们,引他们到觉悟的途上去,绝不可以顺应他们的。若以少数觉悟的去盲从多数无觉悟的,就要糟到极点。所以无产阶级革命,应先由有阶级觉悟的工人组织一个共产党作指导人。共产党是无产阶级的柱石,是无产阶级的头脑,共产党人散布到全体中间宣传革命,实行革命。

共产党不仅在革命以前是重要,即在革命时也是重要,革命之后又须监护劳农会尤其重要。除非到共产主义完全实现的时代,共产党不可一日不存在。

三

关于劳动组合运动的问题,第三国际主张共产党人加入一切已成的劳动组合,用坚忍持久的力量使其共产主义化;第四国际主张退出旧式劳动组合而另集共产主义劳动者组织共产主义劳动组合。对于这问题,我也承认第三国际的主张较为有效。

世界革命在俄国发动以来,到现在已四五年了,各先进国无产阶级所以至今还未响应,德国社会革命所以成为流产的原因,实因为有一个最大的障碍力。这障碍力就是各国已成的劳动组合。这些劳动组合大概都是在资本主义势力之下组织起来,其目的在于改善劳动者的地位。他们向来被那班黄色第二国际的领袖们所指导,被磨钝了阶级的自觉心,所以弄得腐败不堪,被加上了黄色劳动组合的徽号。他们不但不知反抗有产阶级,甚至有时还替有产阶级出力来反对共产主义。现在德国属于这种组合的人员达 800 万,在英国亦有同样的数目,试问以如许无产阶级觉悟的分子,夹在两阶级之间做缓冲机,共产主义的革命又怎能实现呢? 然而他们虽然没有十分阶级的觉悟,确是有组织的无产阶级。共产党的天职,以组织训练无产阶级为己任的,所以一面要组织劳动组合以外的劳动者而加以训练,一面要唤醒劳动组合员而引为同志。这样,共产主义军队的势力才能够雄厚起来,方有胜利的希望。

若照第四国际的办法,把一切黄色劳动组合都看作是腐败不堪的东西,而主张共产主义分子一律退了出来。那么,结果无非分裂无产阶级为共产主义与非共产主义的两派罢了。共产主义者在无产阶级中另占一个区域,而非共产主义者将永远脱离不了那班黄色领袖的支配,永远受不到共产主义的洗礼,这简直是放弃有组织的无产阶级了。这简直是替那班黄色领袖,譬如雷金孔巴斯亨德逊一流人淘汰他们组合中的共产主义分子。殊不知那些黄色的劳动组合,固然是腐败不堪,令人失望,但若共产主义分子下了决心加入其中运动,不见得不能使他们共产主义化。假使有几万的共产党员加入各组合中组织共产主义的核心,撒布共产主义种子使它发酵起来,一而更用别种宣传方法和那班黄色领袖抗争,结果一定可以得到若干同志加入自己的队伍中来。若是黄色国际所领袖的那许多黄色组合都共产主义化了,世界革命马上就会实现。俄国共产党从少数党手里夺取劳动组合,正是用这个法子。现在英美德各国劳动组合比大战以前大不同了。他们之中都增了左派的分子,这便是共产主义发酵方法的效验。但第四国际却不肯照办,偏要和旧式组合同盟绝交,用关门的法子以行其部落式的共产主义。德国共产劳动党脱离黄色劳动组合以来,800 万黄色的组合员更趋于保守了。这事在他仍以为洁身自好,我却以为是大大的失败。

四

其次关于议会运动的问题,亦有不同的主张。

第三国际主张共产党人参加第三阶级议会宣传革命。

第四国际主张对第三阶级议会同盟绝交。

我读德国社会民主党运动的时候，看见柏柏尔、布拉克、老李卜克内西诸人最初在议会中的活动方法真是巧妙绝伦，铁血宰相大为所窘，而劳工们对于社会党的同情亦是有加无已。像这样利用议会宣传，实是极好的模范。但是后来资本主义势力扩大，他们就忘记了社会革命的目的，只顾目前利益，借第三阶级议会为立法运动了。逐末忘本，遂至于卖却劳动阶级而不顾，这是惹起世人厌恶议会主义的根本原因。

然而第三阶级的议会却不是绝对不可以利用的。共产党对于革命运动，凡在可能的范围内，没有不利用。共产党人若是抱着革命目的跑进议会去，利用议会而不为议会所利用，定可以得到很好的成绩。小李布克内西在德意志帝国议会揭破军国主义的假面具，很得了无产阶级的信仰，其次如贺格兰在瑞典干的也是一样。又如俄国多数党在克伦斯基时代的议会内所收的效果，也都很好。

宣传主义最好莫如利用资本阶级的报纸。资本阶级的报纸销路很广，许多都市和僻地的工人和农民，大概都看这类报纸。而且这类报纸说的话，比较上易使人民信用，共产党若能利用这类报纸做宣传，效力必大。而欲利用这类报纸宣传，至好莫如到议会去演说。议会中的演说辞，无论什么报纸都不能隐瞒的，就是有些怀偏见的报纸要为有利于资本阶级的报告而共产党议员所辩论的事实总隐瞒不了。全国有国会，地方有地方议会，共产党若都有使徒走进议会去努力揭破资本阶级政府的虚伪，陈述资本主义的罪恶，宣布共产主义的好处，唤起劳动阶级的自觉，那么，像这类演说辞，全国的地方的一切报纸，都必记载出来，宣传事业比这再好没有了。共产党处在第三阶级治下，很难发行痛快的印刷物，而合法的出版品，又须顾虑到触忌政府的条文，总之，无论怎样，共产党在在议会中要说的话，平日绝不能在合法的党报上登载的。

最紧要的，临到革命机会成熟的时候，临到内乱将起的时候，凡在议会的共产党员一奉到中央委员会的命令，就即时一致在议会内发作起来，和议会以外的无产阶级相呼应，一面毁掉第三阶级政府的机关，一面另组无产阶级的政府，这便是夺取政权最好的时机。利用议会宣传革命，实有这样好处。所以第四国际那种要和议会绝缘的主张，未免错过大好机会了。

五

其次关于农村运动问题，第三国际的主张亦很有条理。社会革命，工业劳动者固然是主力军，而非与农村无产阶级结合，就不易成就。这一点理论非常浅显，但第四国际领袖郭泰却不以为然。他说，城市无产阶级之应联络农村无产阶级革命，在农业国的俄国是对的，在东亚各农业国也是对的，至西欧各国则不然，西欧各国农民至少也有一片土地，纯粹农村无产阶级很少，所以所取的方向和俄国是不相同的。这种话固然也有相当理由，但社会革命最初实应联络农村中这种半无产阶级，至少也要运动他们严守中立，才可以减少阻碍力。所以第四国际对农村运动的主张，并不见得不能适用于欧洲方面。

其次关于劳农俄国所行的新经济政策，譬如和农民妥协以及和资本主义国家通商等事，亦颇有非难。这种非难，实在没有理由。劳农俄国之行新经济政策，是否违背共产主义原则，我想共产主义者必能了解，绝不会像资本阶级那样诬谤的。至于俄国之所以要和资本主义国家通商，系出万不得已。若使西欧果有几个大社会主义国家出现，俄国又何至于降格和资本主义国家通商！可惜第四国际的领袖郭泰的荷兰、班格哈司特夫人的英国不会变为共产主义国家，不然，俄国便可和社会主义国家通商了。

六

由以上所述看来，第四国际所以和第三国际对立，是因为手段不同，并不是因为有什么非分裂不可的理由。我们知道：第三国际之所以脱离第二国际，是因为主义不同，即是前者是共产主义的，后者是非共产主义的；前者是主张无产阶级专政，后者是主张第三阶级民治的。至于第四国际既然和第三国际在原则上是一致，就不应因为些少进行计划不同而进行分裂。若因些少进行计划不同而进行分裂，则所谓国际的价值也就可想而知了。

资本主义已经把自己的坟坑掘好了。欧战刚告终的时候，资本主义已将属圹，不过因为东亚一块避难所，得以苟延残喘于暂时罢了。然而去属圹的时期终不远了,帝国主义的资本主义,正在准备着最末次的大战争,爆发就在目前了。

自从1917年世界无产阶级和世界资本阶级第一次在俄国交绥以后,无日不在战争状态中,所以无产阶级,应当用十分急进的作战的精神,利用一切可能的机会,猛烈的从事宣传,运动,组织,训练,务期军势充实,以便一鼓推到资本阶级。千金一刻的光阴,只应努力实行,岂可清谈误事。否则,若当战事进行之中而犹高谈阔论,贻误戎机,这便是故意分裂无产阶级,等于放弃世界革命。我极希望第四国际的创始人,能够牺牲一点意见,勿固执"国家的布尔什维主义"或"爱国的布尔什维主义",勿帮助敌人攻击第三国际,务为和第三国际并合起来,完成世界革命。所以我的结语是:阶级的白兵战快接近了,世界劳动者团结起来!

1922年4月22日于上海

(原载1922年7月1日《新青年》第9卷第6号,署名李达)

劳农俄国研究[*]

（1922.8）

---

　　[*]《劳农俄国研究》于1922年8月由商务印书馆出版，署名李达译述（或编译），至1926年12月共印行4版，除1922年8月第1版和1924年3月第2版署名李达译述、而1926年1月第3版和1926年12月第4版署名李达编译外，各版内容相同。该书第十章"妇女之解放"曾以《劳农俄国底妇女解放》为题发表于1921年7月1日《新青年》第9卷第3号。——编者注

第一章 俄国革命小史

一、革命以前底农民和劳动者

俄罗斯底中部和北部，接连着都是广漠的耕地和森林，许多小都会都散在这些地方。这些都会中，工场制度底工业虽然发达，而补助工业在现时村落中家内工业制度之下办理的也还不少。有许多地方，村落附近，都有工场，这些工场底劳动者和农民，都有接触的机会。平常的农家，家族中大概总有一二人到附近的纺绩所制材所和制革工场去做工的。他们所有的不过些少的土地，农事闲暇的时候，到工场做工，春秋二季回到乡村和亲戚故旧共同耕种。至于有金属工业和机械工业的大都会中，做工的都是专门熟练工人，他们就完全和土地没有关系了。所以只有半工半农的劳动者，是都会劳动者和农民的连锁，是传播都会劳动者进步的思想于农民的介绍机关。

因为这样，所以俄国底劳动者阶级，就有了三个要素。一是纯粹的农民，二是半农半工的劳动者，三是熟练劳动者。这三者底命运大概都相差不远的。

都会劳动者都是最受虐待的工钱奴隶。劳动组合底运动为政府所禁止，他们差不多是无限制的受资本家所剥削。据莫斯科市和附近地方所有的 125 个产业底调查看起来，工人每个月底平均工钱，在 1913 年为 213 卢布，在 1914 年为 221 卢布，在 1915 年为 251 卢布，而在 1913 年至 1914 年之间增加了 1%，在 1914 年至 1915 年之间增加了 15%。即是从欧洲大战底前一年起到大战开始以后一年为止，三年之间，工钱底增加不过 16%。但在这同一的时期内，七种主要生活品底价值，在 1913 年至 1914 年之间增加了 23%，在 1914 年至 1915 年之间增加了 79%。三年之间物价增高达一倍以上。

至于这时期内资本家所得的利润怎样呢，在 1913 年时不过是对于投资资本底 5.6%，到 1914 年增加到 17.5%，到 1915 年就增加到 39.7%。三年之间，资本家所得底利润，增加了七成一分有余。

俄国工业资本家不单是受了保护关税底保护，而且对于官僚行贿，差不多得到垄断一切事业底权利。至对于资本家底利润，关于劳动者底劳动条件，都没有什么法律底规定，劳动者只服从原来需要供给底法则，受资本家无限制的剥削。因为这个关系，外国资本家也和俄资本家一样受了利益。俄国南部和中央底大铁道，多归法国银行独占。乌拉尔和西伯利亚底许多矿山，都是英德两国营利会社底权利。又顿河地方铁矿和镕铁炉中投下的资本，有 2/3 是法比底资本。这些资本，在开战以前三年间，平均收得三成三分底利润，有些收得十二成一分底利润的。

我们再观察俄国农民底状态，俄国 39300 万俄亩之中，只有 13800 万俄亩（即 1/3）属于农民，其余的 2/3 都属于皇家、大地主、官僚大官和寺院所有。这 2/3 的地面，农民只得到生产物些小的一部分，而为地主耕种的。这些谷物，由地主取得高额奖励金，输出于外国。即如 1913 年，俄国全部收获之量，有 1/3 输到外国去的。就是遇着凶年农民食粮不足的时候，他们所做的谷物，也被地主输送到外国去。所以俄国农民营养不足，乃是社会状态所固定的。

以上是帝政时代末期的实状，此外还有许多形势积在一起，助长了俄国无产阶级革命的结合。都会劳动者间旧式的职业组合不发达，也是一个原因。俄国熟练劳动者间，没有职业的分立和职业的偏见，他们也没有自命"劳动者底贵族"而与一般劳动者隔离的。又工业逐渐发达，许多工厂，起于农村附近，就从本地吸收半农奴的劳动者作职工，所以这些工厂劳动者，没有借职业组合以改良生活为满足的旧式组合主义底思想；他们一方面和大都会底熟练工人携手，一方面和农民携手，来造成有力的战斗行列的。俄国无产阶级中智识分子所以占居多数的，这也是一个原因。

中世纪底专制政治，在新兴的资本阶级说起来，早已不能忍受了。要求政治民主主义的资本阶级自由主义者底呼声，一天一天高了。因战争而生的物资缺乏，军事上底失败，以及官僚军阀亲德的态度等事，俄国一切人民除了少数大地主和大资本家以外，没有不诅咒"沙"底政治的。

二、三月革命

引起三月革命底导火线的,是彼得格勒底大罢工。2月27日,30万彼得格勒劳动者,对于政府行了有抗议意义的总罢工。到了3月,行了要求解放政治犯人的一个大示威运动,接连着到处的小暴动也起来了。3月3日,彼得格勒下了戒严令。3月7日,纺织工人和别的劳动者,起了一个大罢工,俄国工业,显出了停顿的形势。政府因为要压制罢工,调遣哥萨克兵,反表同情于罢工劳动者。

这时候国会底态度渐形强硬,遂至通过了和现政府断绝一切交涉的决议案。决议底结果,政府就下命令解散国会,国会置之不理,依然继续开议。

到了3月11日底星期日,彼得格勒底市街,被民众塞满了。以前,政府教警察操纵机关枪,把战线上的装甲汽车调回来,在一星期以前,把许多机关枪架在市街中各要所底屋脊上。3月11日这一天,警察就用机关枪向着民众发炮。

这一天,有名的瓦林斯基联队,当着指挥官命令他们向群众开炮底时候,彼等就把指挥官枪毙,加入民众的运动,许多联队也照样干起来了。

这时候劳动者仿照1905年底办法,组织了劳农会。到12日,这种反乱,成了有组织的动作,全市到处行大示威运动,就是要镇民众的近卫联队,也加入了示威运动了。民众占领兵器厂、开放监狱、占领秘密警察本部,把一切秘密书类都烧毁了。

12日晚间底集会,彼得格勒劳农会,选举几黑塞(社会民主党少数派)为会长,举克伦斯基(社会革命党右翼)为副会长,发出要求民主政治底宣言。宣言上说"我们要用万众团结之力,为废止旧制度和召集普通平等、直接、无记名选举的宪法会议而战",又说,"我们因为要完全获得俄国政治的自由和民主的政府而组织人民底劳力和斗争,这是劳农会第一的任务"。所以3月12日底革命,是始于资本阶级要求民主主义底政治革命的。这时候资本阶级代表的政党立宪民主党,他们对于革命的态度,总从资本阶级自由主义底地位,要求立宪政治,处处主张合法的行动,他们对于革命非常害怕的。即如在革命以前,米留可夫还是说"若为胜利而必须革命,我们宁可不要胜利"。但是到了军队加入民众作乱,革命已成事实底时候,他们就开始改变态度了。

然而立宪民主党和大地主大资本家底政党十月党占多数的国会,在这时候还是愿意维持帝制的。他们要使米哈尔大公即位,树立立宪帝政。但是劳农会却断然表示反对了。古几可夫在彼得格勒铁路劳动者会议中朗读尼古拉二世退位诏以后叫了一声"米哈尔二世万岁",劳动者就愤激起来,要把古几可夫处私(死?)①刑。单由这件事,也可以窥知当时民众底心理。所以1917年3月15日,米留可夫对塔乌里特宫前底劳动者宣言,说国会和劳农会赞成皇帝退位而组织临时政府。

三、资本阶级共和国之出现

照这样成立的第一次临时内阁,节姆斯脱同盟底会长留渥夫公爵做首揆,但在事实上却成了外务大臣立宪民主党领袖米留可夫底内阁。海陆军大臣古几可夫是十月党的领袖,莫斯科底银行家,财政大臣德勒西倩哥是有名的精糖大王,商务大臣哥诺瓦洛夫是大制造业的资本家。临时政府这种组织,把当时革命底阶段反衬得很好,在新政府说起来,革命底意义,不过是实行政治上的民主主义和战争底成就罢了。

所以新政府第一的行动,是3月18日所发表的政治改革底纲领。政府就依据这纲领对民众公约了下列各事:政治犯人大赦,言论出版自由,劳动者结社和罢工的自由,社会上民族上宗教上底拘束废止,普通选举和宪法会议底召集。其次,政府废止死刑,设战时利得税,没收皇室和寺院底土地,至于分配土地于农民和妇女参政权则俟宪法会议决定。

但是民众真心要求底东西,是面包和平和。而新政府对于经济上底问题,不但是没有提起,米留可夫倒反进一步声明君士但丁堡底领土是俄国经济上底发展所不可缺的话。这个声明惹起劳农会猛烈的反对,逼得首揆留渥夫,不得已出了反对底声明。

---

① 原文如此。——编者注

从这时候起,劳农会底势力愈益增加,但是当时劳农会还处在少数党和社会革命党底势力之下的。社会民主党和少数党相信和资本阶级有提携底必要,所以支持了临时政府。而且还主张继续战争的。所以4月16日开的全国劳农大会,诉于民众,说政府若拥护革命,外交政策若不以扩张领土底野心为基础,临时政府就应该支持的。

但是大地主和资本阶级自由主义者妥协后成立的临时政府,和劳农会两相对峙,在这劳农大会的决议中,也已经表现了。自此以后以至于十一月革命的许多波澜,要不过是反衬临时政府和劳农会间权力底推移消长。政府在4月27日,声明赞同劳农大会底决议,于5月1日发表对联合各国迫求声明战争目的底宣言。但是这个宣言上,临时政府附记有始终谨守和联合国所立的协约的意思,所以对于政府底诚意怀疑的民众,就行了一个大示威运动。

5月4日,劳农会对于政府的信任就不比从前了,虽然议决信任政府,也只是较多数的议决而非全体的了。

因为这些事变,临时政府对于民众的信用越发低减,把左派底势力助长起来了。这时候列宁于4月3日从瑞士回到俄都,即时极力主张平和。5月13日古几可夫辞职,16日米留可夫辞职了。17日脱洛兹基从美国回来,左派又增加了一个新势力。加之,对于平和底热望,在战线底兵士中间也越发增加起来了。5月10日从战线送回的兵士代表者,在彼得格勒开了会议,他们的决议说:"现今战争是反对民众底利益,为征服而战争的,俄国人就是一滴的血,也不可因为那与我们无干的目的流出去。"他们又要求劳农会"用国民自决和非并合非赔偿做基础,为了结这种屠杀的战争",而采取最有力底办法。

四、第二次临时政府(阶级的对立之发展)

这时候劳农会中温和派社会主义者还占势力。所以关于古几可夫、米留可夫底辞职,劳农会依然以41票对19票的多数,决议支持新联立内阁。结局成立的第二次临时政府,虽然有6个社会党员,而立宪民主党(七名)和十月党(二名)在政府仍占多数。但是这内阁底改造,明明反衬革命底进行,资本阶级自由主义的十月党,显然比代表大地主大资本家的十月党占据优势,资本阶级民主主义底色彩越发鲜明,而革命底进行已经由纯粹政治的革命进一步转到社会主义的革命了。这种实在的形势,在社会党温和派党员增加一事上表现了出来。彼得格勒劳农会,大体上对于新内阁底人选表示满足,而多数党本来就表示反对的。

其次,一般民众之间,对于临时政府底不平之声,也渐渐增高了。三月革命,除去了专制政治底压力,政治上经济上劳动阶级运动,一时勃兴起来,有许多产业,劳动者已经借劳动组合运动底力量,显然把工钱增加了。但是资本家却逐渐地把生产物底价值抬高,劳动者底生活并没有丝毫改善的。临时政府因为物价腾贵,不得已增发纸币,物价越发跟着腾贵起来了。政府取缔贪暴利的政策也完全失败。于是政府就组织工业银行团,由政府监督,要谋产业底集中,监督各主要原料品底分配,而银行团底实权,操在银行家工业主之手,他们运动临时政府中资本阶级底分子,为所欲为。政府又征取累进所得税,想借以限制暴利,也没有收得什么效果。于是这一年底夏天,彼得格勒劳动者往往自己起来实行这种法律,而且由工厂委员图谋生产者和一般消费者底利益,要自行管理生产事业。但是临时政府自克伦斯基以下各社会革命党底阁员,游说政府中资本阶级分子,让劳动者暂时管理来镇抚劳动者。而不知实际上却与此相反,为时不久,劳动大臣斯可别列夫却制定了法律,禁止工厂委员干涉工业主底事业。

又工业主方面,凡对于劳动者有利益的极稳健的改良事业,专采取不肯实行底方法来谋对付劳动者。即如本年夏天,顿河地方底炭坑主以及莫斯科底纺织业者,以威吓劳动者为目的,把工厂锁闭了。有些炭山主自己在炭坑里放火,自己破坏排水唧筒;有些纺织工厂使技师把机械弄坏,使劳动者无由使用。有些地方,铁路公司底技师破坏机关车的时候,被劳动者拿获的事情也是有的。

农民底境遇,大同小异。革命后不久,临时政府农业大臣捷尔诺夫发出了关于土地底布告,大地主底土地都按照布告没收起来,在宪法会议未决定以前,这没收底土地由农民选举土地委员经营,谋公共底利益,农民因此暂时归于镇静了。但是禁止买卖土地一事,引起银行家和立宪民主党一齐起来攻击捷尔诺夫,捷尔诺夫不久就辞职了。于是土地委员或被他们逮捕,或被监禁,或被暗杀,有些地方底土地委员会完全消灭了。于是对于临时政府失望底农民,就和战线上归来底兵卒,到处破坏大地主底第宅,把他们底谷仓掠夺起来了。到了八月临时政府底末期到了,达姆波卜、彭查、贺诺奈兹诸州,这种农民底恐怖主义到处流行了。

先是 5 月 17 日全俄农民大会,于社会党势力之下,在彼得格勒开会,主张无条件没收一切土地,要求政府对众公约承认这种主张。到了 6 月,平和底要求声浪愈高,22 日底全俄大会,列宁和克伦斯基,起来极大的争论。但是这时候,大会依然支持联立内阁,一切权力都收归劳农会底办法,反认为于革命有危险。而一方面这大会又以为一切权力都委之资本阶级分子掌握,更为危险,所以决议要社会党内阁员直接对劳农会负责任。

7 月间,彼得格勒劳农会,干了最初的大众示威运动,而示威行列底旗帜上所写的"废止秘密条约""埋葬资本家底十大臣"等标语,就是说明联立内阁已失了民众底同情。

当时政府一方面要振顿军规,一方面为联合国所迫要向德国战线取大规模底攻势。这是有名的 7 月底攻势,多数党原来就反对的。后来这种攻击失败,越发激起民众底不平心,同时使得军队早早地解体。

民众对于政府不满意的态度,由 7 月 17 日革命的大示威运动表现出来了。群众把劳农会中央执行委员会所在的塔乌里特宫包围起来,要求逮捕捷尔诺夫和捷勒德里并解散中央执行委员会。这个示威运动,幸亏乌阿林斯基联队来援,把他镇压了,但是政府早就明白彼得格勒底卫戍兵不可信赖了。革命进了一步,已经踏到新阶段了。

五、第三次临时政府(克伦斯基执政)

7 月 20 日留阿夫辞职,克伦斯基代为首揆。2 日之后,全俄劳农会中央执行委员会决议,非难多数党底态度,付予克伦斯基内阁以绝对无限的权力。多数党底新闻,概遭禁止,同时就开始告诉起来了。脱洛兹基、郭伦泰和许多多数党人,都蒙了和德国政府通谋起了 7 月内乱底罪名,都被逮入狱,列宁又亡命到芬兰去了。

于是多数党暂时潜声隐迹,而战线底状态,愈加恶化。不久,捷尔诺夫、克伦斯基相继辞职,后来克伦斯基因被各党派恳请,又组织了新内阁。8月26日,克伦斯基在莫斯科开临时全国代表大会,召集了代表1400名,而这些代表多由政府招请的。这个会议底目的,把多数党除外,专谋保守分子底一致,借以为新政府底基础,而会议底结果,这些保守分子之间,也明明是不必一致的。9月3日,里加归了德国军队之手,形势更加恶化了。

5月9日,柯尼洛夫将军起了反乱。从柯尼洛夫底反乱把革命拯救出来的是彼得格勒劳农会和格伦斯达特底水兵。柯尼洛夫四万底军队接近彼得格勒底时候,彼得格勒底劳动者就出去欢迎他们,劳农会也不遣一兵,只送出了一些宣传者,柯尼洛夫底反乱,不流一滴血就镇定了。

柯尼洛夫反乱底真相,现在还不明了。据多数党方面说,临时政府中有人(立宪民主党)加入了这种阴谋,就是克伦斯基自身也不免有这样的嫌疑。至少克伦斯基对于这种疑惑不能解释出来,这是不容争辩的。柯尼洛夫反叛以来,列宁就开始对彼得格勒底劳动者说劳动者有即时掌握权力底必要。于是劳农会中左右两派底斗争,达到了白热的高度。在此次事变以前,多数党有时虽然能够把彼得格勒劳农会1/3的投票数收归本党之手,而执行委员会却没有选出一个代表。事变以后,多数党要求执行委员会用比例投票法选举也不见容纳。

但是多数党在劳农会底势力却一天一天增加了。他们往往能够支配劳农会底多数人。多数党在劳农会底势力一强,他们就要求召集第二次全俄劳农大会。温和派出来反对,执行委员会就用一个妥协方法,召集了1917年9月27日有名的全俄民主会议。要而言之,民主会议就是一个最后的企图,要想在种种要素底妥协和一致之上,设置联立内阁底基础。

俄国革命底左倾,在这个会议上也反衬了出来。这个会议以极微小的差异,通过认可联立内阁的决议,却反对那因柯尼洛夫事件完全失信用的立宪民主党入阁。其次,赞成继续战争底决议,因为多数党反对撤回了。这会议又决议在宪法会议召集以前,得开预备会议。但是政府仍然对于这会议不负责任,所以大会虽然反对立宪民主党入阁,而新内阁依然含有八名底立宪民主党员。

预备会议在10月8日召集的,内中有344人是劳动阶级底代表,有153

人是中流阶级底代表。多数党前次曾经选出了 53 名底代表,至对于这次预备会议,他们认定这不过是和资本阶级自由主义者提携,所以就退席了。

六、十一月革命

三月革命以后,尤其是柯尼洛夫事件以后,多数党底势力天天增加了。临时政府虽然对民众约定平和,但是除了要求联合国声明战争底目的以外,并不能做什么事。临时政府虽然对农民约定土地,却又恐怕那把大地主底土地作担保的外债低落,连土地无赔偿没收底话都不能够声明的。临时政府对于工业社会化一层也没有什么定见。总之,在利害相反的结合上成立的联立政府,对于一切问题,都不能有一定的政策的。

临时政府所能够做到的,只是把一切难问题搁延到宪法会议开会底时候去。第一次临时政府,在 1917 年 3 月 7 日,约定尽能力早召集宪法会议。第二次临时政府也同样的约定了。多数党要求召集宪法会议最迫切的时候,第三次政府才规定 9 月 29 日为选举日期,克伦斯基又迁延到 11 月 25 日去。

反之,多数党对于一切问题,都有一定的纲领。他们主张把一切政权都归劳农会,主张即时把土地无赔偿的分配于农民,主张工业社会化而归劳动者管理,主张用民主的原则和外国讲和。所以多数党底要求天天增高,即是代表众底憧憬。

多数党于是已得到多数民众援助底自信。所以多数党召集第二次全俄劳农大会底要求,已是不能拒绝了。中央执行委员就定期 11 月 7 日召集全俄大会于彼得格勒。11 月 3 日,多数党底领袖,在密室中开了一个历史的会议。列宁在这会议席上说:"12 月 6 日太早。我们的确,非有全俄的基础不行。6 日,大会底代表还不能到齐。但是 11 月 8 日又太迟。那时候大会已经组织了。包容许多人民底一个大组织,就不能采神速果断的行动。所以我们非在开大会的 7 日举事不可。当时就可以这样的对大会说,这里有权力,诸君对此,究取什么态度……"

所以多数党就是这样的把 11 月 7 日当作夺取政权之日规定了。

多数党把 11 月 4 日定为"彼得格勒劳动日"。这一日彼得格勒底劳动者就在"埋葬克伦斯基政府""废止战争""一切权力归劳农会"等标语之下,干了一回大示威运动。同日克伦斯基最后所信赖的塞米约洛夫斯基联队,也用大多数决议支持多数党。暴徒就把彼得和波罗监狱占领了。接连军事革命委员会,因为警备一切车站,选任了委员,和全市底劳农会之间,设了联络底电话。赤卫军和水兵,准备占领电报局、邮政局和别的机关,又准备占领国立银行。中央执行委员会和军事革命委员会本部斯莫尔尼会馆,暂充临时狱舍。

11月6日克伦斯基要求临时会议赞成强硬镇压多数党底政策。当晚,政府从彼得尔霍夫士官学校召集炮兵队,命士官学生和士官集合于冬宫。多数党方面,在彼得格勒到处的街道上施着防备,派遣宣传者于四方,应政府之命,迎接向彼得格勒前进底军队,来说服他们。这一夜,从国立银行起,全部重要地点,并不见有什么斗争和流血,完全归多数党手中了。

当晚,第二次全俄劳农大会开预备会。社会革命党领袖达恩,以中央执行委员会名义,对于多数党底暴举,行了攻击的演说。赤卫军步步迫到冬宫来了。于是渥洛拉夫大炮,在全市轰起来了。这时候包围军底指挥官在会场出现,报告冬宫已被占领,克伦斯基逃亡,其他阁员都在彼得和波罗监狱收容了。

七、一切权力都归劳动会

临时政府消灭时,权力即归于军事革命委员会之手。军事委员最初底命令,是废止死刑,改选军队委员会。8日晚间,列宁把有名的平和宣言和关于土地底布告,提出于劳农大会执行委员会,经全场一致通过了。多数党中央执行委员会对于社会革命党左翼,要求其协力组织劳农政府,而对于新政府必须包容劳农会所代表的一切党派底理由,却不肯承认。少数党和社会革命党右翼,完全和多数党断绝了关系,因为他们主张要把反对劳农会底党派也要加入新政府的缘故。于是多数党就决定由本党选举人民委员,把宪法预备会议解散了。于是多数党在11月7日掌握政权以后,即于8日对交战各国宣言休战,同时发布劳动产业管理法,履行对于劳动者的公约,又于9日发布《土地法》,履行对于农民的公约。

虽然,这时候攻击新政府底声浪,也在各方面发出来了。代表富裕的农民和智识分子的全俄农民底劳农会执行委员会(因为当时农民底劳农会和劳动者兵士底劳农会分立的)就在 11 月 8 日发表宣言,不承认多数派底政府。社会革命党也把加入多数党底党员除名,宣言劳农大会没有承认多数党专政底权利。社会民主党少数派底彼得格勒执行委员会,也同时发出反对新政府底檄文。智识分子对于新政府不肯协力,专门技术家、事务员、电信电话技师、打字生、医师、看护妇等,对于新政府都怠起工来了。

1917 年 11 月 25 日,全俄举行宪法议会底选举;选举结果,社会革命党占居多数,多数党只占 1/3 底议员。

宪法会议是在次年 1 月 18 日开会的,社会革命党员捷尔诺夫以 244 票对 151 票底多数当选为议长。会议开始时,劳农会执行委员长斯勃特洛夫朗读《被剥削的劳动者底宣言》,要求会议协赞。这个宣言,是后来和《劳农共和国宪法》同成了俄国基础法底重要宣言,就是宣言把一切权力都归劳农会;废止土地私有;矿山社会化;确立劳动者管理产业底权利;组织国民经济高等会议;银行收归国有;规定一般劳动义务等制度;解除剥削阶级底武装而武装劳动者;规定赤卫军底编制;又废止秘密外交;实现民主的平和;破弃国债,等等。宣言之后,又要求宪法会议反省,他说:"宪法会议是用十一月革命前所指名的候补名簿为基础选举出来的。当时全体人民不能反抗他们底剥削者,又不知道剥削者拥护自己特权底力量是很强的。他们又不会着手于社会主义社会底建设。所以宪法会议,是反对劳农会底权力的,这事单从形式上底见地看起来,也觉得是不正当的……"

这个宣言在实质上在形式上,都明白含着要宪法会议降伏于无产阶级独裁底意思。但是这宣言在 19 日午前 2 时经众投票否决了。于是多数党底代表就朗读了一个决议,承认宪法会议否认 11 月革命底结果,是指挥资本阶级对于劳动者底斗争的,即是在事实上,不过是资本阶级的反革命党。这个决议朗读之后,多数党就和社会革命党左派与合同社会民主党国际派一同退席了。一时间之后,宪法会议通过了一个决议案,这决议案容纳了多数党要求底大部分,只有"一切权力都归劳农会"底根本条项还不肯承认。

到 19 日午前 4 时,有一个拥护会场底格伦斯达特的水兵,瞧着议场上说:"知趣的人都回去了,诸君为什么尽管蹀躞呢。"于是这些议员都一齐退散了。宪法议会于是消灭,一切权力都归于劳农会之手。政府遂于 1 月 26 日,下了正式解散宪法会议底布告。

第二章　劳农政治底特质

——无产阶级专政与民主主义

一

无论什么人都能够攻击俄国底革命，却不能够不看看俄国革命底事实。俄国革命用那种强大的力量，迫使当代人承认底事实，在历史上实不多见。至少在近世史中，可以和俄国革命相比较的，有重要意义的历史的事实，只有法兰西大革命。也只有新兴商工阶级在封建的生产组织上打破了中世底特权，确实树立了政权的这个法国大革命。但这个法国革命，就是和俄国革命比较，那历史的意义，在许多地方还很受限制的。

法兰西革命和百年以后的俄罗斯革命两者间，有许多本质上底不同之点，同时又有许多外观上底共通之点。法国革命底结果，使全欧洲反动的势力结束了。法国革命和本国特权阶级斗争，同时又不得不和全欧洲特权阶级联盟的"神圣同盟"相斗争。所以法国革命，引起了全欧洲底战争。反之，俄国革命却使欧洲战争终结了。而俄国革命却又引起了变形的世界战争，这是不能忘记的。俄国革命，现时正和全世界底"神圣同盟"战斗。只是当年的法国，除英国外她是经济上最发达的国家，法兰西革命所以能够和全欧洲底主权宣战的，就是这个原因。此次俄国革命，却不得不和那经济上更进步的列国底"联盟"斗争。俄国革命当然是疲弱不支了。然而俄国革命底强度，也可以说是在这种地方。因为法国革命当时全欧反动的势力，能够把一切民众引到他的势力之下，而现时反动势力的脚下，反隐藏着民众反乱底祸机。"不要干涉俄国"（Hand off Russia）底呼声，在各国民众间一天比一天高了。所以这相异之点，又不外是俄国以外底各国经济上发展底结果。

有以为俄国革命是可希望的事实的(例如联合各国电贺临时革命政府),有以为不然的,这都是各人底自由。但我们却不能不把俄国革命认作历史的事实。在希望俄国革命的人或不希望的人看起来,俄国革命总是法国革命以后近代史的总括,总是战后一切问题底出发点。各国底对内政策、对外政策和一切世界底形势,若漠视了俄国革命底事实就不能理解。

二

在现代世界大漩涡底中心的,是俄国革命。而表征俄国革命的是"多数主义"。俄国底多数主义,在现今各国,成了非难和憎恶底标的。火药库爆发也好,火车出轨也好,楼板上老鼠叫也好,就以为是"德国侦探"底作怪,就以为是"德国宣传"底结果,一切不利不善底事情,都以为是"德国金钱"底作用。但是现在这些任务,似乎已从德国移到多数党手里去了。

先前底新闻电报,法国统一社会党领袖雷老德尔,因为主张了多数主义,竟在总选举时落了选。雷老德尔底多数主义! 反对克列曼索底人都是多数主义! 火药库爆发,火车出轨,楼板上老鼠叫,都是多数党人弄鬼,凡是于现在有权力人不利不便底事,都是多数党人弄鬼! 照这样的有意无意对于多数主义不能理解,当然就不能理解俄国革命历史的意义,因而使得许多人把应付俄国革命底手段和态度弄错了。希望击退黑船(日本在数十年前看见外国船呼为黑船,甚为害怕)也好,不希望击退也好,由击退黑船一事表征出来的明治维新底历史的事实,总必须理解才好,同样,要理解多数主义所表征的俄国革命,也必是现代必要的事实了。

多数主义,现在成了非难和憎恶底焦点。然而那非难和憎恶底理由,也并不是一样的。

攻击多数党底人,首先就说他是被德国金钱买动的卖国奴(日本前财政大臣胜田氏公然以大臣底资格这样说的)。我们向来不知道多数党曾否受了德国底金钱。但是台尼金、柯尔恰克及其他一切反多数党底运动,又受了哪一国底军资和军需品所动呢? 受了外国势力支持的,必不妨害反多数党运动和爱国者底运动,由这一事看起来,就晓得对于多数党非难憎恶底真理由,绝不是因为他受了外国底金钱了。

多数党又被世人非难他是人道之敌。"赤色底威吓",差不多天天底新闻都传道的。即如数日前,新闻上报道多数党人近来无事可干,把活人投入釜内,挂在火上,使他吃活老鼠等。中国古代之刑鼎镬之刑,他们好像都用过的!然而"赤色底威吓"到底不及"白色底威吓",由实地考察者底报告看起来,早就充分地证明了。由美国上院议员巴里特调查报告看起来,劳农政府底"反革命镇压非常委员会"(现时已废止了)所处刑的人数,在彼得格勒的有1500人,在莫斯科的有500人,在别地方的有3000人,总计有5000人;至于反多数党方面,单在是芬兰南部的曼奈尔海姆将军一人手里被处刑的男女劳动者,都有12000人。"万一若归台尼金、柯尔恰克得胜,多数党只杀几百人的地方,他们就要杀几万人了。其结果要使全俄罗斯完全陷入灭亡和无政府底状态。"这是巴里特底报告,先使人道主义者见了"白色底威吓"害怕的。所以对于多数党底非难和憎恶,也明明不必是本诸人道上底理由的。

对于多数党还有许多底非难。有人真正地非难多数主义正在实行妇女共有的(日本贺川丰彦即其一人)。这种流言,不过是对于多数党底主张完全缺乏理解底表白,不关重要,巴里特底报告上,也把这种事实否认了。又有人非难多数党把民众陷入饥饿境遇的。而不知陷俄国民众于饥饿的不是多数党,乃是封锁,这是无容疑底事实。所以这样非难的方法,在列国说起来并不是上策。况且这样非难的人,就是处在他所夸称的"平和"和"秩序"底状态之下,不是也要使他的同胞忍饥挨饿吗?

所以这些非难要利用起来损伤多数党底信用或者可能,却不能使多数主义受致命伤。而且也不算是对于多数主义底适当的批判。如列宁,如托洛兹基,他们还没有答复过这种非难,可见他们不把这种非难看得要紧的。

反之,至于反对多数党所说的"独裁政治"底非难,列宁和托洛兹基,却常常努力辨正的。表征俄国革命的是多数主义,表征多数主义的就是独裁政治。所以从民主主义底立场来非难独裁政治,实可说是许多非难中底唯一有力的非难,所以关于这一点来研究他们底主张,可说是理解俄国革命的第一条件。

三

鲁意乔治于 1919 年 11 月 17 日在下议院讨论俄国问题底时候，说"多数主义不是民主的，不是代表自由的"。他又引用多数党底宣言上所说的"我们已经提高军队底规律，现在非进一步提高劳动者底规律不可"的话，说"这不是民主主义，这个宣言，可以证明多数党政府对于劳动阶级自由底观念是胁迫的劳动"。他就拿这一点，作为理由，夸称英国比法美、比三国底合力，更能与多数党战斗。鲁意乔治底非难，比列国政治家对于多数党底非难是有特征的，他们都把攻击底主力，集中到多数主义底手段和方法上底问题，至对于产业社会化这种多数党底实质或目的，总是不肯提起的。因为产业社会化，不单是各国社会党共通的主张，而且是现时各国全劳动运动所意识的目标，那些非难多数党底列国政治家，若对于产业社会化一层来攻击，就不啻和国内社会党与劳动阶级作对。

但是说到多数主义底手段和方法上底问题，各国社会党底内部，意见也不必一致。就是俄国，社会革命党左翼和社会民主党少数派，现在也有为对抗列国底干涉而支持多数党底政府的，而在原则上依然反对"独裁政治"，其中也有依靠外国底资本和军器，要想把劳农政府推倒的。即在德国，讴歌"独裁政治"的人是从社会党中央派的独立社会党分派出来的左翼，曾经成了独立社会党中心人物底柯祖基，却是始终一贯非难"独裁政治"的。

柯祖基是恩格斯以后的硕学者，人都称他是恩格斯以后正统马克思主义代表的学者。而列宁也是纯粹马克思主义者。这两个人关于产业社会化底终极的到达点，大体上意见不甚相远的。只是成为问题底地方，就是社会主义实现的手段。社会主义和资本主义对阵时，柯祖基和列宁应该站在同一战线的，鲁意乔治本来就不能预待柯祖基来帮助他。但是"独裁政治"和民主主义对立时，柯祖基完全和鲁意乔治意见相同了。各国社会党中，和柯祖基见地相同的不少。所以列国政治家不把多数主义当作社会主义攻击，要当作"独裁政治"来攻击，不由资本主义底旗帜来攻击，要由民主主义来攻击，他们这种战斗法，明明有把各国社会党底势力分为两断底效果，不可不说是极贤明底战法了。

四

　　由上面看来,非难多数主义底非难之中,最有力的要算是对于"独裁政治"底非难了。而对于"独裁政治"底非难之中,最可注意的要算是同在马克思主义上立脚的,由社会党内部发生出来的非难了。列宁和托洛兹基等人辩护"独裁政治"底时候,常常把这方面发生出来的反对论作为对象,也是很有理由的。

　　说到这里,就要转到多数党所说的"独裁政治"究竟是什么底问题了。多数党底"独裁政治",虽然被人用马克思主义底见地来攻击,而"无产阶级独裁政治"这句话由马克思说出来的确是事实。马克思在他1875年所著的《哥达纲领批评》中说:"资本主义的社会组织和社会主义的社会组织之间,有由一方移到他方的革命的变形时期。这个时期即与政治的过渡时期相当,而这个政治的过渡时期就不外是无产阶级革命的独裁政治底状态。"

　　至于"无产阶级独裁政治"底思想,可以追溯到1861年底巴黎自治团。列宁关于"独裁政治"一层,往往说到巴黎自治团,1919年3月他提出于莫斯科万国共产党大会底纲领之中有一段说:"巴黎自治团……把资本阶级议会制度和民主主义底专擅,和他的价值很受制限底事实,特别的弄明了了。这个制度对于中世纪底状态,划出了极大的进步,而现在当着无产阶级革命底时候,应该要从根本上改变的……巴黎自治团,确是非议会的制度。"他又说:"巴黎自治团向着这方面,在世界历史上,踏出了重要的第一步,劳农会底权力就是第二步。"所以巴黎自治团和劳农会底组织之间,显然有许多共通之点,这是事实。马克思在他所著的《法国内乱》底书中,关于巴黎自治团底组织,有下面一段说话。

　　"劳动阶级军靠掌握现成的国家机关,来供自己目的底使用,是不可能的。……所以自治团是由都市各区用普通选举法选举出来的,期限颇短而又负责任的都市评议员组织成立的。议员底大多数,大致是劳动者,也就是明白的劳动阶级底代表。自治团不是议会,同时是执行和立法底机关。……从自治团底议员为始,一切从事公务的人都和劳动者受一律的工钱。……在巴黎以下底都市,一朝树立了自治团底统治,而旧时中央集权底政府,即在地方上,也就把地位让给生产者自治了。自治团虽然没有得到可以弄成功全国的组织底岁月,而大体底立案上,却明明记载着要(从都会起)以至于地方底一小村落为止,都要把自治团作为政治组织,以及用短期民兵代常备军等事。又各地方自治团选送议员于中心都市,组织地方会议;各地方会议又选送议员于巴黎全国代表会议;议员一切都依选举人底正式训令行动,而且无论何时都可以解职。照这样虽然还有些少要待中央政府办理底事,但是自治团也没有概行废止的。……还有国民的结合,自治团也不破坏的,只是要按着自治团底组织另行编制起来。即是要脱离'国民',超越'国民',要打破那主张代表国民的一致底那种国家底权力,然后才把他实现的。……要之,自治团在根本上是劳动阶级底政府,是生产阶级对于所有阶级底斗争底产物,可以成就劳动底经济的解放底政治形态,至此才开始发见出来的……"

多数党主张把劳农会组织,当作巴黎自治团底正统的继承者,当作完成者。即是因为巴黎自治团不单是革命运动底机关,而且要继承旧时政治组织底职分的。照这样"已有组织的民众",离开议会的形式和绅士阀的代议机关而采取独立行动底倾向,经过法国革命到处都成了小队和自治团底运动发露了出来,而这种倾向采取了明确的形式的,即是巴黎自治团。所以依多数党说,劳农会(劳动者和农民底委员会)是民众这种倾向采取更明确、更进步的形态表现而出的。劳农会本来是当作革命的机关组成的,现在却成了政治的机关了。劳农会不单是革命的团体,同时又创造了可以代替资本阶级政治组织的新国家底模型。劳农会已不是法国革命当时"小队"和"自治团"那样"无定形的民众团体,乃是结合产业和政治的一个产业组织了。不单是民众实力底泉源在乎工场,就是那可以成为新社会中自治政治基础底编制的泉源;也在乎工场了"。所以多数党主张把劳农会作为"以依工场编制的生产团体为基础的真正无产阶级政治底形式"。

于是多数党所主张的"独裁政治"底意思,就不是列宁或托洛兹基底独裁政治,乃是上面所谓的劳农会底"独裁政治"了。换句话说,所谓劳农会"独裁政治"底意思,毕竟是"已有组织的民众"底"独裁政治",是"已有组织的生产者"底"独裁政治"。所以对于多数主义底"独裁政治"要下批评,就不要把目标放在普通意义底"独裁政治"上,而要正确地看中了"无产阶级独裁政治"底目标,然后去批评才好。

五

所以多数党当着辩护"独裁政治"底时候,就首先在这点用力的。

1919 年 2 月在柏恩开的第二国际党大会,讨论了多数主义和民主主义底问题,末了保留一个议案未付表决,而法国雷老特尔,对于这会议提出了责问多数党底决议案。委员会底议案也说"本会确实用民主主义底原则为基础"的,又说"没有得到多数人民协赞底机会的一切社会主义化底方法,都非排斥不可"。这种说法,就是暗中非难多数党解散宪法会议底态度的。英国享达森赞成委员会议案;德国柏伦斯泰因甚至说多数党是反革命的,没有到劳农俄国实地调查底必要;只有奥国阿德拉和法国伦兀反对了这种轻率的判断。

和第二国际对抗的第三国际,也于 3 月间在莫斯科开会了。列宁送交第三国际底书面底纲领,把多数主义对于"独裁政治"底地位,分 22 项,简单地说明了。列宁在这个重要的历史的文书上,劈头就说:

"对于多数主义底一个最普通的非难,就是反对独裁政治,主张民主主义。资本家新闻和 1919 年 2 月柏恩黄色万国会议在许多不同的形式下反复申说的那种推论底虚伪,凡在不违背社会主义根本原理的人看起来,都会自己明了的。"

列宁首先就对于柏恩会议,答谢他一箭。其次又说:"他们那种推论,只玩弄'普通意味底民主主义'和'普通意味底独裁政治'底观念,至于民主主义和独裁政治关系于什么阶级的话,却一概不问的"。"无论在什么资本主义国家,有普通意味的民主主义绝不存在的。存在的只有资本阶级民主主义。所以成为问题的,不是有普通意味的独裁政治,而是被压制的阶级即无产阶级对于压制者,剥削者的资本阶级而行的独裁政治。"

列宁第二箭,就逆击"普通意味的民主主义"底战士资本阶级。"他们资本阶级,依许多反逆和内乱,对于王政和封建制度,和农奴制度以及一切复古计划,行暴力的镇压,把权力得到了。资本阶级革命的这种阶级的性质,各国社会主义,不是常常把他写在书籍、小册子和演说和大会底决议中证明了的吗?……"

所以"1649 年底英国,1793 年底法国,资本阶级还在革命的时代,他们求外国军队援助,对于图谋复古计划而'集会'的王党和贵族,并不曾给他们集会的自由……""劳动者知道就是在最民主的资本阶级共和国中,'集会的自由',不过是空话"。集会的自由,地点,时间和保护都是必要的。"劳动者首先非把那壮丽的建筑物恢复不可。劳动者非得到闲暇不可。所以集会的自由,要靠觉悟的劳动者保障的……"

依列宁说,资本阶级民主主义和无产阶级独裁政治之间,没有中间底立场。梦想中间的第三底立场的,毕竟是"小资本阶级反动的欢声"。列宁在他所著的《民主主义与无产阶级独裁政治》一文中,极力说中间的立场底不可能,不用什么独裁和强制,而梦想由资本主义移到社会主义的,实是"最诞妄的机会主义","是小资本阶级民主主义的而且是无政府主义的呓语"。柯尼洛夫底独裁呢? 无产阶级底独裁呢? 在俄国底形势之下,除了这两者以外,没有选择底自由。

若如列宁所说,假定资本阶级民主主义(资本阶级独裁政治)和无产阶级独裁政治之间,没有可以选择的中间的途径,那么,无产阶级独裁政治和资本阶级独裁政治之间,究竟有什么差异呢?

依多数党底主张,一切民主主义都是相对的。换句话说,就是阶级的民主主义。所谓成了历史的范畴底民主主义,单是一阶级底机关;所谓资本阶级民主主义,不过是资本主义专制所表示的形式。所以无产阶级底运动,不是资本阶级民主主义底伦理观念可以左右他的进行的。至于无产阶级民主主义,在自家创设底过程中,却继续地要把资本阶级民主主义舍弃的。

那么,要起来代替资本阶级民主主义底无产阶级民主主义,也不过是一个阶级的民主主义罢了,毕竟不同的地方在哪里呢? 多数党一点也不踌躇,就用下面的话答复:"资本主义,虚伪的主张一切阶级底政府,而在事实上却是一阶级底政府。所以无产阶级革命,就直率地要组织无产阶级一阶级的政府的。唯有由无产阶级政府方能达到一切阶级底民主主义。"

其次,关于政府机关底形态上的差异,多数党对于那用三权分立为基础的议会制度,曾经有下述一个批评:"议会制度不是根本的民主主义底表现,而是资本主义所需要底表现。立法和行政机能底区分,毕竟是间接的要把这种对立缓和的。立法部口说民主主义,代表民主主义,行政部专制的行动的。"再就政治组织底实质观察起来,主张"议会制度之下的国家,纯粹是土地的,而在无产阶级独裁政治之下的国家,是土地的同时又是产业的"。列宁也在前述底纲领中第六项上说:"自治团所以占重要的原因,就在于根本的打破资本阶级政治机关,而用劳动群众自治的组织来代替他。而这种组织中,什么立法上行政上底区别是没有的。现在资本阶级一切民主的共和国,其中尤以德意志共和国,虚伪的社会主义者偏爱它是无产阶级共和国,而不知这类的共和国是保存资本阶级底国家的机关的。这种事实,不过是重新证明'普通意味的民主主义'底拥护,在实际上就不过是拥护资本阶级和它的压制底特权的。"

然则多数党反对有真实意义的"普遍民主主义"吗?说起来,他们还是主张用多数主义以实现"普遍民主主义"为目标的。他们断定真实的"普遍民主主义",在以前只不过是一个观念,所以成为历史的事实底民主主义,一切都是阶级的民主主义了。即是,一切民主主义,若不是资本阶级民主主义就是无产阶级民主主义。只是后者与前者不同的地方,就只有由后者才能实现真实的"普遍民主主义"。列宁在前述底纲领中说:"无性别,无宗教别,无人种别,无国民性别的市民底平等,就是资本阶级民主主义往往约定要实现,而在资本主义之下终未能实现的。劳农会底权力,换句说,无产阶级独裁政治,一举就把他完全实现了……"

然则"无产阶级独裁政治"怎样把那种真实的平等实现呢?"这个目的,在劳农会底组织之中,要由立法上行政上权力底结合,又用代替地方别的选举区底工厂等产业的单位等手段方能达到的。"列宁又在他所著的《旧秩序与新秩序》一文中说:"国家权力底废止,是一切社会主义者所追求的,马克思就是一个首领。这个目的若不实现,真民主主义即所谓自由平等,也就不能实现的。然而这个目的,不由劳农会底民主主义(即无产阶级独裁)还是不能到达的。为什么呢,无产阶级民主主义,就是要使劳动者底团体组织,不断地而且直接地参与国家管理,因此具备完全废止一切国家底途径的。"

六

然则多数主义所说的"无产阶级独裁政治",在他的本质上究竟意义如何呢？列宁在他的《旧秩序与新秩序》上，开头就说："劳农会的民主主义（即无产阶级民主主义）底具体的应用，有下列三点。第一，选举人包括劳动者和被剥削的民众，将资本阶级除外；第二，关于选举的一切官僚式底繁褥的形式和制限，概行撤废；第三，劳动者底前卫队、产业的无产阶级，尽能力组织最良好的大团体，因此指导被剥削的民众，引入政治生活，用他们底经验来训练这些人。照这样，一切民众，才开始学习怎样管理怎样着手管理的事情。"

有一种非难，说多数主义底民主主义（劳农会底民主主义）和独裁政治是不能两立的。列宁对于这个非难，答复得很简单，他说："我们若不是无政府主义者，我们要从资本主义过渡到社会主义，就不得不承认国家——强制力——底必要。"而"强制底形式，由特定革命阶级发达底程度，由经过长期反动主义的战争和别种特殊状况，由资本阶级和小资本阶级抵抗底形式，而决定的。所以劳农会民主主义和独裁权力底使用之间，并没有什么原则上底矛盾。无产阶级独裁政治和资本阶级独裁政治两者底差异，只在下述的一点。即是，前者是为多数被剥削者底利益，对于少数剥削者行使的。而前者，也不单是由被剥削的劳动群众举行，或有时由若干个人举行的，乃是由那具有指导这些群众向历史的创造事业上勇往前进的有组织的团体举行的。劳农会即是这种的组织。"

列宁又由产业上底见地，力说过渡期独裁政治底必要。他说："一切大机械工业是社会主义生产力底泉源，是他的基础，都必要有一种绝对的而且紧密的意志一致，由这种意志的一致来指导几百千万人底共同工作。这种必要，从技术上经济上历史上底见地看起来，都非常明了，凡是倾心社会主义的人，都一律承认这是必要的条件的。""至于我们要怎样才能够确保意志一致呢？"列宁自问自答地说："要使多数底意志，服从单一底意志。"

但是这样的"要使多数底意志服从单一底意志"的事，在形式上，在实际上，在程度上，当然因实际底状况而有不同的。这一层列宁原来是承认的。他说："这种服从，若是参与共同工作的人有理想的觉悟而又受了训练，那就和服从合唱队队长温和的指导是一样了。若是他们没有理想的训练和自觉，那么，这个指导，还是要采用独裁政治的形式。"他又说："现在，革命已经把那强制民众服从的最旧最强最要的铁锁切断了。这就是昨天做的事。但是今天，这同样的革命，又要求民众绝对地服从那劳动工程指导者单一的意志了。这实是因为要实现社会主义而然的。"列宁这几句话，含着有多少悲哀的音调。

这里我们不可忘记的，那种纯粹产业上底理由，虽然同是列宁认"独裁政治"为必要底理由，却与别种理由，完全属于不同的范畴之内的。为什么呢？因为一方面纯粹是站在阶级斗争底必要之上，一方面是纯粹站在生产技术底必要之上的。由此种生产技术上底理由而来的独裁政治底必要性，按照各产业劳动者团体组织发达底程度而减少其必要的。

七

在这种地方，多数主义和国家社会主义（以至于国家资本主义）或官僚的社会主义，究竟有不同的地方吗？多数主义底国家和勃洛克所说的"奴隶国家"之间，究竟有什么差异吗？对于这种疑问，列宁本来就说这是不错的。然而列宁也不是不顾虑这种倾向的。"想把劳农会底分子，一方作为议会主义派，一方又作为官僚底这种小绅士阀的倾向"，乃是列宁所明白认定而且早就警戒不忽的。"小绅士阀底解体，非在劳农会之上留下印象不止的"，尤以俄国"小绅士阀的特质和他的进步底迟缓，成为反动运动底结果"。而这种影响，在俄国尤其不可免的。这种事实，一方面使俄国底形势尤其有实行"独裁政治"底必要，同时在他方面，对于"独裁政治"尤其增加危险。所以列宁在《旧秩序与新秩序》一文中，对于劳农会底官僚化，尤其大加警戒。

"对于劳农会组织底官僚主义化底斗争，是由于被剥削的人民和劳农会底巩固结合，由于这种结合底可挠性和弹力性所保证的。资本阶级底议会，就是在最民主的共和国中，从没有被贫民看作是他们自己底制度的。至于劳农会却是为劳动者和农民底大众而存在的，不是他人底制度，乃是他们自己底制度。谢致孟式和略略相似的马尔托夫式底近世社会民主党，爱好那有体面底资本阶级议会,而厌恶劳动会。这事恰像杜尔格奈夫厌恶脱卜洛波夫和捷尔尼舍夫斯基底农民民主主义而爱好温和的王党和贵旅主义的宪法是一样。"

"如此,劳农会和劳动者底接触,譬如关于解职等事,生出由民众特殊支配底形态。而这些事,尤其要努力去谋发达的。我们现在对于一定期间一定劳动过程底纯粹执行的职分,不得不力说严格的规律和独裁权底必要。同时因为要除去劳农会官僚化底危险,反复不倦地苅除官僚主义底杂草,就不得不把由民行①支配底形式和手段在处处增加起来。"

列宁这种底警告,就是说明多数主义"独裁政治"底意思,绝不是单纯的专制政治,同时也可以看作是对于这方面的危险底率直果敢的警告。至于列宁对于这方面的危险,觉得有不断的警戒底必要,这是事实。所以列宁因为防备这种危险,常常申说劳农会要怎样和民众接触。他力说劳农会底独裁政治必要继续地从民众底行动受取血液和生命。因为这个目的,所以列宁最注重民众底集会。列宁所说"劳农底训练"底意思,就是"要调和集会讨议工作条件底问题,和工作中绝对服从劳农会指挥人独裁者底问题"。劳动者这种的集会,往往被那班资本阶级和少数党,当作无秩序的乱派来攻击,而列宁却把集会看作无产阶级民主主义底生命。所以他说:"若没有这种集会,被压制的劳动者,就不会从那为剥削者所强制的训练,移到自觉的而且自由的训练。集会是劳动者真的民主主义,是使他们手足伸张自由的,使他们觉醒到新生活的,是使他们踏出那自己开拓自己扫荡了蛇蝎的地面底第一步的。他们在这种地面上服从他们自身的原则(即劳农会规律)学习整理的方法。而不由贵族绅士阀底规律行动的。"

照这样,劳农会底国家,实具有两重性质。即,"在对于生产阶级的态度和关系上,是民主主义。对于资本阶级,是严格的而无所假借的独裁政治"。然而这两重性质单是"由资本主义到社会主义的过渡期底表现",而"无产阶级底国家在资本阶级末完全消灭以前,不过保存旧国家底压制的特质"而已。所以多数主义在政治上也主张以实现"普遍的民主主义"(这普遍的民主主义,在以前只是思想上底观念,在事实上不存在的)作为目标的。

---

① 此处疑有排印错误。——编者注

在产业上也是一样，多数主义也明明把产业上底自治主义作为目标的。所以多数主义所说的"独裁政治"，在政治的形式上，在产业的形式上，都不是绝对的，只不过要求相对的价值。即使就是照他们底主张，在"资本阶级独裁政治"和"无产阶级独裁政治"中间没有第三种的政治，至于"无产阶级独裁政治"必要的期间和程度如何却是可以按照各方面实际的形势决定的。

<h2 style="text-align:center">八</h2>

多数党原来是把俄国阶级斗争实际上底发展作根据。主张无产阶级独裁政治的。托洛兹基在他著的《民主主义原则与无产阶级独裁政治》一文中批评柯祖基说："柯祖基在他用独特底炫学的态度写出来的许多论文中，说明了无产阶级社会革命底问题和政治的民主主义制度底关系。他要证明民主主义制度底根本要素底保存，往往于劳动阶级有终极的便利的。这种话，在普通原则上，本是真理。然而，就使劳动阶级由民主主义制度的途径，成就阶级斗争（或者就是独裁政治），是终极的利益，而历史上从未有一个可以成就这阶级斗争底机会。马克思学说中，对于历史常为无产阶级造出最有利的状况底推论，并不含有什么保证的。"

在俄国，妨害这种"最有利的状况"的，就是因为有力的小资本阶级底存在。托洛兹基曾经在《由十月革命到布勒斯特立托斯克》底文章中，把小资本阶级智识分子在俄国革命运动中怎样占势力的话，翔实说明了。战争使得农民不在政治上结合而先在军事上结合了。农民底群众，在以革命底思想和要求而结合以前，先在军队的形式上被组织起来了。而散在这种军队中底小资本阶级代表者，把中产阶级的革命思想，到处在军队中都浸润了。这时候无产阶级底中坚，虽然在民众中鼓吹了劳农会底组织，而对于军队也要求了他们派选代表到劳农会去。代表军队到劳农会来的人，当然就是这些小资本阶级底智识分子了。于是小资本阶级底智识分子，骤然成了新运动最有力的要素。于是俄国革命就带着资本阶级革命的色彩而开始了。所以宪法会议，若单用代表底多数议决来规定新俄国建设底纲领，占优胜的，当然是这些小资本阶级的民主的思想，而不是资本阶级也不是无产阶级了。而且在事实上占多数的也是代表这些小资本阶级的民主主义底社会革命党右翼呢。

因此,社会革命党右翼和社会民主党右翼,要把俄国革命看作是和法国革命在历史上底意义相等而同是纯粹的资本阶级革命,所以在政治上主张有和资本阶级共同组织联立政府底必要。但是依多数党底见解说起来,这种小资本阶级底优势,不过是"那班借军事机关骤然组成团体而被牵入政治生活中底农民,单在数字上胜过劳动阶级而暂时取得势力"而已。

1905年革命底经验,使无产阶级知道革命底成败以得农民底支持与否而定的。所以这些小资本阶级当着革命初期,就留心到这一层,总不敢离却农民底势力。在那时候说起来,统治多数农民的这些小资本阶级民主主义底政治思想,也可说是大让步了。要之,在这种形势之下,劳农会不过是"农民底混沌状态对于无产阶级社会主义底统治,是智识分子的急进主义对于农民底混沌状态底统治"而已。

所以依多数党底主张,宪法会议的思想,是代表有这种意义的"多数"底思想,要不过是小资本阶级的民主主义底表征。

九

虽然,真的资本阶级,对于有这种性质的宪法会议,也是取反对态度的,列宁在《宪法会议之幻影》底论文中,曾经说明了资本阶级所以反对宪法会议底理由。他说:

"俄国土地私有废止一事(而且是无赔偿就废止的),若是不经过经济的大革命,若是不把银行移归公共管理,若是产业上底托辣斯不归国有,若是许多别的对于资本无所假借的政策未经实行,那么,到底就不能实现的。这一层,资本阶级已是完全了解了,同时,农民大多数不但是要求没收土地而且左倾的思想比捷尔诺夫还要厉害,这种地方也是不能看过的。"

捷尔诺夫是社会革命党中央派底人物。若是比捷尔诺夫底思想还要左倾的农民代表,有在宪法会议中占多数之虞,像这种宪法会议底召集,资本阶级要加以妨害也无可怪了。所以宪法会议底召集,再三迁延底内幕,明明是反衬资本阶级反动的势力了。多数党在当时所以迫求克伦斯基政府急速召集宪法会议的,就是为此。

宪法会议虽为资本阶级所反对,却为小资本阶级所欢迎的。所以 1 月 18 日召集的宪法会议,果然代表小资本阶级社会革命党右翼和少数党,占了 2/3 的多数。于是多数党就立刻把这种宪法会议解散了。借托洛兹基底话来说:"若是宪法会议承认劳农政府,那么,宪法会议本来就是无用的制度,不过批准 11 月 7 日已成的事实,就应当消灭的。反之,宪法会议若是反对劳农政府,那么,宪法会议就是反动革命的制度,如遇必要时,也可以用武力解散的。"

列宁在《民主主义与无产阶级独裁政治》论文中,说俄国革命底进行,经过了三个阶段。第一,譬如在 1905 年 10 月,1917 年 3 月和 11 月,这是民众成为一个破坏的势力而取共同行动底时期。第二个阶段是:为剥削者所蹂躏的社会的阶级,知道自己从 1917 年 11 月 7 日底事变被解放了出来,开始支配自己底生活,未受训练的劳动群众,到处集会,从事组织劳农会。然而据列宁说,俄国革命,现在已经进到第三阶段了。在这个阶段中,俄国革命,"就是要学习把下面两件事结合起来:一是,打破一切束缚而在锐气磅礴的民众集会里面,澎湃汹涌如怒潮一般的民主主义(即是劳农群众的民主主义);一是,工作中绝对服从劳农会权力底严格的训练"。

照这样,俄国革命进到不同的阶段时,而独裁政治(即无产阶级的民主主义)底强制力底对象物也因而不同了。第一期中,斗争重在对资本阶级。在这个阶段中,小资本阶级也是革命阶级,民众反被小资本阶级知识分子所引率的。至少在某时期内,两个阶级向着共同目的进行的。到了第二期形势就一变了。军国主义的智识阶级早就不占重要了。这时候最可怕的是中流阶级和小绅士阀的智识分子。所以劳农会独裁政治底强制力,总是向着这方面进行的。

从这方面起来的反对,多取同盟怠工底形式表现出来。"一段智识分子和中流阶级,拒不协办劳农会建设事业,要用一切手段来妨害的。工艺家拒绝产业上底工作;学校教员举行怠工;有专门技能的男女,拒绝协力。资本阶级底男女,在医院中,在慈善事业上,在其他一切需用他们出力的场所,都行了同盟怠工。……所以小资本阶级底智识分子和专门家,实是反对劳农政府底活泼而有害的反抗底中心。所以列宁不单是要打破小资本阶级积极的反动,而且要打破那在弥漫、浸润于旧社会中的小资本阶级的思想和小资本阶级的环境；这是在过渡期中主张独裁政治底一个主要理由。"

<h1 style="text-align:center">十</h1>

特别注重小资本阶级底反动势力的，这是多数党阶级观中一个特征。列宁说：一切资本阶级的社会"包含着资本阶级、小资本阶级和无产者三个阶级；而一般人只承认有资本阶级和无产阶级，至于小资本阶级，其数虽多，而从经济上、政治上、军事上底见地说起来，却不肯承认他的存在"；俄国革命中社会革命党和多数党所以不彻底，就是因为不明白承认这种阶级的事实。

马克思底阶级观，并没有看过了小资本阶级，这是很显然的，但是马克思却没有照多数党那样看重这个阶级，也是无容争论底事实。例如马克思《论资本集中底历史的倾向》一文，好像因为要说明一般的法则所以把这个阶级重要的影响付之不问，不然，至少是把这种阶级底影响看得太少了。至于柯祖基，他在《宪法国民会议》一论文中，排斥独裁政治，说宪法会议应从速召集。他说："小资本阶级和智识分子底团体，都和无产阶级民众同样的对于社会主义有密接的利害关系；他们从前所以不加入于我们的运动的，是因为他们没有相信我们的实力；他们所以要投票于中央党，投票于自由党，投票于国民自由党，并不是因为这些政党底纲领比较的易于感动他们，实是他们相信这些政党底势力。现在我们已经掌握了政权，这派盲目的人，就开始明了，我们若是给他们有参加这活动底机会，他们当然要相信我们和我们协力行动了。"这种地方，就是柯祖基和列宁底阶级观底根本不同之点。两人对于"独裁政治"底意见所以不同，可说是当然的归结是如此的。

劳农会底独裁政治，对于一切反动的活动，都要施行不宽假的镇压的。这种镇压或成为"赤色的威胁"，或成为反动革命镇压特别委员会，或者由阶级斗争的促进以达到目的。譬如要打破哥萨克地方台尼金军底势力，就纠合哥萨克农村底无产者组织劳农会，弄清阶级斗争底战线，来平分台尼金底地盘。其中能使反对阶级害怕的，还是他们所说的"大众威吓"。照这样对于反动运动而行的不宽假的镇压政策，就惹起了独裁政治非难底焦点；而多数党却极力标榜这种政策的。然而巴里特氏底报告,却证明那牺牲者底少数出乎意外,也可说是一种不可思议的现象;这种事实我们只好说俄国反动运动底势力太过于微弱,不然,就没有别的解释了。

巴里特代表美国政府调查俄国真相,乃是 1919 年 3 月的事,他在那时候已经说:"赤色的威胁已告终了","劳动者已经打破在劳动时间中懒惰的习惯了"。这即是说"独裁政治"对于反动势力,对于产业管理,都已减少了他的必要了。

巴里特底报告上又说:"旧时代产业上底熟练家,已经再来管理他们底工场,这种管理者底怠工举动已经终止了。"又说,"劳农政府用多大的努力劝导旧时代底产业管理者和工艺技术家出来勤务,而多数极重要的人物,已经顺应这种劝导了"。这种事实就被新闻电报去传说这是劳农会和中产阶级妥协。这事固然可以说是劳农政府对中产阶级妥协,却也可以说是小资本阶级智识分子对劳农政府服从。无论怎样说法,而强制小资本阶级底独裁政治底必要,已是相当的减少了。换句话说,多数党所说的无产阶级独裁政治(或无产阶级民主主义),已能够向着"普遍民主主义"更进一步了。

柯祖基曾经批评多数党底执政,他说:

"无产阶级独裁政治有禁止资本制度生产底意思。在无产阶级统治之下,资本制度底生产方法,已经不能行了。……在这个国家中,少数已进步的中心地,还不免有被地方上进步迟缓的多数引入堕落之忧,那反动的要素,要起来谋地方底完全独立,借以保持地步,这是常有的。……在俄国生活状态之下,无产阶级独裁政治,容易惹起全国政治上社会上底瓦解,陷入混乱状态,同时招来革命底精神的破产,而为防备反动革命底危险所动摇了。"

柯祖基这种批评,即是资本制生产底禁止,惹起生产力不足,而俄国无产阶级独裁政治,没有编制新生产力代替资本制度生产底力量,并且地方农民和都会劳动者又相暌离,实在独裁政治底成功有危险的;这种批评,在某种意义上可说是对的,在别种意义上又可说是不对。至于说到使资本阶级智识分子同化,而利用他们底生产技术,这不待言,柯祖基底批评有一部分无效了。

十一

柯祖基这种见解,也可由他在《劳动新闻》上所著批评德国革命底一文中看出来。

他首先极力地说,革命时,在那依当时状况所决定的革命底实际内容和革命运动者底目的和热望两者之间,有分别底必要。又说现时即是在革命底目的和结果间可以看出许多径庭底时日,所以主张急速把这两者间底距离缩至最小限度。他接连着说:

"要之,社会主义是在资本主义所造成的大宗财富之上安置政治的基础的。只有这种大财富,保障最大多数底幸福。但是这种财富,为战争扫荡尽了,即是革命底经济的基础已被粉碎了。而在这时候,无论什么阶级,都不了解真实的经济状态的。……无产阶级底一部,要即时谋得一般的幸福,而不知在现时底经济状态上是不可能的。无产阶级底他一部分,虽然了解这种不可能,却全然弄错了经济上底进路,不绝然向着大改革底途上进行,反向一切改革表示敌意的……"

依柯祖基这样说,社会主义可以继承资本主义底东西,不是由资本制度发达而来的生产力,乃是由资本制度所蓄积的财富。社会主义没有这种遗产就不能实现的!

又如柯祖基所说,因战争而产生的贫乏,驯致一种于革命发展最为不利的形势。然而"德国底败北,在无产阶级没有实力底一瞬间,就使他们握得政权了"。在于革命发展最不利的形势之下,精密地说,唯有在这种形势之下,俄国革了命,柯祖基底德国也革了命,这种事实,依他的唯物史观要怎样说明呢?柯祖基这种革命观,果是对于德国形势底真的唯物史观底说明吗?不然,就出乎柯祖基底意料之外,就是解释柯祖基遭逢着依唯物史观产出的形势变化就发生出来的狼狈不堪的心理的状态。这是问题以外的问题,此地暂且搁置罢。

然则这种既不遗留革命底经济的基础,又不遗留革命底发展的机会底战争,究竟对于无产阶级留下一些什么东西呢。

战争底最坏的遗产,就是暴力底崇拜。起动斯巴达卡司团底精神,在根底上是卢登德尔夫底精神。只不过这不在目的上而在于手段上罢了。卢登德尔夫不但是亡了德国,而且增强了法国军国主义底势力;斯巴达卡斯团,不但是亡了自己本来的主义,同时又增强了社会革命党多数派暴力政策底势力。

这虽是柯祖基对于斯巴达卡斯团底批评,也可以移作对于俄国多数党底批评。依柯祖基这样说,多数党底革命,也是忘了目的和结果底区别的无益的努力了,也是在最不利于革命发展底形势之下发生的时代错误了,也是除了"暴力底崇拜以外并没有继承资本主义什么东西的社会主义底幻影了"!

十二

从上面看起来,我们已经知道多数党对付四方八面的非难,怎样能够用理论上底证据和实际上底形势来辩护他们的"无产阶级独裁政治"了。多数党底独裁政治,单是作为思想上学说上底问题,也有特别的兴趣和重要,而且也从社会主义的军营受了最有力的反对的。列宁常常说,回复到马克思去! 但是一方面,他又不能忘记柯祖基这样有力的反对者,至于真正握有社会进化底法则的人,是列宁呢,还是柯祖基,换句话说,就是俄国革命得胜呢,还是德国革命得胜? 这一点当然要下一个比无论什么人底推论还要时间不错误的审判的。①

更有趣的,社会主义底军营内,主张独裁政治的人和反对独裁政治的人,都根据唯物史观立论的。在马克思以前,社会主义只是高洁的理想。到马克思时,社会主义就成为历史上必然的结果了。社会主义,并不是从高洁的理想和丰富的想象中发生出来,却是从丑恶的现实中发生出来的。社会主义,实是从资本主义底社会组织发生的,而且也只有从资本主义底社会组织发生出来的。

照这样,社会主义孕育于资本制度底胎内,是在资本制度底土壤上埋了根的,所以社会主义是资本主义底后继者。"在资本主义没有遗留什么东西底地方,社会主义就没有可以承受底遗产。"社会主义就是不可能了。关于这一

---

① 此句疑有排印错误。——编者注

点，就是列宁，就是柯祖基，就是俄国社会民主党最右派的马克思派硕学者普列哈诺夫，也完全是同一的见解。

然而在俄国，资本主义还没有发达到可以遗留遗产于社会主义底程度。即如俄国国民，大部分是农民，而工业劳动者只占全人口百分之七八。所以在俄国要梦想社会主义底实现，也和在 18 世纪底英国要实现涡文底空想是一样的。普列哈诺夫所以从马克思底立脚地极力反对多数主义底理由，就在这里。柯祖基关于这一点和普列哈诺夫底见解完全相同，由前段所引的话，可以看出来的。由此种见解说起来，俄国革命，在本质上不得不看作是完全和法国革命有同样历史意义的资本阶级革命了。

于是列宁和柯祖基、普列哈诺夫底见解不相同之点，就在于下面所列的两个问题中了。社会主义若是资本主义社会组织底必然的发展，那么，俄国资本主义，等到发达到可以产出社会主义的社会时，是否也要和西欧各国资本主义底经过一样而且要精密地通过同一途径吗？又社会底进化，是否也和生物个体底发生一样，缩约地反复进化是否不得运行吗？

俄国经济上底发展，要取什么路径呢？这个问题，和俄国共产村落底遗物农村自治体（密尔）是否要为资本主义所破坏，或者是否要成为社会主义社会组织底核心底问题相关联的，这种议论，当 1870 年时代，在俄国革命主义者之间很盛行的。当时马克思也被征求对于这个问题底意见的。但是：俄国自农村自治体底破坏为始，不必和西欧各国经由一样的途径去通过资本制度一切阶段，而可以由特别的历史的发达收得资本制度底成果的；这即是捷尔尼塞夫斯基的见解，主张现时共产主义的农村，无须经过资本主义化或无产阶级化，即可以作为社会主义社会底基础的。马克思对于这一层，也并没有无条件的反对的。后五年，马克思和恩格斯在普列哈诺夫用俄文译的《共产党宣言》底序文中，曾经答复这问题说："若是俄国革命和西欧劳工革命相呼应，东西相助成就革命事业，俄国近世共有地制度，或者就可以作为共产主义的发达底基础。"马克思推测底当否，姑且不论，而马克思底历史观，却明明不是那样干涩，主张后进国民一定要精密地跟随先进国民通过同一路径的了。

马克思关于俄国方面，虽然假定了这种例外的途径，而马克思主义，在原则上还是预想农村资本主义化和农村无产阶级化的，这个问题，在 1890 年时代底俄国,成了马克思派和民众党间激烈争论底中心。普列哈诺夫等马克思主义者反对捷尔尼塞夫斯基派,主张把农村资本主义化作为社会主义实现底唯一径路。然而这40年间底宿题,却一朝由革命得到事实上底解决了。这种事实,不单是证明了捷尔尼塞夫斯基底见解底错误,而且也证明了普列哈诺夫等人也没有精密地预测到俄国革命底途径。即是俄国革命已证明那完结了历史的意义和目的底共产村落底遗物密尔制度,是不能作新社会底基础的。以资本阶级革命而开始的俄国革命,要等到农村无产阶级化底成熟,才能进到社会主义革命的。而这农村无产阶级化底作用,绝不是采取普列哈诺夫等人所预料的顺序的进路,也是明白的事情。普列哈诺夫等人,对于农村无产阶级化底途径,既已观察错误,却不期然而然地遇到了他们所期望底革命,他们不能理解革命底历史的意义,所以就来反对多数党底主张。即是依普列哈诺夫底见解,俄国资本主义还没有达到可以实现社会主义底程度,所以这个革命不是无产阶级社会主义的革命,乃是资本阶级对于中世专制政治确立政权底政治革命。所以他们反对多数党促进这革命为无产阶级革命底举动是狂暴的主张。在这一点,柯祖基也完全和普列哈诺夫见解相同的。

社会主义继承资本主义经济的发达一事,可以用两种意义解释的,第一种解释,可说是社会主义继承在资本主义之下发达的生产力的;第二种解释,可说是社会主义(一点也不动摇的)继承资本制度下蓄积的财富和资本制度下运转的现成生产机关的。柯祖基把"无产阶级独裁政治之下,不能行资本制生产的"话为理由,说是有危险于劳农政府底前途的,这也可以说是第二种底见解。

关于社会主义应继承资本主义底生产力底意义,两派见解底差异,也和对于民主主义底见解底差异是一样。社会主义也是从资本主义中继承民主主义的。依马克思底历史观说起来,无论什么历史的现象,没有没有意义的。就是资本制度,在历史上,也是产生下时代底必要的过程。社会主义,不必是要把人类因资本制度几世纪的困苦得来的历史的成果破坏的。不特不破坏,而且社会主义倒反要继承这种历史的成果更加完成的。只不过是这些成果,在资本主义的外壳中,到了不能再发达的一瞬间,社会主义又就从这外壳中把这些成果救出来。

社会主义所以主张废止私有财产,也不必是要还原到借团体生活完全锢蔽个性的原始共产制度。社会主义,承受那径由资本制度发达而来的个性的自觉,更加以完成的。

同时,社会主义也从资本制度,继承那经历资本制度几世纪发达而来的民主主义思想。只是民主主义在资本制度之下,不能出乎"阶级的民主主义"底埒外。所以社会主义有继承这民主主义更使其发达而成为"普遍的民主主义"底任务。关于这一点,就是列宁,就是柯祖基,甚至就是普列哈诺夫,其见解也没有什么不同的。

但是社会主义若继承资本主义,就怎样去继承呢? 社会主义是从资本主义继承民主主义底精神的吗? 或者就只是继承资本阶级民主主义底制度吗? 说到这里就有两种见地:一是社会主义以现在代议制度底形式从资本主义继承现时代议制度的见地;一是社会主义以现在底财富和现时生产组织底形式从资本主义继承那生产力底见地;这两种见地,互相照映。

依这种见地看起来,无产阶级独裁政治就和柯祖基所主张的一样,破坏社会生产力,同时也破坏民主主义制度。然而多数党关于这种继承底方法,其见地完全相反。假设由资本主义到社会主义底过渡期中,社会主义和资本阶级民主主义底制度之间,若是发生了不能两立的矛盾,我们还是采取社会主义吗? 不然,就采取民主主义底制度吗? 不答复这个疑问,总主张社会主义和民主主义之间完全相一致的人是柯祖基。主张社会主义底实现以完成民主主义为先决条件的人是普列哈诺夫。至于抛弃资本阶级民主主义制度,大胆采取"普遍民主主义"底先决条件的社会主义的人,却是列宁。

十三

列宁所说的"无产阶级独裁政治",或者是错误的思想也未可知。若说这是错误的思想,那么,俄国革命在这种错误的思想上构成了的事实,真是值得惊异了。所谓无产阶级底独裁,早已不是单纯的思想或学说,乃是事实。若要把这个当作列宁底学说,却也不算是新奇的学说。列宁对于这学说,不夸称是自己底独创,却都归于马克思。要之,就列宁说,在社会主义底学说上,他没有开拓过独创的天地底新学说。列宁底可惊的能力,并不是开掘新的东西,乃是能够在已经开掘的东西中,选择那真有价值的东西。他不特是选出了为止,还要即时供诸实用。无产阶级独裁,也不一定马克思或列宁所创出的学说,仍是俄国无产阶级从革命的行动中必然发达的政治组织。列宁不过大胆地为这民众底创造力和那创造物辩护而已。

所以看了俄国革命底进行,觉得列宁底能力可惊的人,还没有知道列宁底秘密。就是列宁自己恐怕也不相信自己底能力。但是列宁却相信民众底创造力无限。德国革命虽然破坏了旧物,却只是望见了建设新物底大事业,就急于收拾局面了。至于列宁,战斗一面进行,战线一面扩大。德国底指导者,相信了自己底能力,所以建设底事业,有一定的界限。他们自定计划,而计划又有界限。至于俄国革命指导者,不相信自己,只相信赖历史底潮流和民众底创造力。他们相信民众底行动中,可以生出无限的新行动。列宁若是主张"一个人底独裁",那么,把"这一个独裁者"的力看得最小的人,恐怕是列宁了。至于问列宁有无为前人所未发的东西,那么,他有的只是把革命底心理弄得最鲜明罢了。

第三章　劳农制度研究

一、劳农俄国之政治组织

马克思著了一部《法国内乱》的书，批评 1871 年巴黎自治团，那书上有两句说话："劳动者单靠掌握现成的国家机关，来达到自己的目的，是做不到的。"照马克思这样说，劳动者若是要自行解放，应该要求一种怎样的国家机关呢？

《法国内乱》一书出版之后四年，即是 1875 年，马克思又著了一部《哥达纲领批评》，在这部书中，马克思很明了地解释上面的疑问。他说，"在资本主义社会到共产主义社会的中间，有一个革命的过渡期。这就叫作政治上的过渡期。这个政治上的过渡期，即是无产阶级革命的独裁政治。"

从那时起到现在，只相隔 45 年，于是这无产阶级独裁政治就成了事实，在俄国实现了。列宁在 1919 年 3 月 6 日提出于莫斯科万国共产党大会底有名的二十二条纲领中，曾经提起了下列的一个陈述。

"绝灭一切国家底权力，就是社会主义者的目的，马克思是第一个人首先这样主张的。此种目的若不实现，就不能达到真正的平民主义。但是这个目的，只有依赖劳农会制度（换句话说，就是无产阶级的平民主义）方能达到。为什么呢？因为劳农制度，是使劳动者群众的组织，继续的而且绝对的参与国家行政，其第一步就是准备要把以前一切形态底国家一并消灭的。"

由列宁说起来，唯有劳农制度与马克思在四五十年前所预想的无产阶级的政治组织相当。所以他说："巴黎自治团，已经向着这个方向，踏进了历史的第一步；劳农制度，踏进了第二步。"

列孟特洛宾斯说，多数主义就是"All Power to the Soviets"（一切权力都归劳农会)五个字,成就了革命的。但是劳农会,也不是专在获取政权的机关,实是代表旧政治组织的新政治组织。这就是应用马克思"劳动阶级单靠掌握现成国家机关不能达到自己阶级的目的"的话,造出来无产阶级国家特有的政治组织一个新标型。

所以劳农制度的研究,就是俄国现在政治组织的研究,又可说是马克思以来成为悬案的历史的问题的解释。

二、劳农制度思想的起源

列宁曾经对着美国红十字代表者洛宾斯大佐说:"我们的制度,会要破坏你们的制度。为什么呢? 因为我们的制度,是认定现社会生活根柢的社会的管理。"劳农主义既是一个制度,是一个组织。那么,这个制度的特质又是什么呢? 列宁接着又说:

"我们的制度,就是把现时真正的力当作经济力,所以今日社会的管理,就是经济的管理。但是这种机关,是怎样组织的呢? 譬如由巴克地方派遣出来列席全国劳农会的是谁呢? 那么,我们知道的,巴克是产石油的地方。巴克是产石油的巴克。所以巴克的代表者应该由从事石油业的人选举,应该由一些从事石油事业的劳动者选举了。"

劳动制度的特质不是依据选举区而选举,乃是依据产业而选举的。依列宁说,所谓无产阶级独裁政治,换句话说,就是对于资本阶级民主主义底无产阶级独裁政治。

就两者的特质说,资本阶级民主主义,隐匿阶级对立的事实,以地方的代表为基础;无产阶级民主主义,根据阶级对立底事实,以产业的单位所举的代表做基础的。

把产业的代表代替地方的代表而组织的制度,是劳农制度的根本思想;但是这种思想,也不一定是俄国革命产生出来的。美国有名社会主义者德列翁在俄国劳农制度未发生以前,曾经主张过用产业的代表,代替地方的代表。列宁在某社会主义杂志上,曾经把自己的思想和德列翁的思想比较批评过,他很佩服德列翁的先见。后来,他曾经引用德列翁书中一句话,作为共产党的纲领。

但是产业的代表底思想,可以回想到涡文时代的。

1830年的前后,是英国工会运动最盛的时代,涡文结合50万的劳动者,组织全国大联合的工会。这时候,在涡文之下有名叫斯密斯的人,在涡文派的机关杂志危机之上,提出一个议案,主张废止下议院,代以职业议会,把各种职业作为选举单位,各设职业的代表委员会。可惜不久全国大联合底工会凋落了。"当年底斯密斯,变成了'牧师节姆司埃里西亚斯密司',他发行《家庭新报》,思想完全改变了。他的关于新组织形态底偶然的议论,埋没在杂志之中,不复留意了。"这是波司喀特说的。

这种无产阶级组织,曾经出现两次。依波司喀特说,"这虽然是偶然的事变,但是到现在并不是纸上空谈,已经成了事实了。"这就是1848年的2月,在巴黎演出来了。这时候共和政治,已经布告,市街上唱起马尔塞革命歌,洛斯查尔男爵曾在稠人广众之中拥抱过一个劳动者。绅士阶级民主主义的临时政府,也不能安然无事,政府内部,已经有了两个社会主义者了。内中有一人是全欧洲抱有实际的纲领底唯一人,即是路易布朗。当时布朗在劳动阶级中最有名望。"布朗每次开口能够使那些可怜的温和派战栗。他们知道布朗若是愿意的话,巴黎民众,也可以用暴力达到目的。"所以那些温和派的人,想使布朗不干预政局,特意给他全权,使他组织特别委员会,从事劳动组织。结局是他组织了卢森堡委员会,这委员会由各种工场各种职业选举而成;其下更设有小委员会,代表各种的职业。"由产业来代表巴黎无产阶级的这个委员会,容纳了布朗底社会主义的思想;不特热心支持,而且国民议会的选举中,也准备了赤色的候选人;当时常常发生的同盟罢工,代表了劳动者底方面;又在某种职业中,这委员会已经强制的实行了八小时工作,制定了最低的工银条件。"所以后来蒲鲁东也照样地在全法兰西都市,提议了这种组织。

国民议会于是开会,反动的势力就充满起来了。于是7月间发生了社会主义者的革命运动,卢森堡委员,立即加入,指导了这种运动;可是经过三日苦战之后,革命运动失败,委员会也消灭了。"马克思以及别的人,虽然没有留心这种革命的议会底重要,可是最初的劳农议会底方式,已经在这时候发生出来,不过为时不久复归消灭罢了。"

所以照上面所述的看起来,从那时候起隔了60年,这种思想,已经表现过三次。"圣彼得堡的革命运动,虽然没有成功,可是当时圣彼得堡底人民,因为举行总同盟罢工,组织了罢工委员会。总同盟罢工的结果,就得着那立宪预约的'十月宣言'。这些罢工人员,事实上多是彼得格勒的罢工者(中产阶级的分子也有些在内)底代表。但是这个委员会因为有些农民代表加在其内,所以随着革命的进行,只尽了罢工委员会的职务,却失掉了劳农议会底特征。因此这个倾向,在未充分发展以前就被暴力扫荡了。"

代表劳动阶级底委员会,像今天这样采取含有组织无产阶级国家底意义的劳农议会名称,以这一次为始。1905年圣彼得堡底劳农议会,虽然有人说是由社会民主党少数党组成的;但是正确地说起来,劳农议会,还是从那时候革命形势底当中,自然发生出来的一种劳动阶级的组织。这也不是当时圣彼得堡底劳动者如此,就是全国底劳动阶级在阶级斗争形势达到一定阶段时,自然要发生同一的制度。列宁对兰松说:"我最初以为劳农会制度是俄国独有的东西,现在我才知道到处都有这种革命机关,不过名称上有种种不同罢了。"现在英国劳动者在工场委员会底名称之下,和劳农制度相同的组织,也自然地发达起来了。

但是彼得格勒先年劳农会底组织,很依赖少数党的助力,这确是事实。就是季诺维埃夫也说:"1905年底彼得格勒劳农会,是少数党所组织的。"然而少数党并不觉得这种劳农会在将来能够成为无产阶级国家底组织。在当时,列宁对于劳农会底观察究竟怎样,这也是有趣的资料。关于这一点,基诺维夫曾经在《列宁一生及其事业》一书内,有下面一段说话。

"1905年的时候,列宁不过看过劳农会一两次,但是我很相信他从巴尔哥尼座位底高地方,看到最初劳动者会议底时候,劳农国家底观念,必定已经印到他底脑筋里去了。或者他当时已经预先看到了劳农国家,晓得这种社会主义的无产阶级国家底原型,必定有一天能够成为这一国底唯一的权力的。"

"在1905年的时候,列宁已经说过:劳农会并不是今日出现明日消灭底暂时组织;也不是和工会互似的那种日常普遍的组织;这个实在是在万国无产阶级历史之上,在全人类历史之上能够开辟一个新生面的。"

三、劳农会之发达

1917 年 3 月革命时;劳农会在俄国再现了。布拉伊斯说明这些劳农会怎样在革命风潮内发生的原因,曾经有说了下面一段话。

俄国劳动者的生活是欧洲所没有的悲惨穷乏的生活。他们在营养不足的状态中做长时间的工作,而且工场之中布满了刑事包探。农民的运命也是一样。俄国有半部分最好的土地,归大地主、寺院和皇室所有。他们耕种这些土地,也和农奴一样。所得的收获充俄皇的军费,输送到外国去,他们差不多都为饥饿所逼迫的。自从经过三年的战争以后,俄皇让了位,警察被劳动者拘禁在彼得格勒去了,哥萨克加入民众的方面去了,这时候的光景也可想象得出来。

"这时候洪水完全泛滥了。全国到处都是兵士集会,劳动者集合于工场,农民集会于'可姆'建筑物底周围。每个人都说一样的话,我们以后怎样做?从巴尔七克地方到太平洋,从北极地带到土耳其斯坦的阿亚西斯,这些地方非公式的自由集会,非常之多。这些事都是由那种脱离腐朽的旧社会形态底羁绊而流露出来的自由精神所表现出来的。他们最初还是漠然的不能明了,后来不久就采明了的办法,晓得建设社会新组织底粗杂的机关了。这就是劳农制度底萌芽。新社会组织,第一要紧的事,就是新规律。所谓劳农会底劳动者、兵卒、农民非公式的集会,就是担当这种任务。彼得格勒底卫戍兵,在三月革命第二回以后,下了布告,说以后没有劳农会副署的命令,一概没有服从的义务……这时候,工场中劳动者也开会选举委员了。委员会规定工钱以生活费为标准,他们又检查了工场主的账簿,调查了战时利得的多少。"

"1917 年夏,以'沙'底正当后继者自任底阶级(资本阶级、制造业者、战时暴发户)要想从那超过了他们底希望底革命打击中恢复起来。"他们那种绝望的斗争,成为柯尼洛夫底反乱;劳农会底实力借这个反乱才开始明了起来的。

"兵卒委员会,把他们底同党,配布在电信队和铁路上,把反革命派的通信,一概停止,把该会底通信训令,传布全国。这时候反革命派虽然消灭了,可是战争还没有消灭的。于是俄国人民心理，就发出和平国际的团结精神出来了。这种精神就成为无秩序、无政府的状态表现而出，这时候，多数派若不率先顺应这种倾向努力运动，恐怕别的团体，也要起来干的了。所以多数派就先起来指导这种运动，引向有秩序的途径。他们相信以战争为利益底阶级之间没有真和平。所以他们反对那妨害平和底阶级。于是革命的当初由非公式组成的兵卒委员会，依他们的要求使这种爱和平的冲动，成了合理的要求，在外面表现出来了。"

"劳动者底委员会，也干了同样的任务。1917 年夏间，彼得格勒和莫斯科的劳动者，依工场委员会之力努力改善；但是他们每逢要管理雇主底行动时，就遭着同盟怠工的反动政策，而且有时遇着那雇主因拥护神圣的财产权底'白卫军'底反抗。混乱状态日益加甚，各劳动团体，互相争取缺乏的原料。于是劳农会，差不多变成替会员掠夺的委员会了。这时候，多数派于时在舞台上出现了。十月革命以后，多数派得了政权，就使所有的劳动者委员会都得着政治上经济上的权力，把没有组织的一切劳动者，都调动起来了。"

"农民方面，也是一样，1917 年的夏天，地主对于农民土地委员会，也行了一个反抗运动。农民中为首的人，都被捕入狱，或遭残杀，农民就掠夺地主的家宅以图报复。11 月多数党获得政权底时候，地方已经陷在无政府的状态。多数党掌握政权之后，立刻承认 3 月间各地农村所组织的非公式委员会为合法的权力，有没收地主底土地为全社会谋利益底权利。"

"农民之中又分富裕者和贫农，互相争夺大地主的土地，而农村中组织的农民委员会，又是贫农阶级的武器。于是在没有秩序的反逆的土壤中插成底种子，发出芽来，就在有秩序、有规律的空气中长成了。"

照上述所述的看起来，劳农会是从阶级斗争中自然产生出来的无产阶级底组织，也不一定是按照多数党底理论组织的，也不是多数派亲自组织的。而且在十一月革命时，社会革命党和少数党在劳农会底势力比多数党还要大。但是能够预先看透劳农会历史的意义的，还是多数党。社会革命党和少数派，单把劳农会看作是劳动者农民拥护经济上利益底"日常普通组织"，而多数党却能够在混乱状态内自然产生出来的劳动者组织之中看出无产阶级国家底组织，大呼"一切政权都归劳农会"的标语。所以劳农会的起源和发达，和多数党底理论并无关系,但是成了无产阶级国家组织底劳农会,就和多数党很有关系了。所以像波司喀特所指摘的事实,多数党失败,就是劳农会失败的意思。假若社会革命党的左派,起来代替多数党掌握劳农会底政权,他们底政策,恐怕也要踏袭多数党已定的政策。譬如1917年7月间,有人造谣言,说多数党某分子是德探,某工场中人,公然把这个人解职,另选少数党人继任,但是后来查明清楚之后,还是选用多数党人。照这样看来,以后劳农会中多数党底势力,有时减少也料不定,但是无论哪一党起来执政,总不能变更多数党已定的政策。所以就这种地方说,在理论上,劳农会底制度,就是多数党底制度。

四、劳农会之组织

劳农会是指俄国现在的政治组织说的,但是 Soviet 的语义,本来和英语 Council(委员会或评议会)相当,即是帝制时代底枢密院也是叫作 Gosdarstvennyi Soviet 的。鲜明地说起来,劳农会就是劳动者农民兵士的代表委员会。

"俄罗斯社会主义联邦共和国"各村落各都市之中,都有劳动者农民兵士选出的代表底劳农会。大都会之中又分区,区设劳农会。在起初的时候有许多地方,有劳动者底委员会和兵士底委员会并存的,三月革命以后,两者之间,就联合起来,组织联合委员会,到了现在,都并在一起了。但是特殊的地方,劳动者和兵士,也有分别集会的。

农村中农民委员会,至十一月革命之后,才和劳动者与兵士底委员会相融合的。

各地方劳农会底代表者,集合起来,即是全俄劳农大会;全俄劳农大会,代表俄罗斯社会主义共和国底最高权力。劳农大会,选举全俄劳农会中央执行委员会。中央执行委员会又选举专任执行委员,组织人民委员评议会和别国底政府相似,列宁现在做的就是这人民委员评议会底议长。

以上是劳农会组织底大纲,但是除了各地方劳农会和全俄劳农大会之外,还有两种地方的大会。其一,即是介在地方劳农会和全俄劳农大会底中间底组织;其二,属于别的系统底组织。

五、劳农会底选举权

俄国底国家组织,是无产阶级因为要对于反对阶级强行阶级的意思而组织的权力,劳农会就是他底机关、他的组织。换句话说,俄国的政治组织,由一方面看起来是无产阶级的独裁,从别一方面看起来是无产阶级的民治。所以这个政治组织的劳农会选举的基础,是完全由无产阶级选举而完全剥夺反对阶级底选举权。《宪法》第六十四条规定劳农会底选举和被选举权说:

凡是俄罗斯劳农共和国市民,当选举时年满 18 岁且属于下列各种类者,不问男女、宗教、国籍怎样,并于居住年限上无何等制限,一切都有劳农会底选举权和被选举权:

甲　从事于社会有益的生产事业,而得生活底资料者。又因为使这些人从事于他们底职业,而自己从事于家庭职业的。不论工业、商业、农业,所有一切性质和种类底劳动者和使用人。不为私人底利益而使用别人底农民和哥萨克农民。

乙　劳农共和国底海陆军士。

丙　以上二种市民而不能劳动者。

和《宪法》一样成了俄国基础法的《劳动阶级底权利宣言》也明白说过:"因为要灭绝社会上所有一切的寄生分子而组织经济生活,各人均有从事于社会有利事业的义务。"所以俄国只要从事一切于社会有益的事,就算是正当的市民;正当的市民年满 18 岁的,就享有绝对平等的选举权和被选举权。而其事业,则不问是筋肉的劳动,或智力的劳动,以及是否关系于直接生产事业。家庭事业现在还没有社会化,大部分妇人,依然还是做家庭事业的,但是她们还是有选举权。这就是俄国现在,妇人虽然还不能从家庭事业解放出来,然而这些事业,还是和其余一切有用的劳动一样看待的。这就是价值的评价,现在已经革命了。

年龄底限制虽然是 18 岁,但地方劳农会得依地方情形,经中央机关承认酌量减少。

但是虽然属于上列种类,而又属于下列各种类的人,没有选举权和被选举权。

甲　以收益为目的而使用别人的。

乙　不从自己底劳动而生的收入（资本底红利，企业或土地底所有等所生的收入）而生活的人。

丙　商人买办及其他。

丁　各种宗教僧侣及祭司。

戊　曾为旧警察底走狗，使用人，特别警察及秘密侦探的人，以及旧王朝家族。

已　经法律手续，认定为精神反常者。

庚　因破坏廉耻或金钱上的记罪，经法律或裁判所判决的时期中，停止其选举权底行使的。

至于选举时日及手续等详细规定，则由各地方劳农会决定。但是关于劳动会底选举方法，各地方虽有斟酌底余地，而事实上还是行一样的制度。都市中则以各工场为选举单位，在农村则以代表纯无产阶级底贫农委员会，为决定村民有无选举资格底机关。

组织劳农会代表委员底数目，都市和农村，标准不同。就是：

一，都市方面，一千有选举权的人之中，选举一名代表。代表委员总数，在50名以上，1000名以下。

二，地方方面（农场、小村、村野营、人口10000以下的都市）住民100，选出代表1人。代表委员总数，在3名以上，50名以下。

由上述的比例而选举的代表委员会，就是都市或村落底劳农会，各劳农会又由选举组织执行委员会。执行委员会人员，（一）在村落劳农会，则为五名以下；（二）在都市劳农会则为3人以上25人以下。不过彼得格勒及莫斯科则为40人以下。

都市劳农会至少每星期开会一次，地方劳农会至少每周须开会两次。劳农会底集会，虽由执行委员会召集，但有代表委员半数要求开会时，执行委员会应召集开会。又执行委员会对于劳农会须完全负责任。

劳农会在各该地域内虽有最高权力，而小村落方面，务必要由有权者的总会，直接来决定行政上的问题。在这种情形中，是实行不由代表的直接民治的。

关于劳农会及劳农会执行委员会底权限,《宪法》规定如下:

劳农会权力底管理机关(省,府,县,乡的)以及代表的劳农会有下述底权限。

一,执行上级机关所发的一切布告。

二,设施一切可以使该地教化及经济生活发达底设备。

三,解决一切纯粹地方的问题。

四,统一该区域内劳农会底一切行动。

六、莫斯科劳农会底选举方法

都市劳农会选举代表底方法稍为复杂,所以要明白劳农会选举底概念,当先把可以当作标准底莫斯科劳农会底选举手续说说。

第一,凡使用 200 至 500 劳动者底工场,选出代表一名,使用 500 以上的劳动者的工厂每 500 人选代表一名,使用 200 以下的劳动者底工场,则和别的小工场联合选出代表。

第二,会员 2000 以下的劳动组合,选出代表一名;5000 人以下的选举 2 名;5000 人以上的,每 5000 人选出 2 名;每增加 5000 人,则增代表 1 名。但一个组合所选出的代表,不得超过 10 人。莫斯科劳动组合评议会,则选出代表 5 名。

第三,区劳农会各派代表 2 名。

第四,各政党共派代表 30 名,这 30 名,以各政党党员的数目为比例而分配的。但是这个政党,只限于党员中有劳动团体的代表 4 名以上的。俄国人以外的 5 个全国的社会党(犹太人社会主义同盟、波兰社会党左翼、波兰及里士亚里社会民主党、勒德社会民主党以及犹太人社会民主党)各派代表一名。

以上是 1918 年 4 月选举时的代表方法,照这样选出的代表委员总数,共为 803 名。至于选举,工场则在各该工场工作的劳动者底总会举行,组合则在组合本部底总会举行。区劳农会,则在各区有选举权者的总会内选举。无论何项选举,均须至少于 2 日以前,将选举时日通知各有权者;选举总会,得有权者 2/3 以上的出席,即可认为成立。

据上述的代表方法,劳动者在莫斯科的劳农会里面受有四重代表。

第一,成为劳农共和国的市民而由市劳农会所代表。但是就这种情形说,选举并不由选举区来行,务必于每日因工作而集合的工场里面,由同僚之间选举。劳农会多数代表,也和大小工厂、大贩卖所、铁路、教育以及其余的机关一样,是从一定的劳动者集合所选出的。莫斯科方面,就是政府的使用人也是一样。不由职业底性质及工场而行选举的时候,则各在所属的劳动组合本部开总会,在这个总会内行选举。绩带工(家内工业)店员、茶店、酒店底使用人、差遣人、家内使用人、电气技师等,就是一例。总而言之,这个代表方法,是把经济上的事实和实际生活依原样反映起来的;就是无产阶级的民治和有产阶级的民治根本不同的第一特征。在有产阶级之下,选举是由与实际生活全然无关系,而由人工划分出来的选举区做单位而行的。但是劳农会选举不是这样,乃是由经济生活的必要,现在天天行使其机能的实际生活上的单位而行的。前者是选举终了之后,事实上就归消灭的一种单位;后者就是在选举了之后,还永久存在的一种单位。地理上的选举区,抹杀阶级对立这种实际生活上的事实;但由产业而行的代表制度却是想把实际生活上的事实,照原样反映到劳农会之中的。此外这个代表,只代表 500 人而且是代表日常经济上的机能相共同的同僚。

他们无论在被选以前,或被选以后,都是和他们底选举者共同生活的。设若他们不能代表选举者底意思时,随时都可以辞职。由工场而行的选举权,乃是劳农会选举底基础,所以在代表的比例上工场也占居第一位的。就是都市内的代表比例原则上 1000 有选举权的人只选举代表一名,而工场内的选举,则要派出比这个原则要加两倍的代表。在都市劳农会里面,工场劳动者的代表最有力。

第二,特殊的经济上的资格,即是生产者兼消费者而为市劳农会所代表的。这就是为劳动组合及劳动评议会所代表的。仅只这样,劳动者已受了二重或三重的代表了。照这样,劳动者既然在工场中选了代表又要在产业全体的组合中选出代表,这就是俄国经济组织里面,组合成为一种重要要素的原因。劳农会内的组合代表者,是和别的专门技术家一起,设在劳农会之下,而担任构成国民经济委员会及劳动者产业管理委员这一类的重要经济组织的。

第三,因地域而分的劳农会即是自治团体的资格而为市劳农会所代表的。把区劳农会做基础的选举就是这个。前两项的代表,还不能包含无产阶级底全部。做家庭事业的大部分妇人,据上述的代表方法,都是完全除外的。此外还有工场以外的独立手工劳动者。所以行三种选举方法的选举区,虽然只是为选举而设的一时的区划,却有一种叫作区劳农会的永久基础。布罗达报以为这个选举方法,是以"自治团体底资格"而代表劳动者的,而波司喀特则以为这是代表消费者的无产阶级的。他说:所谓由区域而行选举由地域的基础而行选举,无论怎样,总好像是从来国家底可怜的遗物。设若以为是从来国家底遗物,那就是很可悲哀了。但是这个确实是失了国家底外观和机能的。然而他们行一种别的更为有用的机能,就是他们代表着的消费者。消费者的代表,不待说是不充分的,但是总能够代表消费者的男女而赋予妇人以选举权。

这个代表方法的目的,是不是把无产阶级当作消费者而代表,固然是不明白。但是假设劳农会的选举,只限于工场和劳动组合,那么现在从事于社会上不可缺的事业的大多数妇人明明为劳农会所除外了。由这里看起来,无产阶级独裁,同时就是男子对于多数无产阶级妇人的独裁,这件事却不可忘记的。

第四,第四种代表方法,若据《布罗达报底》注释,就是把社会主义的阶级意识作比例而代表无产阶级的。但是这个代表方法,无论就人员或意义说,都不是重要的东西。要不过使各政党委员人物确实能入劳农会罢了。各政党由他在无产阶级方面所有的党员的多少,自然是在劳农会里面有相当的代表的。但是有些时候,党的首领,反有落选的事。其结果,就是各政党底意见,有不能充分在劳农会中表示的事情,加以各政党主要人物,都是富有经验和知识的人,他们的协力,在过渡时期的建设事业上是不可缺的;因为这两种理由,所以设了直接代表政党的方法。

上述的是1918年4月莫斯科劳农会选举的方法,以后有了多少变更也未可知,大体上现在还是用这样的方法。又现行的《宪法》,是同年7月10日所布告的,关于劳农会选举的规定,以莫斯科劳农会的选举为基础。

依据上述的代表方法而行的1918年4月的选举结果,就是从394个工场及其余的地方选出803名委员。4月23日最初的会议,出席代表733名,党派别如下：

共产党	354
准共产党	150
少数派	73
准少数派	9
社会革命党左翼	40
准社民革命党左翼	11
合同社会民主党	5
无所属社会民主主义者	1
社会革命党中央派	61
社会革命党右翼	5
无政府主义者	5
无所属	9

村落劳农会的选举，比较都市劳农会的选举单纯些。最小的单位，就是"弥尔"。"弥尔"是共有土地的一切共产村落，现在还照样存在着的。各"弥尔"内里，从革命以前，就有了各"弥尔"底农民会议，至于现在，"弥尔"里面，也有由农民而选举的村劳农会，也有由有选举权的农民全体总会而行行政的。

七、劳农大会底组织

依据以上的选举方法，都会内则组织市街的劳农会，农村内则有乡劳农会底组织。照这样组织的都市及农村的劳农会更依地域底大小而组织地方的大会。劳农会地方大会有下述的四种。

第一，乡大会；

第二，县大会；

第三，府大会；

第四，省大会。

乡大会，也有像上述的大会的，也有单只乡劳农会的。上述四种大会之中，第一和第二，只由农村劳农会的代表而成，第三和第四，则由农村劳农会及都市劳农会的代表组织。

第一，乡大会。这是乡内各村的劳农会以代表委员十人派出代表一名的比例所选出的代表组织的，劳农会代表委员十人以下的时候。也可以选出一名代表。

第二，县大会。县内一切乡劳农会（或大会）以住民 1000 人派出一名代表的比例，选派代表赴县大会。县大会代表总数，以 300 名为限。就和前面说过的一样，县大会是农村劳农会的大会，但是县内人口在 10000 以下的都会，也同样可以派代表赴会。又人口在 1000 以下的村落劳农会，则联合起来派选代表。

第三，府大会。乡劳农会一方面组织县大会，同时别一方面，又和该府内的都市劳农会共组织府大会。府大会里面，乡劳农会则以居民 1000 人中一名为比例选派代表，都市劳农会，则以选举人 2000 中一名为比例，选派代表。府大会代表总数，以 300 名为限。又府大会正要开会之前，县大会若开了会，那么，派到府大会的代表，就不由乡劳农会选举，而在这个县大会内选举。但代表比例，仍和乡劳农会时的选举一样。

第四，省大会。省大会也和府大会一样，由都市、农村两方面的劳农会的代表所组织的。但是都市则直接派送都市劳农会的代表，而农村则由县大会选派代表。就是县大会以住民 25000 人一名的比例选出代表，都市劳农会则以选举人 5000 内一名的比例，选举代表。又省大会代表总数，限于 500 名。

又省大会未开以前，县大会未开而府大会已开的时候，派选到省大会的代表，就不由县大会选出，而由府大会选出。这个时候，代表的比例还是不变。这个规定，以及前项府大会时把县大会的代表乡大会的代表的规定，都是因为要代表人民最新的意思的；在革命的期内，精密地把时时流动的人民意思代表出来，这是劳农制度底神髓。

以上四种大会，都各选举执行委员会。其人数，省及府的大会里面，在 25 名以内，县大会则在 20 名以内，乡大会则在 10 名以内。执行委员会，各对于其大会负完全责任。执行委员会，或由自己的计划或由代表人口 1/3 以上的劳农会的要求召集大会。但无论是哪种原因，省大会一年至少须开大会两回；府大会至少 3 个月一回；乡大会至少每月一回。各大会及各大会闭会中的各执行委员会，都为该地域内的最高权力者。

八、中央权力底构成

以上四种地方劳农大会之外，还有全俄劳农大会。《宪法》第二十四条里面规定说："全俄劳农大会为俄罗斯劳农共和国的最高权力。"

全俄劳农大会，是以下述的代表方法而组织的。

第一，都市劳农会所选举的代表，选举人每 25000 人选出一名。

第二，府劳农大会所选举的代表，人口每 125000 选出一名。

全俄大会召集之前，若府大会没有开会，就在县大会选举要派赴全俄大会去的代表。又全俄大会正要开的时候，省大会若开了会，就在省大会选出代表。但是无论由那个大会选举，代表的比例，都是人口 125000 内选举一人。

全俄大会，选举全俄中央执行委员会。执行委员会人员在 200 名以下。全俄大会至少每年须开会两次；但由执行委员会的计划或由代表人口 1/3 以上的劳农会的要求，得召集临时大会。中央执行委员会，对于全俄大会负完全责任，在大会开会中，则代表俄罗斯劳农共和国的最高权力。

照这样看来，所以代表劳农俄国国家权力的最高组织，就是全俄劳农大会，而这个全俄大会，是很能直接代表人民的意志的。劳农会和全俄大会之间，有四种地方的大会，上级大会的代表，是由下级大会选出的。因为如此，所以许多人以为由乡大会的代表而组织县大会，由县大会的代表而组织府大会，由府大会的代表而组织省大会，更由省大会的代表组织全俄大会。

因此有人说无产阶级的意志，是不过以极间接的方法而为全俄大会所代表的。而不知事实恰与此相反。都市劳农会是直接派代表到全俄大会的，间接被代表的，只有农村劳农会。但是农村劳农会，并不是照许多人所想象的一样，而由三重四重的复杂间接代表的。

总而言之，农村劳农会的地方的大会，有两个不同的系统。一个就是经乡县两大会而至府大会的；这个系统，只到府大会止，除掉特别事项以外，不接续到全俄大会。但是此外有和这个系统完全离开的府大会。派代表到全俄大会去的，据原则说，是这个府大会。又组织府大会的乡，前面曾说明过，有时为村劳农大会,有时为普通的乡劳农会。所以全俄大会的代表,即就农村说,也没有像许多人所想的那样间接的。

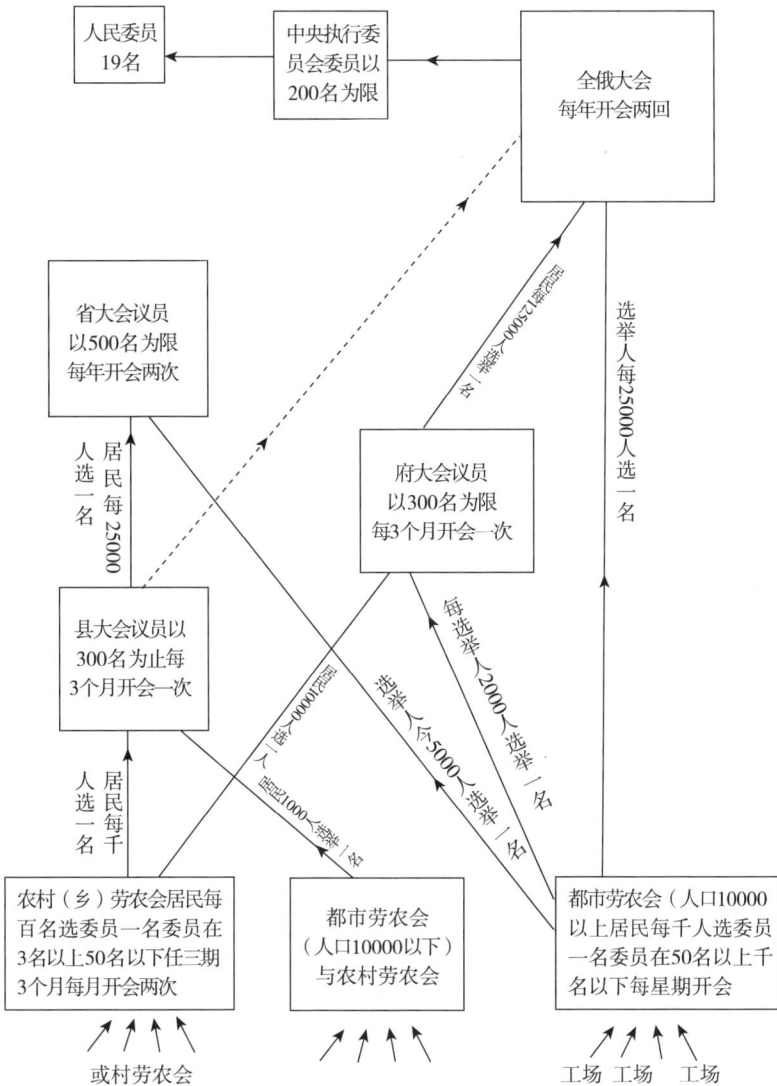

照这样看来,全俄大会是由都市劳农会的代表和府大会的代表所组织的。而府大会又是由乡劳农会的代表及都市劳农会的代表所组织的。都市劳农会因此就直接的或经过府大会间接的两重为全体大会所代表;但是实际上果受二重代表与否,还不明了。由都市劳农会派往全俄大会的代表,乃是以选举人

25000 人之中一人为比例的；但有选举人 25000 的都会，至少是人口十万的都会；人口十万的都会，全俄没有几个。然则选举人 25000 以下的小都市又怎样呢？这一点宪法上没有明记。

就是地方大会的时候，设若一名代表都不能派遣的劳农会则联合起来选出代表。但是若以上述的时候没有同一的规定来看，则派代表直接赴大会的，就是选举人 25000 以上的大都会劳农会，以下的小都市，或者只派代表到府大会。又假设直接派代表到大会的选举人 25000 以上的大都会，不派代表到府大会，那么，都市劳农会的二重代表，当然是没有了。

但是全俄大会之中，即使都市劳农会受了二重代表，也不一定就是不可思议的事。劳农俄国的所谓国家，乃是无产阶级革命的组织，为这个国家底最高机关的全俄劳农会大会，要常用无产阶级革命的精神来指导。而为无产阶级革命底前卫队的，乃是都会的无产阶级。所以无论取什么代表方法，只要革命是维持着的，都会的革命无产阶级，事实上就是在国家机关内占着优势。因此第一个问题，是在革命应否维持。至于代表方法怎样，还不过是第二意义的问题。

假使就用了些什么方法？避去了都市劳农会的二重代表，但是都会的无产阶级和农村的无产阶级，也不是全然同一的被代表的。就是都市劳农会直接受全俄大会底代表，而农村劳农会则在府大会内和都市无产阶级的代表相接触，注入了革命的精神之后，才为全俄大会代表。都市劳农会参加于省大会的，也是根据同样的理由。

但是代表的比例，无论都市或农村，大略都是一样的。都市方面的标准，乃是选举者的数目，农村方面则为居民的数目。就是都会方面，乃是选举人 25000 中选代表一名，而农村方面则为人口 125000 中选举代表一名，这个比例，不特在全俄大会为然，即在府大会也是一样。所以若把俄国农民的国族很多以及还有没有选举权的人两事也计算在内，我们就着人口每 5 人中有一人有选举权，也没什么大差，所以和都市底代表大略是一样的比例。

九、中央执行委员会与人民委员

全俄劳农大会所选举的中央执行委员会，是"劳农共和国立法、行政及管理底的最高机关",《宪法》第三十二条以下数条,规定其任务如次。

"中央执行委员会指挥劳农政府及其一切机关;整理统一立法上行政上底行动;监督由劳农宪法、全俄大会及中央政治机关所发出的一切布告底适用。"

"中央执行委员会,审议、批准人民委员评议会或其他各部所提出的布告底草案,或别的提案。又发布自己底布告和规则。"

中央执行委员会底又一重大任务,是选任人民委员评议会,

"中央执行委员会,为执行俄罗斯社会主义联邦共和国一般事务,任命人民委员评议会。又为处理人民委员评议会各部事务,任命人民委员会底各部人员。"

人民委员会与别的国家底"部"相似,人民委员评议会与内阁会议相当,评议会底议长,与内阁总理相同。中央执行委员会,不单是任命这些机关,而该会委员,都在这些机关中各担任相当的任务。

"中央执行委员会各委员,在各部(人民委员会)中服务,或担任中央执行委员会底特殊任务。"

照这样,人民委员评议会是全俄劳农大会中央执行委员会底专任执行委员,而处理一般国家底事务的。因为这个目的,人民委员评议会发布种种布告、命令、规则,为一切必要底施设。

关于一般政策的人民委员评议会底重要布告及命令,除在紧急的情形以外,须交付于中央执行委员会;如有不经过这种手续底布告和命令,中央执行委员会无论何时得宣告无效,或命其中止。

人民委员评议会,除议长外,由 18 名人民委员组织而成,人民委员评议会之下,有下列十八部。

一,外务;二,陆军;三,海军;四,内务;五,司法;六,劳动;七,社会事业;八,教育;九,邮电;十,民族;十一,财政;十二,交通;十三,农业;十四,工商业;十五,食粮;十六,国家监察;十七,国民经济委员会;十八,卫生。

18 名底人民委员各担任一部,各人民委员之下有由人民委员评议会选任的委员会。这委员会大概是从中央执行委员中任命的。所以人民委员是这委员会底委员长,而人民委员底称呼只限于做人民委员评议会底委员的委员长。

人民委员关于各部一切事务。虽付议于委员会,但得依己意加以最后底决定。人民委员底决定与委员会意见相反时,委员会或其一委员,有上诉于人民委员评议会或中央执行委员会底权利。

人民委员评议会对于全俄大会及中央执行委员会负全责任,人民委员及其委员会对于人民委员评议会和中央执行委员会负责任。

十、劳农制度之特质

以上是劳农会和以劳农会为基础的政治组织底大纲,列宁说这种组织和马克思在半世纪以前所说的"可以施行劳动阶级经济的解放的政治形态开始发见了"的那种政治形态相当的政治组织。加梅奈夫从"无产阶级专政"底方面观察,说劳农会制度是"从资本主义到共产主义的过渡期中,使统治阶级的无产阶级能够粉碎剥削者一切反抗的国家组织的政治形态"。又布哈林从"无产阶级民主主义"方面观察,说明劳农会制度如下。

由劳动者独裁而产生的劳农共和国,其行政完全立在新基础之上。这并不是隶属于资本家,离民众而独立的职员的组织,其中央政府,乃是树立在劳动者和农民底大阶级的组织上面的,即是树立在产业的组合,工场委员会劳动及农民底地方委员会,兵卒及水兵等团体上面的。从中心引出无数导线,传播于四方八面,自州劳农会、都市劳农会、地方劳农会以至于工厂工作场底劳农会,都系在这导线上面的。

"所以我们所实现了的制度和资本主义共和国底制度完全不同,我们所实现了的制度,不单是剥夺非生产者底投票权,也不单是由劳动者和农民掌握全国的政治。其所以和资本主义共和国底制度完全不同的地方,就在于劳农政府和有组织的民众保持联络的关系,而多数人民又能时常参与国家底管理,一切有组织的民众又能够受到直接的影响的。这种说法,也不仅是说劳动者每一月中有一两次能够选举自己所信任的人,乃是说产业的组合能够建立自行组织底计划。这些组合所立定的计划,须交由与该组合有关系的劳农会或经济委员会审议,若被采用,则经劳农会中央执行委员会批准,即作为法律。所以产业的组合和工场委员会,是参与建设新生活形态的共同事业的。"

"在资本家的共和国中,民众的活动若能加以限制,国家底地位即可以保持安全。为什么呢,无产阶级底利害和资本阶级的国家相矛盾的。至于实现民众专权的劳农共和国则不然,若没有民众底支持,一刻也不能存在。而且民众越是觉悟,民众越是能够在工场中,在一切都市农村中活泼行动,国家底力量也越发增大的。"

英国记者兰森氏,对于劳农制度,也下了同样的观察,他说:

"劳农会底组织保障实际上的立法者和人民之间的密切关系,不单是在华美的理论上,而且在事实上,也和人民保障其自身立法者的地位一样,并具备在反对方向的内部相互联络的途径的。即如在圆面上最远的周边的分子,也能够施影响于中心。同样,中心也经由劳农会施影响于周边的分子。劳农会底制度,就是人民委员评议会一切琐些行动,也能够由各地方劳农会按照各地情形判断解释的。俄国气候各殊,人种亦异,有平野,有高原,有山地,实是千差万别的国家,劳农会以外的无论什么政治形态,都不能产出可以解释那适用于这种国家的法律的地方自治制度出来的。高加索底牧人,乌拉尔底哥萨克,埃尼塞底渔夫,都可以参加于全俄会议。他们在原则上批准的法律,并不会有畸轻畸重之弊,都知道各地劳农会是能够按照各地特殊必要情形任意拟定形式的……"

革命底前日,共产主义者所预拟的政治组织正是这样。十一月革命底一星期以前,多数党中央委员会的委员喀拉罕,预想了将来的政治组织,他说:

"将来的政治组织,人民须由劳农会表现自己的意志,其感应灵敏而又舒缓的,而对于地方的势力,则许以充分的活动。现在的临时政府,和俄皇底政府一样,是妨害地方民主的意志底活动的。至于新社会自发的行动,不由上而造端,乃由下而开始的。……政府底形态,将仿照俄国社会民主党(多数党即今日共产党)底组织而行的。对于全俄劳农大会底会议而负责任的新中央执行委员会,即是议会,各部不设大臣而置委员。对于劳农会直接负责任。"

近来流传劳农会完全官僚主义化了。这个流说底由来,是因为1920年第八次全俄劳农大会曾经讨议了"取缔中央及地方的劳农会机关底活动和防止官僚主义"的议案,外边人就把这件事实夸张地传播出来的。劳农大会中讨议这个问题,实在是表示俄国共产主义者能够灵敏的感觉官僚主义化底危险,并且很能细心留意的来防止这种危险的。季诺维埃夫在他交议于大会的报告书中,说明劳农会官僚主义化的危险底原因有三:(一)经济上底荒废和物质底缺乏,(二)资本阶级专门家之采用,(三)民众没有教育。他又说:

"现在劳农会必须变为专为国内底管理行政而使民众活动的机关。由这种行政上底见地,我们不得不想起在1917年所说的劳农会底意义及任务。即劳农会是民众最能自由而且最有组织的行动底机关;对于这机关,常常由较下层的阶级注入新势力,民众在劳农会中制定法律,同时又学习执行自己所定的法律,所以劳农会绝对有按照正当规则实行改选的必要。又劳农会及执行委员会须有一种规定,要有规则的开总会,不单如此,还要有一种规定,不仅讨议宣传上的问题,而且要讨议最重要的行政上经济上的问题。若没有相当理由而在一个月内怠于集会的执行委员会,务须解任。又执行委员会必须公开,允许一切劳动者和农民旁听。又在大都会或重要工业中心地,执行委员会或会场,当在种种劳动街、工场及兵营里轮流开会。劳农会生活底重大问题,应当在适当时期而且在决定以前,当民众在劳农会委员协力之下集会时,公开讨论……"

十一、劳农会制度之实际

俄国无产阶级共产主义者所期待于劳农会的地方,在上面已经说了。至于实际上运用的劳农会是否违反于他们的期待呢? 一般亲眼见过劳农会制度的人底批评,本来都不相同的,至于许多中立的观察者底报告,大致和上述的兰森氏的批评有共通的地方。然而同时我们也听见了反对的批评。试举一例,就把那在日本中产阶级的思想家中颇有信任的罗素底观察提出来说一下。罗素在他最近所著的《多数主义底理论与实际》书中,描写劳农政治底一节说:

"我到俄国去以前,心想看看关于新形态的代议政治的有趣味的实验。果然,有趣味的实验,我是见过了,然而不是代议政治底实验。……我们所要研究的,就是劳农会制度,究竟在这一点比议会制度或优或劣的一事。"

"然而我们并不能研究什么。为什么呢? 因为劳农会制度是已经死了的制度。凡是自由的选举制度,无论在都市,在地方,共产党都不能占多数。于是因为要使政府底候补者得胜起见,就使用种种的方法。第一,投票由举手而行。所以对于政府投反对票的人,就是很奇怪的人物了。第二,不是共产党员的候补者,不能印刷什么东西。因为一切印刷工场都在国家手里。第三,他们无论在什么会场都不能演说,因为一切会场都属于国家管理的。虽然这样,少数党也能够在莫斯科劳农会 1500 议员中,占得 40 名的议席。……实际上他们若是竞争了的地方,都得了胜利。"

"……在地方上,方法略有不同。农村劳农会,单用共产党来组织是不可能的。为什么呢?至少在我所见的农村,没有共产主义者的地方很多的。我于是到农村去询问他们怎样被乡大会被府大会所代表的事情。他们就异口同声地答复我说,他们完全没有选出代表的。……若是他们选举了共产党以外的人,当选人就得不到铁路通行券。所以乡大会就不能参列府大会底劳农会。这是他们众口一致的答复……"

我们为罗素底名誉起见,这种话的诚实与否并不怀疑,而且对于他全部的记述都相信。还要进一步地称赞他的功绩,除了反革命者以外无论什么观察者都不能观察出来的事实,这位大哲学家却能够观察出来了。今举一例,譬如罗素说农村中(至少是罗素所亲见的农村中)没有共产主义者。照这样说,非共产主义的代表既然不能参列于劳农大会,那么,事实上一切代表当然不能参列于大会了。虽然这样,但是大会还是开的。并且罗素说他看见过大会的。至少这种奇怪事实到底非罗素不能看出的了。

我们因为要证明罗素底哲学的观察力底优秀,特意把英国劳动团体底代表和罗素是同国人,并且和罗素同时观察俄国的乔治·兰斯北里底观察拿来对照一下。兰斯北里在他的近著《俄国实见录》中,关于当时刚刚行选举的莫斯科劳农会,有一段记述。这段记述和罗素关于劳农会选举的记述,是同在莫斯科而且是同时行选举的,这一点我们不要忘记。

"……我游观这些工场的时候,恰好前一天我听见了莫斯科劳农会行了选举。我就问他们:共产党员以外的人不能选举的事实,和用威吓妨害自由投票的事实,是真是假?但是我所访问的人,没有一个人说曾经有威吓等事实的。他们都向我保证,说无论意见怎样,凡是有投票资格的人都能够被选。但是投票是记名不是无记名。然而若是照英国一样只选举雇主阶级的人，或者是照英国现在所行的一样，直接间接行贿以酿出极腐败的影响，那么我宁可反对记名投票的……"

同时同地发生出来的同样的事实，在英国人眼里映出这种不同的现象来，这就怎样解释呢？这种解释只有一个。大学教授又是大哲学家的罗素能够得到谁人底回答？劳动团体底代表兰斯北里得到谁人底回答？罗素得到了谁人的回答，我们还不知道；而兰斯北里已得到了现在工厂作工的劳动者底回答，这是我们确实知道的。两人之间这种观察底不同，并不是这两个观察者底"眼"不同，乃是他们从什么地方着眼的"眼底位置"不同。换句话说，罗素和兰斯北里两人底记述所以不同，并不两人底诚实与否的问题，乃是他们对那以无产阶级独裁为中心而战的阶级与阶级底斗争，究竟各人所站的是在那一战线的问题。

劳农会究竟最能代表哪一阶级底意志呢？这个问题，看看下列 1920 年彼得格勒劳农会委员底职业表就可以明瞭。

（1）数学者 1；（2）教员 22；（3）医师 13；（4）看护男 22；（5）看护妇 6；（6）新闻记者 11；（7）律师 5；（8）音乐家 8；（9）学生 11；（10）业务管理人 3；（11）统计学者 1；（12）书业商人 29；（13）电信技师 20；（14）电话交换手 4；（15）电气工人 30；（16）速记者及打字生 3；（17）图案家 12；（18）计算者 17；（19）代理人 5；（20）经济学者 1；（21）事务员 118；（22）排字工 16；（23）艺术家 16；（24）印刷工 34；（25）作表人 2；（26）技师 39；（27）金属工 18；（28）钟表工及金银细工 7；（29）照相人 3；（30）会计检查员 2；（31）机关手及火夫 38；（32）汽车夫 14；（33）汽车掌理人 2；（34）锻冶工 240；（35）旋盘工 59；（36）给水夫 9；（37）纤维工 5；（38）掘孔工 6；（39）伐木人 7；（40）木匠 5；（41）锻工 24；（42）铸物工 12；（43）纺织工 7；（44）清道夫 10；（45）铜工 10；（46）折纸工 8；（47）装饰工 10；（48）穿孔工 2；（49）橡皮加工 1；（50）织匠 10；（51）电车掌管人 6；（52）纸箱工人 10；（53）模型工 5；（54）皮革工 23；（55）店员 4；（56）靴工 22；（57）橡皮靴工（妇人） 5；（58）烟草工 3；（59）潜水夫 2；（60）马车制造工 3；（61）理发人 9；（62）园丁 14；（63）事务员

45;(64)玻璃工　4;(65)泥水匠　3;(66)木匠细工　46;(67)屋脊修造工人
5;(68)油漆工　22;(69)消防夫　3;(70)男女裁缝　104;(71)制粉工　2;
(72)烹调人　28;(73)烟突扫除人及暖炉装置人　8;(74)使用人　8;(75)
仆婢及小使　14;(76)运货车夫　5;(77)洗衣妇　4;(78)驭者　3;(79)乘
马驭者　4;(80)海员　5;(81)屠兽人　1;(82)烧面包工人　24;(83)家妇
6;(84)炼瓦工　13;(85)手工劳动者　240;(86)农夫　55;(87)守卫人
15;(88)杂役夫　166。共计1924人。

十二、劳农会制度之将来

季诺维埃夫付议于第八次全俄劳农大会底报告中,关于过去三年间劳农
会底进步,有下面一段说话。

"……无产阶级专政的三年间,劳农会得了长足的进步。11月7日以后,
劳农会即就是第二反抗的机关,是掌握权力的机关。第二期是对于乌兰格尔
得胜的时期,在这时期中,劳农会是为第二战争之故而运用一般民众的机关。
现在当着第八次大会开会时,已进到第三时期了。"

然则这第三期的劳农会底新职分是什么呢? 季诺维埃夫的回答说,"劳
农会是专为国内底行政管理底改造而行的民众底动员"。

俄国革命时劳农会底职分第一是无产阶级夺取权力的机关;第二维持因
此而实现无产阶级革命的专政;第三是绝灭阶级的对立,在真的共产的基础上
成就新经济组织底建设。这三个职分,原来不能有截然的时间的区别。从革
命以来到现在经过了四年,劳农会重要的职分,在事实上渐渐变化了。今日的
劳农会已不是革命当时大呼"一切权都归劳农会!"的劳农会了,现在的唯一
的职能,已不专在于强制并压伏反对阶级了,劳农会底职分照这样的变化,要
不过是反衬那实际社会中阶级对立底关系上所起的变化罢了。即反对阶级底
抵抗力渐渐减少,而且反对阶级也逐渐同化吸收于无产阶级,因而劳农会行强
制的职分也渐渐消灭了。同时在劳农会构成的分子上面当然也要发生变
化的。

劳农会制度,若照共产主义者的主张是民众意志上感应最灵敏的制度,那

么,那种实际社会上所生的变化,就最容易在劳农会底构成上反映出来。当劳农会专以破坏为事的时候,代表劳农会的,当然是一班有革命实力的分子。所以当时的劳农会只是兵卒和劳动者底劳农会。然而到了后来,别的为社会效劳的要素,也渐渐地为劳农会所代表了。

依共产主义者底理论,劳农会是无产阶级独裁底国家组织。换句话说,就是对于反对阶级而行强制的组织。所以阶级的对立若是消灭,而全社会都同化吸收于无产阶级的时候,那么,成为有组织的强制力的劳农会,成为国家组织的劳农会,就渐渐失掉他的职分了。劳农会的组织,不过是代表革命的过渡期底政治组织而已。

至于这个成为有组织的强制力的劳农会底职分,若是完全归于无用的时候,那么,以后就会怎样呢?或者只是无产者的组织(即劳动组合)存留着,而于此实现那工团主义底理论吗?或者是还因为处理那属于直接生产和分配范围内的共同事务,劳农会底组织还是在生产者底组织以外继续存在吗?这些问题在理论上是很有趣的问题,而在实际上还是属于远的将来的问题,我们宁可任其由环境底形势和事实上底必要如何而自然发展下去好了。

第四章　劳动组合之组织与职分

一、国家底一个新模型

若把政治当作"人治人"的意思来解释,政治底妙谛,要不过是把人类弄得最弱了之后再来统治罢了。譬如雄牛,握牢了鼻环(牵到最柔弱的地方)就很容易牵;民众,分散作一个个的个人也很容易治了。

这条原则,在法国革命,资本阶级才上政治上统治阶级地位时,就被发见了。那以自由和民治为暗号的法国大革命宪法会议,答复罢工劳动者底哀诉时,就说:"监视市民利害的权利,全在国家手里。同盟罢工,便是结党,就是在国家里面建树国家,该当死罪。"于是那废止"损害自由和平等权利的各种制度"而树立"劳动自由"底宪法议会,就借口"国家内部已经没有什么团体。除了个人特殊的利害和国家全体的利害以外,再也没有什么中间的利害。今后无论谁人,不许再用中间的利害鼓吹市民,用团体的利害离间市民"的话为理由,把所有劳动者底团体都禁止了。所以劳动者在近代国家底下得到组织组合的权利,就非常困难;在英国,就至少也经过了 30 年劳动运动底白兵战,在法国就费了 80 年的恶战。直到劳动者底团体(这国家里面底国家)具备了压迫不住的实力时,那以民治和自由为原则的近代国家,方才在法律上承认他底存在。

但是现在,却有全然破坏了近代国家模型底政治新形式出现了。这就是"俄罗斯社会主义联邦劳农共和国"底政治,这种政治,并不把人类离散作一个个的个人才去统治他们,却把政治的基础,筑在劳动者团体组织底上面,这是值得注意的。这种劳农政治或"无产阶级独裁政治"底国家组织,不但是生产者底团体组织成了经济组织和社会组织底基础,就是国家底政治组织也成了生产者团体底组织的。

二、帝制时代与克伦斯基时代底组合运动

帝制时代末年底俄国，属于组合的劳动者，只有三四十万人。而且帝制时代有阶级的意识底真的组合运动，概遭禁止，都是熟练职工狭隘的职业的组合，那些组合底事业，也就只干些疾病、伤害、失业等共济事业。这些共济的职业组合，是收入较多的熟练职工以职业的利益为目的而组织的团体，一方面造成所谓"劳动界底贵族"，把这些"劳动界底贵族"和普通劳动者之间的门墙高筑起来，他方面在同一熟练职工之间，也妨害各种职业间底团结，因此防止劳动阶级全体的结合，阻碍组合运动底革命化，所以劳动者若在这种组合运动中消散他的战斗力，政府自然很欢喜的。

在这专制时代底俄国，有阶级的意识的战斗的组合运动，差不多没有。其原因一半因为政府和警察底压迫，一半因为俄国工业资本主义化尚属幼稚。譬如在欧洲各先进国，资本阶级底阶级的统治，是混和在民主主义这种复杂政治里面的；至于俄国，却还是施行很显然的专制政治，新兴资本阶级虽然有时和专制政治勾通来利用他，也没有资本阶级民主主义那种特殊的政治组织。所以11月以前的俄国，民众革命运动，总向着专制政治攻击。就是1905年底革命运动，工业劳动者虽成了重要的要素，而此种运动却不是产业的社会的革命运动，还是带着政治色彩的。劳动阶级革命的行动，单是要打破中世的遗物专制政治，这不特不是纯粹无产阶级的革命，毋宁是带着资本阶级色彩的。

1917年3月革命，一举而将专制政治一切束缚扫除了；劳动阶级，一时也显出活跃的气象。多年间蕴蓄着的精神，在政治上现出劳农会底组织，在经济上现为新组合运动。

然而专制政治推翻之后，而所谓民主共和的政治就代之而兴，这就不过是新兴资本阶级对于中世遗物旧特权阶级占了胜利罢了。资本阶级不过由民主的共和政治确立自己特有的统治形式（政治形式）罢了。所以资本阶级统治在资本阶级民主主义之下就彰扬起来了。若是阶级的统治在刚才革命之后还没有彰扬起来，那就是因为资本阶级要确立政权，还须凭借劳动阶级底势力，

而劳动阶级革命的威力,还值得他们注意的。于是政治革命对于劳动阶级的结果就渐渐明了,而这政治革命底结果所产生的克伦斯基临时政府底资本阶级的色彩就越发鲜明;因此劳动阶级运动也就由经济革命底仰慕发动起来,组合运动也就渐渐站在阶级的意识上面了。

这种新组合运动,就对于向来专注重共济事业的保守的排他的职业组合,采取反抗的形式表现出来了。在战时中的英国,从前的职业组合也和保守的干部对立,发生了"工厂委员运动",俄国底新组合运动,也成了同样的工厂委员运动显现出来了。这种工厂委员运动,在中央和北部俄罗斯很占势力,多数党在当初也极力在这种新运动之间活动。

向来职业组合,是以少数熟练工人职业上底利益为目的的运动,工厂委员运动,从最初起,就是以劳动者管理产业为目的的阶级的运动。照前面所说的,三月革命是纯粹的政治革命,对于劳动者底生活状态。并没有发生什么变化。他们所生产的物品依然交给投机商人,越发变成危害民众生活的手段。于是劳动者就趁革命后各工厂管理机关摇动的好机会,要由工厂委员来参加于产业的管理了。即如斯可别列夫入临时政府做阁员时,也就即时制定累进所得税法,对于资本家底利润要课十成的税额。只是这项法律,因为资本家和银行家通同作弊,或者作虚伪的报告,或者想出漏税的方法,并没有收得什么效果;所以到了 1917 年夏天,彼得格勒底劳动者常常提议要由工厂委员图谋劳动者和一般消费者底利益,管理生产,强行这项法律。又因为克伦斯基临时政府时代,到处发生同盟罢工,劳动者底工钱虽然因此稍得增加,生活底压迫虽然稍为抒缓,但是到 1917 年九、十月间,已不是劳动阶级有效的战斗的武器了。因为战争终熄,工厂没有从前那样大出息,同盟罢工,资本家倒反欢迎的。于是劳动组合底运动早已不是劳动条件底问题,却成了经济组织根本改造,而将生产管理权收归生产者自己手里的运动了。

工厂委员运动的结果,进步最速,扩张了劳动者底眼界,唤起了阶级的意识。于是向来以狭隘的职业的利害而分的职业组合,急速分解,产业的组合就代兴起来了。到了临时政府告终(1917 年秋),从前职业组合全然消灭,大产业组合就起来代替了。所以俄国的组合,现在虽仍旧用"职业同盟"底名称(以下称劳动组合),而在现时,俄国已经没有职业的组合,都变成产业的组合了。三月革命后 3 个月,即 1917 年 6 月时,有 140 万劳动者都由这些组合为产业的组织,到克伦斯基政府底末期(1917 年 11 月),已经超过 200 万人。

三、劳农治下组合底发达

1917 年 11 月 7 日第二次革命以后,俄国政权完全归于劳动者和农民底委员会,劳农政府于是成立了,劳农政府成立后,就努力完成劳动组合底组织,到次年 1 月有会员 250 万人;到 1919 年 2 月增至 350 万人;到 1920 年 4 月第三次全俄劳动组合大会时,增至 400 万人,据全俄劳动组合中央委员洛左夫斯基底声明,当年 8 月,已经达到了 520 万人。依前所述,这些组合,都是网罗从事于一种产业的各种工作人的大产业组合,到 1920 年,组合之数 31,而据这年 4 月 8 日第三次全俄劳动组合大会底决议,其数更减至 25 个了。

据英国下院议员马伦 1919 年 10 月调查俄国状况底陈述,当时俄国产业的劳动组合 29 个,但由分类表看起来,有下列 31 种。

化学工业、都市劳动、浴堂、军需品、木工、家庭劳动、铁路、造纸、制革、卫生、艺术、金属、食品、印刷、农业、邮务和电报、理发、玻璃和陶器、粮食分配、金融机关、建筑、纤维业、运输、财政和课税、一般商业机关、被服、照相、制药、水上运输、教育、烟草。

据 1919 年 6 月第二次全俄组合会议底报告,代表本会议会员之数有 342.2 万人,其职业别如下。

金属业	400000
商业的产业组合员(多系贩卖人)	200000
关于食粮的劳动者	140000
制药业	80000
木工	70000
铁路工人	450000
水上运输工人	200000
砂糖工业	100000
火夫	50000

驾车工	98000
家庭助手	50000
烟草制造	30000
制革工	225000
森林业	5000
裁缝师	150000
建筑业	120000
印刷工	60000
玻璃及陶器工人	240000
邮务电信工人	100000
砂糖业	711000
石油坑夫和精油工人	30000
银行事务员	70000
小使(饮食店的)	50000
制药人	140000

这些组合,在工业劳动者的方面,先以大小工场为单位组织工厂委员会,属于同一种产业的这些工厂委员会,又以大小地方为单位,组织支部组合,这些支部组合再合起来通全国一产业全体构成全俄组合,于是已构成的 25 个全俄产业组合,更由全俄劳动组合大会把全国劳动阶级集中起来。大会,选举全俄中央委员会,在大会至大会之间,这中央委员会,为全俄劳动组合底最高机关。关于组合的组织和构造,后节还要说明的,总之,劳农政治底原则"民主的集中"底组织,在劳动组合组织之上也表现了出来。即俄国劳动组合,虽然实行组织底集中,但这种集中,并不是由上而下的官僚主义,乃是由下而上的民主主义。

第一次全俄劳动组合大会是在 1918 年开会的,这次大会所代表的会员约 250 万。第二次大会在 1919 年 6 月 16 日开会,出席的代表 879 名,代表 342 万的会员。第三次大会在 1920 年 4 月 16 日开会,出席代表 1600 名,北至穆尔曼斯克南至巴克,共计会员 400 万人。波兰、芬兰、里斯阿尼亚方面,没有来一个代表,巴克地方当时为英军所占领,他们打破了英军的监视,才得参加大会的。

四、"劳动厅"与组合运动底代表的人物

莫斯科底旧贵族会馆,现在变为劳动组合本部,称为"劳动厅"。全俄中央委员会、全俄组合大会、莫斯科劳动组合评议会,以及其他关于劳动组合底一切会议,都是在这里开会的。厅外有大理石的石阶,中央有长方形的大厅,这厅要算是俄国一个最大的厅了。厅的两边有大理石柱支着的檐头,檐后面有一个广阔的散步场。俄皇行幸莫斯科时常在这大厅开宴会的。平日是莫斯科贵族底交际场,是夜会和跳舞的场所。听说这会馆归劳动者占领的时候,发见了14个大柜,柜里头都装满了骨牌。曾经过宝玉闪烁的这个大厅,现在变成劳动者底集会所了。厅内可容三四千人。壁间旧时装饰都除下了,现在用石膏细工的楯来装饰;楯上有社会主义共和国底徽章和劳动组合底徽章。先前立有拿破仑时代俄国将军肖像的地方,现在立起为马克思和列宁底半身肖像了。

全俄劳动组合中央委员会,委员长多姆斯基,是38岁的一个黑发青年,是一个石版工。

他在1904年从事劳动运动,后来不久,处了十年惩役,被送到西伯利亚。有四年间,带着铁锁做工,后二三年没有带铁锁做工,末了逢着大赦归国了。

副委员长洛左夫斯基年稍长。他于1904年开始入狱,次年被处终身惩役,配送到伊尔库次克。到伊尔库次克的第二天就逃到巴黎,起初做运车人,其次做某事业的管理者,后来做新闻记者,做消费组合底书记,前后干了八年,1917年革命后才回俄国的。

莫斯科劳动组合评议会底委员长是梅尔尼谟斯基,本年32岁。1904年最初被捕时,他还是15岁呢。他很巧地被脱了,1905年加入渥特撒底暴动,又被捕又逃脱了。后来又被捕,被处终身惩役,配送到西伯利亚,到西伯利亚后不久,他又变名逃走,又因为出席于尼古拉伊社会革命党大会,第三次被捕。监禁18个月之后,又处了八年惩役,配送到西伯利亚,第四次逃走。逃到了乌拉尔地方,又因为发行秘密定期印刷物,受了终身惩役的宣告,又被配送到西伯利亚。这一回他就好好地逃到亚美利加,暂时办理俄文日刊新闻《新世界》

底事务,后来当机械工人谋生。这时期内他属于少数党底国际主义派,1917年归到俄国的时候加入了多数党。

这三个人,是俄国现时劳动组合运动中最占重要的地位的人,人品、才干和阅历,都是革命的劳动阶级底代表人物;凡是俄国劳动组合运动底中坚人物,多少总有这种阅历。雅可布和洛左夫斯基底会谈记中,曾经有一段说:"洛左夫斯基遮掩我对于这些人的传记的好奇心,他说'中央委员,个个都是过了几年监狱生活的,他们都有过去十余年间从事社会主义运动的历史'。"

五、劳动组合底性质与职分的变化

俄国劳动组合和别国劳动组合间,在机能和职分上,很有不同的地方。

劳动组合是劳动者阶级的组织,一面是对于资本阶级底战斗的组织,是斗争底机关;同时又是把将来代替现时生产组织底新生产组织的萌芽,在旧社会组织的外壳内发达起来的。换句话说,劳动组合在社会的进化上所显的作用,就是破坏旧的建设新的。劳动组合底成长和发达,是一步一步地把旧生产组织改变他、破坏他,同时把新生产组织构成他、建设他。照这样,劳动组合在社会进化底过程上,显出两个机能,即是劳动组合有两个职分。但是现时资本制度下各国的劳动组合,还是注重第一个职分,即是注重战斗底组织,注重斗争底机关,其直接的结果,是分解旧生产组织。原来这两个作用,本不能明白分离的。说起来,还是一个作用底表里关系;分解、破坏旧组织的作用,就是要构成建设新的组织的。但是在今日资本制度之下,组合还是努力于第一的职分,这是毋庸争辩的。至少就是在组合运动的主观上,组合大都是阶级斗争底组织;从这个斗争中,可以成为将来生产组织的东西,必然徐徐地而且为多数人所不能知觉的发达起来的。

然而俄国劳动组合,早已不是阶级斗争的机关,已经成了新经济组织底一部分,而且成了重要的部分。现在俄国生产和分配底社会化,本来还没有完成的。就是照先前一样任私人经营的工厂也还有的。俄国的现在情形与其说是革命以后的新社会,不如叫作革命中的社会,对于无产阶级的反对阶级和他的组织、他的心理,现在依然存在的。所以就这种程度就这种范围说,俄国劳动组合依然是履行资本制度治下劳动组合底职分。但是俄国劳动组合现时的重要职分，至少已经从第一的职分移到第二的职分，或者是正在推移的。这是实在的事实。

随着革命底进行而劳动组合的职分上所生的这种变化，在俄国组合中的劳动者底觉悟上也明白地表现出来了。1918 年 1 月全俄劳动组合在莫斯科所开的第一次大会，通过一个决议，关于这一点曾经照下段说明了。

"……把权力从有产阶级手里夺归劳动者和农民的十月革命，对于一切劳动团体，尤其是对于劳动组合，完全造出了新境遇。在这新境遇之下，劳动者产业的团体，早就不能看作是劳动者为卖身于雇主而开战的前卫队了。照先前那样买劳动力的雇主早就不存在了。所以聚集罢工基金组织同盟罢工等事，在现在的组合已经没有必要了。"

然则在这种新状况之下，劳动组合的职分究竟是什么？上述决议的回答就是："现在组合必须要用全力转向经济改造的方面了。"所以现时俄国的劳动组合，在性质上、在职分上，都和资本制度之下的组合大不相同。上述的决议，对于这种不同的地方，也说明过了。

"俄国现时产业的劳动组合，是从事于一产业的一切劳动者永久的团体组织，而为无产阶级独裁组织底第一基础。……即今日产业的劳动组合，把他的主力，转到经济组织的领域，是一班有志在共产主义基础上改造社会，并废止社会的阶级的劳动者协力行事的。而这种协力，是以下述的形式行的。

（一）协力于在共产主义基础上组织生产的事业。

（二）恢复因战争和国内底危机而被破坏的生产力。

（三）配置并算定全国的劳动。

（四）组织都市和地方之间的交换。

（五）实行义务的劳动。

（六）帮助政府以谋食物底供给。

（七）援助燃料缺乏底危机和其他难问题底解决。

（八）给赤卫军底编制以一般的助力。

（九）拥护劳动者经济的利害，同时和个人主义的倾向战；又和那无知之徒还把无产阶级国家当作往时雇主看的一部分劳动者的浅见战。"

这个决议文所指摘的"劳动组合间所起的作用,就是把这些组合变成社会主义国家底各部;同时劳动组合员底职分,就是属于各部门的一切劳动者对于国家底义务"。

第三国际委员长季诺维埃夫又把全俄组合大会的决议下了注解,他说:

"全俄劳动组合大会底这种确信,是根据事实的,产业的劳动组合,渐渐占有成为国家各部门的性质和职分。这些组合,或调动会员,或集中劳动者于都会,或把劳动者从甲地移到乙地,或投票表决工钱问题,或借他的代表者左右国民经济最高委员会底行动,这种种事情,其活动恰和国家底一部门的活动相同的。"

1916 年第二次全俄劳动组合大会底决议,重把上述的决议确定了。他说:

"……资本制度崩坏之后,俄国无产阶级,担负了建设新社会主义的俄罗斯底任务。他们在斗争和征服的期内,早就渐渐地转到建设事业了。即是已经转到掌握全国经济的管理底一切机关,因此巩固无产阶级专权的建设事业了。"

"由劳动组合组织起来的无产阶级,变成了社会主义革命的先锋队。组合是革命的基础。但是这种组合,现在已站在解决最纷纠的问题底地位了。即是组合,现在已收回一切工场制造场和矿山,担负一切经济事务底管理了。"

"第一次大会中,我们只能说产业底管理和整顿罢了。但是在第二次大会上,我们可以列举已由劳动阶级自己努力在产业领域内所组织的结果了……"

"第二次劳动组合大会,于九天的会期中,解决了俄国劳动组合运动的各根本问题,更精密地定明了无产阶级国家内的劳动组合底位置,更具体的确定了行政上的各机关(尤以劳动人民委员)和劳动组合的相互关系。"

"此外如劳动时间及工银底规定,劳动对于危险的保护,社会底劳动保险,生产底编制,劳动者底工场管理等问题,都根据过去一年间的经验解决了。"

"俄国劳动组合,实入了无产阶级活动的新时期。组合已转到实际上的问题来了。实行大会所通过的决议和原则,就种种方面的事业,都取一个的方向而前进,这就是因为要树立无产阶级俄国底势力,而更为切当的协力的。"

全俄劳动组合中央委员会底一人,1920年秋天代表俄国组合访问德国组合的洛左夫斯基,当时和《赤旗报》底记者会见时,也说了这样的话:

"劳动组合底职分,于十月革命以后,明明变化了。他已不是对于有产阶级和他底国家行斗争机关了。为什么呢?因为这两件东西现在都已消灭,俄国底国家,已成为劳动者底国家了。

所以劳动组合,现在具有性质完全不同的任务。即如决定劳动报酬底额和率,也就是其中之一,劳动人民委员对于这件事,只有登记组合底决定的权能。照这样,劳动组合在生产底管理和指挥上行着极重要的任务。现在俄国,无论是公共生活上的什么机能,没有不属于劳动组合底势力之下的……"

洛左夫斯基在柏林劳动者集会上所演的说,也说:

"劳动组合由对于资本主义的斗争组织,发达起来,现在成为经济改造底机关了,……劳动组合乃是无产阶级独裁底经济上的机关……"

这样的劳动组合底职分变化,在他对于同盟罢工的观念上,表现得很好。在资本制度之下,同盟罢工是主张为劳动者自卫的权利,破坏罢工是看作对于劳动阶级的最大反逆;但是现在俄国,反把同盟罢工看作对于劳动阶级的反逆,罢工和怠工,都是拥护资本家的学者和专门技术家拿来当作反抗劳农政治的武器而用的。这些事到现在差不多已经是很少的。但是同盟罢工至少在劳动组合中的筋肉劳动者和头脑劳动者看起来,都觉得这是反逆的意思,并且也觉得无用了。为什么呢?因为决定一切劳动条件的,乃是劳动组合自身。本来劳动组合中和该议决文中所说的一样,也有因为要求增加工钱,而用对付资本家的雇主的态度来对付劳农政府行了罢工的。例如阿尔加河上的船坞劳动组合,就是一例,但是这不过是因为一部分劳动者看落了组合底职分上已起了大变化,或者是因为社会革命党等反革命派把组合利用作政争的武器罢了。传说新锡兰是"无罢工的国家",我们在劳农俄国也开始看见"无罢工之必要的国家"了。俄国劳动组合,无论就事实上,或多数劳动者底意识上,现在已失了为反抗旧经济组织而战斗的武器的性质,而成为新经济组织底一部分了。

六、成为国家底部门的劳动组合之职分

劳动组合,在俄国底生产组织里面,究竟是怎样重大的要素,我们可以由第二次全俄组合大会关于"产业底编制和组合底参与"的决议,知道他底大体的原则:

"因为要谋生产、经营,及分配底计划的统一,所以有把现在委给各部(例如枪炮部、海军部、军事部及其余各部)的一切生产单位集中于一个中心的必要。"(第三项)

"主要部门和主要中心底干部,须在与此相当的全俄产业协会,或全俄劳动组合等委员及国民经济最高委员会的委员底了解之下,以劳动组合底代表来组织。"(第四项)

"代表劳动组合加入行政上及管理上的各机关的一切代表,须各对于其组合负责,并于每一定期间,报告他底行动。"(第五项)

"因为要在组合和国有工场管理部之间保持有机的联络,组合至少要每二月一次以上,开事业管理部底会议。以讨论议决重要的实际问题。"(第六项)

"因为要把经营及管理(产业的)底机关变为社会主义建设事业上所必要的无产阶级的机关,并且要在这些事业上得进步的多数劳动者底协力,所以有使无产阶级分子充满一切管理及经营底机关的必要。因此就不得不使中央及地方各劳动组合团体中有活动的责任的劳动者充任这些机关底办事员。"(第七项)

"生产计划以个人利害服从社会全体利害为基础,劳动组合底任务,要依这种计划在必要的方向指导产业生活。因此组合要采取和生产底根本要素的劳动有关联的行动。所以劳动组合中央各团体底决定事项,只要是关系工银率、劳动底监督、工场底内部管理,生产标准,以及劳动规律等问题,都有强制力。"(第八项)

"组合现在……立在生产底编制者的地位。所以组合当着现在的危机,对于困惫和堕落,要保护为生产阶级的无产者,对于社会的分解作用和无产阶

255

级为别阶级所吸收等事,要防卫无产阶级的核心。"(第九项)

"供给工场以必需的生产物(主要的是食料品),乃是第一要紧的事,这个问题若不得满足的解决,增加劳动底生产力和增进劳动规律等事,是不可能的。所以使劳动组合尽量的切适的关于食料底生产和分配的事业,这是很必要的。"(第十项)

由以上所述,俄国劳动组合在社会主义的生产编制上,负有重大任务一事,我们已经知道一个大概了。就和这个议决所表示的一样,俄国劳动组合,一方面当作组合而行动,同时别一方面又由他底代表构成政府各机关,经过这些机关而行动的。代表无产阶级国家底权力的劳农会底选举,是以劳动组合为基础的,这事在政治组织项下说过了;不单如此,就是在可称为全俄劳农会中央执行委员会底专任委员的人民委员(政府)各机关里面,劳动组合底代表,都成了重要的要素。劳动组合底代表,不单是在直接和劳动者有关系的劳动人民委员(劳动部),国民经济最高委员会,以及地方委员会等机关里面,成了有力的要素,并且直到和生产组织相隔很远的赤军编制,凡是无产阶级国家底机关里面,没有一处没有劳动组合底代表活动着的。

现在俄国底政治组织,就是所谓无产阶级独裁底组织,再说一句,就是因为要对于反对阶级而强行无产阶级底意志的组织。在这个范围里,俄国底政治组织,也是"人治人的",和资本主义国家底政治机关,和资本制度下的政治机关比较起来,则纯粹可以看作"人治物"的职分,大大地扩张了。这个职分,渐渐扩大,渐渐重要,最后一定可以把"人治人"的职分收罄尽的。所以俄国底现状,还在过渡时期,而这过渡的性质,也表现于政治机关本质上面的。所以劳动组合,在这"人治人"和"人治物"两方面,成了国家机关底重要要素和基础。换句话说,就是:现在俄国底劳动组合,一方面成了无产阶级独裁组织底重要要素,同时又成了经济组织底重要要素和基础。

1919 年 9 月,彼得格勒劳动组合评议员命劳动统计部记录所属劳动组合底职员,调查结果,记录了的组合职员共有 564 名,共中有七成五分为组合底干部职员,这个七成五的干部职员里面,继续一年以上而为干部职员的,只有一成五分四,其余八成四分六,乃在一年以下。平均计算,留在组合干部的职员,平均 6 个月为 6%。组合职员,像这样时常变换的,是因为为组合职员的得了相当的经验的人,都继续入政治上和经济上的机关去而为劳动组合底代表了。组合职员时常变动的结果,一方面固然有损失,但是有为的新人物,继续从组合员中生出来,而做组合职员的有获得运用无产阶级国家种种机关所必要的经验和训练的利益。即是这一方面也照马克思所说的一样,劳动组合成了社会主义的学校。而且他底结果,就是不绝地送新鲜血液给组合底干部,以防止硬化,阻止所谓组合底官僚主义化。若看一看这些组合职员现在所活动的种类,俄国劳动组合底职分上所起的大变化,就要更为明了。调查结果,把他分类表示如下。

担任组合底组织编制的	34.7%
工钱底决定和取缔	9.4%
劳动争议底裁决	8.1%
教育事业	7.6%
劳动底分配和配置	0.9%
其余各种事业	14%

上述的是组合内的事业,至于组合办事员之中,直接在组合内活动的,有343人,其余的则代表组合在政府和公共机关里面活动的。组合底办事员有四成七分就政府底职务,其中也有同时兼两三个职务的。以上是1919年9月组合底办事员登录时的统计,以后政府底经济的活动,范围越扩越广,组合也越多包容一些劳动者,所以上述的倾向,一定更为显著。

俄国劳动组合,照这样,成了构成国家机关底重要分子,至于劳动人民委员底组织,只就他和劳动者底生活有直接的关系一点说,也可以说是彻底以劳动组合为基础而作成的。劳动人民委员会底委员长,虽是由全俄劳农会中央执行委员会选举的,其实是由全俄组合中央委员会选举,劳农会执行委员会不过是批准一下罢了,就是现在的劳动人民委员秀米特也是从劳动组合选举出来的,劳动人民委员会,除委员长外,是由9名委员所组织的,这9名之中的5名,从全俄执行委员会选出,其余4名,则归人民委员评议会内阁会议选任:但是对于这个选任,全俄组合中央委员会于必要时可以唱异议。

照这样,在决定劳动条件的最高机关劳动人民委员会里面,劳动组合底代表者,确定的占居多数。而关于劳动条件的一切法律,先由全俄劳动组合中央委员会议决,次经劳动人民委员底批准。然后才当作法律而发布的,全俄劳动组合中央委员会之下,由工场委员会所选举的几多专任委员会;有些决定工钱率,有些决定劳动者底配置,有些担任疾病及别的保险,有些担任劳动者底教育,有些担任关于劳动者底娱乐的施设。这些委员会底调查和立案。经过全俄中央委员会底议决,则成为法律案,由劳动人民委员底批准,则成为法律。

劳动人民委员,虽然很像资本主义的国家内的劳动大臣,但是他的职分,却很不相同;有劳动交易所,有工场监督官,有劳动保险等职分,又兼有别国现在属于议会的职分,同时又有现在属于劳动组合的一些职分。

劳动人民委员和劳动组合的关系,有很重要的意义。所以第二回全俄组合大会通过秀米特所起草的下述的决议,以显明两者底关系:

"……劳动人民委员,是劳农政府底一机关,有组织的工业劳动阶级在这机关中行着主要的任务。劳动人民委员乃是劳动阶级实行其经济政策,并且为此目的而使用那施行法律规则的政府底机关和权力的手段。

"所以因为防止劳动阶级底经济政策出于二途而不统一,劳动人民委员采用组合底最高机关——劳动组合大会——底一切重要决定作为法律,并且要承认一切与劳动及生产条件有关系,并有强制性质的细则,先要以多数通过全俄劳动组合中央委员会。

"大会充分承认全俄劳动组合中央委员会和劳动人民委员会底协力及行动底统一,怂恿劳动组合地方评议会,关于劳动人民委员底地方部门底事业。这个协力,要以中央机关(全俄劳动组合中央委员和劳动人民委员)之间所行的关系为基础。"

七、工场管理与劳动组合

工场委员,在十月革命以前就存在的,但是这个制度底职分也随革命变化了。第二次全俄组合大会底决议说:"劳动者底管理(即劳动者管理工场),以前是劳动团体对于雇主等因为和无产阶级争经济的主权而行的怠工及经济的破坏底最有力的革命武器,但是这个制度,现在成为使劳动阶级直接参加生产底组织编制的东西了。"

第二次大会关于"劳动者管理"的决议。确定了工场委员制度根本原则，这个决议先说明由工场委员而行劳动者管理底目的……"……劳动阶级支配全国经济生活一事，尚未完成。隐藏着的斗争，还在经济生活底新形态里面起泡。所以劳动阶级必须管理担任生产经营的各机关底行动。"（第三项）

照这样，工场委员底职分，第一就成为无产阶级独裁底基础，但是他底职分底内容和实质，渐渐受了变化。

"因为在这种从资本制度到社会主义制度的过渡状态下，劳动者底管理，是以无产阶级经济的独裁为目的的革命的武器，所以要把这个独裁权，在生产过程里面，发达为确立巩固的实际制度。"（第四项）

但是这个制度里面，还有一个重要职分，"劳动者底管理，也可以解决劳动阶级大众渐谋直接参加于产业底编制及经营上各种事务底准备问题。"（第五项）

工场委员底职分，自然有一定的界限，由工场委员而行的劳动者底管理，要和生产力底维持及增进一致，所以大会底决议，把工场委员底职分，只限于工场经营的监督，就是工场委员，不是指挥工场底经营，乃是监察工场底经营的。

"劳动者管理的问题。须只限于监督各工场内事业的进行，及实际上监察个个工场及全产业部分的经营上的行动。就是劳动者底管理，要依据这个管理，不是在工场经营之先，乃是在依工场经营之后而行的一定的顺序实施的。"（第六项）

大会底决议，以上述的原则为基础，规定管理委员会，须由（一）属于该工场底产业的劳动组合底代表；（二）从该工场底从业劳动者总会选出的委员（不过要组合底承认）而组织；又规定由劳动组合底执行委员会所选出的代表的任期，务必延长，从一般从业员之间直接选出的任期，务必缩短，"使多数劳动者得产业的编制上及经营上的训练，渐次确立向着全部劳动者参加产业底编制和经营的普通参与制度的进路"。照这样选出的工场委员，无论对于该工场内的从业劳动者总会，或该产业的劳动组合管理部，都要一样负责。设若滥留委托的权力或玩忽其义务时，委员应受重罪。

大会又规定全俄组合中央委员会有指挥劳动者管理底诸机关的权能，因为这个目的,全俄委员会须组织由组合底代表而成的劳动者管理底最高机关。

此后俄国由工场委员而行的产业管理,资本家底新闻屡次说他已废止了的,但是 1920 年 2 月 13 日以全俄组合中央委员长多姆斯基的名义,听明了这事全是虚报。

由组合大会的决议而表示的劳动者管理规则,可以同样地适用于国有工场和私人经营的工场,则规定适用 1917 年 11 月 14 日的工场管理底布告。

现在俄国内的大工场,9/10 已成为国有,这些国有工场,依据 1918 年 3 月所制定的"国有产业管理规则"而经营的。据这个规则看起来,国有工业底管理的最高机关,是国有事业中央管理部,中央管理部在各工场选任技术主任和管理主任。纯粹关于生产技术的事,则技术主任握有全权,但是对于他底决定,工场管理委员可以上诉于中央管理部。

又除掉关于生产技术的事项以外的一切管理,则由在管理主任之下所设的管理经济委员会执行。至关于生产技术的事务,这个委员会只能给予援助。管理经济委员会由下列九种有资格者组织而成的:(一)该工场就业劳动者底代表;(二)下级事务员底代表;(三)技术员和担任商业事务的上级事务员底代表;(四)管理主任;(五)劳动组合地方评议会(各种劳动组合选出的委员会)底代表;(六)属于该工场的产业劳动组合底代表;(七)国民经济地方委员会底代表;(八)该地方底农民委员会。至于全委员会里面,劳动者和下级事务员底代表得占半数。

依以上所述,统辖全俄国有工业底管理的最高机关,乃是在国民经济最高委员会之下组织的国有产业中央管理部,在这个中央管理部里面劳动者直接地、间接地(经过劳动组合)受二重的代表。即是中央管理部底组织有 1/3,是该业底劳动者和事务员底代表。有 1/3,是无产阶级底政治上及经济上的机关和团体(国民经济最高委员会,全俄劳动组合中央委员会,全俄劳动者消费组合委员会,全俄劳农会执行委员会)底代表;其余的 1/3,是学术上的团体技术及商业上的上级事务员,民众的全俄团体(各种全俄大会底执行委员会、新组合、农民委员会等)底代表。

其次,在目下还没有变为国有的工场,已由 1917 年 11 月的"劳动者产业管理法"把产业管理权给予从业劳动者底全体,工场委员,就是行这个管理权的机关。

同时又以重要都市、州及工业地域为单位,各设由(一)劳动组合底代表,
(二)各种工场内的工场委员会底代表,(三)劳动者消费组合底代表而成的地
方管理委员会。工场主若不服工场委员底决定时,可于三日以内上诉于地方
管理委员会。地方管理委员会底上面,更有全俄劳动者产业管理委员会,而为
产业管理底最高机关。全俄委员会,是由(一)全俄劳农会执行委员会底代表
5 名,(二)全俄劳农组合委员会底代表 5 名,全俄劳动者消费组合执行委员会
代表 2 名,(三)全俄工场委员会底代表 5 名,(四)全俄农业组合底代表 2 名,
(五)各全国的劳动组合底代表(组合员 10 万以内 1 名,10 万以上 2 名,彼得
格勒劳动组合评议会 3 名)而成的。

俄国经济上的最高机关,是由 1917 年 12 月的布告所定的国民经济最高
委员会,他底职分,是统一、调整和集中一切经济上的机关和行动。这个委员
会,就现在的状态说,虽然是隶属于人民委员会(即内阁会议)之下的,但是就
他底职分底重大点说,反足以和人民委员会对立。即人民委员,是无产阶级国
家底最高政治机关,而国民经济最高委员会,则为社会主义的新社会底最高经
济机关;前者代表政治上的过渡时期,后者则为构成将来生产组织的重要机
关。但是组织这个最高经济机关的,还是劳动组合,布告的第五条里面规定:
"国民经济最高委员会,由(一)据 1919 年 11 月 14 日的布告所定的全俄劳动
者管理委员会,(二)各人民委员底代表,(三)特别有才能的人物而组织的",
而第三种委员,只有发言权,不加入决定。又国民经济最高委员会之下,各地
方各有国民经济地方委员会,执行带有地方的性质的同一职分,他底组织,是
按照最高委员会底组织而成的。

八、劳动组合底组织和构造

由以上所述,我们可以知道俄国劳动组合,他底机能和职分,完全和资本
制度之下的劳动组合不同。俄国劳动组合,已不是劳动者敌抗各工场和各地
方特殊资本家和雇主的战斗机关,乃是在养活社会全体的唯一计划之下而行
动的新生产组织。所以组合底构造,不待说也是顺应着这个一般的目的的。

所以俄国劳动组合不是目的不相同的许多团体,乃是只有一个目的,只有一个计划的唯一生产组织。他底构造,当然也要与此相应而为单一的组织。

这个单一劳动组合底最高机关,和前面说过的一样,就是全俄劳动组合大会(不能正式组织大会时,就组织全俄劳动组合会议);从大会到大会之间的最高机关,是大会选出的全俄劳动组合中央委员会。全俄大会(及全俄会议)和全国中央委员会底决定,对于加入的组合,对于会员,都一样的有强制力。加入的组合若违反这个决定时,得由"无产阶级的组合底家族"除名。

这个全俄组合中央委员会由代表 25 种产业的 25 个全俄产业组合组成的。每个全俄产业组合,各有中央委员会为最高机关。这些中央委员会底决定,只要不和全俄劳动组合(大会、会议、全俄中央执行委员会等)底决定相反,则对于各该产业组合底支部和会员,都一样的有强制力。

照这样,全俄产业组合,依产业的区别,组织全体劳动阶级,全俄劳动组合中央委员会又把这纵断的组织了的劳动者,更高一层横断的(换句话说就是全劳动阶级的)组织起来了。这个纵断的组织(产业的组合)从更小的纵断的组织成立的。他底单位,就是各工场。俄国底组合,是纯粹产业的组合,包括属于同一产业的一切从业者,所以各工场变为最小单位或最小支部。不以产业为基础,而只是地方的或全国的团结的组合,就不能加入全俄劳动组合中央委员会。

纵断的组织而成的劳动阶级的全俄产业组合,是由各工场这种小纵断的组织而成的,同样,为横断的阶级组织的全俄劳动组合中央委员会之下。也是由较小的横断的阶级组织而成的。这就是各地方的劳动组织评议会。都市则有由各种产业组合底代表而成的劳动组合地方评议会。即,地方评议会,乃是按照全俄劳动组合中央委员会底组织而组织的,可以看作是各地方的缩图。至于他底代表的比例和方法,也是按照全俄中央委员底组织而定的。这些地方评议会也和英德两国组合中底劳动评议会和法国组合底布尔士一样,都是各地方劳动者全部阶级底组织。

照这样,一方面有 25 种全俄产业组合,别方面各地方又有劳动组合地方评议会,万一两者底决定相反时,前者底决定,不因后者决定而归无效。地方底各组合不应服从地方评议会底决定,而应服从产业组合决定。

但是成为劳动组合运动底指导机关的,乃是地方评议会。为什么呢? 这是因为地方评议会,把一定地域内在经济上产业上组织了的劳动者,再进而在全阶级上组织了的全阶级的代表机关。在这一点,地方评议会也和法国组合底布尔士相似。同时地方评议会,不待说,是应遵守全俄大会(及会议)和全俄中央委员会底决定的。并且加入地方评议会的各产业组合支部,也有服从该产业底全俄大会及中央执行委员会底决定的义务。地方评议会底决定,若和全俄组合同盟底一般政策相反时,则各产业组合支部,就没有服从他的义务。总而言之,地方评议会底职分,在适当的组织地方底组合,使各组合和全俄组合同盟底一般政策一致,并且监督缴纳会费,帮助组合底活动,地方评议会在他底职分上,也和法国组合底布尔士相当。

各产业组合底全俄中央委员会和各地方支部之间,又全俄劳动组合中央委员会和各地方评议部之间,都不承认那以县或州为单位的中间的组织,这是俄国底组合组织底特色之一;第二次全俄大会底决议,把这种地方的中间组织作为组合组织底"中心和周围之间的无用的传达机关",有浪费精力和费用底意思,而明白地排斥了。不承认这种中间组织一事的利害得失,姑置不论,而不认他的理由,总是因为"集中组合底行动,巩固中心各机关和地方团体之间的结果"的缘故。

会费虽由各组合自定,而第二次全俄大会规定纳工钱 1% 为标准额。(一)会费底半额,作为征收会费的支部组合底基本金,剩下的半额,作为组合所属的全俄产业组合执行委员会底基本金。(二)各支部再从这半额里面,交出 10% 于地方评议员会。(三)支部组合若更分为小地方支部时,后者则照前者所定的预算而行动。(四)没有全俄产业组合的地方组合,则缴其会费底 10% 于地方评议会,又经地方评议会,再交 10% 于全俄劳动组合中央委员会。(五)无故 3 个月不缴会费的,认为退出者,再加入时,须缴未纳的会费和入会金。

入会金分五种:(一)一个人加入组合时,则缴一天的工钱底半额;(二)全俄产业组合加入全俄组合同盟时,则缴该产业组合征收的入会金底 10%;(三)地方支部组合加入地方评议会时,也是缴该组合征收的入会金底 10%;(四)没有全俄产业组合的地方组合,加入地方评议会时,也缴该组合征收的入会金底 10%，但是内中的一额，要交给全俄组合中央委员会；（五）会员（或个人的或合一工场的团体的）从一组合移到别的组合时，不要入会金。

照这样俄国底劳动组合组织，就是由全俄大会和全俄中央委员会代表的全俄劳动组合；其基础的单位，是工场委员会或事务劳动者组合。工场底事务员和技术员，虽属于一般劳动者底组合，而此外精神劳动者间，另有事务劳动者组合。"组合"这种名称，只有加入全俄劳动组合中央委员会且经中央委员会底承认而公布的团体，才有专用这名称的权利，其余经济上的团体，要加以区别而用"协会"这种名称。

俄国劳动组合底特征，就是他底组织底纯一；从构成他的基础团体起，到中心的各机关上，从脚底起，到顶上止，都是一贯而期望组合底纯一的。又组合底管理机关，执行机关等名称，也有一定。由第二次全俄组合大会底决议所定各机关底称呼如下：

一，全俄组合大会底执行机关，叫作"全俄劳动组合中央委员会"。

二，各全俄产业组合大会底最高机关，称为"劳动组合中央委员会"，而中央委员会的执行机关则称为"劳动组合中央委员会执行委员"。

三，各产业全俄组合底州支部及省支部底最高机关称为"全俄劳动组合州（省）支部管理部"。

四，由省支部而组织的组合地方评议会称为"某省劳动组合评议会"。

五，县及小都市底组合地方评议会称为"某县劳动组合事务局"，"某镇劳动组合事务局"（但是在大都会则称评议会，例如莫斯科劳动组合评议会）。

至于俄国劳动组合最高执行机关的全俄劳动组合中央委员底组织怎样？他是用下述的方法选举的：

一，由全俄劳动组合选举委员 9 名。

二，由各产业全俄组合用下述的比例选举的代表。

每组合有 3 万至 5 万会员的，则选一名；3 万名以下的组合，虽派代表一人，但只参加会议，而不参加票决；但会员 3 万以下的组合，可以联合几个而派代表，这个时候代表就有票决权。

照这样选出的中央委员里面，由大会选出的 9 名，则为中央委员会底执行委员，执行委员虽然是每次大会改选一次，但即在任期中，组合也可以解任其

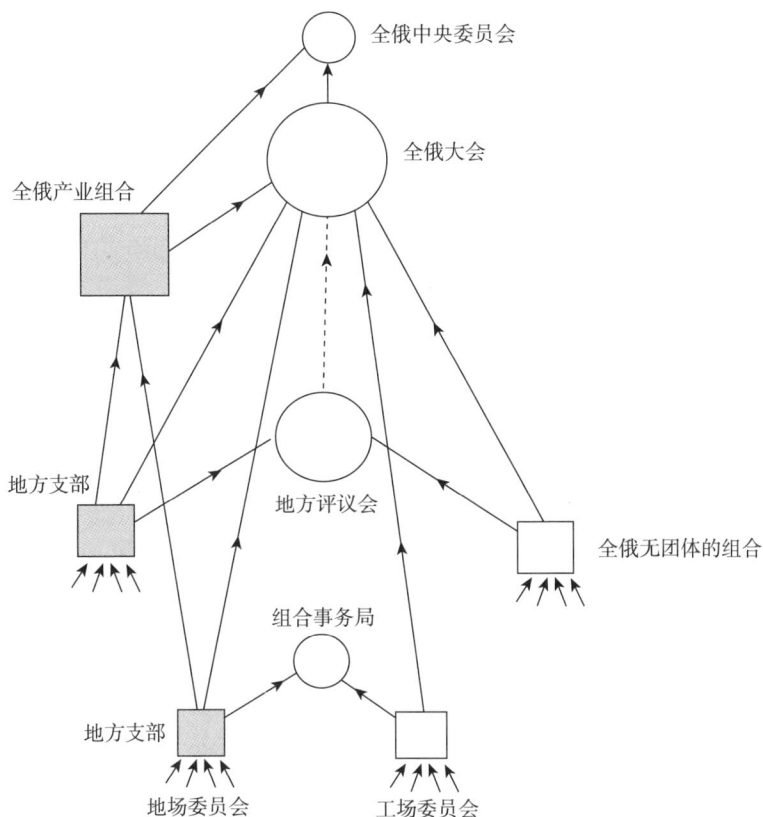

一部或全部,不过这个时候,要求解任的组合底会员,非占加入全俄劳动组合会员全体底半数以上不可,执行委员底解任或辞职的时候,虽然应由临时大会改选,但临时大会不能开的时候,则可由中央委员全数底 2/3 以上的同意而解任执行委员,但是无论组合解任或中央委员会解任,都以临时大会不能开会时为限,全俄中央委员会,至少一月开一次。

全俄中央委员会,至少一年召集大会一次,第二次全俄组合大会底决议,规定大会所代表的组合底资格如下:

"派遣代表赴劳动组合大会的权利,只限于依无产阶级国际的阶级斗争主义而行动的,以及加入劳动组合地方评议会照规纳缴会费的组合。"

出席大会的代表,由下列的比例选出。

一,会员(都是纳会费的会员)3000 名以下的地方的组合,代表一名;5000名以上的地方的组合,每 5000 名一名;5000 名未满的则弃掉。

265

二,全俄的组合各一名,但会员在 10000 以上时则为 2 名。

三,彼得格勒及莫斯科各 3 名。

四,会员 3000 以下的地方组合,可以联合起来派代表,

以上是正式的代表,参加大会底票决,但是下列的代表只能参与讨论,而没有表决权。

一,各社会党底中央机关底代表,劳农会全俄中央委员会底代表,全俄中央委员会及大会自己招待的个人或团体底代表。

二,全俄中央劳农会底全员。

正式大会不能开会时,则开协议会,已如上述;全俄劳动组合会议,是由组合地方评议会底会员和组合省评议会底代表组织的,又在大会只有讨论权的全俄组合底代表,在会议则有票决权。

以上所说明的,系根据全俄组合中央委员长多姆斯基提出于第二次全俄劳动组合大会(1919 年 7 月在莫斯科举行的)底报告而经该会作为基础通过的两种决议,和通过该大会的全俄组合中央委员会底细则,以及依据这决议而在 1919 年 11 月制定的全俄组合委员会加入规则等项而说明俄国组合组织底大体的;该大会并且把组合组织底根本原则,也明白表示了。

据这个决议,所谓劳动组合有下列的性质:(1)不问属于某生产部门的劳动者和别的使用人底职分怎样,而把他们结合为一团体;(2)财政底集中;(3)组合底事务,以民主的集中底原则为基础;(4)劳动条件和工银率,对于各种类的劳动,在一个中心机关决定;(5)从基底到顶上,都组织在一样的原则上面;(6)各部从事专门的补助机关的任务;(7)对于组合外部,代表依产业而组织的劳动者和别的使用人。

大会又把可以使加入组合底劳动者,只限于"某产业的劳动者和别的使用人,或直接从事于生产过程或只帮助他的常职的劳动者"。但是虽不是从事于直接生产,而在帮助生产者的一切补助部门里面做工的人,以及一切一时的助手,都可以为该产业底会员。据这个定义看起来可以包容于组合的劳动者底范围很广,筋肉劳动者,和别的技术者及事务员,不待说,都一律认为劳动者。这个原则,虽为第三次劳动组合所确认,但在普通劳动者和技术员事务员等为政治上和经济上的偏见所隔离的时候,本来未能充分实现的。到了第二

次大会时，形势就大变了。第二次大会底决议道："劳动者和别的使用人之间的种种对立，经过一年来的无产阶级独裁，已大见消除了，而组合更能除去劳动者间的一切对立；所以现在要把一工场、一产业和一机关里作工的一切工钱劳动者在一个组合里团结起来，这是要紧的事，又是有希望的事。"但是在劳动者雇佣和工银增减的权限都握在一个人底手中的工场和机关里面，当局者固然是不能加入组合的。至对于智识阶级和半无产阶级应否包容于组合中一层，大会也有下面一个决议。

"现当无产阶级独裁的过渡时代，为完全的阶级消灭而战的全俄组合运动，要把那半无产阶级分子放在经济上有组织的无产阶级感化之下，使他们也加入阶级斗争，参与社会主义的改造。所以全俄组合运动，要把一切劳动者在集中的产业的组合上结合起来。以完全服从无产阶级底规则，服从劳动组合运动底重要中心机关底规则为条件，要使政府底职员和社会服务者等还没有组织的新要素，加入全俄劳动组合。"

照这样，俄国底组合，看起来是很包容的了；但是同时却禁止独立手工业者和小店主加入组合的。劳动者小规模的生产合作社社员和独立专门自由职业者，也是一样。其理由因为这些分子是以前的手工业和小资本家产业的代表，要使个人的生产和小规模产业底保守的经济思想侵入，致使经济上已有组织的一般无产阶级崩坏。在组合组织尚未完全发达的今日，若把这些分子包容于组合中，实在有一些危险。

又结合几种类似的产业部门的组合，可以在组合中再分部门；又关于各产业部门中事务底决定，可以另开各该产业部门底大会。但是他底决定，设若与组合全体大会底决议或全俄底组合机关底决议相反时，自然归于无效。又这些部门，不能别有独立的会计或征收特别的会费。又无论在何种形式之下，失却单一组合底实质的各部门底联合团体，一概禁止。总之，俄国劳动组合组织底原则，就是结合全劳动阶级而为一生产组织，做一句话说，就是"民主的集中"。因此要依据统一的计划，以划一全劳动组合底构造。所以为一产业组合底一员的，同时也当然就是全俄劳动组合底一员；若从一组合移到别组合时，不须纳入会金，可以得到和旧会员同样的权利。像这类规定，就可以窥见那原则底一端。又大会决议奖励就业劳动者，经一切工场或机关的劳动者总会底决议,都有加入组合底义务,其理由也是为此。最后还有一事不可忽视的,就是各组合加入全俄团体或地方团体底条件,必须要承认由无产阶级专政实现社会主义,并承认达到这个目的的阶级斗争。

俄国劳动组合底组织和构造,大概如上所述,但是正在进行之中,以后当然有所变化,即使有了多少变化,我们也可从上面的记述,预知他底变化底方向。

九、无产阶级国家与劳动组合

俄国劳动者,不仅是经由劳动组合管理产业,决定一切条件,同时又经由劳动组合对于政治上也给予确定的影响的。劳动组合本来是生产者底组织,这事在俄国的社会组织中也是一样。然而成了中央及地方政治机关的劳农会选举底基础的,是劳动组合。换言之,构成国家底权力的是无产阶级,而劳动组合不仅是无产阶级,而且是有革命的自觉的无产阶级,是有组织的无产阶级。在俄国底社会组织中,一切人在原则上必须从事于有益于社会的劳动。就这种意义说,一切人都是生产者,同时又是消费者。而一切人若以生产者的资格说,必须隶属于劳动组合。所以俄国底劳动组合,是代表一切人的社会生活中生产者一方面的。所以就生产组织内部事情说,劳动组合差不多完全行使自治的权利。在这一点,可说是工团主义的理论,已经实现到某一点了。

然而俄国社会组织除生产的组织以外,同时又特别认定政治的组织的,关于这一点和工团主义不同。而生产组织和政治组织相并立这一点又似乎与基尔特社会主义的主张相近。

但是这也不是照基尔特社会主义那样,把政治组织(国家底权力)作为代表社会生活中的消费者的方面,要勉强地使他和生产组织相对立的。所以多数主义的主张,不照基尔特社会主义那样,于生产者的组织以外另采用以普通的投票作基础的政治组织,而对于这种易堕于议会制度底危险,则力谋避去的。基尔社会主义底出发点把同一的一个人,有时作为生产者,有时作为消费者,使他自己和自己对立,不单如此,而且使这同一的人一面以消费者底资格来代表国家,一面又使他以生产者的资格,代表在国家权力之下的生产组织。

像这种国家观在某种基尔特社会主义者似乎放弃了,而多数基尔特社会主义者还是这样的。至于俄国的社会组织,一切人都是生产者,同时又必然是消费者,不认定有使这两种性质相对立的必要。只是在现在的俄国的社会,生产阶级和寄生阶级还没有充分地撤废,在这种阶级的对立存在的期限以内,社会的状态还是由生产阶级行使阶级的专政的。在这种阶级的专政底继续的时期内,这阶级的专政。无论在生产组织中与在政治组织中,都是彻底实行的。即劳动组合是他的经济上底机关,而劳农会是他的政治上底机关。基尔特社会主义的基尔特和议会。是代表生产者和消费者两方面的,反之,俄国的劳动组合和劳农会,都是生产者阶级底阶级的支配的机关。

在今日的俄国,经济组织以外有政治组织。这两个组织或相并立,或者经济组织隶属于政治组织之下。单是这一点,在前面已经说过,这是稍与基尔特社会主义相近的。但由基尔特社会主义底政治组织所代表的国家观念与由劳农会所代表的国家观念之间,有根本的不同之点。依马克思主义底理论,国家是已经组织的阶级的强制力,凡遇社会上还留着经济上底阶级的区别时,这强制力的组织——政治组织——最为要紧。俄国现在还是从资本主义移到社会主义的过渡期,经济上阶级的区别,尚未完全消灭。所以要实行无产阶级的意志,这强制力的组织——政治组织——实为必要。而劳农会即是为这个目的而存在的无产阶级的政治组织。照这样,依多数党底理论说起来,现在俄国底政治组织,不过是代替资本阶级专政的无产阶级专政底机关。换句话说,这即是强制的实行无产阶级底阶级的意志的一种强制力的组织。为什么呢,因为俄国底现社会中,还留着经济上底阶级的区别。而据多数党底理论说,经济上的阶级,唯有靠这种已经组织的强制力——政治组织——方能消灭。经济上的阶级若是消灭,这种强制力的组织,也渐渐减少其必要,遂至于完全消灭。至于基尔特社会主义的国家,是代表消费者底社会的全体的意志的,与卢梭所说的"全体意志"无异。即基尔特底国家观,即就是继承资本阶级底国家观。而俄国底政治组织上所表现的国家观,乃是确实实现马克思和恩格斯所阐明的国家观的,其间对于国家本身的根本观念,已有不能跨越的沟渠了。

照这样从两个根本上不相同的国家观念出发的结果,基尔特社会主义底政治组织,乃是将离开生产者团体而由普通选出的议会作为基础的;多数主义底政治组织,乃是以生产者所组织的劳动组合为基础的。

两者不同的地方,不仅是这一点。若把这事按照实际上的事实看起来,这种相异之点更为明显。在基尔特社会主义方面,成为生产者组织的基尔特,是职业上的组织,不是阶级的组织。而其政治组织和这些职业上的组织全无关系,而以社会全体底投票为基础的。照这样,基尔特社会主义的社会,乃是预想到经济上、社会上阶级的对立完全消灭的状态,而在那上面建立了的理想社会了。然而不幸基尔特社会主义并没有指示可以达到这样社会状态的途径。罗素号称基尔特社会主义的哲学家。但是他所作的《到自由之路》,在描写自由社会的地方,最是恳切,而于到自由的"路"却并未指示一点。然而俄国的社会组织,却是大胆地、直率地站在阶级对立的现时事实底上面的。所以俄国劳动组合不比基尔特那样,不单是职业上的组织,而是阶级的组织。在现在的俄国,劳动组合,不是区别金属工和纤维工和矿山劳动者的组织,乃是把这些生产阶级结合起来,表示和反对阶级相区别的无产阶级底阶级的组织。而其政治组织的劳农会底权力,即以这种成为阶级的组织的劳动组合为基础。若是现在的俄国,应用基尔特社会主义的理论,那么,第一劳动组合要抛弃其为无产阶级的组织的性质。其次,劳农会底选举,要离开这成为无产阶级组织的劳动组合,而用一般的普通选举来组织了。劳动者脱了劳动服,穿上消费者的礼服,和那同为消费者的同僚的资本阶级与浸润于资本阶级心理的中产阶级携手到投票所去投票去了。要之,由实行基尔特社会主义的一方面看起来,毕竟没有踏出资本阶级民主主义以外一步的。

又基尔特社会主义在经济上的阶级已完全消灭的一方面也预想政治上的组织和经济上的组织对立的。反之,多数党的理论,预想到经济上对立底消灭,而政治组织也应该同时消灭的。在这一点,与其说多数党底理论和基尔特社会主义相近,宁可说在他的神髓上和工团主义底归趋相同。工团主义,不论是资本阶级的国家或无产阶级的国家,凡是国家都一概否认的,所以除生产者底组织以外。不承认代表国家权力的,一切政治组织的必要。原来关于这一点,工团主义者底意见不一定是一致的。法国 G.G.T 底革命派,虽然容纳劳农会制度,而德国工团主义者,美国 I.W.W. 到现在还是除了生产者底组织以外不赞成劳农会那种政治组织的。但是假使这些工团主义者就是一朝实行了社会的改造,若是不预先想到反对阶级在一夜之间能够完全消灭,那么,他们必须要靠一种机关,维持无产阶级革命的效果。这时候,若是除了生产者底组织以外,不组织特别的政治组织,那么,要维持革命的效果,势不得不采取生产者的组织——组合。若是想象到法国底组合组织的时候,那么,维持革命的效果的任务,当然要归于一地方的各种产业组合底同盟布尔士(或组合同盟)之手。这时候,布尔士势必要行俄国的劳农会的任务。其结果,在事实上非承认政治组织不可,于是组合就带有政治组织的性质,组合就代表国家权力——有组织的强制力了。照这样,若把这一层作为实际上的问题看起来,至少在上述的一点,有令不能忘记的事情,即是工团主义和多数主义之间,并不存有什么差异之点的。

多数党在由资本主义到社会主义的过渡期中,于经济组织以外,认定政治组织的必要。在这一点和基尔特社会主义相似,但是在上面说过的,这种政治组织,在基尔特社会主义一方面,是代表含有和生产者对立的意义的消费者的国民,因而是永久的组织。在多数主义的理论上,这种政治组织,是实行生产者底意志的组织,因而是过渡的组织。所以基尔特国家的政府以民主主义为基础,劳农会的政府以生产者底组织的劳动组合为基础。

现今劳农会的政治组织和那最高机关的人民委员会底职分,渐次缩少,而经济组织的最高机关国民经济最高(及地方)委员会职分可以渐渐起来代替他,这是他们的主张。照这样,在俄国的社会组织中,经济上的组织和政治上的组织,不一定是代表生产者的人和消费者的人,而使生产者和消费者对立的。反之,乃是把一切人看作是生产者同时是消费者的不可分的人格,政治组织和经济组织,不过只是把社会的活动底职分作为两个不同的机关使其并立而已。

一切生产者同时又是消费者,至少在向来的社会组织中,一切消费者不必是生产者。俄国,现在处于由一切消费者不必是生产者的社会状态而移到一切消费者在原则上都为生产者的社会状态的过渡时期。所以俄国现在有选派代表到政治机关的劳农会去的资格的人不是消费者而是生产者。而生产者当然要加入一种生产的团体(组合),所以实际上若属于一种劳动团体,即成为选举资格。所以劳农会的选举,虽和他国的选举制度一样,由地理上的选举区举行,而实际上却非常不同,其选举乃是由一选举区域内的劳动团体举行的。换句话说,民众不是一个个人去参与政治,乃是一切人组成生产者团体去参与政治的,俄国的社会组织是以人治物代人治人为理想的。所以把人民弄成最弱的状态才去统治他的事情,早已没有意义,反之,要使人最有效的去治物,必须把人弄到最强的状态才好。

俄国政治组织的好坏如何,在这里不成问题。我们只要知道俄国的劳动组合在政治组织的构成上已成了根本的要素就够了。

十、劳动组合之将来

然而在将来的俄国,生产者组织的劳动组合和政治上的组织,究竟以怎样的关系进行,这问题在理论上、在实际上,都很有趣味。

在无产阶级专政的期内,政治上的组织(即国家)和生产上的组织应当并立的。而依多数党底理论说起来,政治上的组织和生产上的组织,都要随阶级底消灭而自然消灭的。所以若是达到了这个时期,这两者组织底并立,当然归于消灭。在那时期以后,只存有一个新社会的浑然的组织了。至于达到这个纯一的组织底途径,或者是劳动组合底职分渐为政治组织所吸收呢,或者是政治组织底职能渐次为组合所吸收呢,无论采取哪一种形式进行,而劳动组合底本质渐次变化,并且劳动组合在这种过程中要由单纯的产业上底组织的性质而带显然的政治组织的性质,两者却是相同的。工团主义,在生产者底组织以外不承认政治组织这一点,似与劳农制度全然相反。然而照工团主义底主张,若于劳动组合以外不预先想到政治组织,那么,就不得不预先想到这时候的劳动组合,是非常的政治组织化的。现在俄国底劳动组合,所以还没有照上述那样政治组织化的缘由,不过因为在组合组织以外还承认政治组织的结果。所以单就认定政治组织与否这一点来区别工团主义和多数主义,至少在实际上绝不能说是彻底的立论。

就是在今日的俄国,组合,已经失其为资本制度之下的组合底性质,而显然地正在政治组织化了。至少俄国的组合,早已不是与资本阶级对立或与资本阶级底政治组织相对立的机关。劳动组合,并不是和国家相对立的独立的组织,即不是国家以内的国家,乃是无产阶级国家底一部分。

若把上段所述的话作为事实考究一下,那主张劳动组合底"独立"或"自治"一事,就失掉大半的意义了。至少那种意义,和在今日资本制度之下所倡的组合底"独立"或"自治"完全不同的。社会革命党中,有些人反对组合为国家底一机关,而主张组合底"独立"和"自治"。但是无产阶级的国家以劳动组合为基础,若说组合要和这种国家对立,而保持"独立"和"自治",换句话说,这种意思就是使政治组织和生产组织永久并立。不但是使这两者对立,而且使两者互相对立的。反之,俄国共产党底理论,却不把组合看作是和国家相对立的"独立""自治"的组织,倒反把他看作是无产阶级国家底组织的一部分的。

又社会革命党人,有主张现在由组合以外的机关(例如国民经济最高委员会)行使的产业上的全权,即时移归劳动组合之手。这种主张和主张组合底"独立""自治"底主张,同是社会革命党左派所倡导的。两者好像是同一的主张,而其实这两个主张,到底有不能相容的矛盾。为什么呢,第一个主张底结果,使组合永久和政治组织并立或对立,而第二个主张底结果,是使劳动组合更趋于政治组织化,更明了地带有国家底机关的性质的。

反之,俄国共产党,把劳动组合看作是无产阶级国家底一部分,而在无产阶级专政底政治组织有必要的期限以内,这政治组织和组合组织之间,有个别的机能和职分,不用人工的方法把一方面的职分移到他方面的职分,而听其自然发展的。全俄组合中央委员长多姆斯基提出于第二次全俄组合大会而经通过的决议上,有一节关于这一点,把俄国组合运动的地位说明得最为明了。

"……在一切生产机关底国有化和社会主义底原则上组织新社会的事业,必要一种坚忍而且周到的努力;这种努力,恰与以政府全部机关底改造,新管理机关底创造,和直接有利害关系的多数劳动者底组织及行动为基础而规定生产和分配所必要底努力是一样。"

"因此,劳动组合要活泼地,有力的参与劳农政府底事业(或者直接参与一切的政府底机关,或者由无产阶级群众的组织以支配政府底机关的行动,或者由那团体组织底力以解决并实行劳农政府当面的各个问题),助成种种的政府底机关底改造,又把政府底机关和组成并合起来,渐次把组合底组织来代替政府底机关,这件事实是最紧要的。"

"然而劳动组合运动底发达还不充分,组合底组织尚未完全发达,在这时期中,若即以组合变为政府底机关,而将这两个机关并合,那就错了。又由组合底方面进而夺取政府各机关底职分也是错了。"

"实行使劳动组合和政府行政机关完全并合的全过程,是这两者底事业底进行上绝对不能避免的结果。在完全致密的协力和调和之中,劳动阶级对于政府各机关和规定全国经济生活的一切机关所管理经营的任务,若有了准备,然后劳动组合和政府机关方能合并的。"

季诺维埃夫也曾证明了这个决议,他说:

"……这个过程(即产业组合成为国家各部的过程),是渐次的而且顺序的显现的,没有勉强地促进这种变化底过程的必要。也没有大呼'产业组合呵!快快变为国家底部'底必要。在产业组合里活动的共产主义者,关于这一点,应该始终地遵从第二次全俄组合大会底决议……"

十一、劳动组合与共产党

由以上所述,可以知道俄国劳动组合底组织和职分的大概,尤其不能轻轻看过的,就是组合和共产党底关系。据 1919 年 9 月彼得格勒劳动组合评议会劳动统计部底调查,当时该评议会所属组合底办事员 564 名之中,现加入政党的,有 57%,其中 36%,是在 11 月第二革命后才加入政党的。所以他的多数,都是共产党员。又列席于第二次全俄组合大会,正式有票决权的代表,有 748 名,单只有发言权的,有百 31 名。就这些代表所属的党派调查起来,共产党员占 374 名,表同情于共产党的 75 人,社会革命党左翼 15 人,无政府主义者 5 人,国际主义者 18 人,犹太人社会主义团体代表 4 人,合同社会民主党 29 人,无党派的 23 人,党派不明的 236 人,共产党员,就占了全数之半。然而组合底中心分子,也不一定都是共产党员。即如第二次全俄组合大会底决议说:"不管政治上,宗教上的信条怎样,都要把劳动者结合起来。"但是同时这个大会底决议又说:"俄国劳动组合底全运动,是取国际的阶级斗争底态度,断然排出中立的思想的,所以组合承认用无产阶级专政实现社会主义为目的之革命的阶级斗争,作为加入全俄团体和地方团体的必要条件。""由无产阶级专政实现社会主义",乃是共产党底根本思想,若以承认这个根本思想为加入全俄组合的条件,则无论会员底多数加入共产党与否,都不得不说俄国底劳动组合运动,是被共产主义底精神所指导了。

第三国际共产党底委员长季诺维埃夫论劳动组合和共产党底关系,排斥从来各国社会民主党所主张的组合和社会党"权利平等"一说,而主张共产党须当作无产阶级底前卫,常以他底精神来指导组合,他说:

"现在产业的劳动组合,不一定都属于共产党之下。一切劳动者,不问男女,不问他底政党和信条怎样,都可以加入组合。就是不属于共产党的劳动者,也有加入产业组合的完全的权利。但是在产业组合内部活动的共产主义者,不能因此就忘却非共产党的会员有保守的倾向底事实。在产业组合内部的共产主义者和他底团体,不可不公然宣传共产主义……

近代产业的组合,有伟大的活动。他们很使共产党和劳农会对于社会主义战争容易成就了。但是同时这个过渡时期的产业组合底行动中,却有一暗黑面……"

季诺维埃夫举出禾尔加船坞劳动组合支部只固执职业上的利害而对于劳农政府罢工的事实,作为这个"黑暗面"底一例,排斥他们底"职业组合的狭隘",并且非难所谓产业组合万能主义堕落而为劳动阶级底贵族制度,以为要除这个弊害,就非用共产主义底精神指导组合运动不可。他说:"各产业组合中,都要有具备巩固的组织和规律的共产主义团体,和全俄劳动组合中央委员会中共产主义团体宣传同一的经济政策……各产业组合中共产主义者团体,就是该地方共产党支部底核心。照这样,一方面共产党底地方委员会,完全支配该市邑的产业组合支部,别一方面共产党中央委员会,则用他的优势支配全俄组合委员会……"

"共产党底委员会,和产业组合内的共产主义团体相提携。共产党是指导劳动组合运动底建设的方面的……"

这一节,在共产主义者之间,也有多少异议。因为季诺维埃夫太过于主张组合劳动须弃却职业组合的狭隘,离开地方主义的偏见,而主张有由共产主义底精神指导的必要,所以有人误解他这种主张,只把组合当作共产党底隶属机关,完全失掉自主的行动和存在。即如 1920 年 10 月英国共产党协议会中,有人依据上述的见解而主张请求中止发行季诺维埃夫底小册子的。

但是若把论文精密地看一看,他底主张并不是不承认生产组织的组合有独立的意义,他所论的,不是新社会内的组合底职分,乃是论资本主义的心理,还显著地浸润于劳动阶级之间的过渡时期的组合运动,应向一个方面前进的。他所以主张组合必须由共产党底精神指导的,理由乃是特别的指这个过渡时期的组合运动底"建设的方面"即是指如何建设新社会的方面而言的。

季诺维埃夫又在那论文中直率地说:"本党相信劳动组合是不可缺的东西。"不过他所相信为建设社会主义的社会所不可缺的组合,并不是为资本主义的心理所束缚,为职业主义和地方主义所浸润的现有的组合运动,乃是立于阶级的自觉上的劳动组合。所以依他底意见,"在无产阶级革命的时期内,劳动组合,要像社会民主党的分裂一样,也要分裂的"。照这样,从旧组合运动分裂出来在真有阶级自觉的部分,据季诺维埃夫底意见,这真正是全劳动阶级底前卫队,可指导全劳动组合运动的。他说:"这个指导,绝不可带指挥命令的性质的。"那么所谓"指导"底性质怎样,也可以明白了。

列宁在 1920 年 4 月第四次全俄组合大会里,也曾演过说,他说:

"这几年间,像劳农俄国这样开大会开得多的国家,什么地方都没有,无论哪个国家,没有像这样充满民主主义的精神的,所以劳农会底决定,有为人想象不到的权威⋯⋯"

"现在必要的事,是有机的结合。所以不得只有一个人制定规律,又不得只有一个人去负责任。即是独裁早已不得行了。劳动组合底总人数,有 300 多万,其中 60 万人是共产主义者。他们非做其余的会员底先导不可。我们为谋最后胜利,非排斥团体和职业上的利害不可⋯⋯"

但是我们所研究的,显有不是季诺维埃夫底组合论,和列宁的组合论,乃是俄国劳动组合底实际上的事实。

法国工团主义者,恐怕俄国劳动组合,在共产党和劳农会底权力之下,完全失掉他底自主的行动和性质,又恐怕加入莫斯科国际共产党,致使法国组合受莫斯科底共产党所指挥。因此法国社会党人加西安为解释他们的疑虑起见,曾在视察俄国组合运动之后,著了《社会党与组合》的论文,那论文中说:

"法国人都以为莫斯科欲以第三国际共产党为手段而指挥命令全世界底劳动组合,都表示反对的……"

"但是我们在俄国,看了些什么回来? 在法国,则官权窘迫官吏底组合,压迫劳动组合。每日把他们带到有产阶级底法庭来,以解散二字威胁劳动总同盟。做一句话说,资本底伪善的独裁,对于一切组合团体都要压迫的。但是在俄国组合已是真实的主人了。"

"各工场底管理部,在组合底守护之下行动的。各职业底劳动条件,由他们决定。他们决定工银和赏与底定额。他们有选任劳动大臣的权利。他们底代表,在管理全国底生产和分配底国民经济委员会里面,占着多数,无论在工业,在运输机关,在一切生产物底分配,从社会构造底基底到顶上,一切机关中,都是要求劳动组合底经验和劳动者底实际的观念的。"

"俄国劳动组合,在运用劳农共和国的一切机关里面,直接地、有效地都立在代表的重要地位,事实上他们是指挥俄国底新组织的。什么劳动组合底屈从和隶属,都是无谓的妄言,他们乃是真实的主人。"

"不过他们所以能够得到这个有力的地位的,确是社会革命底结果。他们知道从来残酷的剥削他们的有产阶级,所以败亡,都是靠着社会党底行动的。法国劳动团体底历史,和俄国的不同,斗争状况,不是一样,这是不待说的,……但是事实却已证明了……俄国社会主义者,是不把劳动组合放在隶属的卑贱地位,乃是把他们放在第一的地位,最高的地位的。"

十二、赤色国际劳动组合

研究俄国劳动组合,势不得不言及以俄国底组合运动为中坚的国际劳动组合委员会,在金属工、矿夫、铁条工、运输劳动者、油漆匠、制帽工、木工、建筑工、裁缝、皮匠之间,在欧战以前,已组织了国际的组合,不过这些组合,都以职业上狭隘的目的为主。而且他底组织,也不过只是通信机关罢了。就把这些国际的组合搁在一边,而各国劳动组合运动底多数,都是加入了国际社会党事务局(第二国际社会党)的,不过到 1920 年才组织国际劳动组合书记局,和第二国际社会党并立的。

国际劳动组合书记局,以雷金为委员长,置本部于德国,开了几次国际大会;但是这个大会,只成为各国组合底代表交换意见的机关,差不多没有什么有力的国际运动。欧洲大战底勃发,就是证明这国际劳动组合运动,和第二国际社会党一样的无能,同时在事实上现出解体的形式,几次经大会所决议的国际主义已完全忘记了。雷金、约豪克斯、阿布列敦、孔巴斯等所率领的德法英美底组合,都成了资本主义的战争的有力机械了。

战争告终时,列国底参战社会主义者,在柏林开了国际协议会,使第二国际社会党残骸复活起来,同时在旧国际书记局集合的各国底组合领袖等,也在柏恩开协议会,组织了国际劳动组合协会。国际劳动组合协会,在阿姆斯特坦开第二次大会,在该地设置本部。国际社会党协议会,继承已经破产的第二国际社会党;同样,阿姆斯特坦底国际组合协会,也可以看作是继承已经破产的旧国际书记局。国际劳动组合协会一方面和第二国际社会党相策应,一方面和国际联盟底劳动事务局相提携,如雷金、约豪克斯、阿布列敦、孔巴斯等人,都是代表各国组合运动底右翼和中央的。革命的组合主义者,把他们看作和第二国际社会党一样,也把他们叫作黄色的国际。

俄国共产党,纠合各国社会党底革命的分子,在莫斯科组织第三国际共产党,和黄色的国际社会党对立。至对于国际劳动组合协会,却起了两种议论,一是要从内部赤化他,一是要从外部破坏他。第三国际共产党底第一次大会,议决采取第二说,于是各国劳动组合底代表依第三国际共产党执行委员会发起,于1920年6月16日在莫斯科"劳动厅"开了协议会。这个协议会,以第三国际社会党底委员长季诺维埃夫为议长,英国则派运输劳动者联合会(三角同盟底一角)委员罗伯威连和劳动组合大会委员巴伯舍尔列席;意大利方面,则有代表意大利劳动总同盟的达拉哥纳和皮安其以及金属工,农业组合等代表列席;俄国方面,则有全俄组合中央委员会底洛左夫斯基,多姆斯基和莫斯科劳动组合委员会底梅尔尼尔斯基等列席。该协议会前后讨论了一月,议决发出宣言,赤色劳动组合国际协会,遂由此成立,那宣言说:

"由第三国际共产党执行委员会召集开会并且署了名的俄国、意大利、西班牙、法国、葡萄牙、欧哥斯拉夫和佐尔加等国底劳动组合代表,都有下述的一样的忖度。"

"万国劳动阶级底地位，因为帝国主义战争底结果，要完全废止劳动底剥削并确立共产制度。有急于举行更为明白、更为有力的阶级斗争的必要。"

"这个斗争，须由一切劳动者(不是职业的团体，乃是由产业的团体)更紧密的组织，在国际的规模之上来实行。"

"劳动时间短缩，工银增加，劳动条件底取缔等事，是社会底改良政策，在某种状况下面，只是缓和阶级底斗争却没有解决社会问题的力量。"

"但在大多数交战国内，劳动组合(中立的或非政治的组合)底大部分，在这可怕的数年战争中，变成了帝国主义的资本主义底奴隶，阻害劳动者终极的解放。"

"劳动阶级，非把一切劳动组合结合为一个有力的阶级的团结不可，这个阶级的团体，又非和奉共产主义的无产阶级底国际政治团体密接提携行动不可，照这样，劳动阶级底阶级的团体，可以充分地伸张他的能力，来获得社会革命底终局的胜利并树立全世界底劳农共和国。"

"有产阶级，因为要粉碎被剥削者底解放运动，他们是不择手段的。"

"所以对抗有产阶级底这个独裁非用无产阶级底独裁不可。这个方法，是过渡的方法，然而又是确乎不可动的方法。这是粉碎剥削者底抵抗，确立无产阶级支配底效果的唯一方法。"

单靠阿姆斯特坦国际劳动组合协会底纲领和战术，就不能成就上述那种原则底胜利，不能确保万国无产者的胜利的。

"所以我们议决如下：

"(一)有进步的革命分子，不要用脱离现存的组合的战术。因为机会主义者，帮助帝国主义的战争，和有产阶级协力，并且参与伪国际同盟的运动，现在还服从资本主义的。对于这种人，这些革命分子，非用一切手段把他们驱逐出组合以外不可。

"(二)在各国劳动组合内，行共产主义的宣传，在一切团体底内部组织共产主义的革命团体，从事宣传使他们容受我们的纲领。

"(三)组织战斗的国际委员会以改造劳动组合运动底组织。这个委员会，就当作'国际劳动组合委员会'和第三国际共产党一致行动，加入这个委员会的一切劳动组合，都要派代表到委员会。由国际劳动组合委员会派一名代表赴第三国际共产党底执行委员会,同样后者也派一名代表到前者来。

署名者

洛左夫斯基　　全俄劳动组合中央委员会。

达拉哥纳　　　意大利劳动总同盟。

别司达纳　　　西班牙全国劳动同盟。

谢卜林　　　　葡萄牙总工团主义劳动组合。

罗斯米尔　　　法国劳动总同盟革命的工团主义少数派。

米加图　　　　佐尔加劳动组合共产主义少数派。

米尔基　　　　欧哥斯拉塞尔维亚等劳动总同盟。

这个协议会,决定于 1921 年 1 月 1 日在莫斯科开第一次国际会议。由这个会议,正式成立劳动组合国际联盟,这个国际组合团体,已包含 7 国,代表900 万劳动者。

全俄劳动组合中央委员会	5200000
意大利劳动总同盟	2000000
西班牙全国劳动联合会	800000
法国劳动总同盟之革命的工团主义少数派	700000
欧哥斯拉夫劳动总同盟	150000
葡萄牙一般劳动组合	90000
筑加共产主义少数派	15000
计	8965000

英国底代表,把全权委给俄国和意大利底代表而归国去了,所以英国底30 万运输劳动者,当然也要算在该国际劳动组合团体底势力内的。设若把埃斯特里亚、挪威、芬兰底劳动组合,德国、墺国、波兰、加拿大、美国、爱尔兰底革命的组合运动也算起来,则该团体底实力,竟可说是代表 1000 万的组合劳动者的。

这个新劳动组合底国际的组织,和以前的不同,它并不只是通信机关、联络机关,更不只是单纯的交换意见而经过许多复杂分子同意的议决的机关,这乃是国际的阶级斗争底实际的焦点、实际的中心,依具体的一定的行动方法而结合的。

　　"俄国底全劳动组合运动,是立在国际的阶级斗争底地位之上的……"一句话,就是第二次全俄大会决议上所表示的组合组织底一般原则,若是俄国组合底组织和构造,建筑在这一般原则之上,那么,当然的归趋,我们一定可以看见这种赤色劳动组合国际团体底组织的。

第五章　农民与革命

一、已经解放的农奴

在共产村落时代,俄国的农民,也和欧罗巴其余各国的在同制度之下生活的农民一样,比较的多享自由和幸福。后来农民底土地渐渐归并于土地的贵族底掌中,农民就渐渐失掉政治上社会上底权利和自由了。到了 16 世纪中叶,莫斯科王国耕种地底 2/3,已归少数特权阶级和寺院所有,到同世纪末叶就开始制定了限制农民移住的法律;到 17 世纪中叶,农民在事实被禁止移居,完全成为土地底附属物,而农奴制度于是完成了。

然在当时农民只受大地主所束缚,他们自己的身体还不隶属于地主的。但是到了 18 世纪后半期,农民底公民权全遭剥夺,他们的身体和土地都变成地主底所有物了。于是地主对于农民就握有生杀予夺之权了。

在农奴制度之下,地主把他所有地底一部分,委托农民底村落自治团体"密尔"所使用,而农民则耕种地主底剩余的土地,以为交换。这即是实行佣役底制度的。但是后来,地主有时连剩余的土地也委托一切"密尔"使用而征取一定的佃租的。在这种情形,农民底身体完全属于地主,同时农民对于土地的观念,也把土地看作是自己的所有物了。俄国农村底俗语说,"我们是老爷们底东西,土地是我们的东西",这两句话把农民这种观念表现得很好的。

然而欧洲各国工业资本主义的潮流增高,俄国早已不能仅仅地满足于土地底资本主义了。这种经济上底变化,在人人的意识上,对于农奴制度底暴虐渐成为不能忍耐的憎恶和反抗底精神表现了出来。而俄国要谋经济上底发达,首先就不得不斩断农奴制度底羁绊。所以从经济的进化底必然的归趋看起来,从反衬这必然的归趋底思想看起来,已经是不能不变革了。于是亚历山大二世就根据"这种变革与其等候由人民而行，还不如由君主而行"的理由，在 1861 年便把农奴解放了。

然而农奴解放底结果，农民的身体固然是不属于地主了，而农民底身体的自由还没有得到的。农奴解放，乃是把农民从地主底羁绊中解放出来，再把他们放在专制政府底干涉和支配之下。而在这个政府之下，地主底势力还是占优胜。于是已经解放的农民，依然是一个特殊阶级，和社会上别的阶级完全区别，得不到同等的公民权。即如在 1906 年以前，农民还被禁止入高等学校，还不能做高等官吏的。

不单如此，农民还不忘古代村落共产制度的遗物"密尔"制度的。社会革命党底前身民众党和无政府主义者，把这原始的共产村落遗物"密尔"制度，错认为斯拉夫民族特殊的制度，以为俄国无须照欧洲各国那样经过资本主义的发达底苦痛，便可以直接由这农村自治团体进到新社会的。他们或者忘记了一切民族在经济的进化底某时期中，必定有一次经过共产村落制度，而这共产村落制度又是已经完成了那历史上的使命的。近代俄国底"密尔"制度，不过只是古代共产村落底形骸，而在事实上却成了专制政府和地主阶级使农民隶属的最有力的机关。所以政府对于农民自治团体的"密尔"，给以支配农民的权力，务使农民不能脱离"密尔"底支配。农民非经"密尔"的同意，绝对不能离开所住的农村。又农民若没有旅券就不能到那离开自己居住地 30 俄里的地方去旅行。要得旅券，不单是要得"密尔"的许可，而且还要费许多繁杂手续，所以农民在事实上和农奴时代一样，要受那土地所束缚的。他们既不能移居有利的地方，就不得不在不利的条件之下耕种向来的地主的土地了。

对于直接与农民生活有关系的事情，"密尔"固然有自治的权力。譬如选举"密尔"的牧羊者，决定本年在何处牧羊，在何处牧马，以及决定村民收纳于"密尔"底常平仓的应负担的谷物等事，一切都在"密尔"底村会"斯喝特"办理的。但是关于农民社会生活上底事情，关于个人的生活上底事情，凡是与政府和地主阶级有关系的事情，"密尔"就全然没有自治的权利。为什么呢，因为政府许"密尔"有自治权力的用意，以为与其直接地一个个地去支配农民，不如借自治团体去支配较为有利，即如农民纳税一事，"密尔"负共同纳税的责任，农民绝对不能规避纳税的。政府又给"密尔"一种权利，可以不用裁判如追放农民于西伯利亚,可以干涉农民分配遗产的私事,所以农民完全隶属于"密尔"。照这样,俄国农村中共产村落的遗物"密尔"制度所以能够长久存留的缘由,专制政府底政策所以助长的地方也不少。

农民不单是隶属于"密尔"的自治团体以隶属于专制政府,而且也不绝地受无数官吏的骚扰的。那班官吏中有些人自由逮捕农民,或处以笞刑,或课以罚金,有些人掠夺农民底耕种地。到这种时候,"密尔"不特无力保护农民,而且就是"密尔"所选举的村长,也甘受他们的指使的。

二、土地之分配

照以上所述看起来,农奴虽然解放了,却并没有因解放而得到经济上的利益的。农民底经济状态,反因解放的结果更加弄坏了。在农奴时代对于他们和他们的家族给以可以维持劳动力的生活。就地主说起来也是有益的。所以他们的生活,虽然说是很悲惨,却得有可以维持他们的生活的土地。他们虽没有得到身体的自由,虽没有得到精神上的进步底机会,而至少动物的生活,他们已得到了。他们至少饿死的危险是没有的。

解放虽然给了他们自由,而这种自由也不过饿死的自由。地主到现在只是尽量地剥削农民,而对于农民底幸福,并没有什么对人的利害。尤其是已经解放的农奴,只要得到可以维持自己生活的充分的土地,绝没有人去耕作地主的土地的。至少地主要得到耕作人,就非听从农民底要求不可。所以解放的当时地主虽然以极大的补偿费,将土地给予农民,却又尽力设法把那应给予的地面缩小。所以农民所得的土地比从前当农奴时所耕种的地面还要少,而对于这些土地的补偿费却担负了多额的租税。

所以经 1861 年底解放令所解放的农奴中,有 48.1 万人并没有分受到一点土地。这种农奴只好到地主家中服役,并不直接从事农业,也不照农奴时代那样分受地主的土地。这些农奴虽被解放,却没有得到什么土地。其次有 55 万人,每一名男子,得分受一俄亩的土地。这是最小限度的分配,对于这最小限度,并不收补偿费。有些农奴以为与其担负多量的债额,宁可满足这些少的土地,所以受了这最小限度的分配。其次有 155.3 万人,每一人分受两俄亩以内的土地。合计以上约250万人,与附属于地主底土地的农奴总数底二成三分四厘相当。所以这许多的奴隶,有从解放的当时起,完全没有土地的,有些虽有土地还不能够维持生活的。

至于分受土地较多的农民中,以国有地的农民分受最多,其次为御地的农民,再其次为贵族(大地主)所有地底农民。尤其是贵族,将农奴所耕种的土地,择其最好的部分,尤要选择牧地和森林留为己有。在农奴时代农民所耕种的土地,不过是维持生活所必要的土地,而解放当时所分受的土地,比以前的更为减少。欧俄36省中有21省减少了二成六分二,而尤以土壤肥沃的地方竟至减少四成。所以就全体平均计算,大地主底农奴,每男子一人分受3.2俄亩,御地底农奴分受4.9俄亩,国有地底农奴分受6.7俄亩。把以上三者再平均计算,已经解放的农民,每人分受4.8俄亩的土地。所以农奴解放的结果,就是分受土地最多的农民,比较先前做农奴时租种的土地还要少,而且那些土地中最好的部分经地主保留了,就是所分受的些少土地,还是些不好的部分。

解放的当时,欧俄农民人口约5400万,到革命的前一年即1916年,差不多增加了两倍。人口既然增加,每逢"密尔"将土地改行分配时,每一人所分受的土地渐渐减少了。如上所述,在1861年解放当时,平均每人分受4.8俄亩,到1880年平均每人分受3.3俄亩,到1900年更减少而为2.6俄亩了。于是许多农民就完全失掉了他的土地。他们或者完全变为佃户,不然就脱离"密尔",变为靠工钱谋生的农业劳动者。在1905年,毫无土地的佃户和农业劳动者之数达到220万家族,占全体农民15%。据这一年的调查,欧俄47省底1190万农民家族中,有23%只有5俄亩以下的土地,有70%有10俄亩以下的土地。而据当时专门家底计算,平均每一家族生活所必要的土地,须12.5俄亩方能敷用。

这些土地,依前节所述,并不归农民私人所有而归"密尔"公有。至于这些归"密尔"所有的土地分配于农民各家族间的方法,最简单的方法,把属于"密尔"的土地分为上等地、下等地两种,再把这两种各分为三等分。其中1/3轮年作为休闲地,只耕种其余的2/3。"密尔"的会员,照这样的在这六项的土地中,各得受些少的土地。又有依地质地形的不同,更有低地和高地、砂地和沃地、平地和凸凹地、近地和远地等区别。这几种土地又各分为三等分,"密尔"的会员在这些土地中各分受些少土地,所以只有些少的十俄亩内外的土地,却分在 30 个地方,有时分受的一部分土地,还在离开住宅 10 英里或 20 英里之远的。

依以上的分配方法,多少还不免失于不公平的,因此"密尔"每一年或每三年改行分配一次。为"密尔"的会员的各家族,每年或每三年耕种异地的土地,其分受额自 1861 年以至于今日也有一定不变的。采取这种固定的分配方法的,"密尔"总数 10.9 万之中,只有 1/5 以内的是这样的,而大多数的"密尔",每间 10 年或 12 年依家族的大小而变更分配方法的。其中有数十年来墨守一定不变的分配额的,也有因为对于不平等的反抗之声增高,近年来有实行新分配方法的。

俄国农村中有由人口 1 万达到 1.5 万的。据爱德华洛斯氏所举的实例中,有一 K 村,人口 2000 有农场 150 处。这些农场的主人集合起来组织自治团。团员的集会,即是"密尔"。可知农村中不是"密尔"底会员不分受"密尔"底土地的农民占居多数。

三、帝制时代底农民生活

从当初起,农民并未得受可以支持生活的土地,而一方面因为人口增加,他方面又因为新起的中产阶级农民兼并土地,于是土地越发不足了。而工业发达最迟的俄国都市又不能吸收农村中如许过剩的人民。据 1912 年的统计,英国方面,全人口 78% 是都会底住民,俄国方面,全人口 86% 是农民。都会人口的增加很迟缓,1863 年占全人口 10% 的,到 1912 年只增至 14% 而已。所以俄国农村底人口每年约增加 200 万,而为都会所吸收的只有 35 万人,其余的65% 万人留在农村,或者卖土地、卖劳力以谋生活。所以都会中工业发达底迟缓,也是使农村中底土地更形缺乏的原因。

其次使农村土地更形缺乏的原因,是农业底幼稚。在大地主底大农场,也有采用近代的农业底方法的,而普通农民中还是中世纪底耕作方法。加以肥料不足,农具不完全而又缺乏,家畜很少,其结果而俄国农业的生产力,差不多比世界上无论什么国家还不如。这也许是因为农民缺乏智识,在帝制时代的末年,不能写自己的姓名的农民还占半数呢。但是主要的原因,当然是因为农民太过于贫穷了。

"密尔"制度,也是阻碍俄国农业发达的大原因,即如前面所说的土地分配方法的结果,俄国的耕地大概变为幅六尺至三丈的细长方形,土地的境界横亘,毫无所用,而且也不能用机械力来行大规模的耕作。又因为土地分配时常变更的结果,农民只是从所分受的土地中尽量取得利益,土地底生产力就是枯竭了亦所不惜的。综合上述各种原因看起来,俄国农业的生产力,比他国的都不如。即每二英亩半 Hectare 的土地底平均收获额,在比利时的有 2110 磅,在英国的有 2020 磅,在德国的有 1680 磅,在法国的有 1320 磅,而俄国底农民只能收得 640 磅而已。土地生产力太少的结果,土地的需要更多,而农民底土地就更形缺乏。

此外农民在解放当时所分受的土地,要课纳多额租税以为补偿。依 1861 年底解放令给予农民的土地,按当时市价,为 68900 万卢布,而实际上却定价 92330 万卢布。又农民要负担征集补偿金所要的一切费用,以及对于缓纳的利息和科罚金,所以对于 68900 万卢布的土地,却负担了 139000 万卢布补偿费。这种负担,事实上超过农民全部收入以上。1872 年诺维哥特地方底前国有地的农民,把收获物全部的价格作为租税缴纳了。至于旧贵族所有地的农奴所缴纳的比全收入多至六成一分以至十五成六分。又彼得格勒地方,租税比全收入超过三成四分,莫斯科地方超过十成五分;在南方的黑土地方,前国有地的农民所纳的租税比全收入多至三成以至于十四成八分,旧农奴多纳至二成四分以至二十成的。

到了纳税期,农民必须从地主或富农或农村借出高利息的金钱。于是到处村庄都有乘机盘剥重利的贪鄙农人,农民被这班人盘剥二分、五分,甚至有时被盘剥对本的利息的。

所以欠租乃是必然的结果,到了 1871—80 年间,每一俄亩的土地平均欠纳的租税为三角八分,到 1881—90 年就增到四角以上了。1905 年底革命和各处农民的暴动的结果,土地补偿金的剩余额虽然取消了,但是农民在别的方面又因裴德底财政政策,被课了多额的间接税。到 1914 年,间接税占了租税全额底 6 成。

于是多数农民谋生的方法,就不外以下数条:或者以余力从事于家内工业,或者充日佣劳动者到富农底田园工作,或者在农事期内到大地主的大农场作工,老少男女组成队伍由这农场到那农场,不然,就移住别的地方去。俄国农村中也有由农民制造手工品的,可是范围也有限。而且都会工业进步,外国机械品输入增加,手工业的范围更狭小了。政府因为农民移住,也曾设立了特别的机关,却也没有什么效果,甚至政府有时为大地主谋利益,反妨碍农民移住的。

由大地主的农场到别的农场作工的农民队,是俄国农村的一个特征,其光景已属悲惨之极,而政府犹不顾惜,反始终保护大地主、助其虐待并剥削农民。1863年的法律,给为雇主的大地主以课取所雇的农业工人底罚金的权利。1886年的法律,认雇主有自由解雇的权利,而对于劳动者违反雇佣契约逃走时,却使其负刑法上的责任。又1902年的法律,与雇主以礼拜日亦得使用劳动者的权利。至于农业劳动者工钱之低,乃是当然的事,和别国的相比,约当美国的1/8,英国的1/5,差不多和印度的一样。

四、对于土地底"饥饿"

照这样,农民底焦眉的急务,是土地不足,而所谓"对于土地的饥饿",实是俄国农村中长远的忧患。所以1883年时,政府以援助农民购买土地为目的,设立了土地银行,借以缓和农民底缺望。因为这个银行底融通,直到1917年,农民购入的土地,约值3300万卢布,而大部分却是大地主的所有地。其流弊因为土地银行通融低利资金时,必须有购入地底价格底一成至一成五分作为担保,所以实际上能够照这样办法购入土地的人,不是需用土地最多的贫农,却是比较富裕的农民中底中流阶级,其结果不过助长这类人剥削贫农,兼并土地罢了。不单这样,而且土地底购入,使多数农民变成了土地银行或大地主,高利债底负债人,农民因为偿还这项债务,甚至连农具、家畜、土地都卖得干干净净,其结果变成了纯粹的无产阶级。

农民所受的苦痛,不单是照上面所述的为止,更有甚者,农民因为土地不足,常常向大地主租借多量的土地,尤其是要租借牧草地和放牧地。综计此类租借地,达 1100 万俄亩之多。

　　然而租用这项土地的农民,多有不能拿货币纳还租借费,或者拿家畜来偿还的,或者替地主服役。而他们底服役,估价又很低廉,每年内势不得不耗费许多日子为大地主耕种土地,结果,把自己的土地抛荒了。

　　又使农民生活状态日趋悲惨的事情,就是森林底大部分归于地主所有。1905 年时,大地主所有的森林为 2000 万俄亩,农民需用薪材,不得不出高价向大地主购买。1905 年,这些大地主卖木材而得的收入,总计约 2 亿卢布,这 2 亿卢布中,当然有大部分是农民拿出来的了。

　　土地这样缺乏的原因,当然是因为大地主垄断了土地。依 1861 年解放令而给与于农民的土地,1200 万家族共得了 1240 万俄亩[①],平均每一家族只得土地十俄亩,这一层在前面已经说过了。但是在别一方面据 1905 年底统计看起来,欧俄 10.7 万大地主,却一共占领了 5300 万俄亩的土地。即,农民每一家族平均只有 10 俄亩土地,而大地主每一人却平均占有 459 俄亩的土地了。

　　这些大地主之间,还有特别的大地主,在 1905 年占有一万俄亩土地以上的大地主,有 257 个。其中占土地最多的,譬如华西尔知柯夫公爵有地 49500 俄亩,瑟米列捷夫伯爵有地 126250 俄亩,巴拉勺夫家有地 300100 俄亩,还有一个巴拉勺夫家有地 387250 俄亩,加里青伯爵有地 1067300 俄亩。这些大地主所有的土地,有大部分抛荒,而数百万农民却在那里挨受那缺乏土地的"饥饿"。

　　当 1917 年革命底时候,大地主底所有地,多少也减少了一点。其原因为 1905 年以后,大地主为农民革命所迫,恐怕失掉全部的土地,所以逐年把土地卖给了农民。而卖出的总额,还在 900 俄亩以内,三月革命当时底土地所有的状态,与 1905 年以前的比较,可说是没有什么变化。

　　大地主所有地之外,还有国有地、皇帝私有地、皇室私有地、寺观的领地等等。就欧俄 50 省计算,国有地 13800 万俄亩,皇帝私有地 6800 万俄亩,皇室私有地 800 万俄亩,寺领地 200 万俄亩,僧院领地 7000 万俄亩。国有地 9/10 属于北部及东北部五省,不是耕种地而是森林。而农民最感觉土地缺乏的地

---

　　① 　根据后一句话推算,此数字有误。——编者注

方,就在这里。皇帝私有地中,肥沃的土地居多,大部分,在西伯利亚阿尔泰奈尔青斯克地方,不足以救欧俄农民焦眉之急。皇室私有地是森林,不能耕种;寺领地及僧院领地虽是耕种地,而大部分已归农民耕种了。这些土地,在将来开垦和殖民的时候,固然有望,而现在不能分配给农民的土地,合以上四种不过1000万俄亩之谱。

所以农民底眼光,还是要望着大地主底土地。欧俄50省大地主底耕种地,约有2500万俄亩,为土地底缺乏挨饿的农民底眼光,都是望着这些大地主底土地的。

五、农民革命之危机

土地底缺乏,现出了农民对于土地的热烈欲望和对于土地所有权的特殊观念。农民对于无论何物都可以离开,却不愿离开土地。他们相信土地所有权是最神圣的权利。他们所以想着土地,绝不是以买卖为目的。俄国农民之间,土地底投机买卖,一点也没有。其原因一则因为土地是"密尔"底所有物,农民不能自由买卖,一则因为农民实际上迫于自耕的必要,也没有为投机而买卖的余裕。

所以俄国农民对于土地所有权的观念,并不仅是要把土地作为所有物,而实际上是和耕种土地的观念相结合的。1905年底农民大会,有一代表说:"我们要得土地的目的,并不是拿去卖,并不是拿去抵当,并不是拿去做投机生意,也并不是拿去租借给人而自己得利,实在是因为要耕种。"又说:"只有自己要耕种土地的人,才可以照各人所必要的给他。"照这种话看来,我们就可以知道农民对于土地底一般观念了。在他们看起来,只有自己耕种土地的人,方可享有土地所有权;至于自己不事耕种土地的大地主,在他们的心目中,这些人并不是土地所有人,不过是篡夺者。就是在农奴时代,他们自己虽然是地主底所有物,他们却相信土地应归耕种土地的人所有的。他们对于土地的观念如此,所以对于土地底分配要支出补偿费一事,他们不懂的。

因此,在农民看起来,土地不单是应该归他们所有,而且从大地主手里恢复土地底一事,在他们以为这是解决一切问题的万能的补救方法。他们想要土地,他们相信土地得到手,一切所要的东西都可以得到了。所以"把土地交给人民"的一句话,变成了全俄农村中底口号。

1905 年所开的农民大会,是农民第一次的全国的运动。大会底决议是:救治农民因缺乏土地而生的疾苦底唯一方法,在将一切土地收归国有,分配于那班依家族底劳动或依协同组合底组织而耕作的人使用。这个大会,大概是代表有多少土地的小农民,尤其是代表行"密尔"土地共有制度的欧俄底小农民的。他们所谓土地国有,就是要废止大地主底土地所有权,增加他们各人底土地,同时免去他们所已经肩负的土地底债务,却不是说把他们自己所有的土地也行国有化的。即农民对于土地的思想,就是自耕农民应该自有其土地,他们这种思想是纯粹独立小农的思想,与社会主义思想,还有若干距离的。他们所以赞成社会主义底土地国有化,只限于废止大地主底土地所有权底范围以内。所以,若是看见了俄国原始土地共产制度遗物的"密尔"制度,就相信俄国农村中已浸润于共产主义底思想和习惯,这便错了。俄国农民实在和别的一切国内底小农一样,个个都相信土地所有权是神圣的权利的。

即如哥萨克地方,在 1861 年解放当时,有 1467 万俄亩土地分配于 34 万家族,平均每一家族分有 43 俄亩之多,所以农民底状态,比欧俄颇好。而且也没有受过大地主贵族底压迫。因此,哥萨克农民多属保守,对于 1917 年底革命,态度不明,而且违反俄国大多数农民底热望,反对了土地国有化。为什么呢,他们分有的土地较多,若赞成土地收归国有,就无异于丧失他们所有的土地。

所以俄国底农民,虽然是革命底主要要素,虽然有大多数支持土地国有化的纲领,但是他们底思想,在根本上不能超出以自己底劳动为基础的私有财产主义的,小农底代表的思想之外,这一层,于了解 1917 年 3 月后革命发展上,是不能看落的事实。

1861—1863 年,农民因为对于解放令失望,到处发生过暴动。到 1870 年时,人口越发增加,土地越发不足,处处都发生了大规模的反乱。入 20 世纪以后,自欧俄为始以至于高加索西伯利亚,农村中充满了不安的空气。于是专从事以暴力和下狱为压迫之具的政府大地主底镇压政策,其形势愈趋恶劣,延至 1903—1904 年,全俄国底农村,都被大爆发的危机所迫了。

1905 年革命当时,农民底叛乱,到处蜂起,出乎一般人意料之外。他们烧贵族底住宅,又掠夺贵族底谷物、家畜、农具、土地。在地主图谋反抗的地方,农民底智识程度高,在农民有组织的地方,暴动底性质更加危险。虽然革命,在都会中或在农村中,都遭失败,而农民底地位,多少也改良了几分。当革命底机运日趋紧迫的 1903 年 3 月间,"密尔"对于村民纳税底共同责任制度开始废止,同年 8 月对于农民所用的肉刑也废止了。革命之后,农民有入学高等学校的权利,有做官的资格,旅券请求底手续也较为容易。但改革的地方固是不少,而对于他们的生活却没有显然变化的。

1905 年革命以后,政府底农村政策,经斯特里宾改变了。革命底经验,使他知道大多数农民均化为无产阶级,其形势正为可虑。而且"密尔"制度,虽于政府有利,而以"密尔"为农民社会生活上底单位,若遇有事之时,却能使农民易于团结。于是斯特里宾底政策,一面要破坏"密尔"制度,一面要在农村中造出使政府和大地主底利害一致的中等农民阶级。他根据这种政策实行,而 1906 年 11 月有名的勅令,于是发布了。据这勅令看来,凡是 12 年来没有从新分配土地的"密尔"中,农民得将现时所耕种的土地作为私有,而有买卖的权利。在当时,通全俄国适合这条件的"密尔",约占全体之半。然而这政策底结果,却明明归于失败。即政府虽然用种种手段去引诱农民,而依从这勅令愿脱离"密尔"的家族之数,却不过 240 万。为什么呢? 就是他们因为在现时所分受的土地营独立的农业。即如这些脱离"密尔"的 240 万家族中,实际上营独立的农业的,只有 114 万家族,其余的,不过因为能够卖上地才脱离"密尔"罢了。而且曾经一次成了独立的农业者,也有因为森林、牧地或耕种地不足而复归于"密尔"的。所以到 1915 年,独立营农业者之数,减至 1908 年底 1/7 了。

斯特里宾之采用"密尔"破坏政策,在一方面看来,可说是资本主义化和资本阶级农村政策,对于旧日官僚主义专制主义传统的农业政策占了胜利。同时又可以说民众党和无政府主义者拥护"密尔"制度的主张已归失败。然而斯特里宾这种政策底失败,又可以说是证实了民众党和无政主义者所说的"'密尔'这种原始共产制度在俄国农民间很有根据"的话。其实不然,斯特里宾这种要分割"密尔"底土地的政策所以归于失败,并不是土地共产主义胜了土地私有主义,乃是工业资本主义为农村底土地资本主义所败,这种解释较为适当。所以斯特里宾底政策失败,不是因为农民间土地共产主义思想底巩固,实因为中世的土地资本主义尚有余力。若是 1917 年 3 月革命,只做到资本阶级政治革命而确立资本阶级共和国为止,那么,俄国农村中,新中产阶级或者也要渐渐地勃兴,而"密尔"制度就开始分解了。无论怎么样说法,若把斯特里宾这种政策底失败,解作是俄国农民间已经浸润了共产的思想,那就是大错了。农民是极端的私有财产主义者,忘记了这一点,就不能了解三月革命以后革命的进行途经。

以上大致以莫理斯星达斯底记述为根据,更依别的材料,说明了 1917 年革命时以前的农村状态底大概。但是我们要知道革命和农民底关系,还要看看各政党对于农村问题底政纲才好。

六、立宪民主党底土地政策

立宪民主党是 1905 年时米留可夫教授一流人组织的,党员多是大学教授、法律家、著述家等自由职业者,地方自治团体底职员、实业家、小商人,及有进步思想的贵族。他们一面反对专制政治,一面又反对社会主义。他们不与民众接触,却热心地要拥护民众底幸福。要之,立宪民主党,在经济上代表新兴的资本阶级,在思想上代表那反衬资本阶级思想的智识阶级底自由主义,在政治上,对于中世的特权和专制政治而主张资本阶级固有的政治形态立宪政治和议会政治。所以立宪民主党底政纲是进步自由主义,同时又仇视一切革命的变革。

三月革命底当时,他们只是怕革命。革命刚发生以后,他们还是怕革命。直到革命已成为显然的事实,他们才欢迎革命的。当时的国会,是唯一的民众底组织,而立宪民主党是国会中最有力的党派,所以国会选任临时政府时,该党自然要成为新政府底中枢。

然而他们是代表英国式的资本主义的,与民众并无关系。所以他们所定的农业政策,不能顾虑到农民所期望的地方。革命以后,他们只不过主张维持农村底现状为止。他们在宪法会议召集以前,不过使土地委员解决地主和农民间底争论为止，此外对于大地主所有土地底财产权，还是认为神圣，而极力防止农民有侵害的行为的。当时农民大会曾通过了"认为当务之急应禁止地主将土地变卖和抵押"底决议，而立宪民主党却极力反对的。第一次临时政府推倒之后，社会革命党捷尔诺夫代立宪民主党辛卡列夫而为农部大臣，排斥立宪民主党底反对，发出了禁止变卖并抵押土地的法令。而立宪民主党终不以为然，反诬捷尔诺夫是德探，把他排出内阁之外。照这样看来，也可以知道立宪民主党对于农村问题的政策底大要了。

关于土地问题底终极的解决，立宪民主党也和多数党以外的政党相同，主张一切事都由宪法会议决定。然而他们却假借种种口实，延不召集宪法会议。1917 年 4 月所采用的立宪民主党底政纲，虽然认定要没收御地和寺领地，应必要的程度，强制地买收大地主底私有地，以谋增加农民土地；而一方面又主张对于大地主底土地，要累计土地底实际收入以定赔偿价格，主张土地底分配须按政府底土地委员酌量各地状况而定的给养标准（如酌量副农业底收入，以定维持生活所要的面积）办理。这个政纲，大致是该党在立宪以后所定的主张，据第一次开国会时该党底说明，若按照上述方法办理，应出土地购买金底 7 成即 29 亿卢布的金钱，作为土地赔偿费，交给 9573 名底大地主。

本来这些赔偿费，不是农民直接交给大地主而由国库负担的，但是财源由租税而来，占人口 8/10 的农民，当然都要负担这宗租税。况且农民底观念，都相信土地是人民底所有物，大地主不过是篡夺者，所以缴纳土地赔偿费一事，在他们是绝对不能承认的。即如立宪民主党所说的，依最低生活标准以分配土地一事，与农民向来的要求也相隔太远。为什么呢，因农民多年的热望，在于夺还大地主底土地的。1917 年末召集的宪法会议议员 800 名之中，立宪民主党只选出了 8 名，我们由这一事看来，也可以知道立宪民主党底政策违反农民的夙愿和要求的原因了。

七、社会革命党底政纲

第二次临时政府倒坏之后，继续而起的，是所谓克伦斯基内阁，做过农部大臣的捷尔诺夫和克伦斯基同属于社会革命党。克伦斯基内阁，其为联立内阁，固然和前内阁相同，而其中心却已由立宪民主党移于社会革命党了。这种政治的势力底推移，可说是已经由三月革命即资本阶级纯粹的政治革命底阶段更进了一步，而在这种变化底背后有作用的，实是农民。

社会革命党，是恐怖主义的革命团体"民意党"底后身。立宪民主党是反衬英国式资本阶级自由主义的，而社会革命党却带着纯粹的俄罗斯的色彩。他们继承 1860—1870 年时代的民众党底思想，把"密尔"的村落共产制度，看作是斯拉夫民族固有的制度，主张俄罗斯可以不经过资本主义发达底悲惨的径路，即可以在这种制度上建设社会主义的新社会的。所以他们不承认马克思底唯物史观说和阶级斗争说。在他们底政纲中，虽然有关于改良工业劳动者生活的一项，而其实却不以工业底社会化为目标；他们最注重的是农民，主张挽救俄国，全靠"密尔"制度。所以社会革命党被看作唯一的农民党，自第一次国会选举以来，农民大体是支持这个党派的。但是由社会革命党所代表的人，却不是农村中无产阶级的分子，而是较为富裕的农民，智识阶级底党员也居多数。

社会革命党对于土地问题的根本主张，照他们在 1908 年底政纲和 1917 年底政纲上所反复声明的说起来，就是"关于一切私有的土地底国有化，即是把一切土地从私有移作公有，由民主的方法组成的自治团体底联合，以期公平的利用而行管理"。照这条政纲说，社会革命党究竟要用怎样手段来达到上述的目的，还不明了。到 1917 年时，社会革命党也主张要无赔偿地没收土地了。于是社会革命党底土地政策，分为下列六项：一，一切土地底社会化；二，由中央及地方自治政府管理土地；三，以消费标准为基础，来分配土地使用权；四，这些土地底使用费，充社会的用途；五，大森林、渔猎地、地下富源底利用，移归中央自治政府管理；六，对于因没收土地而失却生活方法的人，在顺应新状况的时期内，须给以生活底补助。以上六条纲领，虽然和社会民主党底纲领没有大差，而其根本观念，却依然继承往年ボンュリスト党底传统旧思想的。社会革命党关于土地制度底改造，为实行社会主义，为实行推翻资本阶级财产权底根基，依然是根据自治村落和劳动底观念，根据俄国农民生活底传统和形态而努力的，尤其是根据一般农民底"土地归万人所有而使用权唯有由劳动方能得到"底信念而努力的。即社会革命党抹杀农村中底阶级斗争,要使那依"密尔"制度所组织的农民,直接进到新社会底天国去的。因此,固守马克思主义的社会民主党,承认农村中底阶级斗争,主张把农村中无产阶级分子作为农村革命底真要素,主张农村底无产阶级化和阶级斗争,而猛烈地攻击社会革命党复古的反动思想。

然而为小农的心理所固结的农民,却在社会革命党底主张中,发见了自己底希望。社会革命党之间所有的思潮,连现在农民所有的土地都要行社会化,要彻底撤废农村中底工钱制度的。但是农民不懂得社会革命党所主张的"土地社会化"底意义,他们只以为"土地社会化"了,就可以实现他们没收大地主底土地底宿愿。

于是这唯一的农民党的社会革命党,占得了临时政府的枢要地位,可以实行他底政纲了。农部大臣捷尔诺夫,一面在中央和各地方设立土地委员会,裁定地主和农民之间底一切争议,图谋种子和农具底供给底充实,实行政府和中央土地委员会所发的关于土地底一切布告;同时又排斥立宪民主党底反对,发布禁止买卖土地底法律,实行皮毛上底政策。而对于土地问题底终极的解决,却与立宪民主党相同,也要等待宪法会议来决定。然而农民所想望的却不是这些皮毛上底政策,而是最后的解决。他们所想要的,就是即时要从大地主手里夺回土地。而社会革命党到了掌握政权时,却连农民所想要的东西,都不能给他们的。

克伦斯基内阁中,社会革命党虽占优势,而在根本上却是联立内阁。其阁员中含有几名立宪民主党员和十月党员。即克伦斯基内阁组成的意义,就是说明联合国续战底要求和民众平和底热望相联合,立宪民主党所代表的资本阶级和无产阶级相联合,十月党所代表的大地主底利害和农民底利害相联合的。然在实际上所起的影响却不是联合,而是阶级生死的争斗。就是有利于劳动者和农民的、最温和的、政府底施设,也要受那资本家和大地主底猛烈反对和妨害的。各处土地委员,因为大地主底反抗运动,或被投狱,或遭杀戮。遭逢阶级斗争底事实的农民,早就不能等待社会革命党底约束了。于是他们要依自己底行动去得到他们底目的物了。到了克伦斯基内阁底末期,俄国农村中,农民和地主底直接的斗争,到处皆是,农民烧毁贵族底住宅,破坏他们底仓库,掠夺他们底谷物和家畜。而地方底土地委员会,也自由地没收大地主底土地分配于农民了。于是捷尔诺夫反下命令逮捕自己所创设的土地委员会底委员,陷入了矛盾滑稽的命运。

八、多数党与农民

社会革命党是专于代表农民底要求和热望的,而社会民主党却与他立于正反对的地位。若说社会革命党是农民党,那么,社会民主党本来是代表都会劳动者的无产阶级而产生的。社会民主党固守马克思学说,把社会革命党那种要在共产村落遗物上直接建设新社会的思想,作为空想,付之一笑。他们主张农村中也和都会底工业一样,农民之随资本集中而化为无产阶级,乃是历史上必然的归趋,其结果必生出阶级斗争,社会主义的新社会,只有靠这种阶级斗争方能实现的。所以他们对于农民底方面也和对于都会中无产阶级底方面一样,不轻视当面的生活改善的。然而同时,农村问题也不是独立的、特殊问题,要由无产阶级的革命方能解决的。所以不接触于资本制度底全体,而单靠"土地社会化"以谋社会主义底实现,这事在社会民主党看起来,实是可笑的空想。

然而俄国底社会状态,绝不许轻视农民为革命的要素的。而首先看出这种形势的是列宁。列宁于 1903 年在伦敦所开的社会民主党大会中,首先提出了该党对于农民问题的政纲。这政纲极其温和,主要的要求,只主张把 1861 年以后被削减的土地交给农民,取消赔偿费,以及废止间接税等事。

1905 年的革命,却证明了农村中革命的机会,已是格外成熟,而农民革命精神底焕发,出人意料。社会民主党在先年所定的政纲,已不是代表人民底热望和要求,所以该党在 1905 年第三次开大会时,采用了下列的、更急进的纲领。

(一)关于农民身体上及所有权的,一切阶级的限制,概行废止。

(二)与对于农民的、阶级的制限相关联的,一切赋课和佣役,概行废止。又废除含有土地抵押性质的一切债务和义务。

(三)把寺领地、僧院领地、皇室御地、皇帝私有地和除去小所有地一切底私有地没收,都和从前的国有地,一并交付于地方行政机关依民主的方法所选出的大机关。但于将来的殖民有必要的土地,和含有全国的性质的森林及河川,都移归民主的国家管理。

(四)若是已为小区划所分割而用小规模耕种的私有地,或者是必须要照这样分割的土地,难于照上面那样变革的时候,赞成把这种土地分配于农民。

在此次大会中,对于土地问题提出了三种纲领,上面所揭载的,是农村问题研究者最有名的马司洛夫所领袖的少数党底纲领。至于列宁所领率的多数党底一派,主张在原则上主张一切土地都归国有,连小所有地也应该收归国有的。多数党和少数党关于土地问题的主张底不同之点,后者主张把收没的土地交给地方自治团体,而前者主张收归于国家之手。关于这一点,两者底目标,都在于农业底资本主义化和农村底无产阶级化,其不同处,只不过手段不同罢了,马司洛夫底主张,以为土地而归国有,中央政府底实权不免过大,若反起来,把土地保留于地方自治团体之手,就可以成为反动革命底有力的防御;而列宁底主张,却以为国有一事,于助长农村中底阶级斗争,更为有效。至关于实行上底方法,马司洛夫主张当用合法手段,借适当的国家机关来收没土地;而列宁则主张当用革命手段,农民应直接地、即时地夺取土地。即列宁主张组织农民委员会,即时打破大地主底权力和特权,在宪法会议召集以前,已经夺取的土地,当由这委员会管理。

1917年三月革命,是由彼得格勒劳动者开幕的。但是这革命底背后,还有别的力。这个力就是农民。农民成了革命底基础力。凡是知道农民底生活和心理的人,必定可以明白看出:从三月革命时为始,这个变乱,至少在农民看起来,绝不会做到政治的革命为止,而必须触到社会组织底根底的,这不单是对于专制政治的反抗运动,实是对于地主阶级的阶级战争。至少,在三月革命底当初,列宁早已看出了这种形势。就是当时许多多数党人,也相信这个革命单是资本阶级底政治革命。4月4日列宁由瑞士逃回俄京,就主张即刻促进这个革命进到无产阶级的革命。原来列宁从三月革命底最初时候为始,已经看出了这个革命到底不能终止于资本阶级底政治革命的。

俄国农民,本来不知道列宁和多数党底社会革命底理论。他们不晓得无产阶级专政是怎么一回事。甚至连 Bolshevik 这个党名,他们还不知道的。然而列宁和多数党底理论和纲领,却很精密地代民众表白了他们底热望。这种地方也是农民——背弃立宪民主党,离开唯一政党的社会民主党底农民——所以支持多数党底革命底原因。至于兵士是希望平和的,而立宪民主党和社会革命党却不能给他们平和。但多数党却即刻履行了平和的约束。

立宪民主党和社会革命党依然要把劳动者放在资本家支配之下来抚慰他们。而多数党却要求劳动者用革命的行动获得完全管理产业的权利,对于农民也是这样。列宁在 1917 年发表的题名《俄罗斯各政党》的供宣传之用的问答书中,先揭出了立宪民主党、社会革命党、少数党对于"农民可以即时夺取地主底一切土地吗?"问题底答案,然后表明多数党底态度。

"(立宪民主党和社会革命党)这种事断然不可做的。我们一定要等待宪法会议来决定。在资本家从俄皇夺取权力的时候,方算是伟大而且光荣的革命,在农民从地主夺取土地的时候,便是横暴了,像这种话,都是辛加列夫已经指摘过的。地主和农民都要选出同数代表为整理委员才好。而做委员长的人必须是官吏,即同是资本家和地主出身的人。"

"(少数党)这个问题,以等候召集宪法会议来决定为妙。"

"(多数党)一切土地必须即时收没。农民代表委员,必须严重的维持秩序,增加面包和肉类底生产,支给兵士以充分的食粮。家畜和农具,勿许其破坏……"所以多数党于 11 月 7 日掌握权力之时,即于次日午前 2 时以疾风迅雷之势,发布了《土地布告》,完成对于农民的约束。而农民于是就归从于多数党了。

九、无产阶级革命与农民

然则,农民究竟是服从于多数党呢?而多数党不会服从于农民么?多数党底理论,是主张土地国有的,而多数党底施设,不是已将土地分配给农民么?多数党之所以要赚得俄国农民底援助,不就是多数党已经抛弃纯马克思学说而与农民底小资本阶级思想相妥协的证据么?柯祖基攻击多数党底土地政策说:

"俄国革命,不过是把 1789 年在法兰西行的,和在德国未得十分收获的东西,拿到俄国来成就罢了。革命,除去了封建制度底遗物,对于私有财产权,给了比从前更明确、更有力的表现。农民在先前是以推倒土地私有财产——即大所有地——为利益的,而现在的革命,却使农民变成了重新创定的土地私有权底最有力的拥护者……"

而其结果,并不是实现社会主义,而是确立私有财产制度,又使劳动者和农民底利害越发隔离起来了。多数党顺农民底要求而行土地底分配,即是多数党底妥协。不然,多数党所说的无产阶级专政,并不是无产阶级底专政,而是都会劳动者对于农民——占全俄人口八成的农民——而行的专政。要之,俄国革命,本来是资本阶级政治的革命,而多数党却用人工使这革命变为无产阶级革命,这种企图,毕竟是要归于失败的。社会主义的革命,必须要等待农业底资本主义化,农民底无产阶级化之后方能成就的。以上是柯祖基批评劳农俄国底土地政策的大概。

无产阶级革命和农民底关系,是很重要的问题,列宁详细地说明了俄国革命随着农民阶级的分化而发展的话,答复了上述柯祖基底批评。

俄国革命运动,就某一点说,也可说是资本阶级政治革命底运动,列宁也曾承认的。他说:"不错,在我们和农民全体携手进行的时候,我们底革命,是资本阶级革命,这一点,我们也十分知道的。1905 年以来,我们也反复地说过了好几次。我们也不想飞越这个必然的阶段,也没有试用过一纸的布告,来废止这个必然的阶段的……"

但在 1917 年,多数党在未握政权之先,从 4 月以后,早就公然主张这个革命,不当做到政治革命为止。俄国经济上底形势,也不许这革命照这样结局的,其必然之势,要促进这革命到社会主义革命。后来这革命底发展,把多数党这个预言证实了。即在最初时候,这革命确是农民全体对于专制政治、大地主和中世主底运动。在这范围内,农民运动,也是资本阶级民主主义底运动。但是后来,这个运动就农村中底贫农和半无产阶级说起来,就变成了对于资本主义底运动了。在这个范围内,这个运动就变成了社会主义的革命了。所以这两个阶段要看无产阶级觉悟的程度怎样,才由第一阶段进到第二阶段的。这两者之间,不能由人造的墙壁截然区划的。

从这第一阶段到第二阶段的推移,在农村劳农会底内容上也表现了出来。

"劳农会底构造,不是由一定的计划立案的。这也不是在研究室起草而由资本阶级底法律家强使劳动者这样做的。其实,劳农会底构造,在阶级的对立日益激烈,阶级斗争进行之中自然成长的。"

然而劳农会在最初是代表农民全体的。而其结果因为农民思想进步颇迟,中等农民和智识阶级,却占了指导劳农会的地位。含有小资本阶级的性质的少数党和社会革命党占势力的时候,正在这个时期。这些小资本阶级分子,彷徨于资本阶级专政和无产阶级专政之间,并没有何种确实的政策。所以列宁在他所作的《农村政策的纲领》的论文中说:"无产阶级底政党,也没有一定要即时解散农村劳农会的必要,但是必须要表示将特殊的农场劳动者所组成的劳农会,和贫困农民,即由无产农民底代表组成的别的劳农会,或者至少是由这些代表组成的常设委员会,使在农村劳农会内部成为别的分派或党派,组织起来。"列宁说这话的意思,就是指着当时的农村劳农会,即是指着当时含有小资本阶级的,小农的心理的全体农民所组成的农村劳农会说的。

小资本阶级分子踌躇逡巡底态度,越发使民众底眼界扩开了。农村中无产者和半无产者离开了他们底指导了。到1917年11月时,才开始在彼得格勒和莫斯科底劳农会中占居多数。至于多数党底胜利和资本阶级革命,究有如何的关系呢?列宁曾经说了下列一段话:

"多数党底革命,完全扫除了一切踌躇逡巡底态度,把十一月革命以前还存在的帝制和大地主都完全破坏了。即资本阶级革命,由我们完全实现了。这时候,全体农民都援助了我们。为什么呢?社会主义的无产阶级和农民底对立,一刻不能实现的。当时的劳农会,把农民作为一个全体,都包容了。而农民中阶级的区别,还是在萌芽的状态,还是在潜伏的状态中的。"

但是到了1918年底夏天,农村中阶级的分化,就渐渐成熟了。受了捷克斯洛伐克底反革命的叛乱底刺激的,农村投机者、放债人和中等农民,对于无产阶级底统治,在处处都起了叛乱。于是贫农,就觉悟了他们自己和农村中这些资本阶级分子之间,其利害是完全相反的。他们从实际生活中,学会了阶级对立的事实。农村中这样的阶级分化底作用,也成了政党分裂底现象反映了出来。即如社会革命党左派,也和别的小资本阶级党派相同,在这时候以前,也是反衬民众底逡巡踌躇的现象,但是到了1918年夏天,农村中阶级的分化,次第成就,这一派也分裂为两派了。一派内应捷克斯洛伐克,在莫斯科作乱,他一派和多数党携手了。"凡在农村中通晓农村形势的人,必定说农村,是在1918年夏秋之间,才开始通过十一月革命的。现在危机正在退了。贫农代中等农民而起,贫农委员会成长起来了……当着柯祖基为1918年7月底危机(中等农民谋乱)所惊骇,看见那时候资本阶级忙于援助这个反乱,他相信多数党底没落迫在旦夕而执笔的时候——当着柯祖基看了社会革命党左派底离叛,就以为是多数党底势力范围缩少的时候——这时候,多数主义真实的势力范围实在是非常扩大了。为什么呢?因为这时候几百万的贫农,已脱离了农村中贪婪者和资本阶级底羁绊,而觉悟于自己独立的政治生活了。我们在实际上,却失掉了几百左派的社会革命党,失掉了几百怯懦的智识阶级分子,失掉了几百贪婪的农民。但是我们得到了几百万的贫农做同志。照这样,都市中无产阶级革命之后一年,其影响所及,依他的援助,而农村中无产阶级阶级革命,才开始起来的。劳农会和多数党底势力,因此才开始巩固,而国内早已没有可怕的反对势力了……"

"照这样,俄国无产阶级,在联合全体农民完成资本阶级革命之后,能够使农村依据阶级分裂起来;把农村无产者和半无产者,引为同调,使他们团结起来,对抗剥削者和资本阶级,于是明确地达到了社会主义的革命了。"

柯祖基说俄国人口大部分是农民,社会主义革命底时机,尚未成熟。但是列宁却这样说:若是俄国底都会和工业地底无产阶级,对于富裕农民而不能把农村底贫农引为自己的同志,这时候,才能够说俄国社会主义革命机会尚未成熟。那么,这时候,农民不会依阶级而分裂,而在经济上、在政治上、在精神上都要立在农村资本阶级指导之下了。而革命,也不能脱离资本阶级民治底境域了。

柯祖基同时又说,多数党和农民携手,是多数主义底妥协。但是列宁却这样回答他:若是无产阶级不待农村中阶级的分裂底成熟,不和全体农民谋一时的提携,不对于中等农民为必要的让步,就在1917年11月即布告内乱,或农村社会主义底树立,那么,这才真正不是马克思主义,而是布朗葵主义,这才真正是要在多数之上强行少数底意志的。这才真正是把普通的农

民革命［当作］①是资本阶级革命,和后进国非通过一切过渡的阶级,不能成
为社会主义的革命底事实,轻轻地看过了。但是,在后进国中,这过渡的阶段,
也可以在少许时间内,缩短起来通过的,这事也不要忘记才好。

第六章　劳农俄国底劳动者

一、劳农俄国底劳动法

11月7日劳农会掌握政权时,立即确立了劳动者底产业管理权,11日又布告了八时间劳动,女工及童工保护等劳动保护底法令实现了劳动阶级底要求。至1918年12月10日又根据那主张"人治人的剥削和阶级的区别完全废除,剥削者废除,社会主义社会底树立,万国社会主义底胜利"的"劳动阶级权利宣言",制定了"劳农俄国劳动法"。这个劳动法,成了俄国一切劳动者决定劳动条件的根本原则了。

俄国劳动法以"社会对一切人有保障生活底义务"的根本原则为基础。即是社会也和一个家族一样,也要从那全部收入之中,赡养家人的。所以一切人有就食于社会底共同食桌的权利,因此一切人若是身体健康,也有应尽的义务分任赡养社会全体底必要的工作。这就是"强制劳动"所由实行,而因此大受许多人所反对的。但是社会对于全体人,既然负有保障生活的责任,而社会全体的人,在原则上当然负有劳动底义务。所以劳动阶级权利宣言上说"要除尽社会中寄生的阶级,为组织经济生活而使一切人都负劳动底义务"。只是就俄国的情形说,所谓劳动者,并不仅是资本制度下工厂劳动者底名称,凡是在对于社会从事必要的服役的人,不论是用脑力或用体力,都算是劳动者。所以适用劳动法的人,不但是工厂劳动者。又劳动法可以适用于为私人事业所雇用的劳动者。也可以适用于从事国有事业的劳动者的。

对于社会的劳动义务,自16岁为始至50岁为止。老年人和别的不能劳动的人,暂时的或永久的,社会要抚养他。社会全员对于社会负有劳动义务,同时社会对于社会全员有给以劳动的机会底责任。若是社会不能给以劳动的机会时,这些人在相当时期内,可以当作已劳动者看待,得受全额底报酬。

各个人分担劳动时,原则上应在本人居住的地方,在他的专门职业底范围之内选择的。万一若没有相当工作可做,而从事下级的工作时(在现时过渡的状态中,依职业的差别,而报酬尚有差等),本人得受同额的报酬,也和从事专门工作时一样。又本地若没有工作时,社会须授以别地方的职业。要之,这种规定是从劳动法底根本原则生来的必然的结论。

二、劳动时间

劳动时间以每日 8 小时为原则。如因为社会上的必要不得已要加工的时候,也是可以行的,但须得劳动组合许可,又须得劳动监督官的同意。时间以外的加工,须支给一倍半的报酬。夜工以 7 小时为原则,报酬与日工 8 小时的相等。易使精神疲倦的工作,以 6 小时为原则。如烟草、煤气和别的化学工业等损害于身体健康的工作,定为 7 小时或 6 小时。

各工厂每日须给劳动者 30 分以至 2 小时的就食时间。一切劳动者,每星期得有一次继续休息 42 小时的权利。休息日之前日,须提早两小时散工。又一切劳动者,每 6 个月须有两星期,每一年须有一个月,给以报酬全额而使其休息。但是以前因为生产力不足,除有害的工作和女工、童工之外,这种休息减少了一半。

三、妇人劳动

一切地下工作、夜间工作,以及在限制时间以外的工作,都不得使用妇女。从事于体力劳动的妇人,在产前产后,须给予 8 星期的休息;从事于不如体力劳动那样使胎儿受影响的智力劳动的妇人,在产前产后,须给予 6 星期的休息。休息期内所得的报酬与作工时一样。又分娩后上工期内,每 3 小时须给以 30 分钟休息。又分娩之时,因为小儿服物等项费用,得受 2 星期的最低工银,作为特别支给,1920 年时莫斯科市,将此项支给定为 720 卢布。又在授乳期内的妇人,因为身体的营养,得受特别的支给,莫斯科地方,这种支给额定为 600 卢布。

四、童 工

16 岁以下的幼童,无论什么工作都不能使用。但因为经济上的必要,而且收容此项幼童的学校和别种教育机关未经设备之时,得经劳动监督官许可,使用 14 岁以上 16 岁以下的幼童。16 岁未满的幼童而在工厂作工或从事别种工作时,每日劳动时间定为 4 小时。16 岁以上至 18 岁的青年,每日工作时间不得超过 6 小时以上。未成丁者一概不许做夜工或限制时间以外的工作。

未满 14 岁之童工,在学校、儿童自治团和别种可以收容此项儿童的教育设备完成时,即使其停止劳动。又这些儿童的家庭,有依赖这些儿童的工钱辅助生计时,须给以相当的补偿费。

幼童不许从事于损害健康或危险的工作。又他们所做的工作,须择其有便于将来的职业的训练底工作。对于幼童和未成丁者,须给以和标准劳动时间同额的报酬。

五、卫生上及技术上底保护

劳动保护的目的,不仅是改善劳动状态,而且要使劳动者一般的生活状态向上的。所以对于住宅、医院、学校、育儿院等设施,十分注意。尤其是对于建筑工场,安全的装置机械,以及防止因检查汽车罐所生之危险等事,大大地努力进行的,只是今日的俄国,继承资本家底工厂设备(以得最大限度的利润为基础的)之后,而且物质非常缺乏。对于这方面的施设,还不能得到多大的成绩,而劳动政府,对于这个目的,特别设置卫生上技术上底监督机关,着着改善的。

此外对于体力劳动者,发给卫生上所必要的做工衣服,尤其是对于损害健康的工作时,发给特殊的做工衣服和靴鞋等物。又对于某种工作,须发给肥皂于劳动者。这虽是些少的事情,而在现时俄国肥皂非常缺乏之时,发给劳动者肥皂,也并不算是小事。劳动人民委员现在因为这种劳动保护的施设,设有劳动保护局,开了种种实验所研究所,以行科学之研究。

六、劳动监督制度

现行劳动监督制度，依 1918 年 5 月 10 日底布告而定的，据这个法律看起来，劳动监督底职分，完全归于劳动者之手。劳动监督委员，虽然直隶于劳动人民委员，而其选举则由各地劳动组合和工厂委员底集会时举行的。这种集会若不能举行时，就由劳动组合地方评议会选举，无论何时，选举人都有将被选举人改任的权利。

劳动监督委员，对于该管辖区域内一切工厂和工作场，不论是私人经营或国家经营，都有广泛的权利，监督他们完全实行劳动法和劳动保护规律，若有违法时，得起诉于裁判所，课取罚金。而且劳动监督委员底职分，不但是监督各工厂完全奉行现行法律与否，若遇有发见损害劳动者底生命和健康底状态时，不论法律之有无，都可以下一定的命令，有重大的缺点时，得命其中止汽罐和机械底运用，或将该工厂完全锁闭。又遇不得已时得劳动组合同意，可以变更劳动时间底限制和别的劳动法所规定的标准，要之俄国的劳动监督委员，和现今资本主义国家底工场监督官相似，这不仅是由劳动组合自己监督那成了劳动组合立案的劳动法规底实行，而且权限更为广泛，有使劳动法和别的劳动法规适合于各地实际情形的重大任务。又劳动监督委员，不仅是和工厂工作场有关，并且参与国民经济、公众卫生、食粮供给、普通教育、住宅问题以及社会事业等项事务。

在他国工场监督制度之下，能受工厂法底恩惠的，只是有团体组织的比较有力的工场，还有多数无产阶级分子，完全受不到国家底保护的。至于俄国的劳动监督委员，大概是属于大产业的熟练劳动者，而散在各地的小工场以及家庭劳动或特殊的小产业等类，不免有疏于监视的时候。所以于一般地方的劳动监督委员之外，又就各产业设置超地方的监督委员。例如铁道、水上运输、建筑工、邮电、农业劳动者、店员，以及分配粮食的劳动者等，都就各产业的区别，设有非地方的性质的劳动监督委员。这些监督委员，直接由该产业的劳动组合选举而出的。

同样，在家庭工业发达的各地方，在工作场、旅馆、事务所、茶馆、饮酒店、浴堂、理发店、医院、药店等项小事业杂多的都会中,特别设置小产业监督委员。

如上所述,劳动监督委员,无论在什么方面,都由劳动组合选出的,据1920年4月底统计,劳动监督委员总计四百五名,内有319名系地方监督委员;其余86名中,铁路方面占52名,水上运输占14名,通信机关10名;农业劳动者和店员底监督委员,在当时因为才着手组织,仅占6名。又405名的委员中,有375名是男子,有30名是妇人。又这些监督委员的职业,区别如下。

(1)普通劳动者 232;(2)职员长及技术家 75;(3)事务员 60;(4)业医者 5;(5)教员 6;(6)制药人 2;(7)学生 6;(8)医师 3;(9)法律家 1;(10)技师 2;(11)职业不明者 13。

以上即是把职员长和技术家的75名一并计算的。共计全体中劳动者占307名,占75%,知识分子占25%。兹更就党派别分列如次。

(1)共产党员 183
(2)准共产党员 85 } 268 即65%

(3)少数党 15;(4)社会革命党左翼 60;(5)无政府主义者 2;(6)犹太教社会主义者 1;(7)犹太人社会主义同盟 1;(8)无所属 93;(9)党派不明者 18。

依上述的统计看来,监督、保护俄国劳动者底生活状态的,究竟是什么人,我们可以知道了。在无产阶级的国家,所谓国家底保护,要不过劳动者自身实行自己的意志而已。

第七章　农业底社会主义化

一、土地之收没与分配

劳农政府依他的最初的法令,即 1917 年 11 月 8 日底布告及 1918 年 1 月 27 日底布告,废止了土地底私有权。但是这些布告,只是收没贵族和大地主底土地,暂时委托各地农民所选出的土地委员会之手,而对于农民自身私用旧日所有地一事,并没有涉及的。即在原则上,一切土地虽成了社会全体所有,而农民却依旧有使用他的土地的权利,所以事实上对于小农底土地所有权,还是没有什么变化的。

从前代御地、皇族、贵族僧院、教会及大地主等收没而来的土地,一概收归国家之手,作为国有预备地。由这种预备基本地之中,提出某部分分配于农民,某部分用别的方法管理。这些国有预备地,在 1918 年时,属于劳农政府全俄 22 处地方,共有 1580 万俄亩,其中有 1280 万俄亩,即全数 81%,不久就分配于农民了。

这些土地,是在自身力能耕种的范围内,分配于各家族之间的,而因地方底状况及土壤底性质之不同,各家族所分受的土地底面积,亦因地方而异。有些地方,农民所要的土地能够分配了,而在别的地方,人口众多,也有土地不敷分配的时候。像这种情形,农业人民委员,就设法把农民移到土地丰富的地方,以谋调剂。照这样行土地底分配,在 1919 年七八月时,尚在进行之中,政府派遣了约 5000 人的测量队于全国,使当调查测量之任。在当时亚斯突拉干、撒拉托夫两州,已经分配清楚了。

二、土地分配底方法

关于土地分配底方法,1919 年 2 月底布告,已经详细地规定了。其方法,先将全俄农村,依该地方普通流行的方法,区别为几个地带。关于各地带,以劳动标准单位(即由一家族底劳动,用最能生产的方法所能耕种的土地之大小)和食粮标准单位(即一家族生计所必要的标准的费用)为基础,以算定劳动及食粮底标准单位。但是算定这个标准单位,在该地带之中,人口最稀少的土地耕地、牧草地、蔬菜园及其他种种土地底比例,以在最适合于该地方所采用的耕作方法底最标准的地方有标准的人员的家族为基础。至于算定一家族底劳动力,凡是 12 岁以下的男女,60 岁以上的男子,50 岁以上的女子,均认为不能劳动之人;而认为能劳动的家族人员,若假定成年男子之劳动力为一,大略以下述比例为原则。

男子 18 岁以上至 60 岁   1.0

女子 18 岁以上至 50 岁   0.6

男女 12 岁以上至 16 岁   0.5

男子 16 岁以上至 18 岁   0.75

女子 16 岁以上至 18 岁   0.6

分配底方法,大概依以上的标准,而算定应分配于各家族的土地底面积的,这不单是依据一家族底劳动力计算的,当然也要酌量家族中能劳动的人和不能劳动的人底比例,关于各种土地底比例,当然也要酌量该地方预备地底状态的。各家族应分受的土地若经决定,和现在底使用地比较起来,其不足额,则由预备基本地分配的。

若是地方底土地,照以上的标准不敷分配时,其土地则用以下的次序分配。

(1)先有临接于预备地的农村,若有几个农村时,则由向来耕种该土地的农村优先分配。

(2)有预备地的郡底农民。

(3)有预备地的县底农民。

(4)某种耕作方法通行数省的时候,有预备地的省底农民。

为土地不足,而使农民移住时,则用下列的顺序。

(1)志愿移住者。

(2)苦于缺乏土地的村落。

(3)劳动力有余裕的农业协作社、农业自治团、家族及人员最少的家族。

照这样分配了的土地,由以前所述,也不是将所有权交与农民,农民只能得到使用权,所以土地使用权有一定时,也有暂时停止的,也有全然取消的。譬如本人死亡时,土地复归国家所有,再编入预备基本地。

三、土地底使用权

以上是分配土地于农民的方法,至于土地使用权,当然是为耕种以外的目的而给予的。得土地使用权底资格如下。

(一)文化上教育上底目的

有益于一般社会的。

(二)农业上底目的

由本人底劳动而耕种或利用的。

(三)建筑上底目的

(1)于一般社会有益或必要的。

(2)于居住有必要的。

(3)于不用雇佣劳动而经营的农场所必要的。

(四)筑造交通机关底目的

于一般社会有必要的。

有上列资格的,都可以请求于地方劳农会土地局,从预备基本地取得必要的土地底使用权。照这样,供农业之用的,土地使用权底基础,在于以自己底劳动来耕种或利用的,若在布告底规定之外,无论在何种情形,凡是使用雇佣劳动——即以剥削他人底劳动,自得利益为目的的——的人,土地底使用,绝对禁止。

有土地使用权的人,若是(1)害了重大疾病;(2)为国家或公众服务,或为社会的有用事业,(3)或因天灾不能耕种土地底时候,只有在这时期内,中止土地使用权。照上述情形,本人若在一时不能劳动的状态或死亡的时候,地方劳农会要请求公共的援助方法,或根据一般劳动者管理法,有雇佣劳动管理其土地。

其次,(1)若是团体的方面,当该团体消灭,或者该团体需要土地底目的消灭时,(2)若是合作社或自治团等劳动团体,则当该项团体解散时,(3)若是个人,则当本人死亡或被剥夺公民权时,(4)若是本人身体底健康状态不能经营事业,而别谋生活方法时,其土地使用权,完全归于消灭。

反之,(1)正式拒绝土地底一部分底使用时,(2)使用土地于已经禁止的目的时,(3)以违背法律的方法(如使用雇佣劳动)而使用土地时,(4)土地底使用有害于临近农场时则取消土地底一部分的使用权。

又,依以上的原则,担任土地底分配,及使用权只许可与取消等事务的,是地方及中央劳农会底土地局。

四、农业底社会主义化

土地问题底重要,大体是农村中底土地问题,而关于农民底范围以内的,照前面所述大部分没收的土地,已经分配于农民了。对于一切土地、地下富源、河流、森林、自然力等项的所有权,依几次的布告,已经反复说明永远废止了,而这些已分配的土地:其所有权,在原则上也是属于全社会的。但是,土地既然分配于农民各家族,而由家族私自使用,那么,在实际上也无异于土地私有了,这种政策,比过去的私有制度,当然要好许多,而与农业底社会主义化却相隔太远,自不待言。所以柯祖基就起来攻击多数党底土地分配政策,说这不是向社会主义进了一步,倒是巩固私有财产制度的。殊不知农民底思想,比都会劳动者进步颇迟,其眼界也很狭小。尤其是多年为土地缺乏所苦的小农民,关于土地所有权,神经最是敏锐,"给我们土地呵"这句话是他们在革命当时的标语。所以就是从革命要得农民支持这一点说起来,土地社会化一事,即时不能办到,因此,劳农政府底根本方针,以为在农民之上,强制的实行社会主义的耕种是有损无益的事,所以极力避开不用,而采取土地分配政策的。

然而同时劳农政府,一方面又向着农业社会化底大方针,着着进行的,只是劳农政府不用强制的手段来实现,而专用宣传的方法来实现的。于是一方面在实际上谋实现农业底社会化,他方面又用实例来指示农民。政府在 1918 年上期,已组织劳农会直营地和农业自治团,或用他种形式,着手促进农业经济上集产的组织。即 1918 年 8 月,农业人民委员塞列达发出了农业自治团组织的报告;又同年 11 月 2 日劳农政府以贷于农业自治团及其他相类似的农业底集合的经营为目的,发布了创设 1000 万卢布基金底法律。其结果,在本年末,创办了若干劳农会底直营地(当时的全面积达 300 万俄亩)之后,有组成了五百农业自治团。此外还有几个农村开始在村落底所有地实行集合的耕作,但是这一切的努力,宁可说是努力进到农业底社会主义化的预备工夫,其间没有统一,而且那作业中也缺乏了精密的计划。于是政府就在 1918 年 12 月,召集地方劳农会农业局、最贫农民委员及农业自治团底委员,开了一个全俄大会,由这大会底结果,才做成了关于土地底社会主义的组织的、基础的法律。

人民委员,根据这个大会所起草的法律案,于 1919 年 2 月 19 日,发布了一个名为"关于推移到社会主义的土地组织及社会主义的农业的手段的布告"的最重大而且最广讯的法律,因此,劳农共和国对于土地底社会主义化的根本政策,于是确立了。今将关于这布告所行的农业社会化底方法,略述于此。

五、劳农会底直营地

一切土地,都依这布告,作为国民的预备地,属于所管辖的人民委员和地方劳农会机关管理。至关于实现农业底社会化的手段,布告上极力地说明要创办大规模的劳农会直营地,组织农业自治团,实行集合的耕作,以及用别的形式集合的利用土地等事。又,这布告上又说明在该布告发布之时,还没有分配于各家族底土地,其中如前面所述的集合的经营或集合的耕作正在实行的土地,或者正要实行的土地,以及有农村的工业、试验场、试验农场和别的有农事教育事业底设备的土地,除了特别情形之外,一切都禁止移归个人的利用。

在社会主义组织之下的土地底经营,受农业人民委员底监督,由劳农会底地方土地局办理。而土地局系由人民委员底代表、该地方种种劳动团体和农民团体底代表组织而成的。

据布告所规定,劳农会直营地,作为土地经营底模范事业,一面要实现最大限度底生产力,一面要在农民面前表示集合的农业有利益的活泼证据,而劳农会直营地因此变成了施农事教育于临近农民的中心。所以该布告上特别从国民的预备地中选定下述各项地面,充作劳农会底直营地。即如:向来归私人经营而行集合的耕作的大土地;有谷仓、果树园和葡萄园的土地;有茶叶、烟草、甜菜园及有复杂的化学农业上底设备(如干酪制造所、牛酪制造所、酪农场、制粉所、酿造厂)的土地;进步的畜产业流行的地面;有如农具修缮所等农村工业的地面;以及作为养鱼场使用的,池、湖水等等——一切都保留为劳农会直营地,不分配于一般农民。

其次,该布告又因为农事教育上底目的,规定于农业会直营地,设立试验场、试验农场、工作场、农业上底讲演及展览会、农业学校、图书馆、剧场及其他教化底设备。

劳农会直营地,属于农业人民委员底管辖,各地方底事物,尤以劳农会直营地地技术上管理上底事务,则由农业人民委员及地方委员会所选任的专门家底委员办理。关于经营底内部的各种事件,劳动者经济上卫生上底事情,一切都由劳动会直营地内底劳动者所选出的劳动者管理委员会所决定、所监督。

劳农会直营地底劳动者。一切都是直接于国家地劳动者,给以由劳动组合所决定而得农业人民底同意的工钱。劳农会直营地底劳动者,也和国有工厂一样用劳动者管理法管理。又布告上,极力地说,以由都会选送有经验的工业劳动者于劳农会直营地为急务。这布告发布后不久,人民委员,又另外发了一个重要布告,那布告中,也极力说劳农会直营地用工业劳动者一事最为重要,更设立了对于这种办法的详细规定。

布告,又因为要与临近地小农以物质上底援助为目的,要求劳农会直营地在该地域内设家畜病院,改良地方道路,组织农业上底辅助机关,和一般临近地底农民保持密切的联络而行动。

由劳农会直营地而行的农业社会化一事,也有种种困难。多数农民,不懂农业社会化底意义,有时候他们还要反对。就是地方劳农会,也不能充分了解农业社会化底事业。又农事智识进步太迟,农业专门家和组织者不足,此外家畜、农业也非常欠缺。即由 1916 年底调查看起来,在现属于劳农会底一切地方,有马 386672 匹,后来移到农业人民委员手里的时候,只有 23049 匹了,充劳农会直营地底耕地底 1/3 的使用,还不够用。又如母牛,在先前有 296069 匹,移到农业人民委员手里的时候,也只有 43361 匹了。这比先减少的匹数,是在那时期之内减少了的,而以上的牛和马,只不过供给 13000 俄亩的开垦地底肥料。农具底缺乏也是一样。譬如 1918 年冬天的耕作,只不过把休闲地 25% 下种罢了。属于劳农政府的 36 处地方中,有 13 处地方,冬天的耕作,完全不能下种。

所以农业社会化底布告,照依前所述,虽是由 1918 年 12 月底大会决定了下来,至于开始着手组织的,还在 1919 年 3 月以后。虽然在这种状况之下,着手进行,而劳农会直营地底农业,却收了较好的成绩。即算至 1920 年 1 月为止,支出总计 924347500 卢布,而生产物底价格,为 843372343 卢布,扣除购买家畜、农具及其他永久设施的用费,没有亏欠的地方。

劳农会直营地之数,在 1919 年七八月间。各处面积总计 400,在 400 俄亩至 800 俄亩之间。同年 11 月间,直营地之数,增至 2524,其耕种地底总面积为 615503 俄亩,到 1920 年之中,更增加 1021 处,总面积达到 200 万俄亩。

六、农业自治团

依布告所规定,所谓农业自治团,乃是以土地共有和土地集合的耕作与生产物底共产的使用为基础的,农业生产者底任意的团体。农业自治团底土地,或者由属于自治团各家族向来的所有地凑合而成,或者是由土地局从国有的预备地中贷给的土地。又自治团所有附属财产(如农具、肥料、小屋及其他直接于农业的必要设备之类),也与此相同,或者由属于自治团的各家族向来用以耕种土地的附属财产凑合而成,或者由土地局贷给。从国有预备地中借入土地时,该项土地中,当然多附有收没的附属财产。

农业自治团,归农业人民委员监督,须按照土地局所定的一定工作计划和规定经营事业。又农业自治团中,除常任有俸专门家和收获时或紧急时雇佣的劳动者以外,一概禁止使用雇佣劳动者。

又,各自治团底一切管理,以及技术上、经济上和卫生上底事务,由自治团员互选的委员会办理。而有俸的专门技术家,和临时雇佣的劳动者以外,得各就所做的工作陈述意见,但没有加入委员会投票表决的权利。又临近地方劳农会直营地底地方委员会,得派代表出席于自治团委员会。在这种情形中,自治团也有派代表于该地方委员会底权利。

其次,自治团底生产物,首先除去该自治团自身所必要的一定分量之外,所有的剩余,作为补偿由公共基金中所借用的资金、农具、人造肥料及其他为自治团谋经济改善的,有益的施设之用,交付于人民委员底供给事务局。

自治团,又有在临近农村间创办教育事业,而对于农村中取得利润的人,以谋保护,援助小农民的义务。

于经营事业有便利的时候,两个以上的自治团,可以合为一个,又散在各处的自治团,得组织自治团同盟。

农事自治团,是任意自由的土地共产团体,无论何时,得依自治团员多数的决定而宣告解散。又自治团底经营不能生产的时候,人民委员也可以下命解散。

这些自治团,起初归农业自治团局管辖,1918 年 12 月大会底结果,重新在农业人民委员之下,设了集合的农业局。集合农业局,在 1919 年 5 月以后,才开始为组织的工作。

在 1918 年 7 月初,登记于农业人民委员底自治团局的农业自治团,有342,团员不过 9985 人。至同年 8 月末,就增为 523,到 10 月 15 日增为 700,到11 月 1 日,增为 912,团员共有 32199 人,其土地共有 73809 俄亩,其中有40038 俄亩都已经耕种了。前面所述的 1918 年 12 月布告之结果,自治团更益进步,在这一年 11 月 1 日,已登记的自治团已有 1921 人,自治团底人口已达 13000 人。据马克列恩与农业人民委员塞列达底会谈记中所述,1920 年后半期,自治团之数增加到 3000。①

---

① 1919 年 10 月间驻在俄国的马克卜来特底记述称当时欧列尔县,有 391 个农业自治团,其面积为 39000 俄亩,人口含有 29000。又莫基列夫地方,有自治团 225,面积 39000 俄亩,人口含有 11000。菲特布斯克县,自治团 214,面积 6 万俄亩,人口 6 万;诺维哥洛特地方,自治团 72,面积 22253 俄亩,人口 11376;加尔加,自治团 150,面积 12000 俄亩,人口 6500;兹拉地方,自治团78,面积 8554 俄亩,人口 5465 人。同年之末,这些农业自治团,恐怕要增至 2 倍的。又彼得格勒附近地方,当时成立了 820 个农业自治团,面积 17000 俄亩,人口 15313 人,都是劳动者。

这些农业自治团,多由都会及农村无产阶级的分子组织而成,至于富裕农民,财产观念颇强,就是些少的土地,也非据为己有不可。但是,农业自治团成绩昭著以后,一般农民底态度就改变了。例如北多因斯克底自治团,是使用刈草机和收获机的,因此引起了农民底注意。又有某自治团,依自治团底资力,设有农具修缮所、榨油场等类设施,为临近地方一般农民图谋便利。又有某自治团,为自治团和临近农民开设了幼稚园。

土地法,不分内国人和外国人底区别,一律适用,所以 1920 年末,就是一团的德国劳动者移住俄国组织农业自治团的,当时意大利劳动者之间也实行了同样的计划。又农业自治团中,后来也有编入劳农会直营地的。

七、农业自治团之实例

今为要举一个农业自治团作为实例,特将哥米尔州底斯达洛达卜斯克地方的"多奈卜洛弗"自治团底记事,揭载出来。这自治团,有耕地 300 俄亩,有牧草地 50 俄亩。这些土地原是大地主底土地、家畜、建筑物、农具等等,都完全被破坏了。

"自治团员,经过了两年间底活动,到现在完全恢复原状了。不足的东西,就是牲畜。自治团员,采用九圃式底耕作方法,蒸汽打谷机和汽车使用,收获时用收获机。"

"播种专用规则正当的播种机。自治团,本年(1920 年)由 33 俄亩底土地收得 18000 磅的麦,而玉蜀黍也经栽种了。"

"自治团,男女共计 117 人,此外约有 40 人编入赤军,其中也有做指挥官的。"

"自治团对于儿童教育特别注意,设有寄儿所和幼稚园。就学年龄底儿童,在自治团底地方学校受教育。"

"自治团底委员会,本年取出两俄亩土地,受老年人监督,试种了各种谷物。"

"儿童,热心地并且好好地在田园中工作,他们在上学校时之先,在儿童田园中收获马铃薯,积蓄到来年春天使用。"

"在'多奈卜洛弗',事事都实行社会化。自治团员,完全一致。他们觉悟的程度,非常进步。去年间,自治团种了 66 俄亩的麦。麦的收获很好。已破坏的屋宇,都修好了,不久还要建筑新屋宇,已筹备好了。"

"自治团底组织人,是同志米哈密底加。依我所想,'多奈卜洛弗,'明春有备用一架牵引机或动力锄底必要。照这样办,自治团底经济,方能真正的组织在技术的基础之上。这事若能办到,自治团员底半数,就可以走到别的地方去,依自己底训练和自觉,很可以好好地另组织一个和'多奈卜洛弗'同样的自治团。"

"自治团,因为很优美的经营、经济和组织,在哥米尔州有名。别的自治团也来视察。有时一天有 20 个农民来视察的。"(多奈卜洛弗自治团一分子亚历山大·柯斯顿底书信)

"多奈卜洛弗"自治团,大体是由中流农民组织的,至于离加尔加地方八俄里底"赤色街",却是纯粹由劳动者组织的农业自治团。他们大概是波布尔斯克枪炮制造场底青年劳动者,其中有 17 名是共产党员。这自治团底土地,原是加里青公爵底土地。

"在他们组织自治团之初,这些土地都是荒土。二十余匹渥登布尔克种母牛,因为饲料缺乏,在先前每日只能出两三磅的牛乳,到现在每一匹能够出两三十磅的牛乳了。"

在起初的时候,村民存着几分敌意和轻侮的念头,他们说:"你们领得了很好的屋宇、许多的土地、繁茂的森林、果树园、母牛、羊、猪、鸡、鸭,样样都到手了,但是你们打算怎样办呢。我想你们横竖把这些东西吃完弄完,等到来春逃了就完事。"但是不特没有逃,而且自治团反倒办得很有精彩。在那时期内恰逢着复活祭。复活祭这一天,他们商议了怎样消遣的事。商议的结果,他们一同出去砍材。

"……我还会听见过一个名叫'组织者'的自治团的话,这自治团,事业也着着成功,所以地方底农民很诧异,就传说这是因为取了十字架,必有什么恶鬼相助的。"

"他们相处,颇为亲睦。各人各干经自治团总会讨论后由自治团委员会所派定的工作。动员令一下,他们就即刻勇敢地把共产主义者送到东部战线去。"

"……这农业自治团'赤色町'底委员长渥丁斯克,本是一个工匠,他办事却很能干。托洛兹基村的另一个农业自治团底组织者托尔可夫,其人物和他不相上下,他在白天做工匠,晚间研究殖林学。他是村里底农民,在军队中是细木工和水兵。他和几个同志组织农业自治团,这自治团后来取用了'组织者'底名称。我觉得用这个名称很相称。为什么呢,因为这是把那地方所有的村民都组成一个团体的。在加尔加及加尔加县,从街名以至于区名,大村小村,都改换名称了。加尔加附近地方,有勒尔伦伯伯尔罗扎卢森不尔克等村名。托洛兹基村,在那当中也是很有组织的。这些'赤色街'和'组织者'在没有结合的农民间,带有很重要的任务……"

"……和这些模范农场与牧地并列的,幅狭而播种又无规则的,农村底土地,看起来,其胜利必归于组织者",这是很明了的。恐怕一二年中,总有一天农民要开会组织自治团,把那窄而长的土地合并起来共同耕作的。组织者因此用种种方法援助农民。用锄的自治团底土地,和村民底土地并列,其差异已经明了。于是组织者开村民会,议论新制度。事实上,胜利要属于我们的。即使村民不自组自治团(固然也有已经组织的),他们必不存敌意来对待自治团了。自治团并不掠夺他们的东西。有时倒反把东西给他们的……"(亚洛斯拉夫斯基)

八、集合耕作

本布告所规定的"集合耕作"可说是部分的农业自治团或不完全的农业自治团,单是在一定的土地,把个人所有的附属财产集合起来应用的。所以集合耕作也可以由全体村民同意,在一全村落中举行,也可以由一部村民底决意在一村落中底一部分举行的。凡是村落底公地而未经分配于各家族的地面,有难为个人所分受而本人因有他故不能耕种,而目前又不能作为劳农会直营地或农业自治团底土地来利用的地面等等,那布告上尤特别奖励实行集合耕作的。

集合耕作底有关系的分子、组织协会或组合,平等地共同操作。在集合耕作底内部,除遇特别紧急情形雇佣临时佣工之外,不许雇佣劳动者。临时被雇人,对于组合事业,有建议底权利。又依本人底希望,得为完全的组合员。

前面曾经说过的,集合耕作以使用组合员各人底附属财产为原则,但遇必要时,可以组合员中富裕分子所余剩的附属财产中,得以补偿费(或者不以补偿费)收取,专供组合之用。

组合员各有在集合的耕作地运送一定肥料的义务。又组合员底捐款和每年从收获中取出的金额,都用以作为播种于集合的耕作地底种子基金和人工肥沃法底基金。

集合耕作所得的生产物,一部分作为种子、饲畜、肥料及农具底购入和修缮等项之费用,剩余的提出一定数目分配于组合员,最后剩余的,交给人民委员底供给局。至对于从土地局借用的资本金等款,则由收入中偿还。租税,也同在收入中支付。

又农民底一团或全村落,可以逐渐在他的耕作地应用集合的耕作,同时也可以把附属财产和农业用底家畜,移归集合的组合所有。关于集合的耕作组合的一切经营,由组合员所选出的委员会办理。

布告最后又规定使农业人民委员和所属各机关担负责任,对于集合耕作及其他相似的农业团体,供给种子和附属财产,援助农场底经营、贷与资金,并给以其他种种的援助。

又俄国农民间,从古时起,已经在阿尔特尔底名下,实行了小规模的协同组合的耕作,从 19 世纪起到 20 世纪,农民中重新发达了协同组合。但这类事业,都和这布告上所说的结合耕作不同。米留青关于农民底协同组合和阿尔特尔,曾有下段的说明。

"……这些东西,只有在资本制度之下,从经济上的见地,从教育上的见地看起来,都是必要的,都是有用的。但是在劳农会底社会主义的组织之下,这些东西,至少就是当作独立底私人的团体,也成为无用的了。……农村底社会主义化,不是可以由农业协同组合实行的。他们缺乏对于这个目的底必要的性质。第一,和农业上的劳动,没有直接的联络。和一般生产程序的关系,也是薄弱。第二,这是农民底一团一团的组织,所以各团体底利害,常与一般的利害相反,常与国民经济全体底利害相反。第三,协同组合的中介的行动,现在渐渐移归国家机关之手。第四,协同组合教育上的活动,在劳农会底大规模的教育的活动面前,已不见其重要了。所以我们不得不断定农村社会主义化底作用,不可以采用旧时的形态,而应该采取和国民经济底要求相一致的新形态,而这新形态就不外于农业自治团和劳农会底经济组织⋯⋯"

九、农业之改良

关于依 1918 年 11 月 2 日底布告而设立一千万卢布基金,经 1919 年 2 月 23 日底布告,把借出的方法等事统一了。基金,属于人民委员底代表、消费组合同盟底代表和农业自治团底代表所组成的中央委员会管理,在各地方则由同性质的地方委员会,处理这类事务。又基金,常时依借款之回收和政府之收入,从新编入此项基金之中,继续填补的。

基金,也有用货币借出的,也有作为种子、农具、肥料农具修缮所,以及近代农业所要的物品和设备等项底代价而借出的。农业自治团、集合耕作组合及其他农业团体等,都可以从这基金中领受借款。借款不取利息,经过偿还期限时,在期限以后,每个月征收 1%。又从基金中领取借款时,须遵守土地局以促进农业生产力为目的的规定。

人民委员,因为要从农业自治团、集合的耕作地为始,要促进一般农业变为以近代科学为基础底集合的耕作,发出了几个布告。其一,是农事教育及农业上的知识应用底国民化(国营)。农事教育,在 1918 年中,已变为国营,为一般农民公开,无论何人,都有可以不出钱而得受农业教育的机会。试验农场,依 1919 年 3 月 12 日底布告,变为国有,全国农村到处都是农事上的试验场。在这些试验场,努力谋种子底改良,谋家畜底饲养及种畜底改良,谋家禽与马底饲养和改良,谋一般农业上底改良和智识底普及,这些事都不仅是农业自治团和集合的耕作地,即与一般农民之间,也继续保持关系的。一般农民,也似乎渐渐知道近世农业技术底价值,进而要求这些机关底援助了。

又依 1919 年 1 月 30 日底布告,一切受了农业上的教育的专门技术家,和具有实际上的经验的专门技术家,一个个都可以受人民委员底登记。而农业人民委员,有经由各地方土地委员,应各地方底需要,调遣这些专门技术家的权能。这布告底结果，同年 3 月 20 日属于劳农政府的 12 个地方的农业专门家，都出来服务了。即，这些专门技术，早已不是私人底职业，而成为服务于社会全体的技能了。其后，这种动员，在别的地方也普及了。

要之，普及农业上的知识，促进农业技术底进步，以及援助农民种种事业，占了农业人民委员大部分的任务。而其有力的机关，是各地方农民所选出的土地委员。种子之供给，本来是食物供给管理部底任务，而其分配则由土地委员担任。

农业人民委员为启发农民底智识，请求种种的手段，譬如发行农事上的定期出版物，分送于全国各农村，此外又配布种种小册子，平易地说明一切农业上的知识，例如马铃薯及牧草底栽培法、轮栽法、植林法之类。

农业技术底改良，虽然因为一般农民底智识幼稚，和农具家畜底缺乏，进行上很受了阻碍，但是劳农政府，却还收了相当的效果。拉林从种子制出的多寡上，观察劳农俄国底农业，有下段的说明。

欧洲各国自开战以来，为造出种子而使用的土地，显然地减少了。即如俄国，1915 年底种子制造额若定为 100，那么，到 1916 年就减了 96，到 1917 年就减为 87 了。若用这个比例减少起来，到 1920 年时就要减到 69，若是多数党革命，引起了农村中底混乱和无组织状态，这种减少率，更要加大了。但是事实上却与此相反，1919 年底种子制出额，占 1905 年的 81%。而且从 1917—1919 年之间，从前占有种子制出额底 7% 的大地主，完全停止，代替大地主的，不过是些少的劳农会直营地和农业自治团。照这样，种子制出额在劳农政府以前，一年要减少 6%，而在多数党革命以后的 1919 年，减少率只减为一半。单由这一事，也可以明白地说明劳农会治下的俄国农业底恢复和发达的状态了。

十、农业社会化底手段

照这样，社会主义的农业实现的地面，和全体底土地比较起来，不过只是一小部分，而土地及农业底社会化，却因为人民委员非常的努力，已在种种形势之下着着进步了。然而进行的方法，常是宣传和教育，并未用何种强制力，这是值得注意的。2 月 10 日的土地法发布以后,约一个月之后召集第八次共产党全国大会,列宁论及农业问题说:"……单想用强制来改变中农底经济的关系,其错误再没有比这事还要大。关于农民经济的,我们的布告,在实质上是正当的……若说是拿这布告强制农民,那就错了。我们应该要说服他们,要用实际上底实例来说服他们。"在这一点,列宁底农业政策,和那一般的政治原则,并没有不同的地方。他对于积极的、反革命的行动,要发挥所谓无产阶级专政底手腕,同时,对于民众,不相信强制而相信说服。劳农政治底原则,不是"可使由之,不可使知之",乃是使民众务要多知道一点的。他们相信自己底主张和纲领是很正当的。若是民众不容纳他们底主张和纲领,必定是民众还没有明了。他们相信民众若是多知道一点,他们必然要占胜利的。关于农业政策,也是这样,列宁相信集合的、社会主义的小农业,比个人的、小规模的农业,从技术上说来,是占优胜的。所以他相信把这优点用事实上的实例表明出来,是农业社会化底最有效的手段。

农业人民委员塞列达,对于威廉古特,也说了同样的话。他说:"我们确实相信农业生产力底增加,由土地底集合的经营,最能够实现出来。但是我们不用土地底强制的社会化来实行这件事。我们对于个个的生产者,不强制他们行集合的生产。反之,我们特别努力尊重农民底自由。所以我们对于土地委员和别的劳农会政府底各机关,下了明确的训令,对于无论什么农民,若为使他们行集合的生产,不可以加以丝毫的压迫。我们相信集合的生产方法,只有十分相信集合的生产方法有利而自觉的进行时才有价值的……"

古特在这个会谈记之后,附记了一句话,他说:"这个陈述有很重大的意义,所以照我和人民委员所说的原文记述出来。"

兰森氏从塞列达听来的话,也是一样。

"农业自治团底设立,绝不是强制的。这不过是用实例宣传共产的经营底思想……这些农业自治团,虽然是应用最善的方法把许多土地在共产制度之下经营起来,但同时又有两个目的:第一,在使农民觉悟共产的劳动底利益;第二,在指示他们,若是他们也采用这制度,就可以从他的土地多得到许多利益……"

十一、农民之向背

劳农政府当面的最大困难，是农民隐藏谷物。先前克伦斯基临时政府，使用 15 万人员，征发谷物，后来劳农政府在食粮管理部之下，通全国约计使用了 20 万人员。此外劳农政府另设学校，召集 800 名劳动者，施以 6 个月教育，派遣于全国农村，以当监督之任。又有男女 400 名的宣传者，每 25 名分组一队，巡行全国各地底农村。所以劳农政府努力要把通用法律而行的，强制的征发减至最少限度。虽然这样，而中农阶级中，还有不少的人梦想投机的价值而隐藏谷物的。尤其是台尼金、柯尔查克等反革命军到处占势力的时候，反革命军的旗色，稍微显现，隐藏谷物的事，就忽然盛行起来，减少他的移出的。于是联合国经济的封锁和反革命军底援助，就变成从俄国多数农民抢夺面包的结果。

谷物征发底方法，是依一定标准，除去农民各家族所必要的分量和作为种子的必要的分量，而将其剩余交给于食粮人民委员，农民领受货币或工业上的生产物，作为支出剩余食粮的代价。谷物底价格，由食粮管理部按照各地方生产费和该地方工业生产物底价格决定。

至于农民对于劳农政府底农业政策，究竟是一种什么态度呢？这是很重要的问题，古特氏下了下列的观察。

"农民底态度，分为富裕者、中产者和贫农的三种。富裕农民，对于劳农会底政策和布告，都有反对的意思。凡是援助贫困农民的布告，不仅是使富裕农民受相当损失，而且生产物底价格都有一定，其结果他们所受的损失最多。他们早已安然的操奇计赢，所以抱怨政府底政策。至于劳农会对于中流农民的政策，以和协为主。而农民问题中最重要的，是这种要素底处理。贫困农民又怎样呢，说起来，凡是与土地底所有有影响的事情，他们底感觉，最是敏锐。他们知道是在十一月革命之后，才开始得到土地的。他们又学得一个教训，全国许多地方，凡是在反动派偶然占胜利，偶然推到劳农会底实权的时候，必定要恢复旧地主底特权的。现在贫困农民，愈益实行集合的生产方法，赤军通过时，他们供给食粮，给以援助。他们熟悉他们的利益，是靠维持劳农会方能得到的。劳农会当局，也曾经率直地说明了农民先前起了暴动的事实和那暴动所以发生的原因。一年前因为封锁和敌军攻击底缘故,俄国中部,粮食非常缺乏,人民委员不得已派兵士到农村证取食粮。当时因为有必要,不得已用了手段。因此激怒了那地方底农民,辛比尔斯克和萨马拉州底暴动才发生出来的。"

第八章　劳农俄国底教育制度

一、无产阶级国家底教育问题

"民可使由之,不可使知之"一句话,是几千年来巩固专制主义基础的教育底要诀。专制政治,唯有人民无智识时,才能繁盛。过去的教育是治者阶级底特权,是威服并欺瞒被治者底武器。在治者阶级看起来,被治的阶级若受教育,实是最有害的事情。为什么呢？因为教育可以促起被治者阶级底自觉和奋发,将于治者阶级有危险。所以旧时视人民有知识为危险的国家,往往把教育事业看得冷淡,而且是悭吝的。这种国家,弃掷巨万军费充对外干涉之用,绞取人民膏血建造军舰以防备假想敌人,又何怪其大呼节省教育经费呢。

在帝制时代底俄国正是如此,教育预算,大受核减,小学教育不过有名无实,大多数人民得不到什么智识。若是无产阶级专政照世人所相信的一样,以为也是和旧国家底官僚的专制相似,那么,当然也要用"不可使知之"底教育制度和教育方针来巩固他的基础了。但是事实上正相反对的,劳农政府要用"可使知之不可使由之"底原则来尽力办教育的。他们以为政府当局最紧要事,不是要人民盲目的服从,乃是使人民有理解的信仰。社会主义国家底危险事,不怕人民有智识,怕人民无智识。人民有觉悟后发生出来的自治和协力,方算是社会主义国家底基础,是新社会底生命。旧教育唯一的任务,要把适合旧国家、旧社会底道德和习惯灌输儿童脑筋之中,蔑视儿童的个性和天分。至于新的劳动者的国家所要求的新教育,在养成人民对于共同生活的理想,即是要使人民知道向着一定目的进行,同心协力、不畏艰险,同时要尽量地使个人底才能完全发达起来。新俄罗斯底教育制度,不特作为世界最初的劳动者国家底建设事业看来是最可注意的事业,即就普通的方面看来,也是教育史上得未曾有的大胆而且彻底的改造计划,其趣味非常深远的。

二、一般的教育方针

1917 年 11 月劳农政府成立,俄国文教底中枢,即设置于教育人民委员会(与教育部相当),卢那查尔斯被任为委员长。卢那察尔斯基在当时发表了一个宣言,宣言的大要如下:

一般教育方针　一切真正民主的国家,在大多数人不学无识时,第一目的,就是要是这种人减少才好。所以国家要组织适应近世教育学底主张的学校制度,尽量地在短时期内把这种不识字的人除尽才好。一方面要确立对于一切人民底无费义务教育制度,同时要设立教员养成所和师范学校,尽可能地速度来组织强大的教育者军队,因为教育者军队在广大无边的俄国民众教育普及上是必需的要素。

"地方分权主义教育委员会,绝不是支配授业和教育上各种制度底中央权力。反之,关于学校的一切事业,都要移归地方自治团体底机关办理的。依自己的提议而创立文化和教育机关的劳动者兵士农民底独立事业,国家中央机关和都市中央机关,都要给予充分的自治权限的。"

"教育委员会事业底性质,就是对于地方的或私立的学校,尤其是对于劳动者所设立的带有阶级的性质的学校,为他们请求给予物质的精神的补助方法,并且给予多大的援助。"

"教育家及各学会会员、教育委员会,欢迎各教育家,办理有教育人民(国家的主人)的光荣和希望底事业。"

"国家关于人民底教育而决定什么方针的时候,必须经过代表教育家的人物底慎重的协议。"

"无论何事,并不仅依靠专门家底协议来决定,而关于一般的教育底学会,也可以参加。"

"教育委员会第一的事业,要改良教员底地位,尤其是要改良那对于文化事业很尽力而生活极贫困的小学教员底地位。他们若有正当的要求,无论如何,总要使他们满足。学校劳动者,向来空空的要求过一个月增加百卢布底薪俸的。若是再使这类教育俄国大多数人民底教员,处于贫困的地位,那就是可耻的事了。"

"然而真正的民主主义,也不仅是除尽不识字人和普及小学教育两事为止。还要分几个等级,组织非宗教者的统一学制。这个理想的目的,就是要对于一切人民,实行平等的而且高等的教育。这种理想,对于一切人若是未能实现时,那么由小学到大学的升级,即是进到高等的教育。这种理想,对于一切人若是未能实现时,那么由小学到大学的升级,即是进到高等学校的资格,就不依靠个人家庭的财力而依靠自己的能力了。"

"经过了长久可憎的帝国主义战争而陷入穷困的国家,要造成纯粹民主的教育组织,是一种困难事情。但是掌权的劳动者也不要忘记,教育的改良和精神的发达,在他们的战争上,实是最大的武器。人民预算中别的条项,虽或有核减的必要,唯有教育经费总要丰富才好。国家能有大宗教育预算,乃是国民底光荣。自由的、已解放的俄国人,是不会忘记这件事的。"

"对于文盲和无智底战争,并不是单为幼年人谋学校教育的彻底办理,便算了事。就是对于成年者,也要使他们从那不能读不能写的屈辱地位,脱离出来。在通俗教育底一般计划中,成年者底学校,应占重要的位置。"

"授业和教育底差别,不可不尽力说明。授业不过是教师把已成的智识传授于生徒,教育乃是创造的程序。个人的人格,在一生涯中,是被教育的,是被构造的,是被充实内容的,是被巩固的,是被完成的。"

"劳动的民众(劳动者、兵士和农民)都很希望学习初等高等的学科,都很渴望教育的。能够使他们得受教育的,不是政府,不是有知识的人,也不是别的人,乃是他们自己。他们所办的教育,和先前创造了文化的统治阶级及智识分子不同,完全把他们自己的理想,依社会的地位组成的。他们有他们自己的理想,有他们自己的感情,解决个人的和社会的问题时,又有他们自己特别的方法。都会劳动者将依他们自身的技术,地方劳动者将用他们自身的办法而各自建设劳动者阶级觉悟的明了的世界观。最优美的现象,莫过于我们最近的子孙所能目击所能关于的,依丰富自由的灵魂底共同劳动而行的建设事业了。"

"授业确是重要事,却不是的确的要素。最重要的是民众自身底批评,是他们的创造力。因为他们的批评和创造力,每逢彻底底阶级的动摇时,都成就根本的变化的。"

"通全俄国看起来,在都市劳动者间特别明显,即如农民之中,文化的教育运动底大波澜,都发生起来了。劳动者和兵士照这样组成的团体,处处都有了。顺应它们的要求,与他们的援助,为他们除去前途底障碍物,这是革命的民众政府对于民众教育应办的第一事业。俄国底兴废,全靠国内最贵重的纯粹民主的势力怎样协同行事来决定的。"

"我们相信劳动阶级和有觉悟的智识分子底努力,能够从苦痛的危机中,把俄国救了出来,经由完全的民主主义而引导到社会主义和四海同胞主义去。"

以上是卢那察尔斯基底宣言底大要。后来1918年6月2日,教育委员会委员列伯辛斯基在国际主义教育第一次全俄大会席上朗读的教育论,又把那宣言上所表现的教育方针证明,而且具体地说明了出来。那教育论上说:

"攻击新政府的,都说新政府蔑视过去的文化价值,破坏学校制度。……不错!像那种代表固有的特权和功利的精神的谬误主义,而为治者阶级做奴隶的学校制度,的确被破坏了。那种学校制度,消磨民众的自觉,在精神上、在肉体上都有损于儿童。而且在旧的、过去的全社会组织视为必要的组成分子的这种学校制度,也不是由一团的个人所破坏,乃是由生活力的自身所破坏的。所以历史产出了这个破坏,而这种破坏又成就了革命时代的急务。"

"然而单是注意这种自然的破坏,还是不够的。革命的社会阶级,尤其是站在前线的进步的分子,务须最明敏的、最有组织的来成就这种基础的事业。第一,要扫除过去一切无用的长物,并且要大胆地破坏他。但是同时(或者慎重地徐徐地开始实行)要有创造的活动。在这时候学校早已不是剥削阶级底器具,人民得胜以后,事实上又变成人民的学校了……"

"学校早已不用纯粹职业家的教员,不用由上司任命的教员,不用离开人民的教员了。我们教育委员会,极力注重这一点,要采用由人民自己创设的地方机关选举教员的制度。"

"学校早已不是把头脑和智识之外的价值作为基础的特权底源泉了。所以教育委员要急速实行授予一切特权于各种高等教育机关底卒业者,完全废止证书和许可状。"

"旧学校制度,不是教育机关,乃是诱惑人心底工具。革命,把这种教育制度扫除了。政府的活动,在学校制度之上,提出了新的问题。成为教育底中心的教育委员会,第一步要驱逐教会在学校底势力,把宗教和教育,实行分立起来。"

"这第一步的事业,不过是工作的开始。我们的前途长远,站在新基础之上,当着人生改造的时代(即是实现社会主义的世界的社会革命时代),要从事远大的创造的组织事业,把人民所要求的学校制度实现出来。"

"因为要做到这些事业,所以委员会要求有智识有经验的、精通教育事业的人底援助,人民教育委员会欢迎援助我们的人或能够援助的人。……最近我们在委员会内部设'教育家顾问部'又分为若干小委员会,那委员会首先作为学校改良运动底先锋,渐次解决那可以决定我们学校制度底实质的具体问题。"

"我们第一在学校教育中,宗教的仪式及教训绝对不要采用;第二,普通教育不分性与社会的差别,对于任何人都施行强制,书籍和束脩,概不收费;第三,新学校以劳动本位为根本方针。"

"……

"发达劳动本位的学校制度底根本如下:

第一,从幼时起,把生产的劳动和学术融合起来,作为近代社会改造事业中最强的武器。

第二,现在生产方法的技术,要求个人全部的发达,具备劳动的能力和对于各种产业的技术的智识,所以教授普通学的学校,须带有技术(职业)学校的性质。但专门教育,应超出普通学底范围而委托高等学校或学校以外之教育机关办理。

第三,体力劳动是学校生活必需的要素,一切儿童都应从事于生产的劳动;有用的消费物(在各个学校看起来)底生产,或如适宜于校内卫生状态改善的事务。都要使生徒知道体力劳动底直接间接的利益。

第四,学校应依据下列方针,指导儿童底社会的教育,变为生产和消费并行的生产自治团。

（1）关于学校自治及精神的肉体的劳动问题底团体的自决之原则。

（2）一切儿童底要求,应尽儿童自身的力量使其满足的原则。

（3）组织以社会的精神的努力为基础的团体(如组织科学研究会、发行杂志以及合作事业之类)。

第五,学校因为要使儿童创造的能力发挥和发达,应尽量地给以多大的机会。因为要成就这项事业,所以要把儿童放在一个好环境之中,这个环境,要于儿童底精神的、肉体的能力最有利益,即是要助长儿童底肉体和精神两方面能够完全调和地发达起来。其必要的条项如下:

（1）学校生活底各方面儿童自主的活动,工作时底独立创造,以及日常生活的自治。

（2）实行刺激儿童创造力的教育方法。

（3）指导儿童精神生活底社会的感情,并提倡艺术的活动,作为助长儿童审美的发达底主要要素。

第六,儿童底教育方法,须随学校所遭遇的新问题而异其性质。儿童教育以造成社会的动物底人类为主要目的;第一要使他们了解现在的社会劳动底意义,其次要使他们了解过去历史的社会劳动底意义,最后要使他们了解近的将来的劳动问题。精神的教育和生产的劳动之间,必须有直接的、有机的接触;教育要依从心理学、生理学及教育学上的新发见而行,尤其是要从已知的推到未知的,从具体的方面移到抽象的方面。"

"我想,人应当逐渐地去受教育,然而这一层必须要儿童在学校中经过长时间方能办到。所以最紧要的,要造成一种使大多数就学年龄的儿童,必须受长时间训育的状态。强制的教育,无论在何国都是有的,俄国采取这种教育,岂不是好吗?"

"……我们征集一切奖励这种企图的人。我们还要宣传我们的思想,因此开始发行关于学校改良事业的书类。我们把这些书类分发于全俄国。然而真正的必要事,不是单单的世界的宣传,乃是实行。因为这个目的,教育委员会正在设立实验的学校。在首府实行官僚的学校政策,乃是错误的假定。我们对于人民并不强课什么,乃是人民自身经由地方自治机关要求我们给予一般的方针和援助的结果才树立教育案的。"

劳农俄国底教育,依政府方面底说明所能窥测的,其目的乃是给予一切人以平等教育的机会,使各人的能力充分发达起来并创造劳动者的文化的。

然则要达到这种目的,就要行怎样的组织呢?

三、教育机关之组织

劳农俄国文教底中枢教育人民委员会,分为下列各局:

第一,普通义务教育局;

第二,专门学校及大学校事务局;

第三,政府直辖学校局(在提交于地方当局以前的期内);

第四,幼稚院及儿童补助局;

第五,人民大学局;

第六,独立学校补助局;

第七,科学局;

第八,艺术局;

第九,实验教育及学校卫生局;

第十,财政局;

第十一,技术教育局;

第十二,教员养成局;

第十三,学校增设局;

第十四,文艺出版局;

第十五,统计局;

第十六,组织局。

关于教育组织的政府底布告中,其规定如次:

第一,俄罗斯社会主义联邦劳农共和国关于一般教育底指导,委托教育委员会办理,以教育人民委员为该会委员长。

第二,教育人民委员会底会员如次:

(1)由于任命的——最高干部员(由教育委员、次长及五名的办事员而成)、一切局长、教育委员底书记官长,以及该委员会底干事。

（2）由于选举的——中央执行委员会底代表三名，赞成劳农政府底政纲的教员团体的代表三名，劳动组合中央事务所代表二名，劳动者消费组合中央事务所底代表一名，中央文化团体底代表一名。

（3）由于各部门代表底资格而派出的——主持异民族课的教育委员会底委员一名，及最初经济委员会底办事人一名。

第三，教育委员会，依教育人民委员和次长及五名的会员组成的最高干部所管辖。

第四，教育人民委员，依劳动者、农民、赤军及哥萨克代表底劳农会中央执行委员会选出。次长及最高干部员，依教育人民委员底推荐，经中央执行委员会选举而出。

第五，最高干部任命局长、书记长官和干事。

第六，人民教育委员会底职分，除这个法令中别的条项中所规定者以外，就是：关于劳农俄国一般的教育及学校改造底根本方针之树立；各地方文化事业之联络；关于编制预算及一般文化事业之基金分配；最重要的最高教育机关之管理；及其他通国教育及文化事业之指导与统辖等事。

第七，教育委员会，定期开全俄教育大会，发表事业底报告，附议委员会权限之内的重要问题。

第八，全俄教育大会底代表，（1）由各县教育会选出一名，由人民教育评议会各选出一名，由各乡教育局及教育评议会各选出二名，由各乡教育局及教育劳农会各选出二名；（2）由人民教育委员会选出代表若干名；（3）以顾问资格到席的有理解的若干人。

第九，初等教育、校外教育等高等教育以外的教育问题，委托省、县、乡、村各劳农会执行委员会中所组织的教育局办理。

第十，教育评议会附属于教育局，有为他的监督和咨问机关底职分。

第十一，一切教育局和教育评议会，在劳农共和国底法律所规定的范围之内活动，遵照教育人民委员会底规定办理。村服从于乡的命令，乡服从县的命令，县服从省的命令。

第十二，村教育局由乡劳农会执行委员会选出三名以上的委员组织而成。

第十三，村教育局所有的任务，在除尽一乡内不识字人，组织全体村民底社会教育,普及教育,助长村民关于教育问题底创发心。

第十四,教育局因为要实现第一条所揭举的目的,须举行下列各事:(1)为实行教育人民委员会底规定(尤注意于一般教育方针),采用一切手段。(2)依从人民委员会底命令及乡教育会直接的训令,监督学校、文化及教育机关。(3)有使用一乡底基金的必要时,须编制预算而得乡教育评议会之同意。(4)每年须就教育事务局及人民教育状态,提出两次以上底报告于乡教育局。(5)作成就学年龄儿童之统计,监督该学校底出席和缺席。和教育评议员协力,组织由人民选举教员底制度。(6)对于教育评议会提出该事业底详细的报告,通知教育方面底法律上及行政上底规定。

第十五,乡教育评议会由(1)有选派代表于劳农会底权利的一切团体底代表(但代表选出的比例,与劳农会内部各团体选举时相同),(2)教员及生徒底代表,(3)以顾问资格而被招待者等人组织而成(由教员和生徒所选出的有投票权的代表,不得超过教育评议会会员数 1/3 以上)。

第十六,村教育评议会底会议公开。

第十七,村教育评议会至少每月开会一次。

第十八,村教育评议会讨议教育局底报告,研究教育局关于律法及其他政府行为底报告,讨议关于村底教育的组织案。(下略)

乡县、府教育局及教育评议会,根本的组织相同,不过有大小之差,只是省教育会要将预算和报告提出于教育人民委员会。这是和乡、县的教育局不同的地方。

由以上所规定的看起来,我们可以知道劳农俄国的教育组织是很民主的,不照资本阶级国家底教育制度那样要由命令和服从来组织,乃是依当地的住民,教育者及被教育者底合议制度来决定一切的。

四、就学年龄以前之教育

帝政时代底俄国,也和一切资本阶级国家一样,未达就学年龄底儿童教育,完全置之不问。尤其是都会之中,事实上虽然有少数幼稚院,却不过是特权阶级的奢侈品,或者是一种救贫事业,至于未达就学年龄底教育施设,绝对没有。然而劳农政府都承认就学年龄以前底教育,是较就学年龄以后的教育有过之无不及的重要问题,所以政权确立之时即从事扩张幼稚院事业。新教育制度,从幼稚院起到大学止,通一切等级的学校,都用一贯的方针统一起来,作为义务教育。这种新学制底显然的特征是:不收费、不试验;生徒的用品和生活费,都归政府(或公共团体)负担;不论种族、贫富和男女的区别,人人都有入学升级底机会;小学中学底学科,都以实验和劳动为基础;宗教和教育完全分离;男女共学等等。

1918年,创立了儿童研究所,其目的在彻底研究关于就学年龄以前的儿童教育底一切问题,并养成扩张幼稚院事业所必需的保姆。此外又宣传就学年龄以前的儿童教育底必要,而且因为发展地方支部起见,该研究所特设(一)科学部,(二)教育部,(三)宣传部,(四)出版部四部。

(一)科学部又分为(1)医学及心理学实验所;(2)实验的幼儿哺育所;及(3)实验幼稚院三部。三部实验所得的结果,在研究所所发行的关于此项教育的杂志上发表出来。

(二)教育部分四课,(1)就学年龄以前的儿童教员养成所(以一年半或三个月为满期的);(2)儿童家庭保姆长养成所;(3)实验幼稚院;(4)实验的儿童家庭。

(三)属于宣传部的,有关于一切教育问题的博物馆、图书馆及讲演课。

(四)出版部发行机关杂志,刊行关于此项教育的通俗科学读本,又设有制造儿童用家具、玩具及教育用品的工厂。

教育组织第一级的幼稚院,收容3岁至8岁之儿童。但自3岁至6岁之儿童,入院与否可以随意,至6岁以上之儿童,则均有必须入院之义务,而且授以轻易底学课。幼稚院儿童,务使他具备承继劳农国家底资格,即是因为要把劳动底习惯和尊重劳动底精神在游戏之间养成起来,所以用有自然的兴趣底方法,教以园艺和手工。

农民和劳动者,都出自本心,欢迎政府这种新计划,往往有自筹经费,新设幼稚院,只不过要求政府供给保姆为止。劳农治下所养成的劳动阶级出身的许多保姆,较之旧时代同月薪的保姆更有责任观念,对于工作富有兴趣,很能体会社会主义的理想,举出显然的好成绩。

因为久遭封锁和战争的关系，俄国民众，被陷于极饥寒的地位，但是他虽然大受饥寒，却能用极优良的食物养活儿童，尽量地充分地供给不懈。1918年因为儿童的缘故，特设了供给优良食物底公共食堂。1919年2月，设立儿童保护评议会，一切团体都派代表参加。1919年5月，劳农政府下了一个布告，食粮缺乏的地方和二首府的儿童，可以不纳税而得分受食物。因此，儿童在赤军之次，分给了多量的优良的食物，妊妇及乳妈，所得的优良的食物，亦比普通的为多。各地方劳农会，热心奉行这个布告。饥馑的地方常常有报告说大人当食而不食，却供给儿童以充分的食物。例如尼几尼诺哥洛特地方，农民自身在战时所食的不过面包和汤，对于儿童，却供给了备有两种副食物的温热的早餐。彼得格勒地方，虽然常常从食物较为丰富的地方运到牛酪、干酪、砂糖、肉类、果子等物，但这些滋养品都是送到学校、幼稚院和儿童家庭，分给儿童的。1919年后半年，最高经济会议，决定为幼稚院儿童支出布474万安梯，毛丝30万担，靴3000双。因此一切儿童，每6个月间分受布46安梯半，袜3双。

1919年度，全国幼稚院之数，达3623处，较之帝政时代增加10倍以上，以后还有每年设立幼稚院1000处底计划。是年上半期幼稚院事业底预算为12000万卢布，下半期为33000万卢布，而其数尤嫌不足敷用。

至于劳农俄国儿童底生活，约翰里特在他的遗信中说："俄国是首先为儿童谋利益的国家。无论什么都会和村庄，都为儿童设有特别食堂，所支给于儿童的食物，在分量上、在品质上，都比成人的为优。赤军之外，没有照这样能够充分得到食物的。儿童底饮食不取费，他们的衣服，都由市街供给。为他们设有学校，设有儿童殖民地（在全俄各处所有地主的第宅中营共产生活），设有戏院，设有音乐会。壮丽的国立戏院，满场都是儿童。为了他们，把俄皇之村，宫殿之村，改为儿童之村，几千的儿童都在宫殿中消夏。街市上所见的都是有幸福的儿童。"

五、初等及中等教育

劳农俄国教育底目的，从两件事着眼，一是个性圆满的发达，即人格底完成；一是劳动者底熟练，即获得专门技术。一切人民，在世上做人，在国家做一个分子，都应该具备到某种程度的智识，同时也要按着自己的天禀，学得一艺一能之长。若是对于这一点不加注意，这种社会只能产生一班谙于世事而无所擅长的庸碌之人，不然，就产生一班对于自己专门以外的问题并无理解无智识的一种社会的六根不全者。要免去这种弊端，专门教育不宜太早，除了例外的人以外，应以至16岁为止要受平等的普通教育，到16岁以上才开始受专门教育才好。但是在专门教育方面，也有教授专门以外的科学智识的讲座。还要使学生得到一般的教养的。

帝政时代，为教育治者阶级底弟子而办的高等教育，比较的还受优待，至于小学教育却全不顾及。然而劳农政府却以为教育的效果，再没有比幼年教育的效果还要重大，所以对于小中学底改革和发展，也和办理幼稚院是也一样，都用全力办理的。立在阶级制度上的旧制度，要把废弃了重新在新基础上改组起来，需用多大的时间和经费，刻下劳农俄国要即时实现这种根本的大计划，固然困难，却能够尽全力来谋改革的。

马克思说："把学校的功课和生产结合起来，乃是必要的事情。若能照这样办，就可以得到非常的效果。只有教育和社会的生产的劳动，紧密地接触起来，方能减掉现代学校底阶级的性质。"劳农俄国一切教育改良事业，都是根据这种主张办理的。又所以要把劳动作为教育要素的大动机，是因为一切智识不在乎纸上空谈，要与实际生活有关系方能消化而成为有实质的智识，而且因为要成为劳农俄国底市民，劳动的智识和训练也是很必要的。

立在这种主张上的新组织底普通教育机关，即劳动学校，分为小学部和中学部。小学部收容8岁至12岁之儿童，中学部收容12岁至16岁之儿童。

小学部底课业，取其与儿童底体力和智力相适应的园艺和手工为基础，如同饲养动物、木工、装订等事为重要工作，远足游戏的时间亦复不少。学科多于游戏和劳动中教授，以谋学理与实际密相结合。课目之中，设有一种可称百科全书的学课。教授分为两期，第一期即对于下级生底教授专置重实物教育。教师把某种工业上或农业上底产物作为材料，授给儿童，使儿童从自然的和人工的产物底两种见地来研究。即是一方面研究那材料底物质的化学的性质和起源；一方面教授与此相关联的劳动历史，即是教授过去中生产方法变迁的径路,和近代工业中必要的劳动过程。关于这一课目,最重实验,选定很适宜于指导儿童研究的材料,从学理的历史的方面研究,他方面又学习实际的观察和生产上必要的技术。

到了第二期,课目底内容,大致相同,只是要更精密地由历史的顺序去选择材料。务使儿童由自己的劳动知道劳动史和人类社会底历史,至于随劳动状态底变迁而起的文明进化底轨迹,不要使儿童只依赖教师底说明和书本底陈述去理解他,重在使儿童依自己的实验去理解它。

至于中学部则注重于近代农工业底生产方法,并学习机械技术。小学部时代所学习的百科全书一课目,改授社会学,和实验上的其余各课目一同教授。

中学部课目之中,有搜集标本、写生、照相、雕刻、绘画、糊裱、饲育动物、栽培植物、木工、筑造、锻冶、合金、印刷、制革等科目;此外还有数学、历史、地理、言语、物理、化学、动物学及植物学等科目,都用新的有趣味的方法教授。各学校中各有附属的菜园、农作场、工作场、饲畜场、儿童各有保护各人所领受的动植物底责任。

进到上级的时候,历史、生物学、物理、化学等科目,最为重要,这些科目都由专门家教授。但这一方面的研究,也用劳动为基础,这种劳动,不是游戏和娱乐,乃是实际有用的生产的劳动,儿童一方面研究,一方面留意他们自己和国家底经济生活大有密接关系。照这样,劳动成了普通教育底主要要素,而其目的绝不是要特别的造成熟达某种技术的专门职工,实是要授予关于最重要生产方法的实际的智识。即是关于一切劳动,要使儿童得到一般的理解,养成劳动共和国市民所必要的常识。劳动是教育的手段,绝不是因为生产的缘故,把儿童作牺牲,也不是要借劳动所得的收获来补偿教育费的。所以儿童精神的肉体的状态与劳动不相宜的时候,当然不得强制他做工的。

雕刻、绘画、唱歌、音乐等美的教育,也看得很重要。绘画一科,在小学部初期的时候,使儿童自由活用他的奔放的想象力,不用样本,不用标本,听凭他依据记忆和想象描写自由画。其次,学习教师所选定的一定的自然物,再其次学习图案和油画,最后则授以学理。音乐也别入课目之中,一般美的教育,都用大规模彻底办理,从此以后的俄国人,一切感觉和创造力,都会完全发达的。

因为要满足生徒特殊的要求,于团体教育之外,另设个人教授时间,这种办法,在助长高材生的进步上,有非常的效果。譬如对于 14 岁以上的少年,把一学级分为数班,基础的学课,各班皆同,其余各课分配稍异,生徒各自按照自己的天资选择班次。

此外又为低能儿设特别班,把神经过敏的儿童和普通的儿童分开起来(这是依据天才和狂人相近的学说而出的),从最初起,即授予注重绘画、雕刻、诗学等科的教育。这种教育的结果,不单是在制作上收得好成绩,而且于镇静儿童的神经一方面也有显然的效果。至于保护儿童底健康,助长不健康儿童精神上、道德上、肉体上底发达,又另设森林学校、农园学校和疗养所。

劳动学校,寄宿通学随意,一切都和资本阶级的学校不同,学校对于生徒有第二家庭的意义,每星期内天天开启,通学生也可以在校内过大半日的生活。所规定的授业时间,小学校四时间,中学部五时间至六时间。其余的时间或自习,或游戏,或休息,或劳动,都可随意。每星期内有两日停止授课:一日作为半劳动日,集会、远足旅行、实验、说明等事,可在这日内举行;他一日作为读书、讲演及其他自由活动之用。7 月 1 日至 9 月 1 日,12 月 20 日至 1 月 7日,4 月 1 日至 14 日,都作为假期,暑假前一月,赴国有避暑用别墅视学或游戏。夏期劳动则在户外。试验制度和惩戒制度完全废止。

农业在俄国虽然是重要产业,而帝政时代对于这一方面的研究和教育,完全不讲,所以俄国农业极其幼稚,虽拥有广大肥沃的土地和丰富的劳动力,也未能充分地发挥生产力。劳农政府因为挽救这种弊端,图谋退敌制度底改革和农业根本的改良同时在农村小学,对于都会的工业劳动,而施以农业劳动为基础的教育。特为这个目的起见,得农业人民委员底谅解,联了许多专门家、教授、小学教员以农事教育。向来不从事生产的劳动底许多教员,至此对于农业始有兴趣,一方面自己热心劳动,他一方面又可以引诱生徒劳动。

教育人民委员会之中,特设学校卫生局一部,担负增进儿童健康,预防结核病、神经病及其他疾病等任务。学校卫生局,因为在学生间普及卫生思想,除去损害儿童健康的状态,或设全俄体育学会,或新设森林学校、疗养所,或补助有企图此种设备的劳动团体。教育人民委员会中设中央学校卫生评议会,作为学校卫生局底咨询机关,各种无产者团体底代表都可参加。又因为监督并援助学校卫生事业起见,于各地方设学校卫生评议会。直接办理学校卫生事业的机关,是医学卫生评议会、卫生人民委员会及地方劳农会附属卫生局等关于各种医务的团体所选出的代表而组成的卫生部。这些团体,一切都与中央卫生委员会、教育委员会以及所附属的各部门提携行动。地方劳农会卫生局一部中,有学校卫生部,校医须由这卫生部选举,得教育局承认方能就任,而直接办理学校卫生事务,同时兼充地方劳农会教育评议会底永久的议员。

六、自治团体的学校

劳动学校——学校自治团,是由教员和生徒组成的自治团体。这个团体内部一切事务,都由生徒和教员底合意和协力来决定、来实行、命令和服从、威压和屈服那种旧时代冷酷不自然的子弟关系,毫不存在。两者不过是兄与弟和前辈与后辈的关系,教员早已不是专制的职员,变成了生徒的僚友。洒扫、调理及其他一切杂务,都在教员指导之下由生徒分做。如服役、小使等在旧学校制度中所必要的使用人,一概废止;其理由一则因为恐怕生徒中养成依赖他人劳动而鄙视肉体的劳动底习惯;一则因为这种使用人,人格卑劣,在生徒中发生不良的影响。

劳动学校无论何时都尊重独立自治,辅助生徒底创造。生徒要造成将来国家一分子的资格,其必要的准备,首先要在学校生活中得到自治的训练底机会。

如上所述,地方劳农会教育评议会,由(一)学校劳动者(教员),(二)当地劳动者代表(但其数为学校劳动者 1/4),(三)12 岁以上底学生团体代表(其数为学校劳动者 1/4),校医,及劳农会教育局代表组织而成的。学生自治的活动分为三种:第一,选派代表与上述之教育评议会;第二,须隶属于处理学级本位或其他校内事务之学生团体,或依顺序,或依抽签,每日以至于每两星期,轮流交替,担任各种事务;第三,组织辩论会、演剧会、音乐会、竞技会、杂志社,以及依个人底兴趣和思想的一致之各种团体,并担负维持的责任。

俄国现时财政穷乏,交通机关大不完备,此时要无限制地增设学校,殊属困难。虽然这样,而依政府与民众一致努力的结果,帝制时代所有的小学校,还不上 56000 处,到 1919 年却增至 73859 处,到 1920 年秋天,更增至 88000 处了。俄国就学年龄儿童之数现在约有 900 万,而帝制时代之就学儿童,不过 350 万,到了劳农政府时代一跃而增多 550 万,而且学校和就学儿童,还有急剧增加之势。地方农民,最欢喜设立新校,自己伐木,帮助建筑。1918 年度,劳动学校底设立费和维持费,达百亿卢布。照这样提出大宗款项充教育经费,实是最近的俄国才有的事。

然而中学校底增设却很困难,其数只有 36000,学生 50 万,不过同年龄的儿童总数底 7 成,例如拒绝中产阶级子弟入学,而劳动阶级子弟,大多数刻下又难于受中等教育的。而且以前的中学校,大部分设在都会,住在农村中的人,通学很不便利。于是就在地方设立农民俱乐部,借以启发农村底子弟,渐渐把这种施设扩充起来,使成为中等教育底机关。所以刻下不得已只能把那较优秀分子收进中学里来。

国家一方面教育儿童,同时又担负扶养底任务,支给食物、被服、靴子、书籍及学校用品。过去两年间,政府曾经发出布 1800 万码,靴 9 万双,而犹嫌不足。体育用品及一般教育用品,最为缺乏,铅笔和钢笔尖,每 150 人只共一个,练习簿两人共领一册。这些用品先前都从外国输入的,现在因为被封锁的缘故,来路断绝,虽然有几个工场制造,也不能满足这需用无限的要求,劳农政府也是没有法子想了。

七、教员之解放及其自觉

劳动学校,最大限度,每名教员只教授学生 25 名,将来教员的供给增加,每名教员所授儿童之数,拟逐渐减少。

教育事业扩张太快,教员之数大告缺乏。在帝制时代被禁止充教员的几千人,现在都使他们复职,犹不敷用,所以政府大大地扩充师范学校,此项师范学校在先前不过 21 处,现在增至 55 处,学生之数,以前只有 4000,现在增至 34000。刻下俄国教育劳动者有 40 万,若要充分的敷用,非增至百万以上不可。

教员底劳动时间,每日 4 小时,每星期以 24 小时为限,时间若有延长的必要时,须依据劳农会教育局底规定。

帝制时代最被轻视的小学教员,到十一月革命以后,才受到担负重大职责的待遇。他们不单是在物质上受优待,而且确定了他们独立的人格。他们在以前,不过和木偶一样依上司命令行动,身充教育家由实际的经验而得的特别的识见不能发表而出。手腕也不能发挥的。但是到了新制度之下,因管理学校底权能,得选派代表于地方教育评议会,发表自己的意见。以前的旧教师,政治问题固然不能干预,就是教育问题,和自己所属的学校的问题,也不许有发言权的,所谓教师,不过和校役一样看待,但是到了现在,新教师无论其为国家底一员,为学校底一员,都经认定他有独立的人格,变成了握有干预地方及全国教育问题底权能的真正教育家。照这样被解放了的教员,方才不把教职当作工钱劳动,方享有可庆幸的使命,作出很好的成绩。因为这样,所以在许多智识阶级分子对于劳农新政府行顽皮的怠工时,只有小学教员不论属于共产党与否,都欢迎新制度,善于体会这种旨趣,担当教育之任。教员组织学校劳动者组合,身为教育家,又为社会底一员,尽应尽的义务,享应享的权利。

以下所列,是国际主义教员第一次全俄大会(在莫斯科举行的)底宣言、教育底思想,都在下文中表现了出来:

"一,社会主义,乃是将现时人类集合的生活上配合得很好的,精神的、肉体的、组织的、执行的劳动之结合,在能够想象的最大限度内实现出来的。

二,这种劳动组织的内部,发达文化的最良手段底最良教育制度,就是施行无费的义务教育于一切幼少儿童的统一的非宗教学校——即是以自主自立为原则的劳动学校。

三,这种学校底目的,不问天禀怎样,在使一切人都从初等普通教育渐进到高等专门教育,授予一切智识。

四,在劳动者社会中,儿童养育事业,由社会团体负其义务。所以幼儿由共同育儿所养育,幼稚儿由幼稚院教养,小学时代的儿童由学校自治团教养,青年由自由大学教养。

五,因为要教授综合的智识,在组织底内部实现调和的社会交际底理想,其授业时间较他校长久的学校自治团,在现代必须成为准备最适宜的社会形式底实验所。

六,在过去时代无所不能,而又借学校以采取征服社会支配社会的国家底职分。到将来更趋简单,而且更为尊严。国家对于科学,由专制君主的地位变为保护者的地位,在儿童哺育底初期,最为紧急,往后亦很重要。

七,原始时代底生存竞争,到现在成了阶级斗争,在某种阶级中,虽然成了一种人征服他种人所必要的个人竞争,但是这种斗争将来要变为使自然顺应人类要求并发现新的真理而组织的协力。

八,随现代过渡期而发生的事变,即经济上、组织上底困难,教育平等的原则,须在某种程度加以限制,所以有选择底必要。

九,旧的、贵族和绅士阀似是而非的个人主义的学校,在那教育组织上,采取由经济的资格而选举的原则,即是用金钱买取最大量的智识,因为他的阶级的目的,就是选择优秀分子一事,也作为随经济的资格而生的一个条件的。但是新的社会主义学校,断然排斥这种资格限制。

十,新的学校,却与相反,虽是富人,若是无能,就不使他受高等教育,始终在智识的优秀上定选择底标准。

十一,社会主义国家,以充分发展生产力为职志,合理的利用特殊的才能,因为这个目的,初期统一的学校,渐渐地把那构造弄复杂起来,最后要推移于各种专门的程序。

十二,同时社会主义学校底根本原则,即是(铲除资本阶级视精神劳动和肉体劳动不能两立而附以高下区别的思想的)生产的劳动原则,最初也是带着技术的性质,渐次推移于专门科学的教育的。

十三,旧学校,常有国民的排外的性质,而新的学校,其内容形式,都是真的国民的学校,即是教授要用本国语,授以关于本国物理的社会的状态的彻底的智识。但是主义和方法,都是国际的学校。

十四,把一般的文化的教育和彻底的职业的训练调和起来,在万国劳动者一致协同的精神中教训生徒,关于这一点,主张不把人类造成熟练劳动者而主张有造就人才的权利的,只有社会主义学校了。"

八、高等专门教育

关于高等教育一层,卢那查尔斯基氏曾经这样说:

教育人民委员会，因为扩张教育的事业，在无论什么地方，都要用同一方针办理，所以把全俄一切教育机关，都在他的指导之下，统一成功了。有些技术家和经济学者，公然说我们蔑视职业的及技术的教育，为谋人格的一般的教育，反不免有牺牲职业的方面之虞。……教育委员会对于这种顾虑，曾经在高等技术学校代表大会上，证明了这是无稽之谈。……技术委员会底宣言曾经说，一般科学的教育，和劳动准备的教育相同，不过太过于狭隘，太过于专门化。……极端的专门化，是变更尊重个性而使人类发达到高级程度的社会主义底一切原则的。这是蔑视那成长之后才显现的自然的倾向，而为国家底利益，在儿童底幼稚的额角上刻入"专门化"底瘢痕的。……在资本阶级把农民和劳动者当作家畜看待的时代，他们因为有必要时，把他们的儿童自由安排，甲学制靴，乙学制锭，丙学理发，早就预定了，但是我们的任务，对于幼儿和少女，把一切途径都为他们开示出来，任凭他们进到什么方向去。

"虽然这样说，我们却不是蔑视专门家的。反之，我们也是向着人人应各有专门职业的高尚理想进行的。我们承认各个细胞发生特殊作用的有机体的状态。但是我们却断然反对那班事事皆能而又无一技能、无一特长的好事的国民。"

"我们以为专门教育，须在儿童达到 16 岁之后方能教授，这还算是早，并不为迟。经过长期一般技术的教育之后才移到专门的工作，儿童才不至和别的专门家和团体绝缘，才不至对于人类社会一切事缺乏理解。"

"教育委员会，特别的要求劳动阶级底后援。技术及专门学务局和劳动组合两者之间，应当即时成立密切的关系。"

"又都会底实业学校，应当时时密切地和经济委员会联络，和自治团、农业学校及农业委员会联络。"

"教育委员会。设技术及专门教育局，使这些教育和经济委员会农业委员会相联络，以谋别的各种专门学校和有特殊关系的人民委员会的结合。维持俄国专门教育的继续不绝的努力，乃是照这样实行的。"

1918 年，劳农政府发表下列的大学入学底规定：

第一，不问男女和种族的区别，凡是 16 岁以上的人，都不要提出中学校或别的学校底卒业证书或免状，得任意入学于任何高等专门学校。

第二,对于入学志愿者,除本人籍贯外,不得要求其提出证据书类。

第三,俄罗斯共和国内一切教育机关,依1918年5月所发布的合同教育的布告,不分男女之别,对于一切人都开放。负有违反这布告的责任的人,都应归革命裁判所审理。

第四,学校证书或依竞争试验而得的入学许可状,对于自1918年至1919年度底新入学者,都依这个布告归于无效。依据关于共和国高等教育机关的一般规定而定的新入学条件,刻下尚在考虑之中,至1918年9月1日必当发表。

第五,俄罗斯社会主义联邦劳农共和国高等教育机关底授业费,以后完全废止。1918年至1919年上半期已交之授业费,一律发还。

照这样,大学校对于入学者所行的旧日阶级的、性的资格限制,完全废止,同时它的内容也显然更新了。除了全部课程须经数年方能卒业的旧式大学以外,而以六个月或两年为修业年限的劳动大学也开设了。这是以养成新俄国底建设的人才为目的的,所以入学者,以地方劳农会、共产党、劳动组合、农业自治团、协同组合,其他无产者团体所推荐的学生为限,其生活费,由国家或所属团体支出。莫斯科马克思大学,纪念已故共产党领袖斯勃特洛夫的勃特洛夫大学,乃彼得格勒底季诺维埃夫大学,都是这类大学中著名的大学。

勃特洛夫大学,约有学生两千。内容分为学理科和实际科两学级。办学理科底目的,在于将马克思学说于最短时期内教授农民和劳动者。养成参加于组合,劳农会共产党等运动所必需的才能。设实际科的目的,在于使学毕学理科课程的人通晓中央或地方劳农会及共产党底实务。基础的学科作为必修科目,其余多少学课可以自由选择。学理上底教育,除讲义以外,用公开谈话的形式举行。讲义时间每日六时间,一课目得由一小时延长一小时半。星期日修学旅行,晚间依大学所指定出席于音乐会或剧场。

大学底课程每6个月间,教授学理11星期,其次为谈话的教授,其次实际科教授7星期,劳农会或人民委员会实务见习2星期。

实际科分下列22课目。(一)宣传;(二)组织;(三)经济学;(四)青年共产党联盟;(五)政治经济;(六)农村经济;(七)食粮问题;(八)财政问题;(九)劳动保险及社会事业;(十)协同组合;(十一)劳动组合;(十二)公有制度;(十三)铁路工人监督;(十四)地方政厅;(十五)法律研究;(十六)文明之研究;(十七)邮电事务;(十八)劳动状态;(十九)卫生状态;(二十)战争之经过;(二十一)对于反革命底战争;(二十二)国际关系。

授业方法,已如上述,总是用实际的方法的,学生入大学后,即可以在一切方面,得到见习政府中活动底机会,其间教师的指导,渐次减少,以生徒自发的研究和创意为主。志愿者除已受高等教育者外,若得所属团体的推举,不问男女,都可入学。

马克思大学,现在约有一千学生,这个大学设立的目的,也是使劳动阶级出身的新人才,通晓一切方面的行政事务的。又因为缺乏受大学教育底预备教育的人,特设预科。大学分经济部与工艺部。经济部底学生以劳动团体所推荐者为限,教授决定价格,管理工场,行政及组织等科目。学生在白天是劳动者,到工场或事务所工作,晚间到大学上课,对于多余的劳动,分给定量以上的食量。工艺部中则教授化学、动物解剖、动力学机械工学及电气学等科。

经济部、工艺部,都是教授专门智识的学校,同时又设立了教授普通智识的学校,给以对于较高尚的,研究的工作地准备。预科定为两学期,工艺部定为两学期,只有经济部定为4学期。

此外还有依劳动组合底希望设定特别课目的。例如依金属工组合底要求,设立劳动定率及统计学底讲席,为食品劳动者讲演鸡蛋保存法,为铁路劳动者江沿铁路底组织。

大学底事务,由学生和教师两方面,各选出29名代表组织委员会共同办理,由这委员会再选出3名干事。

此外还有与此相类的讲座,只是马克思大学底讲座,与劳动组合事业关系较多的,则收容组合或工场所推荐的学生;与国家底政治关系较多的,则收容政府、共产党或军队所推荐的学生,这一方面,又有外交、内政、战争问题等学科。

莫斯科大学,设有劳动科,无论何人,都可以无条件地入学,这大学也有预科,在入本科以前,须经过比英国大学底入学试验更难的试验。马克思大学,及其他劳动大学或大学底劳动科出身者,都充地方劳农会、组合、共产党及其他自治机关底职员,从事活动。莫斯科大学,各人民委员,每星期出席一次,讲演关于自己所管辖的事务。

劳动者出身的学生，比帝制时代学生年纪要小，而且富有容受力，智识欲很旺，较之志在得证书的旧学生，增高百倍。许多教授，都说学生底热心，可以补他的预备智识的不足而有余，教授这种学生，实是很愉快的。

大学教育底民众化，比小学教育底民众化更为困难，本来属于特权阶级的旧时代的教授和学生，对于无产阶级专政很怀反感，或者参加同盟总工，或者内应反革命军，都热心阻害无产者革命的发展。然而时异境迁，他们也觉悟了，支持劳农会制度底教授也不少，学生也差不多完全赤化了。

新俄罗斯在技术方面，也和在组织方面一样，都要求无限的人才。技术和职业教育局，应经济委员会底要求，多造就专门技师，而且因为增高一般劳动者底能率，开了许多夜校、中等及高等工业学校，也增设得不少。依经济委员会底计算，每年须添用新技师 3600 人。所以技术教育局，在过去两年间，绝对不使工业学习生徒干与别的工作，给予生活费，使服从严正的规律，荒弃学业者处以重罚。这种办法，在现时自然是不得已的非常手段，然而终究能够因此在 1920 年度使 3000 技师卒业。

医师底需要颇多，而且也很紧急，所以政府对于医学校生徒，给予生活费，其结果使学生增加了 3 倍，此外音乐学校、演剧学校也多，收容的学生也不少。大学在帝制时代只 15 处，现在增为了 21 处，大学生底总数，达 58000 人。1920 年上半期高等教育费预算为 14 亿卢布。

九、通俗教育

劳农政府对于儿童教育实行根本革新，同时又注意成人底教育。成人教育底范围最广，今举一例，譬如平扎县教育局底通俗教育部。细分为下列诸课：

第一，文化及教育事业课；

第二，图书馆课；

第三，讲演及成人学校课；

第四，博物馆课；

第五,通俗讲演及大会课;

第六,读书室课;

第七,民众会馆课;

第八,无产者大学课;

第九,民众剧场课;

第十,俱乐部课;

第十一,科学的团体课;

第十二,巡回图书馆及书籍贩卖;

第十三,输送讲师及宣传书类所必要的船舶及列车;

第十四,使一切有教育的人民,都从事朗读新闻杂志的活动;

第十五,宣传共产主义的电影戏馆之地方巡行;

第十六,撒布宣传印刷品的飞行机。

农村中常开农事讲习会,专门家和听专门家所指导的教员,都努力为新的、进步的农业底介绍。

1919 年度,全国图书馆事业勃兴。譬如 1919 年 5 月,卡站赤卫军营所底图书馆中,藏有 5852 种,8514 部底书籍,内有七成五分是小说类,有 2360 部带共产主义性质,有杂志 20 种,新闻八种,阅书人每日平均有三千四五百人。此外还有巡回借书馆,携带许多书物和传单的宣传队,时常游行各地,到处讲演、集会、演电影、普及共产主义的学理和理想,同时演讲世界大势、文学美术、科学卫生等类的智识。"明眼的动员",也试用新法,为不识字的人读新闻杂志,有不懂的地方替他们说明出来。

对于无智农民,则由演剧举行启蒙事业,最为有效,最受欢迎,所以时常演剧,而演剧队和演剧列车,也游行于各地。从事教育家底活动的列宁夫人,她曾经说:"我们现在正在用全副精力开设民众会馆来代替旧时的教会。"所以无论都会或农村,一切为人民集会、勤学和娱乐而施行的公共的设备,都逐日地普遍完全了。

减除目不识丁底运动,也大告成功,帝制时代,彼得格勒人口 160 万之中,目不识丁者有八九十万,到了现在个个都能识字了。莫斯科地方也是一样,从前不识字的有 100 万人,现在没有一人了。从前海军之中不识字的有 25%,陆军中有 15%,到现在不过 5% 至 10% 为止。政府也特别地为不识字的人缩短两时间的劳动时间,作为读书写字之用。

赤卫军参谋本部中,也设有教育部,从事兵士的启蒙事业。1919 年最初的 3 个月间,莫斯科赤卫军俱乐部,演剧 108 次,奏音乐 101 次,讲演 552 次。全国赤卫军内部,也有同样的教育的活动。这个运动发展底迅速,由下列一事可以看出。

	1919 年 1 月 1 日	同年 5 月 1 日
图书馆及读书室	0.77	16.74
学校	0.69	6.74
俱乐部	2.04	6.42
剧场	0.06	2.11
	0.26	2.21

一切劳动团体各有俱乐部和集会所,由讲演、演剧、音乐会、讲习会及他种集会,以启发所属的劳动者及其家族。

劳农俄国底教育情形,大概如上所述。这种新教育制度底特征,可以列举的,大概是:不惜用全力谋个人的发达和社会的协力完全一致;排斥空论而注重科学的实验的智识;用自主和创发的原则,代替受动主义和依赖主义;把教育从特权阶级私有的状态解放出来,以实现教育底社会化。这样看来,那般把劳动专政看作专制的官僚主义,而不相信民众能得自由的人,就应该考察一考察,像这种受了革命的大实验教育以后又受过这种教育的民众,他们也能够照官僚国家中那样奴隶式的盲从吗?

社会人民委员郭伦泰夫人曾经说:

"儿童们非常欢喜,时间到了还不想回家的。……他们受的是完全没有财产感情的教义。万一旧制度就是能够复活,也必不许他继续的,人民底心理,完全改变了。"

最后还要就卢那察尔斯基氏说几句,卢那察尔斯基,是一个很能奋斗的共产主义者,他自从 1904 年俄国社会民主党分裂为多数党和少数党以后,始终一贯和列宁共进退的。法人安特奈里在 1919 年游历俄国以后,说卢那察尔斯基氏"像斯拉卜画的基督一样瘦,一副憔悴的横面孔,心机优雅,长于艺术,而其意思的力尚在其次,他是同志中出色的人物"。又路易布里安女士也曾这样说:"教育人民委员卢那察尔斯基是俄国中最浪漫的人物,从前就以革命诗人著名。他是教养最新的人,恐怕在那种制度的时代都可以做教育总长。他把政治和艺术看作是完全两样的东西。他想照法国的式样,要把王宫作为人民底博物馆。俄国艺术家组合底组织是由他提议的。不分贫富,由一切阶级的艺术家组成的这个组合,管理着全国一切贵重的美术品。他们发布了布告,一切满 25 年的美术品,都不许拿到国外去。"

"卢那察尔斯基是热烈的共产党,他风闻民众烧了冬宫就愤然提出辞职,后来知道冬宫被烧是误传,就把辞职一举打消了。"

"当着战争正在激烈的时候,他从阿尔发比达中选用不用的文字,把缀字弄容易了。他又创立了民众戏剧学校。于是许多剧场和雨后春笋一般差不多在一夜中簇生出来了。工场和兵工营中,都能演剧柯柯尔、托尔斯泰、莎士比亚一流作家底杰作,都经采用了。原来在这无产者的大运动底全体中,有引诱卢那察尔斯基这种锐敏的人物底诗的性质和庄重单纯的旨趣。卢那察尔斯基和莫斯科大学历史教授伯格罗夫斯基都是与劳农会同进退的旧智识阶级底模范者。"

第九章　文化底设施

一、艺术拥护宣言

"同志诸君！你们是这一国的年少的主人翁,现在你们有不得不做的事,有不得不想的事,堆积得和山一样多,你们不可不知道怎样去拥护你们艺术的和科学的实物……"

"当着这个激烈的斗争,破坏的战争之中,忝在教育委员之任,实是诚惶诚恐的事情。除了希望这新的、较优秀的文化渊源底社会主义底胜利以外,没有可以安慰我的东西。保护人民艺术上底财富底责任,悬在我的双肩之上。……我因为不能留在不能贯彻我的主张的地方,所以辞了教育委员之职。但是别的同志各委员,却不许我辞职,所以我留在现时的地位。……而且我也知道了冬宫所遭的损失,也没有像风闻的那样厉害。"

"同志诸君！希望大家援助我。……诸君要为自身为子孙来拥护我国的美术,拥护人民的财产！……"

"迅速的,顶迅速的,就是久居无智之中底最无智的人,也要觉悟起来,知道艺术是如何的欢喜力和睿智底源泉了……"

以上是俄国教育人民委员卢那察尔斯基所发表的宣言中底一段。1917年11月劳农政府确立的时候,风传占领冬宫的多数党人,破坏了宫殿的实物又放了火,卢那察尔斯基接到这个报告,愤恨党人轻举妄动提出了辞职书。数日之后,证明了那种传闻确系误报,于是取消辞职,发出了上述的宣言。

革命,一面是建设新文明,一面是根本的破坏旧制度、旧文化,一时总不免有紊乱秩序的事情发生,这也是不得已的,尤其是一般民众,处在专制君主和治者阶级之下,受不着文化的教育,并不知道什么叫作艺术和美,所以到了革命时候,他们憎恶旧时代专制君主和治者阶级的念头,如荼如火,甚至要破坏他们的一切所有物,这也是势所必然的。而且几千年来在私有财产底习惯和观念中栖息的人类,就是在旧制度倒坏之后,依然要为旧习惯所支配,就是那已成为民众公有物的旧支配阶级底遗产,也想占为私有,像这种诱惑,也是势所难免的。

俄国在克伦斯基政府倒坏以后,到劳农政府掌握政权的数之间,秩序也很混乱的。但是劳农政府能够打破这种状态,维持很严正的秩序,从皇室和贵族富豪阶级没收得来的一切财产,即作为全人民所公有,如有违犯的人即作为侵犯人民财产的罪人,由革命裁判所审理。身为艺术家而又以拥护艺术自任的卢那察尔斯基,就依据上述宣言中所表显的理想,努力拥护艺术的。

当时占领冬宫底事情,就是一个适当的证明。

11 月 7 日,赤军占领冬宫,把冬宫作为全人民底财产公开起来,供公众自由观览。但是自治的习惯尚未十分娴熟的民众,往往盗窃宫中底贵重品。因此政府召集美术家和古物学者组织美术保护委员会,调查冬宫财产,作为目录,从 11 月 16 日起,暂时禁止公众出入,同月下旬,把冬宫改为民众博物馆。这也和彼得格勒别的博物馆一样,把管理权交给美术保护委员会,以后内部一切政治的活动都禁止了。其次俄皇底宫殿和离宫,凡有美术的价值的,都作为国有博物馆。又向日归富豪地主所有的优尚的美术品美术馆,都作为国有。此外私人住宅中所藏的美术品,都移归公共美术馆,加以适当保护,以供公众阅览。

克伦斯基政府倒坏之时,富豪底邸宅,尤其是各王宫中,蓄有美酒无数千缸的酒库,政府因为这是诱惑兵士酗酒滋事的毒物,即时把这些美酒抛弃了,同时又发了禁酒令,禁止酒类底酿造和贩卖。而且有些地方发了布告,凡是发现有违反禁酒令而隐藏酒类的酒库,即时无警告的拿来爆发的。卢那察尔斯基有下面一段说话。

"捏诬劳农政府的许多记事之中,我所最恨的莫如美国新闻底报告,说我们破坏历史上重要的纪念物,破坏有最高的艺术价值的美术馆、宫殿和地主底宅第。殊不知我们保护这类纪念物,差不多收到了奇异的功效,所以我们对于这种捏诬,能够把自夸和确信来对答他们。自然我也不能说俄国革命期内连无论什么艺术品都没有破坏的话。……俄国革命的大骚乱之中，多少总不免有紊乱秩序的事。但是关于这一点，帝国主义也应该想一想，所谓'最文明的'各资本阶级国家底军队，当大战时在占领的地方内所破坏的财产，比革命中的俄国所破坏的如何。"

"……美国新闻甚至敢于捏诬我们掠夺旧王宫，而且无秩序。依我想，刻下这些宫殿弄到怎样了，外国人若是见了，恐怕还要欢喜不尽呢。……宫殿完全变成了美术馆了。而尤以俄皇宫殿的卡德林宫，更为伟丽。专制时代的历史，在这里对于那班从彼得格勒而来的青年和劳动者面前展开了出来。他们经过百余年之久的庭园，进到和林檎般排列的宫殿。来观览的人虽然这样多，却是十分注意，不但是不损害墙壁、家具和美术品，连那很有趣的嵌镶细工的床也不加以损害的。……处在革命旋涡中的国家，民众憎恶俄皇和治者阶级的气焰很高，甚至对于他们的住宅和所有物都要憎恶的，在这种国家中要成就我们的事业。很不容易。为什么呢，因为我们不单是阻住破坏的激流而保护艺术品，并且要从博物馆单纯的样本中，创造活泼的美，因此安慰那在无意识中仰慕美的劳动者。凋零颓败的旧名家后裔的住宅，而又不能接近的城郭和宫殿，都要好好地加以保护，作为娱乐许多观览者底公有物，这是我们的事业。"

劳动者要诅咒破坏帝国主义的、资本主义的文化，而重新建设的无产者底文化，究竟是怎样的文化呢？这个问题要由俄国现状来解答。

二、劳农会艺术部及其活动

劳农俄国文教底中枢教育人民委员会中，设有科学和文艺方面底教育，从事保护奖励的艺术局、文艺出版局和科学局等部门。地方劳农会中，也各有专属的教育局，教育局之中又设置艺术部。艺术部底主要任务如下。

第一，艺术的社会化以至民众化。资本主义社会中底艺术，是有产阶级底玩弄物、奢侈品，与民众全无关系。社会主义的社会却不然，不单人类所有的一切财富要归社会共有，就是美也要归社会共有。艺术的社会化底一个方法，就是都市的美化，即是单单使都市美化。不仅是把都市弄成田园都市、公园都市、花园都市,而且要用壮丽的建筑物、华美的纪念碑来装饰,弄成美术馆的都市,像莫斯科"理想邦"中的伦敦市一样。莫斯科市所建设的,纪念世界革命先锋的 50 个纪念碑,文扎劳农会所建设的马克思纪念碑,都是实现这种计划的。还有一个方法,每逢纪念革命的时候,就用音乐、装饰、演剧作为主要要素,使民众和一流音乐家美术家底艺术相亲近。

第二,促进纯粹民众艺术底勃兴。这即是描写绅士阀社会底思想道德底代表人物,描写无产阶级对于绅士阀底悲壮的战争,表示旧文明底空虚颓废,同时助长那鼓吹新兴社会主义文化底理想的艺术底成长。因此,常常在民众会馆、劳动者俱乐部和剧场等处,开会演剧、奏音乐,借以鼓舞人民。

第三,民众艺术底教育。在资本主义之下的劳动者,只为面包而过醒醍生活,全然和美与艺术界无关系。社会主义的俄国,因为挽救这种弊端,常常开讲演会,利用影戏,说明新古名画及雕刻底时代和流派底特征,显示社会的环境所及于艺术品上的影响。有时把劳动者团体引到美术馆,就陈列品施行美的教育。此外搜集俄国和欧洲各国名家底绘画雕刻,尤其是要收罗描写劳动和农民底劳动生活底作品,另行印刷出来,制成精致价廉的袖珍本,以便民众阅览。又地方劳农会艺术部中,正在要谋设置专办的美术馆和美术书的图书馆。

第四,不单是要使民众成为艺术低调鉴赏者和批评家,并且要刺激民众底创造欲,发达他们创作的才能。因此设立绘画雕刻,朗读及演剧的学校,养成创造新艺术的人才。

因为要办理以上各种事务,劳农会艺术部中,特组织都市美观委员会、全国庆祝及演技委员会、音乐会及演剧委员会,以及管理出版、讲演、图书馆等委员会,参加于这些团体的委员,都是劳动团体底代表、美术家、演剧人及美术史底专家。

三、美术之保护与民众化

劳农俄国底画家、雕刻家、建筑家、音乐家、演剧人、文学家,都认为是对于社会为有益的贡献底劳者。这些人都组织以职业为单位的劳动组合,拥护共通的利害,又与劳农会艺术部协力,努力谋艺术底民众化及民众生活底艺术化。

莫斯科及彼得格勒地方,有艺术委员会,由这些组合选出的代表组织而成,当指导市民底艺术生活之任。莫斯科艺术委员会底目的如下。

第一,通全国艺术教育底组织:

(1)设立适应新俄国底要求的艺术;

(2)对于民众宣传艺术;

第二,谋与世界艺术的中心相接近:

第三,谋艺术底进步:

(1)竞争试验底国家的组织;

(2)劳动组合互助的团体底组织;

(3)装饰美术家底委员会,及舞台艺术劳动者团体底组织。

第四,过去及现在的艺术品之保存,及未来艺术品之保护。

这个艺术委员会,因为补给颜料品底不足,设立了有特殊实验所的颜料工场。

劳农政府,解散了帝制时代学士会式的官立美术院,使附属美术学校独立,把那美术馆收为国有,委教育委员管理,其他一切财产,都充艺术教育之用。

1918 年 5 月,教育人民委员会底一部中,设有博物馆监理及美术品保存局。这个局底主要目的,在于使博物馆发达,并保存美术古董品。

这个局底紧要工作,第一是扫除旧式博物馆,一切都按照新的形式改组;其次,增设新博物馆,把各博物馆底目的统一起来,使各具独得的意义和特征;其次,依据一定的新方针,统辖全国博物馆底事业。又每年树立一般的计划,依据全国博物馆底报告和请求,由国家的利益底见地,略加修正,作成预算案提出来。各美术馆,在这财政所许可的范围以内,有单独购入美术品底权利。购入大宗美术品,充各种美术馆底需要;同时又为防止美术馆与美术馆底竞争起见,立定"全国美术馆基金"底制度,又设置展览所,依这基金购入作品,供公众观览,听公众批评。又这局中设有通信课和购入课,准备收买美术品,打听市场底情形,和竞卖的作品底价值及价格,并办理搜集别种美术品所必要的一切事务。这个局破除以前美术馆底不统一和单调的弊病,对于各美术馆,尽量地给以彰明较著的个性和特征。现在的计划想设置搜集东洋美术底精粹的东洋美术馆,设置搜集雕刻品的雕刻美术馆,设置搜集近代画的近代美术馆,尤其是注意增设地方美术馆。各美术馆中,都附有藏参考书的图书馆,附有卖照片、制本、框边的商店。劳农政府禁止上等美术品输出国外。革命时,资本阶级想把自己的所有物卖给外国人,甚至要偷窃美术馆所藏的公有物品售给外国人。这时候要防止俄国名画珍宝底散失,也只好严禁转卖或秘密输出了。因此劳农政府,请求种种方法,或者将美术馆所藏作品编制科学的、明细的目录,或者不分公私把美术馆收归劳农会管理,或者命令税关吏防止美术品底输出。

当时有某夫人把所藏的波台伊捷里底名画输出外国,政府闻知,即将该画没收,归入某美术馆底陈列品中,诸如此例,实在不少。又对于古寺院古殿堂,对于优秀的建筑物及壁画等,现时也正在设法保存的。

最有趣的是冬宫美术陈列所整理的事情。向来不许人民窥探的冬宫陈列室中,新旧绘画杂陈,排列毫无秩序,只是顺手地把框与框密相排列,全然引不起绘画底情趣。而且有许多绘画,因为室内气压的关系,脱了颜料变了色了。至于目录,任意杜撰,把和兰陀派的画家,误作意大利底巨匠,看起来似乎没有把一流底作品分类,却又是把第二流的放在第一流之中。因此,艺术委员会把当中有艺术价值的作品选了出来,加以修整,以供公众观览,陈列于卢米安特瑟夫美术馆中。

旧俄国富裕的纺织业者在大战前搜集了现代名画的人孟禄左夫氏底谈话中,有一节说:"我以前所搜集的东西,现在都照原样保存的。430 分的俄罗斯画,230 分的法兰西画,一张也没有损坏。我的画都在我所保存的美术馆中,一点也没有拿出来。只不过我的画也和我的工场一样,都收归国有,变成了"第二西欧美术馆"了。……政府任命雕刻家德尔诺勃斯为监理人,我也被任为协同监理人。美术馆中只有三间给我,其余都是公开的。这事正是要扩充我的计划的。……在这无产阶级专政时代,美术也经政府认为从事有益工作的劳动者。这种被认定为劳动者的结果,当然促起他们的大进步。自 1918 年到 1919 年底冬天,属于最左派的艺术委员会,开了表示各种倾向的 10 个以上的展览会。……托洛兹基夫人充委员长。……卢乌尔地方,美术品堆积如山,目录已有五十多年之久,指导公众,启发公众的设备全然没有,我想把多数党人引到这里来整理一下。"

劳农政府,因为要谋美术馆底民众化,一面普及平易的美术书、照相版和复制品,一面组织美术馆游览队,使各方的美术家游学于专门家指导之下。

1920 年 1 月,依彼得格勒劳农会底发起,设立了革命博物馆。收集关于俄国革命运动底一切记录和纪念品,从 12 月党员底肖像为始,把关于革命历史和殉革命运动的人底材料,都网络进来,永久纪念这无产阶级解放底悲壮的战争。据卢那察尔斯基底报告,俄国在帝制时代,美术馆只有 31 处,到现在增到 110 处,组织也改变了,内容也扩充了。在欧洲有名的埃尔米特知大博物馆,到现在更扩大了一倍半。

四、演剧与音乐

演剧和音乐底民众化,也是劳农政府惨淡经营的事情。教育人民委员会中特设有演剧部,全国的演剧学校,都在该部监督之下设立的。国立及私立的演剧学校,分为普通高等两种,前者只教授演剧初步的技术,后者是各教师的训练所,受高级的训练。这些学校也由讲演和实验,教授一般科学上的智识。此外还要设立从理论上研究演剧学的高等演剧学校。演剧部又特设舞台艺术研究所,养成舞台监督、舞台美术、道具、电气及器械处理等项专门人才。这种研究,在劳农会演剧局,在自治团所属的地方,或在国有剧场之内举行,期限约两个月,教师都是专门家,听讲不要钱。

剧场底建筑物,归政府、劳农会,或自治团体管理,得到这些机关底许可后,即可使用。观剧券为劳动者所分配,和先前相反,观剧人差不多只限于无产阶级。

莫斯科劳农会底艺术部,因为关于无产者可上演的戏曲或音乐种类及顺序等事,莫斯科附近及全国各地方多来询问,忙于应付,特设一种上演目录委员会,担任这类事务。这委员会底任务,在于为地方剧场及各工场附属剧场,编制目录,至于选定戏曲的标准,第一,是认为有一派艺术的价值的;第二,有鼓起民众革命精神的性质的;第三,有乐天的精神的。现在所选定的戏曲之中,大都是下列各作家底作品。如:柯柯尔、托斯托尔夫斯基、托尔斯泰、杜尔格奈夫、柴霍甫古卜林、高尔基、赛尔凡德斯、罗曼罗兰、莫里哀、西尔列尔、易卜生、勃尔哈伦、霍不特曼等人。

委员会说明委员所作的脚本,及其中心思想、登场人物、舞台面底写生画、衣服等事,把说明书印刷出来,以后作为传单散布。又如舞台艺术,舞台装饰衣裳。演剧与戏曲,及其解释戏剧问题底书类,都是由委员会出版的。

大概的工场和农村中,都设有农村和劳动者底剧场,政府曾于1920年春,决定为32县底这类剧场,支出2500万卢布。又1919年11月,讨论关于农民及劳动者演剧的问题,各地方数百名代表在莫斯科开了大会,讨议了"全国民对于艺术活动的组织"、"无产者剧场底目的"、"剧场中共产底创造的活动"等问题。又为对于地方人显示优秀的艺术起见,有演剧列车底企图,这种列车,有备有舞台的车辆,有演剧人,有载衣裳及道具类的两车室,巡行全俄,以供赤军及沿道民众观览。又赤军内部,也有专门的演剧队,奏音乐,演电影,娱乐的时机很多的。劳农政府成立以后,剧场骤然增加了。法兰西底农民剧场,全国只有119处,俄国的一县也有400多,全国一共有3000处呢。

音乐和演剧相同,也着着民众化了。莫斯科劳农会艺术部,在莫斯科和附近地方,于短时期内开了200次音乐会。莫斯科音乐评议会,因为要在有组织的运动之下谋音乐的发达,于是组成了。在这个会合中,音乐界重要人物都曾出席,其结果因为要助成音乐民众化的计划,成立了一个著名音乐家的团体。会员定为30名,内有15名是音乐家选出的代表,其余15名,是无产阶级底代表,只是内有两名是学生底代表。音乐学校之数虽没有增加,而组织却全然革新了,生徒也增加了,最近满16岁的音乐学生,达9000人。

瑞典社会主义者华勃纽斯氏1919年1月旅俄通信中,有一节说新俄罗斯艺术的活动。他说:

艺术是极力奖励的。剧场中观客满场,一年四季都开演。俄国的演剧人,能够和一流名优相竞争。莫斯科底艺术剧场,是世界的剧场。雕刻家工作很忙。在有展览会的地方建立的雕刻像,就是这种事实底证明。画家很活泼地活动。就是音乐里也寓有革命精神。旧日惯例的、奴隶的方法,已经舍弃,人人都干着大胆的试验。这种事业,都得到效果,而且效果也很伟大的。一切都正在进行之中。艺术是自行解放的。三角派、未来派中,都有熟心探求真理的预言者。但是有许多人已经成功,脱了探求的状态,实现这种理想,而且现在俄国创造的艺术底特征,很坚固的和一般革命精神融合,正在实现这种理想的。

五、文学与出版

劳农政府不单是照上述那样在美术及演剧的方面活动,同时又锐意谋文学底民众化。1917 年 12 月 13 日教育人民委员会文艺出版局会议底结果,创立了一个管理十一月革命后收归国有的一切印刷工场的委员会。这个委员会,是由出版局底代表和国内印刷工组合及国有印刷工场底代表组织而成的。

1918 年 2 月间,出版局和印刷业代表热心努力底结果,大规模的出版也可以办到了。教育委员会把巴枯宁、梭洛菲埃夫、柏林斯基、加尔新、赫尔俊、柯柯尔、托斯托埃夫斯基、列尔门托夫、奈克拉梭夫、托尔斯泰、杜尔格奈夫、柴霍甫等五十余名人著作物的出版事业,在最近五年间,归国专办,半年之间,刊行 300 万部,廉价发卖,国民对于文学书类的需要甚大,几乎没有限量。

此外又有通俗科学书类出版的委员会。这个委员会分政治经济等方面和自然科学方面底两部,做委员的都是一流的学者。1918 年前半期,许可为出版局支出的金额,为 1200 万卢布,后半期为 2000 万卢布。劳农治下教育普及的结果,民众读书力非常发达,最喜欢的是诗集,其次为文艺上的名著和通俗科学书类,只有低级的通俗小说差不多不发卖,而且在市场上几乎绝迹的。

然而封锁的结果,原料不足,财政困难,政府底出版能力很受限制,好书籍不能尽量地印行。于是不得已从书店搜卖书籍,或从旧地主底书库没收书籍填充学校图书馆及一般图书馆。这类图书馆增加得很多,像都勃尔等县有3000 以上的图书馆。也有些县分只有 1000 处图书馆的。30 县底图书馆总数,在 1919 年只有 13500 处,到 1920 年 10 月,超过 37000 处。至于小规模的读书室,不在此数。教育普及的结果,不识字的人减少,到图书馆阅书的人也大大增加了。

上面所述的华勒纽斯那篇通信,把劳农俄国民众文化怎样发展的事实也说明了。

"莫斯科某团体底干部为文化事业开一俱乐部,政府给他们一个宫殿,两万卢布基金。他们于是就积极地开始活动。室内室外,被俱乐部员,莫斯科的无产者和劳动者充满了。我也到俱乐部去过几回,单是这一点,也可以相信新俄罗斯必能从教育事业得到很大的效果。"

"我所跑进的第一房间,和别的俱乐部也是一样,只是谈话、聚会而止。走进别的室内去,就有长发黑眼的音乐家,向劳动群众讲演音乐,讲完后即教授演奏的方法。另一晚教授凡阿林。又有一室学习唱歌。另一室朗诵书籍报章,别室又有人学习读写或习算术。又有教授英法德语言底房间。到处都充满了热诚,到处都有欢喜教授的,和欢喜受教的……"

"最有趣的是劳动者底作品发表室。……一个劳动者演说,别的劳动者加以批评,其次该科主任教员来发表意见。那种演说在我听起来,实是最明了地表现自己的演说。……又有一个老女工,朗读她在1905年以后即第一次革命以后所作的诗。那种朗读的姿态,非常自然,我全听不出那是朗读呢。几十年来缄默不言的无产阶级民众,到这时候就开始发露他的思想和感情了。通全俄国经由无数途径对于自由而抑制的热望,现在得到发现的端绪了。阶上的讲演室,有用自制的曲唱自作的诗底兵士。像这种的繁荣,实是很伟大的……"

科学者、艺术家、文学者一流人在劳农俄国受了压迫的话,完全是无稽之谈。劳农政府实在是出乎本心地希望他们励精他们的职业,并协办文化事业的,而且事实上也给了他们许多便利。自高尔基为始,不论是共产党员或非共产党员,凡是科学和艺术底真正的使徒,政治上底意见作为别论,没有不热心赞扬劳动政府底文化事业的。这种事实,恰是那捏误多数党非文明底非难底一个反证。不单是科学者和艺术家是这样,就是宗教家也是自由的。先前成了国家制度的宗教固然废止了,寺院的地所固然没收了,僧侣也和别的民众一样的劳动,方能保障其生活,但是僧侣的存在和礼拜、行列,都不加干涉的,教会及僧侣,依然在保守的民众间维持多少的倾颓的势力。只是有一层,无论是学者、艺术家、是宗教者,若是和资本阶级同谋或援助反革命的内乱的时候,当然要触无产者政府的忌讳的。除此之外,从事一切职业的国民,都享有平等的自由。

俄国现状,艰难万端,一方面因为资本主义列国底封锁,一方面因为向来生产力底缺乏,致使全俄人民,不得已隐忍服从,甘于受物质上的压迫。然而俄国无产阶级犹能这样的热心创办精神的文化的事业,岂不令人钦佩吗?

资本阶级底文化,是离开全人类底幸福和实际生活的奢侈品,是讴歌、粉饰有产阶级的虚假的阶级的文化。至于无产阶级的文化,却有把劳动和艺术浑然融合的意味;生活底艺术化,艺术底生活化,是无产阶级国家文化底生命;在这种国家,生活和艺术相分裂、相抵触的事情决然没有的,因为人人同是劳动者、同是艺术家的国家中,艺术即是生活底意味,生活即是艺术底意味。

第十章　妇女之解放

一、革命与妇人底解放

"面包！面包！"大声直呼，拥到凡尔赛离宫引起革命的导火线的，是法国无产阶级的妇人；俄国革命也是这样，最初开幕的也是些妇女们。

1917 年 3 月 9 日，是社会党规定为"妇人日"的一天，这一天彼得格勒的劳动妇人，因为生活费用暴腾，行了一个大示威运动，来要求面包，于是给了一个大革命勃发的机会。近来 3 月 9 日这一天，成了俄国革命的纪念日了。

帝制倒坏以后，劳动妇人对于革命的活动，并未停止，而且反对那违背无产阶级和联合国及绅士阀握手的克伦斯基政府，并且反对该政府的主义和主张。

1917 年 6 月 9 日，在各劳动妇人团体机关杂志编辑部指挥之下，行了第一次反对战争的大示威运动的也是她们。又，这一年五月里，彼得格勒浣衣女工人 4000 人，干了一次同盟罢工。当时彼得格勒市浣衣女工会会员只有 600 名，全体也加入了。这次罢工，劳动者方面虽没有完全得胜，可是她们罢工的主要目的，在将洗衣工场收归市有，劳动者自身当然有管理权的——她们这个目的在罢工终止后不过几个月就有几处工场实行了。

1917 年 11 月，诱发多数党的反动——真正的无产阶级革命——的一大刺激物，也是彼得格勒各大工场中织维女工人的同盟罢工。这些女工人去了工场，成群结队，拥到市内来，煽起了彼得格勒市无产者革命的烽火。

劳农会中最初就有妇人加入了。无论什么地方，劳动妇人总是加入多数党，支持劳农会左翼的势力。三月革命与十月革命之间，彼得格勒市，发行了社会主义的妇人新闻，继续办了一年之久。

1918 年 4 月,莫斯科市及附近地方开了一个妇人大会,讨论食粮问题、生活费、儿童保护等问题,通过了重要的决议案。

这一年的 11 月,开了一个妇人大会,这大会是代表彼得格勒市和北部各自治团十万多劳动妇人的。有 500 代议员会同起来讨论母性保护和失业保险等问题,通过了重大的决议案。

十一月革命之后,郭伦泰做了社会人民委员,列入劳农政府最高执行委员会,季诺维埃夫夫人列尼拉做了季诺维埃夫所主办的北部自治团的社会委员,教育人民委员卢那察尔斯基的夫人,做了儿童殖民地等事务的主任,这儿童殖民地,乃是为劳动者儿童谋利便,监管家庭和学校和运动场的事务的。此外通全国无数万劳动妇人,都尽力教育和社会事业。就是旧时代的上流妇人为学校和儿童殖民地等事出力的也不少。

大战之中热心爱国的中流妇人所组织的决死队,是两百多天真烂漫的女子组成的。这团体为支持第三阶级革命受了利用,多数党得势后同时解散了。至说赤卫军中不过没有特别的妇人队为止,而妇人当兵的很多,这是实事。

多数党下总动员令的时候,劳动妇人都愿争入拥护革命的军队,政府把她们分配各种军队送到战场里去。无产者军队中这些女军人和男性战友一体奋勇攻击那破坏革命的人。这些事都在沉默之中干的。在俄国说起来,妇人打仗已是平常的事,并不成为问题,而且也没有特别称赞她们的勇气的必要了。

更有很多妇人投到军队里作非战斗员,而尤以办卫生事务的多,无虑数万人。她们受了充分的训练之后,附属在卫生队里送到战场和野战病院去,或在内地充当看护妇。她们的勇气实可惊异,战争还没有终止的时候,她们在炮火中出入战场,运回那负伤的军人,救护那些武装兄弟们的生命。

妇人兵士多在后方勤务。无论在兵站部、输送部、司令部、邮政局等地方,无不有妇人服务的。她们为支持无产阶级共和国之故,不惜一切努力和牺牲。

尤其以赤卫军内部的启蒙运动和宣传事业,差不多归妇人独占了。赤卫军中不单是有图书馆读书室,而且因为要深深地了解社会主义,队里常常集会讨论讲演的。

妇人就利用这个机会,把那为实现社会主义而战的赤卫军的光荣和责任,印入到兵士的头脑中,继续地鼓舞激励她们。

住在彼得格勒、阿德兹、撒马拉各大都会的妇人,给了防卫那些都会的机会。劳农俄国陷入危险的时候,她们曾经下了妇人的动员令。她们主要目的就是代替出征的男子做事,其中也有到军队里荷枪调练,危机之际,她们为保护自己的乡土,有不少流了最后的血液。

妇人按着自己的能力受军事上的训练。共产党的女党员,与男子同受军事训练已经成了义务了。男女兵士武装军队,每礼拜一两次,进到地方练兵场学习射击并受别的训练。成为"普通军事教练会"的劳动团体之中,加入的妇人有数百之多。5月1日那一天,劳动义勇军队之中,有一队妇人兵队,受了很好的教练。这"普通军事教练会"的女会员,当守备都会之任,这些都会中,妇人兵士每日都可以看得见,一点儿也不奇怪。妇人也可以入士官学校当士官。1919年的秋天,劳动妇人义勇军出身的最初将校,开始送到战线去了。

俄国劳动妇人用高尚的感情和无限的热诚和谦逊的美德履行自己的义务。她们当着无产者国家遭到危险的时候,忍冻受饿,忘了穷乏,舍弃一身一家的私事而不顾。她们对于战胜资本阶级所得的结果,即是她们推倒资本制度得来经济上政治上的自由,绝不肯让敌人夺去的。她们绝不甘心忍受回返到以前的境遇,让那劳动妇人的奴隶状态的专制主义把她们压迫在铁锁之下。她们所以牺牲身命保护无产者共和国的原因,就在这些地方。1919年狄诺勃夫在北部自治团劳动妇人大会里有一段演说道:"若没有劳动妇人的援助,我们的革命绝不会成就的。若没有那些劳动妇人在危险时期内同我们一致作战,恐怕离革命还远远呢! 这是男子们要记忆的事情。"

二、母亲与儿童之保护

"家庭破坏""妇人国有"这两句话,也算是多数党震骇世界的重大"罪状"了。实在说起来,要晓得多数党对于家庭与妇人办了的事情,是很有兴味的问题。所以我们最先就要晓得那与妇人生活最有密切关系的政治机关,即社会人民委员会的职务。

社会人民委员会是劳农政府的一部,是全俄罗斯一切社会事业的枢轴。各地方劳农会中附有社会委员地方部,与中央委员会联络,实行所布告的事务,各自分担各地方的事务。

　　劳农政府掌握政权以后,同时把一切个人的或半官的慈善事业都废止了,所有一切不能劳动的人都由国家担负扶养的义务了。依 1918 年 1 月 30 日社会人民委员会的布告看起来,凡是劳力谋生的人,若遇暂时的或永久的不能劳动即是老衰、疾病、伤害、妊孕与非由自己过失而陷于失业的人以及没有适当保护者的儿童,一概都有受国家保护和抚养的义务。受伤害病者不收医药等费。

　　依郭伦泰所记,下列各部分都算入社会人民委员重要部分之中。

　　第一,儿童局　凡是没有保护者的儿童即孤儿、弃儿、乞丐和私生子,以及依法律被剥夺亲权者(即犯罪人酗酒人等)之子,和三种病的儿童等,都由儿童局担负保护之任。上面所说病的儿童的第一种,就是有道德的缺陷的人,即适用 1918 年 1 月 18 日之法律而犯罪之儿童(俄国少年裁判已依此法律废止,犯罪之儿童,委社会委员保护)。第二种就是有智识的缺陷的人,第三种就是有肉体缺陷的人。儿童局设有养育院、儿童自治团、儿童 Home 等,为儿童设代用的家庭。在 Home 和养育院中,以儿童的劳动和独立为根本的主义。达于一定年龄之后,此类儿童也和寻常儿童一样,都要进学校。儿童在 17 岁以前都要住在这种 Home 里,17 岁以后,任其自由行动,此后国家亦负保护义务。1919 年 1 月 1 日委社会人民委员保护的儿童达十万人,包有儿童 Home1500 个,现在想必更增多了。

　　第二,母亲及乳儿保护局　此局掌管保护产妇及乳儿的事务。体力劳动的妇人,通产前产后 16 星期,若是他种职业妇人则为 12 星期可以免除劳动而仍得照原额领取工钱。分给妊娠的面包分量可以增加,医药无费。通各都鄙收容妊娠的妇人 Home 设立的很多。妊妇在这种 Home 里可以依照自身健康程度做轻便的工作,又可以单单的休养,并授育儿的智识。分娩之时则入国立产育院,尽俄国现状所许可的范围以内,给予优良的食物和补助金,又有好医生和产婆看护妇,殷勤看视,所以安心分娩。此处待遇绝对平等,无论何人之子都一样贵重,都一样受国家保护。产后 3 星期之间产妇与小儿,收容于专门家监督的乳儿院中,在院中可以育儿至 3 个月之久。若产妇想在自家分娩哺育,那么照前面所说的不特产前产后免除劳动,并且在授乳期内劳动时间短缩为

4小时,并且有权利请求经济上之补助以及特别分给肉类牛酪等物。

各处又设有官立诊病所,凡有乳儿的母亲,都附有一种义务,在定期内带领小儿赴所检验身体,验知儿童的健康和成长的状况,领受育儿上必要的注意和教训。母亲及乳儿保护所,于工场等处设有托儿所,与供给授乳的休憩室。在夏季时,农村中也设有此种托儿所。乳儿保护局在此种处所设立榨牛乳的工场,把纯良的牛乳分给劳动阶级的母亲和小儿,不收费用,而且对于儿童所用牛乳,更注意监察的。无母的乳儿,收容于乳儿院,由专门家监督,用牛乳或人乳哺育。

莫斯科母亲及儿童保护局中,附有常设的育儿展览会,凡自妊娠以及产前产后,乳儿期、幼稚儿时代所有关于母亲及儿童心身一切注意事项,都用图书或模型或详细地说明,无大无细,网络无遗,大可以启发育儿的智识。例如将妊孕中胎儿发育的各时期用图描写出来。供妊妇参考,自遗传和饮酒对于胎儿所被之影响为始,优生学上种种原则和统计,都用图解和说明书表示出来。又适于妊妇的卫生衣服样本,分娩时所有用具和卫生材料,都一一陈列,以及应行注意事宜,都一样的用艺术详细明白表示出来。又健康之时和患病之时所有儿童生活各方面都用图描出,作为模型,表明健康儿童和患病儿童在各时期中发育之大小,所有儿童的病态及其显著的症候,可以一望而知。又用艺术的方法把蝇类传染病菌的径路图解出来。儿童用器具、玩具、食物、衣服等类陈列之傍,都附解说批评其利害。此育儿展览会又设有电影戏部为附属事业,简易地说明母亲及儿童保护局的职分。儿童展览会的陈列品,后来渐次增加力图完备。社会人民委员和教育人民委员互相联络,办理此项事宜。

幼稚院制度普及于全国,4岁至8岁的幼儿,都在院中哺育。但4岁至6岁之儿童入院与否,可以自由,而6岁至8岁之儿童,就有必须入院的义务,上级生习受轻易的学课,以为小学教育的准备。可是在现时的俄国,母亲和儿童的设备,还不能十分增加,其原因有二:第一就是经济困难,第二就是缺乏熟练的育儿人。所以教育委员和社会委员都很努力地设立哺育者讲习所,养成此项人才。多数党执政以来,很尽力于保护母亲及儿童的事务,所费之款亦甚多。极端的穷困和艰难,是帝制和资本主义的遗产,同时又是欧战和封锁的结果,然而俄国的无产人民,却为保护母亲和未来的国民都不惜牺牲一切。这是很可佩服的一件事。

第三,废兵局。废兵局的任务,系应废兵能力的大小分配工作的。

第四,养老局。1919 年受此局保护的老人有 6500,其后大见增加。

第五,扶助费局。此局掌理支出对于失业者及赤卫军家族之扶助费。在俄国中凡一切 55 岁以上的男子和 50 岁以上的女子,有当受扶助费之权利,这是社会人民委员的布告所认定的,照俄国现时经济状态而言,虽然不能即时实行,而在事实上只有不能劳动的人单受此局保护,取得衣食。

第六,临时扶助局。受此局临时补助的老穷兵卒达 40 万人。此外为授职业于贫民起见,又由此局开设各种工场、免费的食堂、住宅和寄宿所。此局为救济白卫军占领地带之避难人民,几有日不暇给之势。

第七,反革命牺牲者救济局。此局专救济因反革命受损失的劳农会和共产党内部的劳动者以及随同共产党入国的外国亡命客,为他们设有种种农业自治团。在他们未得工作之先,由此局领受扶助费。

以上各局之外还有掌理廓清乞丐和娼妓的局,分为种种小部门。在 1918 年时,有 250 万的废兵,有 700 万的伤兵更有 35 万因战争产生的孤儿,有 20 万的盲人哑子和聋人,此外更有多数疯癫白痴和犯罪人,都由社会委员保护以谋生活。在 1918 年的后半期,社会委员为办理此项事业,曾费出 6 亿卢布,1919 年前半期的预算为 20 亿卢布。

在克伦斯基时代曾为社会大臣的伯爵夫人巴尼那,她是个富足而且贤明的好社会改良家,能使列宁也赞钦她是“一个最伶俐的资本主义拥护者”,她是与帝制时代的俄国继续奋斗的自由主义者。她对于政治运动和慈善事业不惜耗费私财,因此大受一部分劳动者和贫民所崇拜,只是她的思想习惯,原是贵族的,到底不与劳农政府相容,到十一月革命之时,她就失掉了原有的地位。这时候,她曾经使唆部下的吏员实行同盟怠业之举,将重要的书类、锁钥和巨额的公金都隐匿了。若以她的经验和手腕援助新政府,必能尽力,可是她为破坏者的政府却弄了许多手段的。

劳农政府成立之后,代巴尼那的人是郭伦泰。郭伦泰就职后,立即开内部大会议,连最下级的雇佣人都要求出席。席上她说俄国财政状态濒于危机,为社会事业所残留的基金极少,所以无论何人不能充分领得他所应受报酬,列宁、托洛兹基和她自己以及一切人民委员的月薪不过 50 元,她把这些话说明,要求部下给以牺牲的援助。以前年薪 25000 卢布职业的救济家,因此受了大打击。她又说以后要常常开会要求一切雇员出席。并说无论专门家或洒扫妇人的话,都一样的尊重,她这种话越发使人惊愕起来。巴尼那常把郭伦泰看作仇敌,听着郭伦泰这一番话,她说:"听说那没有办法的郭伦泰夫人,常开会的时候,唤小使坐在旁边。这种办法对么? 小使一流人都懂社会改良的话么?"

巴尼那和郭伦泰的差异——即第三阶级的社会改良和劳农政府的社会施设之间的差异——单就这一事看起来,就很容易窥察出来。就是前者是施恩惠于人民的,后者是认定人民的权利的。

三、结 婚 制 度

劳农俄国于 1918 年 1 月 30 日制定婚姻法。这婚姻法的制定及其内容,对于妇人国有的谣言给了最决定的反证。

男女关系,纯然是个人间的私事,不是国家和社会所应干涉的问题,这是许多社会主义者所相信的。漫说是妇人国有,就是制定婚姻法确立自由意志结合的一夫一妇婚制这件事,也招了一部分人激烈的反对,说是国家侵越权限了。对于这种反对也有一个解答。

"就理想上说,很希望男女关系不受外的拘束,不受法律的支配,但这种制度,要在社会主义制度永久确立以后的社会方能实现的。在现时由资本主义到社会主义的过渡期内,什么标准和原则都未确定,人民保守的习惯,不易打破,表面虽似乎急进,其实反以维持现状逆行时势为便的。俄国无产阶级革命,是在中产阶级革命中途挫折而与封建时代传统思想开始妥协的时候发生的,所以无产阶级的使命应当继承中产阶级之后打破那封建时代的思想和习惯。就是现在的俄国负有一种任务,连同资本主义和资本主义以前的制度习惯都要扫灭的。"

"然而有一部分急进的人,以为婚姻法没有制定的必要,宗教的结婚听本人自愿,可以不去干涉。话虽如此,而现在的俄国的婚制只有向来的教会结婚一种。教会和宗教都是崇拜天上人间的权力,和科学的社会主义思想不能并立,而尤以俄国教会,简直与皇室不能分立,教会的势力就可说是旧思想、旧制度的势力。所以成就革命的最大急务就在打破教会的势力,要和教会奋斗就有另建新理想、新标准的必要。新婚姻法不单是驱逐人民中所有教会和宗教势力的武器,因时又是革命的,又是社会主义的。这种婚姻法,在法律上实现男女的绝对平等,在资本主义到社会主义的过渡期内,给妇女们最大限度的自由,离婚容易办到,夫妇的权利和义务平等,因此打破旧婚制,同时又作成将来更自由的男女关系的基础。"

依据新婚姻法,唯有经过民法上手续的结婚,方发生夫妇的权利和义务,而惯例的宗教结婚,一切都失其效力。婚姻年龄,男子 18 岁,女子 16 岁。

想结婚的男女,预先到所管的官厅去,用口头或书件,通告结婚的意旨。官厅若判明这两人没有法律上的障害,当着两人来厅的时候,把他们的婚事登记好了,就给予结婚证明书。

要结婚的男女,若是重婚,或互为直系尊卑,或为异父同母、异母同父的兄弟姊妹之时,不许结婚,就是万一许可了,若把事实判明即为无效。又未经一方之应承,或应承而在人事不省之状态,或强制成婚,这类婚姻,也作无效。

夫妇用共同之姓,或用夫姓,或用妻姓,或用二人合姓均可。

夫妇有同居之义务,关于财产之权利,各有区别,夫妇不得互相承受遗产,死者遗产中劳动必要器具等物,得分配于亲类。

夫妇互负同等扶养之义务,一方陷于不能劳动状态之时,他方必须赡养。若对手方面没有扶养资力,则由国家任其责。

夫妇合意离婚或仅一方有离婚希望,均成为离婚的理由。双方意思互缺一致之时,则成诉讼。一切地方裁判所,为谋处理解除婚姻的诉讼起见,至少每礼拜规定定时一次。

又依亲族法,凡是结婚而未通知于官厅之双亲所生之子,与已通知于官厅之双亲所生之子,有同等之权利。未婚妇人怀孕之时,至少要在 3 个月以前,对于住在地之民事登记所,将受孕时期,及孕儿之父亲的住所一一通告。有夫之妇而与夫以外之男子交结受孕时亦同。登记所接受此项通知时,须将此事实通知该孕妇所指定为父亲之男子。在此人不承认为实事时,在两礼拜以内有起诉之权利。若此人认为实事之时,裁判所要命令他分担怀胎分娩及抚养小儿各项费用。若与此妇人有关系不止一人之时,裁判所也命令他们共同担任此项费用。

父母协同行使亲权。但至男儿 18 岁,女儿 16 岁之时为止。关于儿女诸事,概由父母合意办理,意见若不一致,双方出席法庭由裁判所决定。

父母分居时,未成年的子女,应与谁同居,又离婚时子女应用谁姓,一切由父母合意决定,意见若不一致,则诉于裁判所。

父母有扶养不能劳动之子女的义务,子女有扶养不能劳动之父母的义务。但受政府扶养时,不在此限。

子女对于父母之财产,父母对于子女之财产,都没有权利。

离婚之时,父或母,谁应养育子女,养育费如何分配等事,依父母双方协议决定。双亲关于子女教养的协定,若遇与子女的利益不相一致之时,裁判所有向该父母请求法律规定之扶养费。裁判所当决定分配子女扶养费之时,需要考虑子女有无受照料的必要,又子女之母亲或因受孕不能劳动,以及父母收入的多寡和劳动能力的大小,须均加以考虑的。

依以上所述显然可以知道的,劳农俄国的新婚姻法和特色,有四:一,立在男女同权基础之上。二,专以当事人意思为结婚离婚之条件。三,私生子的制度完全废止。四,父母两方之亲权平等。

资本主义的社会里,女子常受父母及夫和监护人所监督,不能自主,结婚这种重大事情,女子的意思毫不受尊重的。而尤以没有劳动能力缺乏职业的机会的结果,不得不把结婚当作唯一的生活手段,就是违反了自己的意思,也要继续她的生活了。又亲权专属于父,女子对于自己所生育的儿女并无权利,离婚之时非将子女留归其父不可。但是劳农俄国的妇人却不是这样,完全脱离了那一切不合理的拘束了。她的身体若是健康,无论什么职业在她可以做得到的都可以做。若因失业、妊娠、病痛等事不能劳动,就有受国家扶养的权利,为劳动生活谋利便,就有公共托儿所,这种托儿所,并不是资本国里慈善家所造的那样小猪栏的托儿所,这乃是由国费办成的,有熟练的医生、看护妇和保姆当保护之任,可说是儿童的乐园,我们应当记忆的。现时俄国妇人,经济的精神的完全得以独立,可以结成一种除自己爱情和良心以外并无烦恼的纯洁的夫妇关系。

资本主义与社会主义的根本不同之点，就是前者是利益本位、金钱本位，后者是人的本位。新俄国的立法——纵令在过渡时代迫于必要不能称为十分彻底的社会主义立法——和资本国的立法，其间相异之点，简直可用这种基本的相异点说明出来。

四、家庭劳动之社会化

劳农政府妇人解放的两大计划，就是母亲保护和家庭劳动的社会化。资本主义社会之下，妇女唯一的天职是做母亲，所以不喜欢妇人的社会的生活。不单是对于她做母亲这件事没有报酬，而且当着因做母亲而不能劳动的时期内，连她的职业和独立都要夺去，使她不得已仰社会或他人的恩惠谋生。所以在这种社会中，女子在专做母亲的范围以内，她的经济独立，在原则上是不可能。而劳农俄国，却不甘于承认为母是妇人的一个天职，而且有进一步的设备，使妇人安然愉快地完成她的职分。

单是这样，还不充分，现时那样的家庭劳动，消耗主妇的时间和精力，妨害她的自由活动和发达，这种劳动若不废除，妇人若不免去繁琐的家事，真正的解放不能实现的。

把现在的家庭和150年以前的家庭比较起来，家事自然是减少许多。譬如在我们祖母的祖母的时代，纺纱织布、染色、缝衣等事，一切都是家妇的主要家务，但在今日除裁缝外，一切都有专门的工人经营。就是裁缝一项，在现时比在我们母亲的时代，也没有那样重要，因职业为生活的妇人增加，没有闲工夫去做裁缝，而且不以自己做裁缝为利益的人也多了，这是显然的事实。而尤以现时都会中的家庭，有煤气、电器、自来水的便利，家庭越容易办理，生产方法进步，普通的生产物多用廉价供给，从前认为主妇所必要的个人的生产，到现在已不觉得必要而且变为快乐了。今日的家庭已不生产，专以消费为职务了。

这样的变化，都是资本主义产生出来的结果。此外洒扫、洗濯、食物调理等主妇应做之事，只要改变生产和劳动的组织，实现为全国民劳动，为全国民生产的社会，这类事无论何时都可由妇人手里分离出来。就是在现时那些能够充分利用文明利器的富有阶级,已经照这样实行了。社会主义更进一步,就是把那一部分人独占的利便给全国民解放出来。

劳农政府在经济状态所能做到的范围以内,要用很低廉的价值,或者不收费,尽将优良的食物供给于公设食堂,要力谋这种食堂的普及和完备,个个主妇的劳苦和个别的家计法的不经济,都除去了。"洗衣和别的事,都是这样。劳动妇人早已不埋身在污秽物的当中做工,袜子衬衣都无须修理。她每礼拜只要把那污秽物和破裂的东西送到洗衣处和修缮处,等下礼拜去领回来就好了。所以劳动妇人并不像在资本主义支配之下那样耗费晚间的余闲,做无限制的苦工,现在尽可以读有用的书,做娱乐的事情了。"这是郭伦泰的话。

又先前在资本主义之下教育的任务,也是由父母移到社会的手中的。儿童达到就学年龄,到学校去受教育。可是儿童衣食住的费用和在学校就学时间内的照料,还是归父母私人担负的。所以劳动阶级的父母没有余力供给能使自己的儿童就学。无产阶级大部分的子弟,不满十岁就要开始过劳动生活,所谓国民教育不过是一纸空文。不特如此,而且得工资做工的父母,不过在晚间归到家里睡,对于儿童精神上肉体上的发达丝毫不能注意的。所以在资本主义之下,为父母的觉得子女是一种重负担,子女是子女,被置在无保护者的状态。

劳农俄国对于这一点,大加改革。社会人民委员会和教育委员会,关于教养子女的事情,努力减轻父母的劳力和经济的负担。婴儿院托儿所、幼稚园、儿童 Home、儿童殖民地、医疗院、儿童静养所、儿童食堂、学校的无费备餐、教科书、温暖衣服、靴子及发给不收费的必要品等项,一切都为实行此种目的方设备的。

劳农政府照这样把那妇女最重大的担负即家事和育儿诸事,概收归国家办理,由社会去担负责任。个别的家计法和育儿法生出来的劳力滥费和不经济一概免除;同时使妇人专心做适应个性的事情。

世人轰传的多数党一个凶恶的罪状即所谓"破坏家庭"的本体,就是以上所述的。家长做本位的旧家族制度之解体,是资本主义发生以后的事实。劳农俄国认定这种事实,要建设种种新制度,代替那早已失掉保护人的力量的家族制度。关于这一点,郭伦泰有一个说明。

"劳动阶级做母亲的妇女们，尽可安心。社会主义的社会并不是要从人家父母手里抢去子女，也不是要从父母怀里夺取婴儿，什么灭亡现在的家庭诉诸暴力的事，全然没有这样想法的。旧家族制度正在解体了。所有家庭劳动，在先前是使家庭当作社会单位的支柱，到现在都社会化了。把家事看得重要的时代也过去了。关于子女的事，也是一样，无产阶级的父母，早已不能去照料他们，教养他们。子女和父母同是一样的痛苦。所以劳农俄国向无产阶级的男子说：'你们年纪轻，你们互相爱，你们有生活的幸福的权利。你们要享乐你们的生活。不要逃避幸福。不要回避结婚——虽然在资本主义之下，结婚是劳动者的锁。你们青年强壮的人不要害怕，你们要为国家造些新劳动者小国民出来。劳动者的社会要求新劳动者。你们对于你们子女的未来不要担忧。你们的子女不会知道冻，不会知道饿的。像资本主义社会里那样把小儿们抛弃，使遭逢不幸的事是没有的。小儿们一生下地来，劳动者的国家就连同母子，一并扶养，殷勤照料。小儿们受劳动者的祖国扶养和教育，但这祖国却并不是从父母手里将小儿夺去的。劳动者的社会虽然负有教养儿童的一切义务，而为父的仍有为父的喜悦，为母的仍有为母的满足，并没有夺情的事实。'照这样看来，那些用暴力破坏家庭，用强制力分割母子爱情的话，还说得上吗？事实是逃不过去的东西。旧家族制度的时代业经过去了。这并不能归咎劳动者的国家，这是新社会状态的结果。家庭使妇人从生产的事业分离起来，所以对于国家已没有必要了。又育儿诸事，在以前是家庭的任务，现在渐渐移到社会上去，各个人可以不去干了。我们眼看见旧家族制度废址之上有全新的男女关系的新制度生出来了。这是爱情和友爱的结合，即是都自由、都独立、都平等、都为劳动者的新社会中同人的结合。妇人早不要做家庭的奴隶了。家庭之中已没有什么不平等了。女子纵然为丈夫所弃，也没有拥抱子女彷徨歧路的害怕了。劳农俄国的妇人，不倚靠丈夫，倚靠自己的工作。养她的人不是丈夫，是自己强壮的腕膊。对于儿童的命运全不要担忧。劳动者的国家，负担对于儿童的责任。以前结婚是把家庭生活弄黑暗的一切物质的要素和金钱上的打算，现在的结婚却把这些弊端除净了。以后的结婚是互相信互相爱的两个灵魂高尚地结合，这种结合对于男女劳动者，约定有一种最完全的幸福和最大的满足，凡是能够自己觉悟能够自觉自己境遇的人都能享受的。以前是奴隶的结婚,现在是用友爱确定的自由结合,这就是新劳动者的国家要替男女们提供的。古时奴隶的两性关系,并不如现在这样是爱人又是朋友的自由公正的结合,这时候,人类的污辱,压迫劳动者的一种可怕的弊害可以消灭的。"

劳动者的国家,要求新的两性关系。做母亲的对于自己子女那种狭义的排他的爱情,要扩充起来,对于无产阶级一大家族中一切子女,都一样的用这种爱情去爱他们。使妇人隐忍屈从的旧结婚制度要倒坏了,义务权利都平等的劳动国中两个人民用爱情和尊敬确定的"自由结合"要起来代替了。个人的利己的家庭消失了,一切劳动者都是兄弟、都是僚友的大劳动家庭要起来代替了。

我们要为那康健的,含苞未放的儿童展开这道路!我们要为那有自由感情、自由爱情来追求人生娱乐的强壮青年展开道路!这两句话是劳农俄国的标语,我们在自由平等爱情的名义之下,希望男女劳动者、男女农民拿一种信念猛勇地去做改造事业,把人类社会弄得更完全、更正确充分地保证各人有相当的幸福。

五、劳动妇人之觉悟

在资本主义下的俄国妇人,不分中产阶级劳动阶级,都与一切政治的社会的生活全无关系。因为如此,所以女子的智识经验不如男子,一旦政权归无产阶级掌握以后,他们要去参加于新俄国事业的建设,总觉得有多大的困难,所以首先要启发妇人,教她们了解这新事业,教她们晓得尽力去做。

因为适应劳动妇人的心理要行一种宣传,所以产出了妇人代表大会。这会是一区或一市各工厂中妇人劳动总会所选出的妇人代表组织而成。这会一方面是使劳动妇人精通劳农事业,教她们晓得运用的教化机关,他方面又是劳农制度和妇人全体的联络机关。

夫人代表分为数个团体,附属各处劳农会行事,以前她们很尽力做的是社会部劳动部教育部卫生部各方面的事情,她们监理产妇院、妇人及儿童Home、儿童游园地、小学校和别的学校;公设食堂和庖厨所。分别说起来,她们所做的事,就是纠正产医院 Home 的秩序,监督并分配学校里的靴子和服物。

补助劳动监督官提供材料,考察妇女和小儿劳动是否严守规则——但俄国 16 岁以下的少年男女禁止使用的。他们受了委任,组织普通医院、野战医院,看护病人和受伤的人,监督兵营。他们也参与警察事务,介绍妇人做一切生产的劳动。

劳农会中各部门,各设有讲习会,即如社会科保姆科赤卫军看护妇养成科卫生科等类,因为要使那些妇人代表精通劳农会的职能,所以把她们编入各科里头去。同时在工厂事务所做事的代表,也把自己和属于自己各部门所做的事,按一定时期报告于选举人,在工厂里则组织警备委员会,探听劳动妇女的不平鸣、希望和她们的建议。

妇女代表们对于劳农会和共产党所行的一切运动,譬如燃料征发队、卫生队、食料队、救济负伤人、扑灭传染、地方宣传运动诸事,一概参加。

代表会每月开会 2 次或 3 次。近来莫斯科和别的都市,都把代表选出的基础改小,每劳动妇人 20 名,得选出代表 1 名。因此借这代表会可以使劳动妇人全体相接近,劳农会的新势力也得确立了。

还有一个好行宣传的机会,就是各地方村郡每 3 月或 4 月召集的无党派妇女大会,出席人数最多,最便宣传。

宣传事业都借文章和讲演举行,差不多一切共产党机关杂志,都设有劳动妇人栏。

革命以后妇人进步的猛速,无论何人都预想不到的。在革命的时候,真有阶级的自觉的劳动妇人,不过占少数,大多数有革命趣向的人,很缺乏明白的自觉和组织的。但到现在,能够精通某项事务的贤明的劳动妇人,增加得很多很多的。明干的宣传家和妇人记者,多数都由劳动阶级出身的。

劳动妇人的运动,已达到最广的范围,有很大的政治的势力。彼得格勒、莫斯科、莫斯科附近地方伊瓦诺维、武阿奈逊思克等地方,这类事业尤其发达。其中最富于阶级的自觉而最有组织的,莫过于彼得格勒的劳动妇人。此种运动,别处地方也很普及,成绩颇有可观。共产党全俄劳动妇人组织大会,出席的地方代表有 28 县之多,当时未能出席的诸县在共产党妇人部的地方有乌拉尔乌夫阿连布克阿斯特拉坎各县。照这样看来,劳动妇人的运动,业已普遍全俄国了。共产党机关报《普罗达报》主笔尼古拉布哈林有一段说:

"把那纯粹无产阶级和农民的妇女之间所生的变化观察起来,最有趣味。先前被他人当作家畜看待的人,居然自觉起来,晓得自己也是人,也有同等的权利了。他们对于资本主义对于资本家的压榨,对于所有一切奴隶制度,都加入斗争的队伍中了。劳动妇人和农村妇人开始参与行政了。她们参加劳农会和种种执行委员会。达到有责任的地位,又在战场手执武器从事看护,毫不足怪。中流劳动妇人和农妇,尤其活动,谋运用社会的保护制度,保护妇人、母亲、儿童、老人、病人等人。他们照管产妇、妊妇,在婴儿院、儿童殖民地、职业介绍所、学校饭堂公设食厅、吃茶所、病院、公立图书馆等处办事,并宣传共产思想普及一般智识。他们所办的事,多以这种运动为中心,他们在尽义务时,表示理智和感情并行,用热烈的感情发挥新创造的能力,关于实际问题,具有丰用的常识。"

"革命以前没听见讲过共产主义,多数都在党内的学校学会读书写字的妇人们,她们能够实现党内的理想,真是可钦赞的事情。革命以后妇人的才能和精力,借自由活动的利便,正如骤雨之后在日光中的植物一样的成长。这种新生活,使无产者和农家的妇人觉悟起来。使她们得着工作,得着义务,得着经验和训练。使她们成了勇敢的战士,成为新社会中的共同劳动者。拥护劳农俄国的存在,维持她本然的发达,期间所必须经过一切困苦和争斗,在现时想起来,这是很可惊叹的。多数党因为要粉碎那反动革命所借以为武器的资本主义精神,不得不继续战斗。国内经济的紊乱,惹起穷乏饥饿和病的各种不幸。虽然如此,而劳农俄国却为灿烂的将来,为自由幸福的共同生活而战。无产阶级和农家的妇人,都加入战斗之中,要把这些妇人的活动按日按月记录起来,究应从何处起至何处止方好,就难知道了。"

"现在莫斯科所开的哥萨克大会,就是表示妇女中觉悟的新个性的好证据。妇女与男子有同等之权利做代表参加此会。革命一事促起她们觉悟,使她们变成为劳动者而战的战士。若在革命以前,这些妇人住在哥萨克的乡村,她们只看见她们的母亲和祖母所做过的家事,她们照管公园和田土。当时她们除了所住的小村的境界以外,全然不顾虑的。妇人们中若有一个到乡议会或县议会去旁听,就成了远近的嘲诮的种子。但是到了现在,她们自己去参加劳农会的讨论和决议,长途跋涉跑到莫斯科去也不嫌远。她们坐在向未见面的人的当中,发表意见讨论决议;她们觉得和在自家的兄弟姊妹中一样,议论大俄罗斯最重大的问题。有许多伶俐的话句、贤明的建设、有思虑的质问,都是从农妇的口中发出来得。这事完全像梦一样,然而是现实的。"

"劳农政府对于一切用手足头脑而创造的劳动者,给他们增进共同幸福和进步的机会;给他们面包、自由、威严、名誉;使他们营人的生活。不分男女都有共同动作的权利和义务,这是劳农俄国的法则。这种协同作业,无论工厂农村和行政,一概通行。帝制时代的妇女们与国家政治的生活全无关系。上流妇人做人的妻,做人的情妇,与国家问题全无关系。平民阶级的妇女与此相似。常用勇敢充满牺牲精神的俄国妇人,只有革命者之间过了充分的政治的生活。革命运动,女子也和男子一样都做成功了。不但是一个苏菲亚女革命党如此,就是横死于断头台、牢狱和荒野的别的许多妇人,她们的操行也铁石一样。劳动阶级的妇女们,战死沙场的很多。可是和全体劳动阶级的人数比较起来,加入政治的斗争的妇人还算是少的。说起来,就是以前少数特出的妇人为那些被虐待的妇人奋斗的。只是到了后来,无产者十一月革命就有很多的劳动妇人和农妇都自己觉悟伟大的理想了。"

以上不过就我所得的材料做个记述确实的推定劳农俄国妇女的状态。

"要之,劳农俄国中,凡在政治、教育、经济、社会一切方面,妇人与男子受同等的权利,有平等的发达的机会。照这样的妇人解放绝不是否定女性,绝不是抑压妇人为母的生活,那种周到的施设,世界良母贤妻国家梦想都不到的。俄国的施设不过使女子和男子一样,尽能力得满足,尽能力尽职务。把这种解放看作是女子的不幸的人,那是特别例外,若对于此事觉得有趣味的人,一定是这样想的了,劳农俄国建国之始,为什么把男女同权作为当然的事来认定呢?"

在旧俄帝国时,像欧洲各国那样以中流妇女为本位的妇女运动差不多没有。唯其不是女权运动而是革命运动,所以得今日这样的解放。1918 年 11 月莫斯科第二次全俄无产妇人大会有一个决议:

"劳动妇人的解放,与无产者全体解放的条件一致,所以我们除了无产者一般的问题没有问题。现在正当社会革命发展之时,一切男女劳动者都要尽全力争无产者的胜利。"

　　"过去前半世纪以来,为俄国民众解放运动牺牲的妇女的精神,实是如此。俄国无产者中,从前有苏菲亚、查斯里、菲克纳,现在有郭伦泰、斯比里特诺、巴尔巴诺,照这样看来,世人怎么能够说妇人先天劣弱,要抑压她们社会活动,要把她们逐回厨房、儿童房屋里头去吗? 男和女都曾经做过奴隶。现在都自由了。"我想俄国的革命唯有无产者从工钱制度解放的当时,才是妇人从性的奴隶制度解放之时,这是我极要对世人说的话。

日本政党改造之趋势

（1922.9）

近来日本政党大有改造趋势，创立垂四十年之国民党，竟一旦宣告解散，而另造新党，这不可不说是日本政界革新的现象了。然而这种改造也是必然的趋势，我们只要考察日本资本主义成熟的经过便明白了。

日本本是农业国家，在明治维新以前，纯粹是农业经济时代，所以在那时代行的是封建政治、藩阀政治，后来和海外通商，欧美资本主义逐渐输入，本国商工业亦随而逐渐发展，遂促成明治之维新，于是遂由藩阀政治一变而君主立宪政治。日本的政党就在此时代发生起来了。但这时候资本主义尚在初期时代，开始组织之自由党改进党，虽会标榜打破藩阀政治以谋夺取政权，毕竟新兴之商工阶级毛羽未丰，受不起军阀的压迫，自由改进两党亦失其重要。所以代表新兴工商阶级之政党，既无能力打破军阀政治，夺取政权，就不能不改用依附军阀的手段以谋夺取政权，而促资本主义之发展。明治二十二年宪政实行以后，自由改进两系人物，复起而组织政党，虽合纵连横，离合无定，而面目改换，性质反常，已失昔日要求民权自由之精神。置而言之，无非代表商工地主阶级依附军阀，外以谋领土销路之扩张，内以谋商工业之发展而已。我们试一阅日本宪政之历史，各政党之真相不难一目了然。所谓政党者，除国民党自成立后未参加组阁较为洁白外，其余诸政党殆皆为一丘之貉。日本现在三大政党，为政友会、宪政会、国民党三者，各党均无所谓主义主张，就其大体而论，各政党差不多可以合并为一党，其共同点无非代资本阶级谋利益，以国扩张党势，其不同处，不过各党所占地盘不同，位置不同而已。简单说，日本现有各政党，均代表财阀勾结军阀以发展其资本主义的帝国主义，所谓代表人民谋幸福安宁的标语，无非是骗人的废话罢了。

现在我们再考察日本资本主义成熟的程度,来判决此种军阀财阀互相结托的半封建式的政治,是否合于现时经济的组织,以说明日本政党改造的趋势。

日本的资本主义已由成长而至于成熟,快要崩坏了。日本现在已由制造消费品的资本主义国家进到制造生产机关的资本主义的国家,已由铁维工业时代进到铁工业时代了。关于此点,我们只要看日本近来铁与钢的消费量和对外贸易比较表便可知道。

日本钢铁消费比较表

年 次		洗铁（法吨）	钢料（法吨）
明 治	34—38	119799	289970
	39—43	263627	485685
	44—大正4	470308	722111
大 正	4—9	887269	120833

日本五十年对外贸易比较表

年 次		输出（千元）	输入（千元）	共计（千元）
明 治	2—6	16816	26144	42961
	12—16	32323	31732	64056
	22—26	77632	75288	152920
	32—36	253977	287376	541354
大 正	3—7	1231680	936228	2267909
	8	2098872	2173459	4272332
	9	1984394	2336174	4284106

日本资本主义既已发达到这个地步,恐怕不会再继续下去。我们只要考察日本最近的劳动运动的状况便可知道。最近劳动运动的中心也已经由铁维工业移到铁工业,这便是反亲日本的资本主义不能长久了。

日本的资本主义既然这样成熟,那数十年传统而来的军阀财阀互相结托而行的半封建的政治,还能够保得住不生变化吗？这个问题,最近的政党改造成的趋势,已替我们解释了。

日本现在三大政党中,最大的政友会是代表地主农民和部分工商阶级的,其次宪政会是代表都市的资产阶级的,再次国民党是代表小资产阶级的。在资产阶级压抑之下的小资产阶级的政党,当然没有发达的希望,所以最近的国民党,势力是很微小的。国民党首领犬养毅氏以一书生出世,始为陆军军人,又为从军记者,是一个有血性的男儿,他不曾为政权所迷,他不曾为金力所屈,日本政治家中不屈身于军阀元老门下的只有他一人,自国民党创立以来,他始终站在国民党地位为革新事业而战。他在寺内内阁时代虽曾加入外交调查会,致损令名,他却能见机而退,竟恢复了本来面目。所以他可算是一个有抱负、有主义的政治家。国民党解散消息,本开始于今年三四月间,但犬养氏解散国民党之动机始于何时,我们无从知道,唯据犬养氏最近之演说观察起来,国民党解散一事,大概是顺应时代潮流的趋势而然的。换句话说,日本的经济组织已是大生变化,从前的政治组织,已是不适用了。因从前之政治组织而产生的政党,也是不适用了。据近年原内阁所改订之众议院议员选举法看来,人民须有纳国税 3 元以上者始得有选举权,照这样,日本 6000 万人民中有选举权的只有 300 万人,换句话说,日本的国会只能代表 300 万人,所以现在的三政党一共只能代表 300 万人,而其余 5000 余万之无产阶级者与半无产阶级者是与政治生活毫无关系了。日本的政府和国会只替有产阶级谋利益,而漠视无产阶级,凡是标榜行什么社会政策的时候,便被那些政党利用扩张地盘去了,而且本年春间还要提什么过激党镇压法案。

这样看来,所以日本政治组织是与大多数人民的公意背道驰的。

长此以往必演出种种社会不安的事实,犬养氏有见及此,所以毅然决然把有四十年光荣历史的国民党解散了。

国民党的解散,并不是消极的,乃是积极的。据国民党解散宣言看来,国民党在解散以后,决计另组新政党,而以无纳税 3 元资格之 5000 余万民众为后盾的,这真可算是日本政界革新的好现象。又据犬养氏的演说,将来这种新政党的分子,要网罗一些实业家和学者和劳动者,组成一大有威力的团体,实现民众政治。将来这种政党若能成立,必能博得大多数人民的同情无疑了。

近见日本报纸又载称,国民党员自本党解散后已一致决议加入本年上期新组织之革新俱乐部,此说果见诸事实,日本之新政党必能早日成立,愈能促进政界革新之机运。革新俱乐部系尾畸行雄岛三郎等于脱离宪政会以后所组织,成立以来,颇得人望,一班新的少壮政治家加入的颇多,国民党员若加入革新俱乐部,则党势必能大见扩张。尾畸行雄久以主张民治主义著名,昔年为文部大臣时曾以倡说"共和政治"四字被敌党攻击去职,欧战以后,鉴于世界潮流之趋势曾游历欧美考察一番,归国以后,沉机观变,大不满意于现成之政党,想乘机组织一民治之政党,以谋实现平民政治,日本一班有新思想的分子都很属望于他,本年见遂于宪政会而另创革新俱乐部,本是他夙昔的抱负如此。尾畸行雄和犬养氏是日本当代最有名的两大政治家,此次两雄若果携手创一大新政党,必能早日成功。将来此新政党必标榜社会民主主义以相号召无疑,而宪政会及政友会中之新分子必将脱离其本党而加入于此新政党。结果,政友会及宪政会必变为纯粹的资本阶级政党,此新政党必变为社会民主党。

(原载 1922 年 9 月《向导》周刊第 1 期,署名李达)

劳动立法运动

（1922.9）

一

我们劳动同胞布满世界，太阳所照见的地方，无时无刻不有我们的同胞在那里工作。我劳动同胞对于全世界的财富和文化的贡献，是何等的伟大，也就可想而知了。

然而中国劳动者被人道忘却了，被幸福忘却了！

我们最近不是时常听着"澳门残杀华工""香港残杀华工""某国某洲残杀华工驱逐华工"等消息吗？华工何罪？华工不是为世界资本阶级创造了无限的土地、资本、银行、货币、军队、警察吗？何以竟被世界资本阶级虐待、惨杀、压迫、驱逐到这样地步呢？

我们最近不是也时常听着"赵恒惨杀纺织工人""陈炯明惨杀铁路工人""肖耀南派兵队压迫铁厂工人""某某军阀派兵围攻工人"等消息吗？工人何罪？工人不是替军阀创造了若干千万存放外国银行的存款，养活了许多杀人军警，造出了许多吃肉的枪弹吗？何以军阀资本家竟这样狼狈相依，动辄以"军法从事""格杀勿论"等野蛮举动来对待工人呢？

我们知道国际和平条约关于劳动之规定，是标榜正义人道的，该规定第一段之总旨说：

> 今因国际联盟以建设世界和平为目的，而世界和平只有在根据社会的正义时，始能确定！

> 又因现今劳动条件使多数人民常陷在不公平而且困苦贫穷的状态，

以致社会不安,危及世界和平之调协:此种状态,须急设法谋良,如劳动时间及规定,每日每星期最长劳动时间之规定,劳动供给之调节,失业之防止,能维持相当生活的工资之规定,对于害病受伤的劳动者之保护,对于老年及废病者之抚养,对于国外侨工利益之保障,结社自由原则之承认,职业教育专门教育之组织等等;

又因人道的劳动条件,若有一国不加采用,则妨碍他国企图此事之改良;

所以缔约各国本正义人道之旨,协定下列各条以确保世界永久之和平。

中国是曾经加入国际联盟的国家,当然要适用上述的原则,设立人道的劳动条件的。但是国际保工会第一次在华盛顿开会的时候,我国只有几个政府的代表出席,这些代表只替资本阶级说话,口口声声要规避大会所成立的协定,而自侪于殖民地之列。他们以为国内的资本主义正在开始发达时代,全靠利用非人道的劳动条件,尽量剥削劳动者的脂膏来维持、灌溉,所以托辞中国工业幼稚,不惜将本国的国际地位降到与殖民地或非独立国家一样,因为殖民地或非独立国家是经大会承认可以不适用国际保工会的规定的。这样看来,我国劳动同胞与殖民地之工人的地位相等,是被各资本主义国家之正义人道所排斥了。

现在我们再看看中国究竟是怎样的?集会自由、结社自由,不是载在约法上面的吗?中华民国主权,属于国民全体。凡是国民,无论资本家或工人,当然都享有此项自由的。但是约法上又说:"本章所载人民之权利,有认为增进公益,维持治安或非常紧急必要时,得依法律限制的。"这里所说限制的意思,就不外说明约法上所规定的自由,只有少数特权阶级能够享受,对于非特权阶级是要用法律来限制的。因此就有治安警察条例、预戒条例、报纸条例、出版法以及关于罢工等刑律来做限制人民自由的工具,于是约法就变成了少数武人压迫人民的武器,而劳动的人民就完全变成俯首帖耳听人宰割的奴隶了。数年以来,国内武人就拿这些法律压迫人民,工人要求雇主增加工资有罪,工人要求雇主改良待遇有罪,一遇工人罢工,便调兵弹压,弹压不够,便用"格杀勿论""就地正法"等野蛮命令来草菅人命。所以中华民国主权,毕竟属于少数军阀资本家,我们大多数劳动同胞,是完全不占份的。

这样看来,我们劳动同胞,在国际受不到人道的保障,在国内受不到法律的保障,这种状态果能长久吗?国际和平就可以永远确保,社会安宁就可以永远维持吗?说到这里,我们就不能不慎重考虑了。

二

劳动问题,本是个经济问题,但到劳动者感觉切肤之痛要起来实行解决的时候,就转成政治问题。所以劳动运动常易变成政治运动。这种现象,在初期劳动运动时代是常有的,尤以在产业后进国中为最显著,往往容易惹起暴动和革命的群众运动。这个理由,非常浅显,因为资本主义在初期时代,刚才脱离了封建统治的形式,或者还是半封建式的统治的时代。在这个时代,特权阶级势力最大,国家一切法律,差不多都是特权阶级压迫平民的手段,劳动的群众,当然就是他们施压迫的对象,什么民权自由,都是工商阶级欺骗工人的诳话。所以法兰西革命后,特权阶级就定下法律来,不许劳动者组织团体,说是国家之内不许再有国家。劳动者结社集会是特权阶级所大忌的。劳动条件是非人道的,工钱务须少给,时间务须延长,工场设备是完全没有的。但是母牛必须吃饱才有牛乳可榨,劳动者也必须吃饱了才有血汗可出,不然,这种状态是不能长久的。工钱过少,工人不得饱暖,自然知道要求雇主加给工钱,工作时间太长,工人害病受伤,自然知道要求雇主减少时间。一个独自要求无效,自然知道组织团体一致起来要求。一致起来要求无效,自然知道采取最后手段,同盟罢工,但是工人组织团体是犯法的,同盟罢工也是犯法的,犯了法就要受法律的处分,轻则监禁,重则处死。由此推论,可知工人要求增加工钱、减少时间,便是犯法的事,便是坐牢致死的原因了,然而工人若是不愿饿死冻死,他们是必定要求增加工资的,工人若是不愿牺牲生命,他们必定是要求减少时间的。换句话说,工人若是活在世上,他们必定是要犯法的。坐牢也好,处死也好,第一队被征服了,第二队必然跟着起来做的,甲地的劳动团体失败了,乙地的劳动团体必然跟着起来干的。前者仆,后者继,最后必定一致行动起来要打破这类法律,甚者是要推倒这种政府。到这时候劳动运动就完全变成政治运动了。这种事实在欧美各国初期劳动运动史中很多,即就中国目前的劳动运动状况而论,也逃不出这个先例。譬如今年一月间湖南华实公司纱厂工人因要求增加工资不遂罢工,赵恒惕受资本家贿赂,便派军队攻打,工人方面公然徒手空拳和军警格斗起来。虽然工人方面失败,劳工会职员被杀,然此种运动的性质却是革命的。又如最近长辛店铁路工人亦因要求增加工资不遂罢工,交通部竟亦派兵队弹压,但他们一点也不害怕,公然列队去欢迎军队,严阵以待,军警竟不敢动手,倒被工人捉去了武装警察数人,他们说:"饿死也是死,枪毙也是死,还怕什么军队吗?"他们这种猛勇气象,真是令人起敬,虽然交通部终于屈服,风潮平息,然这种运动的气质也是革命的,"面包面包!"众口一声把俄国皇帝赶走的,便是这班人,特权阶级的人们切不可等闲看过啊!

三

初期劳动运动的暴动和革命,只有劳动立法能够避免它,换言之,劳动者已经表示了自身的实力时,握着权力的特权阶级,只有因势利导,承认劳动者在法律上的地位和权力,资本主义才有向上发达的希望。欧美各国资本阶级政府,从19世纪初叶起,即已从事劳动立法,承认劳动者的权利,到现在差不多一切资本主义国家所应有的劳动法都已完备了。中国虽然是产业后进国家,比不上欧美各国,但欧美各国在19世纪已实行之事,难道还不可以仿行吗?

人类的经济生活,必须由国民经济生活推移到国际经济生活的。而在这推移的过程中,产业后进国的国民经济生活必受产业先进国的国民经济生活所牵引。处在非人道的劳动状态中的国内劳动者,看了在人道的劳动状态中的外国劳动者,当然生出羡慕的热诚来望尘学步的。这是世界政治经济的潮流趋势如此,绝没有一国能够不卷入那旋涡里去的。所以中国的初期劳动运动比无论何国的初期劳动运动要多含危险性。要避免此危险性,劳动立法实是万不容缓的急务了。

四

近来国内劳动立法运动，已有普遍全国之势，《工人周刊》曾出一劳动立法运动特号，对于劳动立法运动的旨趣，说明得颇为详细。北京劳动组合书记部所拟的十九大纲①，亦颇中肯、颇完善。我很佩服中国工人有争自由的决心，我很希望国内劳动界全体一致团结起来，从事此种运动。中国劳动者处在半封建式的武人政治之下，受不到法律的保障，军阀资本家可以任意杀人，若想用合法的手段取得真正的自由，当然是不可能之事。但是劳动者解放的第一步，至少必先取得结社自由和罢工权利。有了结社自由，无数万劳动者便可组成一大阶级和有产阶级对峙。有了罢工权利，劳动阶级就可以学得作战方略和有产阶级敌抗。所以在现在的中国要求劳动立法，一则可以获得组织、团结的机会；一则可以顾及目前的利害。凡是劳动者，都应急起直追，切不可观望不前。

然而这是关系劳动者自身利害的问题，尤其要劳动者自己奋发起来才行，尤其要全国劳动界通力合作才行。因为要求特权阶级承认工人的权利，须看劳动者的努力如何，才能决定，非到劳动者自己已显出不可侮的实力以后，是不容易成功的。而且劳动者若只是一味哀求特权阶级赐给恩惠，这种恩惠也是不可靠的。近日报载吴佩孚也主张劳动立法，北京众院议员李庆芳已提出过劳动法案，这也可说是特权阶级代表的觉悟的一点表现。但是后来又听说李君提案太不彻底，连社会政策也说不上。照这样，这种有名无实的法案比没有还坏。这是劳动者更非力争不可的事情了。

我想全国劳动者若都能派代表向国会表示意见，或者群众能举行一个示威运动，要求国会根据劳动界自拟的法案，制定宪法，方算是达到了目的。

再，我以为现在只是劳动界自身要努力的时候。劳动阶级若没有能力超出恶势力范围以外，换句话说，劳动阶级若没有本领能够打破恶势力，那么，劳

---

① 中国共产党劳动组合书记部于 1922 年夏号召全国工会开展立法运动，提出了十九项劳动法大纲，详见邓中夏著《中国职工劳动简史》第五章。——编者注

动者在这恶势力的范围以内,是必须受苛酷的法律的支配的。譬如劳动者现在处在这种武人政治之下,既没有能力能够打破他,又没有方法能够避免他,那么,劳动者若不知道趁着机会要求特权阶级的国会承认自己在法律上的地位和权力,那治安警察条例和罢工的种种刑律,是要来支配劳动者的。这一点我想国内有觉悟的工人们,必定早已明白了。

劳动者若真有自谋解放的决心,就要急起直追来干劳动立法运动。机会不可失,全国劳动同胞团结起来!

(原载 1922 年 9 月 10 日上海《民国日报》副刊《觉悟》,署名李达)

女权运动史

（1922.9—1922.12）

一、绪　论

（一）女权运动的由来

干女权运动的人，首先要知道女权运动的历史，因为女权运动是由经济组织的变迁和社会制度的演进产生出来的，假若不懂得女权运动的由来，就不能了然女权运动的目的和方法，这种运动就没有根据，便失掉意义。

太古时代，男女平等。女子的体格与智力，和男子一样，无论什么工作都能够做。虽然女子的任务以分娩育儿为中心，男子多从事于渔猎战斗，这不过是性的分工，而于维持生活一事，男女都是一样做生产事业的。这时候的女子没有为衣食结婚的必要，也没有取媚男子的必要，男女的关系处在对等的地位，没有什么妇女问题的。

后来人智发达，产业进步，由游牧社会进于农业社会。社会组织发生一大变化，私有财产制度于是发生，经济的全权操在父家长手中，女子在经济上开始降到隶属的地位了。男子就凭着经济的权力，创造出奴隶制度、婚姻制度、家族制度，女子就渐渐依赖男子谋生，服从、隐忍，就成了女子第二的天性。于是就有许多圣人贤人出来赞扬这种男性中心的社会，更造出许多男尊女卑的礼教文物来。男子完全成为治者阶级，女子完全成为被治阶级，女子除了做男子的万物和奴隶以外，几乎失了存在的意义。

近代欧洲产业革命以来，经济组织大生变化，以前的农业经济、手工业经济，一变而为机械的工业经济。都会的资本主义工业勃兴，手工业大受打击，人民的生活，因而发生变动。无产的妇女固然要到工厂作工，而中流阶级的妇女更陷入困苦颠连的境遇。因为中流阶级的妇女,向来靠结婚为唯一谋生途径,现在逢着社会的变动,不得不靠自己的劳动来维持生活了。但伊们虽欲取得一种谋生的职业,却因为缺乏职业的训练和智识,又因为感受社会的习惯和束缚,依然得不着谋职业的机会,所以伊们首先起来要求教育的门户开放,要求职业的门户开放,要求一切法律上经济上社会上的两性平等,以便能够得到自营生业的能力和机会,从苦痛的境地解放出来,这便是女权运动的开端。

所以女权运动,从主观的方面说来,固然可说是个人主义思想在妇女界发出的思想的革命,而从客观的方面说来,实是使女子适合现时经济组织的社会的改造。

(二)欧洲女权运动的经过

欧洲女权运动的经过,大概可以分为两个时期。从 18 世纪末叶至 19 世纪中叶为第一期,从 19 世纪中叶以后至现在为第二期。第一期为中流阶级女权运动的时期,第二期为无产阶级女权运动的时期。在第一时期,女权运动的最大目标是打破男权专制,要求法律上、社会上、经济上、政治上一切方面的男女机会均等。所以这种运动在使女子脱离男子的经济的支配,给女子谋生的能力,要求教育自由;同时又要求参与立法机关,制定于女子有利的法律,极力举行参政运动。

然而女权运动是妇女顺应社会经济的变化而起的,所以发展的途径,当然要随着经济的变化并进。女子谋生的能力和机会的问题,在五六十年以前的欧洲,本是女权运动者重视的问题。到了后来,这些问题,差不多完全解决,于是女子因谋生的结果而显出的资本与劳动的关系,就成了妇女问题的中心了。

到第二期时代,女权运动的中心,由中流阶级移到无产阶级。多数女子为了生活的关系,都投入劳动市场,和男工竞争起来,徒使资本阶级获得渔人之利。竞争的结果,男工女工,两败俱伤。男工受了女工的排挤,劳动条件有日趋低劣之势;女工受了经济独立的美名所欺,牺牲了青春、健康和一切幸福,取得工钱奴隶的地位。到这时候,劳动的妇女就觉到有利于中流妇女的女权运动的无效,而纯粹的妇女劳动运动的倾向就发生了。这次欧洲战争底结果,使这种倾向更益显明,于是形成了劳动运动的面目。

妇女问题的中枢本是职业问题,而职业问题若用广义解释,即是劳动问题。劳动问题解决了,妇女问题自然会消灭。所以女权运动,毕竟要变为劳动运动。

(三)中国女权运动的发生

中国本是农业国家,数千年间,完全是农业经济时代。男性中心的社会制度,男尊女卑的道德习惯,一直流行了数千年。中国妇女在过去所受的压迫和苦痛,比欧美各国过去的妇女所受的有过之无不及。近年以来,受了资本主义的影响,中国社会经济的变化,已是不许女子继续苟且偷安的生活了。生活艰难的警告,时时刻刻迫着女子去要求职业教育和经济独立了。所以中国女权运动自然要盛行起来。我认为中国的女权运动,也必是要受同样的社会进化的原则所支配。特就欧洲各国女权运动的历史叙述出来,使女权运动者知道社会进化的定律,能够于过去的历史中,寻求根本解决的目的和手段。

二、欧洲各国的女权运动

(一)法国

前章绪论已经说过,妇女问题发生于私有财产制度确立之后,这无论中国与外国都是相同的。至于把妇女问题当作问题实际起来解决的女权运动,却是开始发生在资本主义发源地的欧洲,尤其是开始发生在资本阶级大革命的爆发地的法国。所以法国的女权运动虽然比不上英、德、俄各国的女权运动能够显出那样很好的成绩,但是英、德、俄诸国的女权运动,都是受了法国的影响次第发达起来的,就是新近发生的中国和日本的女权运动,也可以说是受了法国女权运动的余波。我们现在讲女权运动的历史的时候,当然要先从法国说起。

18世纪的后半期,欧洲的新兴工商阶级已是渐渐得势了,他们对于封建阶级的阶级的觉悟,已是渐渐暴露了。郁积了多年的他们的不平的爆发物,果然一触到卢梭的"天赋人权"的自由思想的火线,便大大地爆发起来。结果,封建阶级倒了,新兴的工商阶级却成了国家权力的所有者。

然而世人奉为"民权自由"之神的卢梭,毕竟是一个工商阶级的思想者的代表,实在没有一点神秘之可言。他替工商阶级向封建阶级争人权,把大多数劳苦的民众除外了;他替工商阶级的男子争人权,把占人类半数的妇女也除外了。他只能代表占人类一小部分的工商阶级的男子的思想,他虽然被少数男子叫他作圣人,若在多数的劳苦民众和妇女看起来,他不过是一个极平常的人罢了。他所发明的"天赋人权"的"人"字,应该改为"男"字,"男"字之上还应添上"工商阶级的"形容词。"天赋人权"应该说做"天赋工商阶级的男子以特权"。

人类的知识是日日进步的。经济的组织既然变化了,人的思想也随着动摇了。自由平等的学说,进到数千年来蜷伏在男子不自然的压迫和桎梏之下的妇女们底耳里来,哪得不发生影响呢。潜居妇女们的胸里的不平鸣,哪得不呼号出来呢?燎原的革命之火为什么燃烧着,响叫的自由之钟为什么敲打着,这点理由,纵令是无知识的妇女,也绝没有不能理会的呵!

妇女们果真觉悟到自身的地位,自然知道起来主张自身的权利,自然知道为主张自身的权利起来做热烈的运动的。所以巴黎的妇女们当着被国民议会排斥的那一瞬间就出现了。所以法兰西大革命,不但在世界史上划了一个新纪元,而且从古遗传下来的这妇女问题,也得到了这实行解决的机会。

依卢梭诱起的女权运动果然在 1789 年 10 月 5 日开始了。这一日,巴黎妇人团,对于国民议会的选举,要求一般选举权。奥林布德·姑基女士发表女权宣言书,说人权宣言书只承认男子的权利而蔑视女子的权利,所以要求补正。女优拉昆布也同时组织革命妇人会为女权扩张运动的声援。这以后1793 年又有许多妇人团体组织起来,参加入政治上、经济上的男女同权运动。罗兰达布林等女名流实执其牛耳,或提出请愿书,或开国民大会,或自执武器加入政争,用尽了一切手段。一方面罗兰斯达尔等或办妇女新闻,或著书立说鼓吹两性平等的思想,因此得到孔多尔瑟的赞成,提出了承认女权的宪法草案。但这草案虽经一次为议会所容纳,终未见诸实行。1793 年伊们为了常常与民众一致行政治的示威运动之故,触着当局的忌讳,被禁止参与公共的生活,妇人俱乐部等团体,均被解散;二十龄之少女丰特奈虽然站在国民议会之前,热烈地主张女权,终至于不能贯彻意志而止。

不久,共和政府崩溃,进到拿破仑帝政时代,女权运动的运命不仅挫了锋锐,而且受了抑压。所谓拿破仑法典的规定,妇女仍未脱去附属于男子的地位,妇女不能独立,妻子不能管理财产。斯达尔夫人等力说法典的谬误而主张妇人解放。但妇人运命依然如故,历史就进到复古期了。

在复古期的初期,妇人的运命,毫未改良。当时哲学家兼政治家的波纳尔公然说男女是不平等的,就是将来也不平等的。他主张向来的男尊女卑主义。到了1830年的七月革命,1848年的二月革命之后,圣西门的社会主义得势,一世才女桑恩奉圣西门的教义而起,而妇女解放与男女同权的运动就靡然而起。但这种政治运动因为和社会运动结合之故,反失了社会的同情。德洛安、密舍尔两女子先后受罚。桑恩女士最初和维亚尔特们相结合,利用《独立评论》主张女权,后又在共和政治杂志执笔,或著作《与国民书》,到老都用全副精神谋女权的扩张,挥雄健之笔以鼓吹女权的向上。女权运动到此时占有确不可拔的气势。1832年有《现代妇人》的新闻出版,又有《妇女新闻》促进女权运动。可是到了拿破仑三世之时,女权运动又发生了一大反动,妇女又被禁止做政治运动。于是马里脱里斯、列昂里舍尔等就从社会政策的见地做女权运动了。从来女权运动只增进上流妇女的利益,到这时候,伊们却努力要解放中流以下妇女及劳动阶级妇女,使妇女觉悟自己所处的社会的地位了。

拿破仑三世失败,第三共和政府成立以后,妇女的地位和权利渐为男子方面所认识,脱列斯夫人等组织了妇女境遇改良会。到了1876年第一次万国妇女会就在巴黎举行了。这会幸得各国赞成,瑞士、意大利、和兰、俄罗斯、美国等处都派了代表出席,讨议了许多妇女问题,报告书都发表了出来,因此妇女问题,遂成了各学者和政治家议论的基础。结果,1882年及1888五年,关于妇女选举权的请愿书就提了出来;女权同盟会、妇人联合大会、平等会等等也设立起来了,指导的人,是宛桑、希玛尔等女士。伊们或为参政运动,或为道德问题运动,或为女子职业问题运动,都是异常热烈的。

法国妇女运动虽然极其隆盛,当代妇人运动的范围却只限于巴黎,地方上是没有这种运动的。加入团体运动的会员也很少,最大的团体,所有的会员不过 400 名,而且大概为有政治臭味的男子所操纵,政治方面所得的效果极少。

然而法国的妇女运动,近年来逐渐扩大、普及了。譬如 1901 年建设的法国妇女俱乐部同盟会,会员号称 7 万人。现在最有组织的妇女团体有万国妇人会,1907 年以后发行《妇女周刊》杂志。希玛尔夫人所率领的法国妇女参政权联合会,系 1909 年所创立,后来和万国妇女选举权同盟会联合,前者为劳动问题及妇女选举权努力,后者为妇女参政权努力。此外还有许多团体专为某特殊问题而组织。如德富尔夫人为应援改正民法而组织的妇女学生团,莫罗夫人所领导的宗教团体,莫尔希所组织的废娼运动团体都是。

法国妇女运动的经过大概如此。所得的效果虽不能说是很大,却也不少。伊们在政治上所得的效果虽说是少,却也能够改正了拿破仑法典,取得了已婚妇女的财产所有权。尤以关于教育问题最有效果,即 1863 年以后,除去宗教科的各学校,都为妇女开放。1905 年,里瑟的在学者有 22000 人,女子大学生亦近 4000 人;教师已许可妇女充任,女学校的教师多用妇人;里瑟的女教授也不少。居里夫人自 1907 年以来,得任梭尔班大学教授,世界女子充大学教授者算伊为最早,近年来妇女充大学讲师的也不少。

1868 年公许女子业医,其数共有数百。1900 年又公认妇女充律师,女律师也就不少。

妇女被国家的官署雇用的,如邮局、电报、电话等方面,在十四五年前其数已近一万,工钱平均每日三法郎,在铁路上办事的人在 1901 年时已有 25000。此外视学官,工场监督官,也有引用女子的。伊们承有工业裁判所的选举权与被选举权,1909 年也有采用为裁判所的翻译人的。

法国妇女的劳动,依妇女运动的结果,改良的地方虽然很多,却不能说已达到完全良好的状态。所得的工钱每月不能超过七八十法郎,而一般生活,如服装用品等费每月即不在七十法郎以下。因为这缘故,妇女不能支持一家而得经济的独立,所以多数女权运动者,都力说对于女劳动者有设立特别保护法的必要。1900 年举行了关于这问题的国际会议。妇女保护法国际同盟会得以设立,曾略微贯彻了目的。至于政府方面,在 1892 年已禁止妇女儿童做夜工,并不许做损害健康的业务。其后,又设有保护妊妇及限制劳动时间等事。妇女劳动团体也不很多,巴黎有消费组合。女劳动者 150 万人中,加入劳动组合的不过 3 万人。农妇约 150 万,其收入每日约为 1 法郎至 2 法郎。

要之,法国女权运动,随法国革命而起,主要的是关于政治问题,其态度最为热烈,时局愈变化,运动愈踏实,首先对于教育改良大得其效。其次 19 世纪后半,因产业隆盛而致力于劳动问题,终于取得今日的地位。妇女参政运动,还没有得到显然的结果。参政运动能够改良妇女的社会的状态而确立经济的独立,在法国女权运动史中可以看出了。不过最后我有几句话要说的:大战以后,法国人很带有反动的思想,这是世人所公认的。这几年间法国女权运动的不振,或者就是被这反动思想所束缚了。

(二)英国

1. 初期的女权运动

英国女权运动,起源最早而进步颇迟,到 19 世纪中叶,始成为有系统的运动。以前只不过见诸个人的言论行动而止,并无一定的舆论、计划和组织。英国宪法,当初本来是承认妇女的权利的,不过这种尊重传统与习惯的英国社会组织,普通只将这种已认定的妇女权利应用于家族关系,所以在当时并不惹起什么重要问题,却是因市民之得势才失其效力。到了王政复古以后,妇女就被世人轻蔑了。

18 世纪后半期以来,英国的资本主义开始发达。妇女们因了这个经济的变动,受了当时风靡全欧的民权自由思想的感动,和对岸法国女权运动的吸引,就骇然觉悟到自己所处的境地,而从事扩张女权的运动了。女英雄禾尔顿克拉夫便是一个急先锋。

禾尔顿克拉夫女士从 1790 年便从事女权运动。先著女权拥护论,力说夫对妻的神权和妻对夫的服从都违反天意。男女在社会的地位上在道德上都不应有什么差别。人类的某一阶级,若是没有理论上的根据而强别一阶级服从,便是蔑视理性与道德。女子之所以被男子轻视,全是习惯的惰性使然。若要改良这种习惯,须施男女同等教育,养成完全人格,不设人工限制,使人人得自由发挥个性才行。所以女子经济的独立,社会地位的增进,都是急切的事务。

于是女权运动开始,妇女问题的印象就深入世人的脑中了。

当时新兴工商阶级,逐渐得势,他们受了法国大革命的刺激,干起了选举权扩张的运动,妇女中有觉悟的分子便都加入了。当1819年这个运动进行极猛烈的时候,民众与政府发生冲突的结果,死伤的女子也不在少数。可知当时的女权运动是很急进的。

依英国旧选举法,男女本有同等选举权,不过女子没有利用过。形式上的这种选举权就变成于女子没有必要的东西了。1832年选举法改正时,就借口这个理由,把旧《选举法》中男女两义通用的 Man 字改成 Male Person,女子的选举权就被剥夺了,接连着地方的《选举法》也照样地修改了。然而当时妇女的不平鸣也不见得怎样惹人注意,这大概是初期的女权运动缺乏组织的缘故罢。

1840年时代,英国朝野沸腾的事件,莫如废止《谷物条例》和解放殖民地奴隶的问题。这时候,中下两流的妇女运动,非常活跃。所谓《谷物条例》,就是为保护本国农业而对于国外进口食粮课税的法律。这个条例,在地主和农民看来是很有利益的,所以要努力维持彼;而在新兴工商阶级和劳动者看来是很有害的,所以要极力反对彼。这个运动的结果,胜利是归自由贸易论者,而极力为自由贸易奋斗的,哈里特迈尔的诺女士就是其中之一个。英国妇女,因为干了这些运动,对于政治和社会问题,更有兴趣、更能理解,从这时起,英国妇女运动也就大有发达气象了。

英国女权运动,从这个时代起,变成了有系统的运动。以中流妇女为中心的参政运动就从此时开始了;以无产妇女为背景的劳动运动也从此时发端了。今为叙述方便起见,先述参政运动的经过,次述妇女劳动运动的由来,一切改良运动,均同时记述,使阅者能够一目了然,特分两段说明如下。

2. 参政运动

自从1832年选举法改正以后,英国学者间对于女子选举权的议论百出,其中也有赞成的,也有反对的。1842年梅里斯密斯女士曾向国会上请愿书,诉说选举法改正的不然。又于1847年发出檄文,说无女性参加在内的政府不得称为善良政府。

1850年,英国议会又通过一个法案,说"议会制定之一切法律,若未载明不包含女子之条文,则有男性意义之语句,同时可通用于女子"。

1867年选举权又经扩张一次,条文上的 Male Person 又改 Man,于是与男子同等的有产女子,就按照这项条文要求登入选举人名册之中。这时候,女子的要求,也有被承认的,也有未经承认的。而未被承认的女子遂联名起诉于高等法院。结果,高等法院判决"Man 这一字,在普通意义上本适用于女子,至关于国家特权,却在例外"。依这个判决,女子只有和男子尽同等义务而不能享同等权利了。

随着这件事而刺激妇女的权利思想的,是 1857 年制定的《离婚法》。依这个法律,男女离婚的条件是不平等的。在男子方面,丈夫可以和有外遇之妻子离婚。而在女性方面则不然,丈夫虽有外遇,若无虐待之事,则妻子不得和丈夫离婚。这种不公平的法律,60 年来虽经妇人方面的激烈反对,至今却还未改。

说到女子参政,在这里有两个令人不能忘的大人物,一个是狄思月礼,一个是弥勒。狄思月礼是英国保守党领袖,他说:英国女子既然可以做家主,可以做贵族,可以做大地主,可以做教会管理人,可以做贫农救助委员,甚至可以做元首,岂可无政治上的选举权? 他对于女子参政的赞助也可说是很热烈的了。

弥勒氏是英国自由党巨子,他十分热烈地为妇女谋权利,气焰万丈。他说:人并不是生下来就有支配服从的关系和地位高下的区别的。男性对于女性的优越权利,实是因袭的结果,是人工造成的悖理的社会制度。这种关系,经过了长远的历史,使得女性能力萎靡,变成了一种宿命关系了。人类这样有半数女性受抑压,实是损失了人类一半的能力,很有阻害于文化与进步。故宜急速解放女子,在男女完全相等的基础上建立新社会制度,这才可以增进人类全体的福利。他这种论证,给了妇女运动的理论的根据,女权运动者都很崇拜他,他可说是英国极力提倡女权的学者。

参政运动自经狄思月礼和弥勒两人提倡之后,渐有发展之势,遂成为有系统的运动。

1867 年最初提出妇女参政法案于国会的,是由弥勒提出的。在这时候,除了自由贸易论者哈里特迈尔的诺、废娼论者的瑟芬巴得拉、看护妇业创始人弗老速司乃丁格尔、天文学者梅判撒马比等有名的妇人以外,男女共计六千余人联名向议会提出请愿书。弥勒氏当时在议会发挥雄辩,要求将选举法条文上的 Man 改为 Person 使女子亦包括在内,但是顽固议员太多,此案终以 73：186 的少数被否决了。从此以后,逐年有数十万的男子选举人和参政女子署名的请愿书,向议会提出者有两千余通之多,而议会中提出之议案亦复不少,但依然没有成功。

妇女参政运动的团体,最大的有两个:一为福阿瑟特夫人所领导的全国妇女参政权同盟,一为班卡斯特母女所引率的妇女政治及社会同盟。

全国妇女参政权同盟,是在 1868 年由伦敦,爱丁堡、布里斯特、巴敏干、曼彻斯特五市的妇人参政会合组而成的,在现在包含着全国四百余处同性质的分会。英国女子参政运动之得有今日,都是这一派努力运动的结果。这一派借文字演说为宣传,无论怎样不满意的参政案,都希望能够通过。所以不问党派是怎样,只要是赞成女子参政的各派候补议员,伊们都极力援助的。

妇女政治及社会同盟,是班卡斯特母女于 1903 年创立的。这派最初宣言"不受外界暴力的压迫,也不用外力压迫人"。但到后来,伊们就弃掉这个主张,用起暴力来了。伊们之所以用暴力,也有几个原因:第一伊们觉得言论运动的无效;第二当时因为南阿战争之故,运动暂时中辍,参政运动很没有起色,所以伊们想出一个挽回颓势、刺激社会的妙策来,不得已采用了非常的手段。此外还有一个大原因,便是自由党政府的背信。

自由党在野的时候,曾经表示过援助女子参政案的态度,很得了妇女方面的同情和后援,在议员总数 600 名之中,占得了 400 名的议席。但是自由党在1905 年掌握政权之后,态度骤变,却置女子参政案于不顾了。自由党内阁助理大臣加米尔巴那曼甚至拒绝参政妇女的要求,公然说,"自由党内阁存在一日,对于女子参政案决不给以何种的保障"。于是乎参政的妇女们赫然震怒,大觉悟到一向被忘恩的政客利用的愚昧,也不得不仇视自由党内阁了。

愤恨自由党内阁的也不止班卡斯特派,就是福阿瑟特派也是愤恨的。不过福阿瑟特派只愤恨自由党中背信的顽固的分子,班卡斯特派却愤恨自由党全体。此外劳动党和独立劳动党也都决议赞成女子参政案,所以福阿瑟特派很援助他们;班卡斯特派则不然,伊们连劳动党和独立劳动党也是反对的。因为他们所决议的参政案夹着附带条件,伊们自己的主张是要求无条件的和男子平等的普通选举。

武断派最初的新奇运动方法,每逢议会开会或者有阁员到会的演说会,伊们必派代表出席,有什么大官演说的时候,伊们必发出质问说:"你老几时给女子选举权?"听了这个质问的人,也有直率答复的,也有装作不听见的,也有说一两句冷淡嘲笑的话的。伊们听了就恼怒起来,大大地来妨碍演说,往往因此被用暴力赶出会场之外。但是伊们说,伊们也是纳税者,在议会中当然有发言权,不肯退出,往往和守卫的冲突,或者和警察争斗,以致遭抗拒官吏的罪名而下狱的不下数百人。妇女们的反感,更是有加无已。

1911 年巴那曼死后,亚斯葵斯继任总理大臣。他提出选举权扩张案于议会的时候,竟将久成悬案的妇女选举权付之不问,参政妇女们的忿怒达于极点。福阿瑟特派则用笔舌攻击政府,武断派却不满意从前的运动方法,更进一步要破坏器物来惩戒政府。亚斯葵斯被女子从马车上拉下来饱打一顿,就正在这个时候,班卡斯特因此被逐于国外。武断派曾经说明伊们用激烈手段的理由,伊们说:"50 年来合法的手段,并没有得到什么效果。政府唯有被压迫的时候才俯顺舆情的。男子们运动扩张选举权的时候,往往用暴力和破坏的手段。民众,唯有他所最爱惜的器物被破坏了,方能从那冷淡麻木状态中唤醒过来。武断派这种行为的责任,应该由那 50 年来不顺从我们的合法运动和正当主张的政府来负担。"

至于福阿瑟特派却绝对反对用暴力,但伊们的宣言书上也曾说过妇女们用暴力的责任应该归政府负担的。坐监的妇女们,在监狱里要求和男政治犯受同等待遇,政府不肯,伊们就举行饥饿同盟。

武断派的非常手段,虽遭一部分人反感,而伊们那种壮烈果敢的精神却得了社会上更大的同情,社会上所以很注意于参政问题,都是伊们运动的功效。

参政运动,自从经过武断派用武之后,和平派的运动也受了打击,全国妇女参政同盟中的分子也有化为激烈的,也有悲观消极的。同时妇女政治及社会同盟之中,也有冲突的情事。全国参政运动的团体,几乎四分五裂了。后来全靠福阿瑟特的卓见和斡旋,武断派与和平派,卒能保持调协的状态,一致向着参政权的目标进行,参政运动的声势又浩大起来了。

1908 年以后的八年之间,为参政运动举行的大小集会,全国共达五千余次之多,所募集的资金超过十万磅以上。班卡斯特派的同盟,准备了资金两万磅,每年支出两千五百磅。

更奇怪的,这个时候发生了两个反对女子参政的团体,他们主张"女子应以家庭为天地,不应干政治社会运动,蔑视女子的天职,只可感动男子们来改良自己的地位"。

但是这种反对团体的出现,更促进武断派和平派的调协,彼此冲突因此防止,而且共同结合来对抗反对团体,这也可说是一个奇怪现象了。

欧战以来,妇女在战期中的工作,很能够显出女子的本领,社会上已承认女子有一种社会的势力了。向日反对女子参政的人们,如爱斯葵、如鲁意乔治,现在也赞成女子参政了。于是1918年的新《选举法》,遂许可女子有中央议会的选举权了。不过有一点还要注意的,女子虽然有选举权,却是附有条件的,即男子凡年满20岁者差不多都有选举权,至女子则须年满30,且有独立居住者。所以男女同等的普通选举权的要求还是没有达到的。1918年,英国议院又通过女子有与男子同样被选为中央议会议员资格的议案。女子对于选举的活动非常踊跃,但政治活动的经验不足,当选的议员只有一人而已。

由以上所述,可知英国女子的参政运动,殆已终了,此后的妇女运动的中心要移到无产阶级来了,以下再述妇女的劳动运动。

3. 劳动运动

英国女劳动者,在18世纪时即有加入劳动组合者。1788年列色斯达手纺织女工曾经煽动男工举行了反对采用新机器的运动。1824年禁止结社法废止之后成立的各劳动组合,女工也有多少加入的。是年12月,兰加舍纺织工人组织工会,拒绝女工加入,这个组合不上两年就倒闭了。

1833年,格拉斯哥男女纺织工人举行了同工同酬的运动。雇主方面以女子工作能力不及男子,拒绝工人要求,而大体上却依着职工方面的要求了事,这时候男工的行动,明明是援助女工的。

数年之后,兰加舍纺织工会也有女工加入了。

这时候纺织女工的劳动条件非常恶劣,克扣工资、滥罚工钱之事,层见迭出,女子不堪其苦。但加入工会之女工,有工会为之保障,雇主对之亦不敢虐待。即被雇主虐待,工会的干事,亦得向雇主交涉,使其改良待遇。至于未加入工会之女工则不然,往往受雇主的横暴的处置。由此可知工会的效力和女工加入工会的作用力。

纺织工会联合会是1884年组织成立的,当时会员约有20万人,女工占大部分。以前女工虽加入工会,却不问会务,事实上管理工会的是少数男子,开会时女工多不出席,有时虽到会亦不发表意见,一概委诸男子办理。但最近女工人数增加,其中有些工场完全使用女子,所以女工的态度比以前不同了。伊们在会里公开陈自己的意见,有女工自行团体解决自身问题的倾向,工会委员的职务也能胜任,办事的手腕也非常灵敏了。

纺织工业以外,男女工共同组织的工会很少。但地方有5000女工加入的亚麻及黄麻业的工会,其会员数目却不大增加。据工会的干事说,能够了解工会的会员甚少,但到近来眼界广大,有少数女委员选举出来了。

毛织业的男女工人合组的团体不很发达。衣服职工组织进步颇迅速,1912年时有女会员一万人。

靴工会也有许多女工加入,近来大见增加,在1912年时有女会员8720人。

印刷工会最排斥女工。1886年伦敦举行英国及大陆印刷工组合大会时,说女子在生理上不适宜做排字工,劝告各组合不得任意许女工加入,除非女工工作工钱和男子相等。伦敦排字工人会就遵从这个决议。女工在工作能力上、在工钱标准上当然不及男子,所以事实上是不能加入工会的。后来到了1894年时,男工遭到了锁工场的命运,女工替他们表同情,起来组织战斗的女工组合,举行罢工来要求增加工钱,改良待遇。男工感谢女工的好意,很援助这个组合。这组合后来成了印刷工及文具制造工组合的支部。

此外男女共同组织的工会,有烟草工会,制纸工人全国组合,店员、仓库雇员及书记全国合同组合等团体。

纯粹妇女组合运动最著名的为妇女劳动组合同盟会,这是巴达森夫人在1874年时组织的,这同盟会成绩最多。1906年,在这同盟会指导之下,又组织了全国妇女劳动者联合会。

这个联合会,不分职业的区别,凡是女工均可加入。而对于在不良劳动条件之下作工的女工,尤极力助其组织工会,使能改良其所处的地位。

据1918年的调查,加入这同盟会的女劳动者有75000人。属于一般劳动者全国组合的 6 万,属于全国合同劳动组合的 35000,属于纤维业劳动组合的 35 万,属于铁路雇员组合的 3 万,属于其他各劳动组合的 19 万,共计 75 万人。

欧战以来,女劳动者之数骤增,于是女劳动界有总代表机关的必要。1916 年妇女劳动组合同盟会和几个妇女劳动团体,组织了产业妇人团体常设合同委员会,以联络全国女劳动界,遇必要时取一致行动为目的。加入的团体有劳动党妇人部、劳动组合大会委员会、消费公会、妇女消费组合、铁路妇女组合、全国妇女劳动联合会、邮电事务员协会、铁路事务员协会等。

1918 年铁路工人罢工时,铁路雇员全国组合中的女会员到处集会,对罢工人员家族说明罢工理由,十分努力。常设合同委员会的干部,已准备召集全国女工举行大示威运动,但因罢工迅速解决,事遂中止。

劳动党妇人部,自从劳动党于 1918 年 2 月间改正新纲领以后,女党员的地位予以确定。女党员概属妇人部。在劳动党地方支部中,女党员有百人以上至两千人者得选出代表十人。支部执行委员中,女委员须占三名。全国执行委员会中,女委员须占四人。

劳动党妇人部干事长为经济学博士马利·阿菲里希女士,女士先为妇女劳动同盟的会员,后因该会与劳动党合并,始就此任,代表妇人部参与党中重要事宜。妇人部机关杂志为《劳动妇人》。

劳动党妇人部与合同委员会关系最深,合同委员会干部均为劳动党员。领袖人物伽梅利玛加索、波恩菲尔特、菲里布女士等,均为社会主义者。英国妇女劳动运动,可说是正在发展的程途中了。

(三)德国

德国妇女运动的出现,在 19 世纪中叶,比别国较迟。其原因,因为德国受了拿破仑的蹂躏,战争过久,征税过多,国力疲敝不堪,德国人民生养休息之不暇,女权运动的萌芽,当然是不能伸长。加之德国人思想比较守旧,在当时,妇人差不多没有社会地位的观念。军国主义和妇女权利,本来不能两立。在军国主义的德国,女权运动之迟迟发生,绝非无故。

然而德国也并不是没有议论妇女问题以为女权运动之先驱的。不过只是从理论上讨论妇女问题为止,还没有发出实际的运动罢了。

自从圣西门的社会主义输入德国以后,就唤起了德国妇女的觉悟,而妇女解放,地位改良的趋向便勃然发生了。19世纪初期的法伦哈更女士,很信奉圣西门的社会主义,伊受了法国七月革命的刺激,首先起来唤起德国妇女的自觉,明确地倡导妇女自身的权利,要具体地实现妇女社会的运动。伊不仅是19世纪德国妇女的代表人物,并且是19世纪以后德国妇女运动的急先锋。

德国女权运动的实现,是在1848年革命前后的骚动时代,以女权运动者鲁意瑟阿特等女士为最有名。鲁意瑟阿特在1847年发表了一部《女性宜参与国家生活》的书。当1848年革命之时又起而努力干女权运动,到1865年伊和几个同志在莱比锡组织了德国妇女会,专谋妇女在教育及职业方面的地位。这会完全不经男子之手,纯系妇女组织而成,男子只作名誉会员,备顾问而止。

这个时代德国社会的状态怎样呢?1764年所发明的纺织机械,已于1806年输进德国了,接着1844年又开始用裁缝机械,其他轮船火车陆续发明;国内经济组织大生变动,家内工业渐移到工厂工业。女子在家庭的工作日趋简易,女子经济的困难也便增加起来了。1848年的革命,是在于伸张个人的权利的,这真是代妇女鸣不平的导火线。女权运动的勃兴,乃是自然的趋势。所以1849年鲁意瑟阿特发行了一个《妇女新闻》,尽力谋女子利益;1855年鲁意瑟比西奈尔又发表了《妇女与其职业》一书。又有西华尔德大发议论,在1866年发行《诺意巴伦》机关报,从精神上及实际上解决妇女问题,要求扩充女子教育,开放大学,并给女子谋生的途径。1865年秋,鲁意瑟阿特等人,为谋拥护妇女职业的权利,召集各地方妇女代表在莱比锡开了第一次全德妇女大会。因此之故,从前所有各种运动均有联络,女权运动就确定了巩固的地盘。

以前随着经济组织变动而发生的妇女职业问题,渐有意义,呼声日高,社会上早已不能漠视,渐渐为妇女开拓新职业了。撒克逊及巴登地方,首先开例用女子为邮局事务员。其次莱比锡、柏灵、斯徒加尔特等都市也特设教育机关,授女子以商工业所必需的智识,妇女渐渐为私人所聘用了。到这时候,保护女子利益的机关的设立就成为必要,而所谓列特同盟会的中央机关就成立了。

19世纪中叶,德国女权运动的团体,如上所述,以德国妇女会及列特同盟会为最大,此外还有亚里斯同盟、妇女职业同盟等团体,均以拥护妇女职业上的利益为目的,使妇女得受商业上、工业上、美术上的准备教育。又设有中央贩卖所、共同贩卖所,以贩卖妇女底出品。又为妇女介绍职业。女子因为这类团体,获得了很多利益。今取其一例,柏灵妇女职业同盟会的统计,在1866年时所收容的女子不过28人,到1880年时,便增至1359人之多。介绍职业的次数由41增至607,即此也可知效果不少了。

1. 参政运动

19世纪德国妇女的运动,大概以妇女职业及妇女经济独立为目的,妇女参政的运动还没有产生。但是既然要谋得妇女职业的独立,结果就不能不染指于社会的事业。所以到了19世纪末叶,妇女参政运动便发生了。

在19世纪末叶,德国女权运动最为活泼,但各派的主义主张也不一致,急进的与社会民主党联络,保守者便与保守派携手。1889年,考耶尔夫人组织了一种妇女劳动组合,取名商工业妇女劳动者慈善会,联合了24000的妇人。同时西特里特夫人和奥格斯布克协力提倡改正民法,布洛恩倡导妇女政治的权利。

1901年,考耶尔夫人,赫满女士等组织了妇女参政会,从事参政的运动。然当1894年德国妇女会同盟设立之时,妇女运动遂分为两大党派。一为渐进派,一为急进派。设立当时,曾经讨论过应加入社会民主党的问题,因无结果而止。1896年捷特金和布洛恩两人反对中流阶级的女权运动,努力宣传民主的女权运动,发行妇女运动的杂志;同时兰兀女士则鼓吹温和的渐进主义和激进派对抗。

德国女权运动的各团体中更有急进的思想的,是1899年设立的进步的妇女会同盟。这会主张首先废除教育上职业上的男女不平等,改正民法使男女平权;改正结婚制度,以自由恋爱为基础;及政治上、社会上、宗教上的男女同等选举权。此外,又有一个政治的团体,是1902年创立的德国妇女投票权俱乐部,也是要求使妇女成为完全市民及公共生活上的男女平等。

要而言之,德国的妇女问题适应于经济的必要而成为运动,急进派虽猛烈地从事参政运动,而多数团体皆要求改良教育和经济独立等事。

德国妇女运动,在1900年民法改正时,还没有得到大胜利,只取得了管理自己的所得和贮蓄的权利。依 1908 年的法律,妇女已得参加政治的团体,加入政治的生活。又 1910 年创立的妇女参政会,渐渐得势,而实际从事于选举运动了。1908 年以后,政治上的妇女参政运动,更增重要,已有许多地方,许可纳税妇人请代理人投票了。

1918 年德国革命政府成立以后,男女平等的普通选举实行,第一届国民议会,女议员占 36 名,中有 20 名属于社会民主党。

2. 劳动运动

德国家内工业比英国尤盛行,所以女子劳动组合运动较为困难。最初的劳动组合是中流阶级的女权运动者在 1870 年时创立的,后来被政府解散了。这个组合解散之后,劳动妇女自组的工会就发生起来了。1878 年俾士麦实行社会主义镇压法令以后,劳动运动在非法的压迫之下,日益发达,而男女劳动者的觉悟,在这法令的施行 12 年间,却是非常的进步。

德国劳动组合,在最初本来是拒绝女工加入的,但是后来男劳动者们佩服女工的勇敢和热诚,就改变了态度了。1890 年在柏灵举行的德国劳动组合中央委员的大会,任命了妇女做委员。以后的组合,大概都是采取男女合作主义的。德国的劳动组合,和社会民主党有密切的关系,所以最初因组工会而受政府压迫的妇女们,后来大概都加入男子的组合而倾向于社会民主党。

劳动组合全国委员会的事务所设在柏灵。委员会的一部分中设有妇人局。妇人局的任务在组织妇女劳动组合。女会员达到相当数目的组合,又各设专门的妇女课,所有经费都是由会员征收的。童工和女工都和成年男工一样的入会做会员,既不分性别,又不分熟练不熟练,又不分职业的区别,一切劳动者都是通力合作的,这是德国劳动运动的特色。

3. 革命以后的德国妇女

妇女权利和军国主义是两不相容的,所以革命以前的德国女权运动还不见得有怎样的发展。革命以后,军国主义倒溃,女权也就蓬蓬勃勃地发达起来了。在这里有叙述的价值的,第一是新德国妇女在政治上、社会上、经济上的地位增高,第二是共产主义妇女运动的猛进。

1919 年 4 月,德国新宪法公布以后的第一次选举,妇女当选为国会议员的有 29 人,当选为各个邦立法部的代表的有 155 人,当选为市会和县会的议员的有 1400 人。1921 年 6 月的选举,女议员仍为 39 人,而当选为市会议员之数,则占全数议员的 11%。每逢选举时期,女候补议员到处发挥热辩,很能引起观众的同情,所以当选的人数有逐年增加的趋势。

妇女做教师的,很受政府的优待,教育上或政治上的职务,男女的俸给在原则上都是平等的。

革命以前,中流阶级的妇女们,喜欢授职业的人很少。革命以后,无论何种妇女都愿谋得一个职业,并不问职业的高下如何。这种趋向,固可说是战后德国的穷困迫之使然,却也可说是新德国妇女心理的改变。

在军国主义时代,妇女在社会上的待遇是很坏的,现在却不然了。凡是一种公共的生活,若没有妇女去参加,群众就觉得不满意,单就这点看,也可知新德国的妇女是很被社会重视的了。

此外更要大书特书的,便是共产主义的妇女运动了。德国在现在虽说是社会民主党掌握政权的国家,而种种施设,纯系有产阶级民主主义的政策,是无产阶级所不满意的。妇女的权利虽说是较旧德帝制时代伸张了不少,而与劳动者的国家劳农俄罗斯妇女比较起来,却相差很远了。所以德国的现政府,是无产阶级所不满意的。所以无产阶级的妇女们便和无产的男子们通力合作,来干共产主义的运动。共产主义的妇女运动的急先锋,是卢森堡和捷特金两女士。

卢森堡和捷特金是德国社会民主党中最急进的分子,当爱尔伯特、谢致孟等取得德国政权的时候,卢森堡(当时捷特金有病)即与加尔·李卜克内西等组织斯巴达卡斯团,率领一班共产主义者起事,要建设劳农德国。虽然招了最热烈最悲壮的失败而至于被害,可是伊那种革命精神,给后来的德国共产党以极大的刺激。现在德国共产党的向前猛进,实是受伊的热血的洗染而来的。

捷特金女士今年 76 岁,而精神的强健,实不亚于勇敢的青年。斯巴达卡斯团举事的时候,伊因出狱不久,老病垂危之故,未能加入,得免于难。近年来健康恢复,伊在德国共产党中,引率数万女党员努力奋斗,很能鼓舞党人革命的精神。去年伊曾到俄国联络郭伦泰及一班女革命家,极力谋国际共产妇女的大团结,这种伟大的妇女运动,想留心世界大势的人,没有一个能忘记的罢。

德国的女权运动,现在已发达到最高的一级了,将来德国共产党能够取社会民主党政府而代之的时候,真正的女子解放就可实现了。

(四)奥匈国

奥国女权运动以妇女劳动问题为主;匈国女权运动以妇女教育问题为主。至于女子参政运动,奥国较早,19 世纪末叶即已发生;匈国较迟,至 20 世纪初期方开始发生。即奥国女子参政运动,在 1888 年纳税妇女被剥夺地方议会选举权的时候,已向地方议会请愿;而匈国则在 1904 年女权运动同盟会成立的时候,才成为显著的运动的。

奥国女权运动者,以希列辛格尔、波布等女士为最著名,伊们都是相信社会主义的。此外虽还有奥古斯脱菲克特、哥尔德曼等著名妇人,但伊们都是温和主义者。

大凡女权运动之发达与否,都是看那一国的社会党的势力如何为转移的。在保守党占势力的奥国,女权运动之不发达,也是自然的道理。但奥国自 1873 年以来,做大地主的妇女,对于帝国议会已有请代理人投票之权,又有选举学务委员会之权,更进而要求改正结社法,许妇女亦得加入政治团体。至 1906 年男子普通选举法将实行之时,妇女亦预先开参政委员会于维也纳,开始为改正结社集会等法律之运动。因为奥国有这种法律存在,妇女是不能组织或加入政治团体,甚至连万国妇女参政同盟会都不能加入的。

奥国妇女运动,虽经数十年之久,但效果很少。除却两三州之外,妇女连州议会的选举权都没有得到的。妻受夫的监督,所得收入,非经丈夫许可,不能自由使用。

奥国妇女,有半数以上从事家庭以外的职业,而工钱之低,在世界上是颇有名的。所以奥国的女权运动,直接由经济上的必要发达而来,妇女劳动状态的改良的运动,妇女职业教育的运动,都是同时并举的。当 1851 年时,中等阶级女子为增加工业能力起见,即已设立工业学校妇女会;1866 年为战后经济的补救起见,又设有工业妇女会;1868 年设有旧教徒女教员会;1869 年又有奥国女教员会之组织。这些团体,都重在增加自己的收入,都得了相当的效果,到 1891 年,女教员其薪俸也因此增高了。

妇女劳动者的状态非常悲惨,后来经社会党的努力,较前稍为改良。妇女劳动团体,在维也纳有装订、制帽、裁缝等职业的团体;在细列细亚地方有纤维工业及官营烟草工人组合;在波黑米亚地方有玻璃工场及珠子制造业的妇女团体。在欧战以前,加入劳动组合的妇女达5万人,妇女劳动杂志发行的数目约14000份。

奥国女子教育,自1888年起即已开始设备。维也纳为女子开放高等专门学校,至1894年,大学也为女子开放了。至于为女子教育而运动的团体,在维也纳有专门妇人俱乐部,和奥国妇女俱乐部研究会。

关于女子教育之努力,匈国方面比奥国较多。自1867年以来,提倡女子教育者甚多。1868年时,弗列司夫人和伊的同志,组织了女子教育改进会,次年卜答比司特地方的女子高等学校就设立起来了。从1895年起,女子得开始进大学了,这全是匈国女权运动注重教育问题的结果。

以上所述,都是欧战以前的奥匈国的女权运动的大概。欧战以后,我们还没有获得关于奥匈国女权运动的材料,我不敢在这里多所赘述。但是奥匈国自从崩坏以后,无日不在白色恐怖之中,匈国社会党虽然暂时得势,可是不久就失败了。在帝国主义宰制之下的奥匈国社会党既然受了极大的压迫,女权运动也是不会有起色的。

(五)意大利

意大利女权运动,发生于19世纪中叶意大利帝国建设之时,即西怀特马里阿开始要求扩张女权。1877年以后,妇女始得就公职之权。意国自由党虽曾于1880年、1883年及1888年继续三次企图从政治上开展解放妇女的运动,可是三次都归于失败,妇女不过取得做贫民法监督人的权利而已。1881年以来,妇女自身常欲组织俱乐部,均未成功,所已成功的只有一个拥护女权的团体。

关于女子教育,大学早已为女子开放,女子入大学的约有七八百人。受中学教育之女子约有十万余人。但意国教育注重宗教及古典学,实际的效果怎样,还是疑问。

关于妇女劳动问题,自1901年,经社会党的努力运动,稍加改良。在1902年时,波罗尼亚地方,已有八百余农业劳动组合代表的集会,加入组合的人,男女共计 15 万人。

到了最近,意大利女权运动与废娼运动同时而起,1906 年国民的妇女参政同盟会成立,加入了万国妇女参政会,很惹起了世人的注意。

(六)和兰、比利时及瑞士

和兰女权运动的始祖为玛伦·霍尔彼洛。伊在 1846 年的时候,已主张了妇女的权利。后来到了 1882 年,亚列他·雅各布斯才开始要求妇女选举权,1849 年妇女参政会成立,各政党除僧侣党与保守党之外,都许可妇女加入了。1906 年有一部分妇女参政会会员,另组织妇女参政同盟会,从事于参政运动之宣传。1908 年万国女子参政同盟会在阿姆斯特坦开会。这年 9 月,海牙地方举行了两次妇女普通选举的大示威运动。

和兰妇女劳动保护团体,有一慈善会当教育及保护之任,1898 年又有妇女劳动报告局,协同慈善会谋妇女劳动者的幸福。

和兰社会党很尽力组织妇女的劳动组合,但成绩很少。女社会党员,有亨利耶他罗兰和卢柱服斯二人,一个是由中流阶级出身的,一个是由劳动阶级出身的,每逢罢工的时候,伊两人都非常努力活动,和兰的裁缝工会是伊两人组织的。

比利时妇女参政运动,据女代表安那辛姆森在不律塞妇女大会的报告所说,是由一部分中流阶级的人和社会党人所主张的,而普通妇女对于此项运动甚为冷淡。玛里霍柏林女士是中等阶级女权运动的领袖,伊在 1890 年创设了女权同盟会,1897 年不律塞的妇女大会,也是伊和几个女同志发起召集的。

属于社会党的妇女参政运动,以凡大维陪尔特夫人及于蒙特夫人为首领,这个运动,约包含着 25 万的女工,到处都设有评议会和支部。妇女参政同盟会是在 1909 年组成的,已加入了万国女子参政同盟会。

瑞士女权运动,在 1880 年才开始发生。1885 年以后,瑞士公益妇女会和妇女俱乐部次第成立。到了 1908 年,国内各种妇女团体又共同组织了国民的妇女参政同盟会,加入了万国同盟。瑞士原是世界永久中立国,又是民主共和国,所以女权运动,都是很和平地进行的。

瑞士女工约有 25 万,但加入劳动组合的很少。有些地方,劳动组合运动是带着纯粹社会主义的色彩的。1891年以后,女工得加入男工的组合。至1908年时妇女开始取得了做妇女工场监督官的地位。妇女劳动时间,均受法律制限,每日限做10点钟,每礼拜限做60点钟,规定时间以外的工作,女子每年不得超过60天。在一个工厂做满一年,厂主就要给伊和工作时间同等的津贴,可以继续休息6天。两年以上的可以继续休息8天,三年以上的10天,四年以上的两礼拜。这全是法律规定的,雇主不从的处罚。

瑞士公娼制度,除俭泥洼一处外,均已废止。参政运动也很盛,已有许多地方的女子得到了参政权了。

(七)斯干的那维亚

斯干的那维亚半岛及丹麦地方妇女的觉悟,因文化与人种相同之故,差不多同时而起,其起源亦略同。

瑞典自1845年布列玛研究美国妇女状态归国之后,女权运动也便实现。芬兰、挪威、丹麦三国也就跟着起来了。

布列玛回到瑞典以后,作了一部小说,大呼妇女解放,到1865年时便成了事实。瑞典自1700年以来,有财产的妇女,均有地方选举权。到了1843年,此项选举权扩张,纳税人亦得享受。1834年又承认女子继承权,1853年妇女得为教师,1865年女子得为医士。1862年,年满20岁未结婚的女子及寡妇,完纳270元以上之租税者,有市会议员选举权。1909年,妇女纳税者都有地方选举权。依瑞典制度,国会议员是由地方议会选出的,所以瑞典妇女在1862年已得参政权,其后连被选举权都得到了。

关于教育方面,1866年时,美术专门学校首先允许妇人入学。1870年,大学为妇女开放。妇女又得为邮电事务员。但在瑞典,已婚妇女此时尚未获得财产权,夫仍然做妻的监护人。于是已婚妇女财产权保护协会,遂告成立。1873年以来,努力谋得此项权利,次年承认妇女有依结婚契约分辖财产之权。至于选举一层,妇女放弃权利者多。1887年的选举,有投票权的妇女62362人中,实行投票者仅4844人,也算是奇事了。

瑞典职业妇女、女教员在1909年时已有12000人,女医35人,得学位者3人,内有爱伦凯及梭沙哥华列司两女士,均为大学教授。

瑞典本非大工业国,妇女劳动问题颇少。劳动组合只有一个,计有三四千人。这个组合不干预参政运动,由爱伦凯指挥,专为女劳动者保护法而活动。

关于国会议员的选举运动,有由地主和纳税者组成的国民的妇女参政会,会员一万人。1906年该会曾向政府提出请愿书,次年又曾请愿于国会,均无结果。1909年男子的普通选举实行,女子还没有得到。

女劳动者的团体,与男劳动者通力合作,不专干男女对立的女权运动。

挪威女权运动,与瑞典相似。参政运动团体,在1884年时成立,发行妇女参政杂志,每月出版二次。1887年公娼制度实行废除。1882年以后,女子得入大学听讲,1882年女子得入专门学校。1904年女子得为官吏,月俸和男子相同。

关于参政权一层,1901年以后,纳税妇女有地方议会选举权及被选举权。1909年时,妇女当选为市会议员者142人。

职业方面,早已为妇女解放,1880年以前,妇女已有做牙医、做医生的,1904年出了两个女律师,又有一个女大学教授。到了1888年,已婚妇女,亦得因结婚契约取得财产权,又得有管理自己收入的权利。

挪威妇女劳动者约七八万人,加入劳动组合的有二三千人。

丹麦女权运动自1848年起,即已开始提倡,到1850年时始发生有组织的运动。在此时以后,即1959年时,女子已有承继之权。1871年,巴吉尔夫妇组织丹麦妇女俱乐部,从事扩张女权运动。同时国内各地,也都组有团体。这团体的目的,专在改良女子教育,所以1876年时,女子遂得入大学。1888年因丹麦妇女俱乐部的努力,妇女的地方议会选举权法案,得提出于议会,未得通过。1906年又有新妇女参政协会发生,于是国会通过妇女选举权的法案,年满25岁以上的纳税妇女,不论已婚未婚,均有选举权。

挪威离婚条件,男女平等,私生儿亦得受平等待遇。又对于未婚而生子的妇女,由伊子的父亲负责,男女关系的法律,可算是最进步的了。

女劳动者总计六七万人,加入劳动组合的约两千人。

芬兰妇女问题,和瑞典大略相合。1864年以来,未婚女子可不以男子为监护人,而妻仍有从夫的义务。1883年以后,男女得以共同受教育,做教师的权利也相同。1870年,女子得入大学,人数也逐渐增加,近来女大学生之数约近千人。未婚妇女纳税者,自 1865 年起即已获得地方议会选举权,到了 1891 年以后,又能被选为学务委员会和贫民法施行的官吏。1906 年芬兰政府乘俄国被日本打败的时候,许 24 岁以上女子有州议会选举权。次年即有女国会议员 19 人当选,伊们大都属于古芬兰党或社会民主党。至妇女当选为州议会议员的,在欧洲芬兰为最早。这届的国会到 1908 年遭了解散,下届议会选举时,女国会议员增加到 25 名。

女议员所提出的议案是:私生儿的优待;父权母权的平衡;母体的保护;夫对妻的监督权的废止;小儿保护;结婚年龄的延长;公娼的废止等等。

妇女劳动者得与男子同入劳动组合,工钱也与男子同等。

(八)巴尔干

巴尔干各小国,与东洋接近,又是受回教支配的,所以很受了男尊女卑思想和回教思想底影响。欧战以前的女权运动,大概都重在改良女子教育和妇女劳动状况。欧战以后的运动较前稍有进步,女子地位也较前增高了。

保加利亚的女子,向来地位颇高,虽然还没有享受市民平等的利益,而实际上伊们的地位较巴尔干其余各国妇女尤高。女子参政运动的团体,自成立到现在,要求解放和一切改革事宜,已经过了 25 年之久。女子的结社,在 1901 年时已有 20 处,复联合组织一个大组合,称为保加利亚女界联合会。该会自成立以来,继续努力运动,要求男女的平等。保加利亚人民教育程度素高,女生入大学的,和男生的数目大略相等。学校课程,对于男女生毫无差别。从事工业的每日做工 8 小时,男女均同。文事服务上女子的薪俸和机会亦与男子均等,婚嫁之后,男女都可以不抛弃职业。最近保加利亚政府新订一条例,强迫人民签名为国家服务,男女均有同等义务,无论贫富贵贱,一律不能规避。单就这点看,也可以证明保加利亚是那最讲民治的国家了。但是女子到现在还没有得到议会投票权,各政党除社会党外,均已鼓吹许予女子参政权。今年 3 月间,社会党在议会中提了一个议案,主张女子在政治上完全平等。保加利亚女界联合会也向议会要求女子一律有选举权,当该要求案提出议会的时候,该联合会又专事宣传,以便取得多数的赞同,使该提案得在议会通过,保加利亚政府亦已表示愿将选举条例列入提案之中。

（九）俄国

1. 革命以前的妇女运动

"最近十年之中,世界最进步的民主国中,无论什么民主的党派在解放妇女上,能够做到我们专政后第一年所做事业1%的,一个也没有。在我们国内,凡有关屈辱意义的法律,如拒绝妇女底权利,妨害自由离婚,处罚私生子等法律,现在都废止了。"

这是列宁对于妇女解放的演说。他所说的全是事实,凡是观察过劳农俄国的人,没有一个人不承认的。

俄国现在已没有妇女问题了。俄国底妇女运动,到19世纪中叶才开始发生,距今也不过六七十年间,何以成功如此之速,何以号称民主国家的英法等国的妇女运动反不如专制的俄国底妇女运动能够早日奏效呢?

这一点我以为凡是干女权运动的人都应该特别注意的。

俄国底女权运动与英法等国底女权运动各有不同。英法等国底女权运动,最初在于要来承认妇女底权利。俄国底女权运动却不是如此。俄国男子处在极端专制政治之下,也并没有什么自由可言,妇女们从始便不必要求和没有自由的男子相等。所以伊们运动底方向是和别国底妇女们不同的。伊们最初的目的,就在结合国内和伊们处同样境遇的男子们,共同向专制政府及大地主贵族资本家作战。

我以为俄国底女权运动史,简直可当作女子革命史看。因为俄国妇女们底运动,始终一贯都是带着革命性质的。今为叙述底便利起见,便将俄国革命的时期作分界线,分前后两段说明在下。

旧俄帝国是世界著名的绝对专制政治的国家,人民蜷伏在罗曼诺夫朝三百年的专制淫威之下,除了绑上断头台和流往西伯利亚以外,政治上没有丝毫自由可言,无论男女,没有例外。

旧俄帝国又是农奴制度盛行的国家。农民处在大地主的压迫和宰割之下,除了委身为奴营下等动物生活以外,也在经济上没有幸福可言,无论男女,没有例外。

所以俄国人在政治上分为压迫阶级与被压迫阶级;在经济上分为地主阶

级与农民阶级。全国妇女们,除了少数贵族地主的附属品以外,都和被压迫的农民同受经济的政治的掠夺和压迫,在事实上他们自然利害一致,自然会知道结合起来来抵抗压迫阶级的压迫。

自从 1861 年实行解放以来,经济组织大生变化,外国资本渐流入了俄国。俄政府又采保护政策以发展工商业,铁路遍地铺设,交通十分便利,克里勃洛克铁矿与巴克山田都次第开发。为时不过一二十年,俄国近世的大企业组织的产业,发达异常迅速。大都会出现,劳动者增加,昨日底奴隶制度国家,今日竟变成西欧式的资本主义国家了。这时候,政治组织虽无多大变动,经济组织却较前大异。在农村仍旧为中世纪时代幼稚的农村经济,在都会则为 20 世纪的资本经济,两者混合,遂成为一种新的经济状态。同时在这种政治的经济的状态之上反映出来的人民思想,就有民主主义、社会主义、无政府主义、虚无主义,而实行此等主义的党派便有立宪党、社会革命党、社会民主党、虚无党、无政府党。各党底主张和宗旨虽然各不相同,他们的共同敌人都是皇帝、贵族、资本家和地主,他们的党员都是同隶一被压迫阶级的男女劳动者与农夫农妇。

革命的事实是男女共同携手奋斗的。我们要知道俄国妇女运动底经过,只要看一部俄国革命史就够了。不过此处若就单纯的妇女运动说,也有可以特别记述的,这便是 1860 年以后的读书运动。

自从 1861 年农奴解放以后,俄国人民起了一种新气象。革命的妇女们,很感觉妇女底知识的重要,于是发生了"读书运动"。

这时候俄国女子的专门学校本来是有的,不过程度很低,毕业以后不能入大学,所以要求取得入大学听讲的机会。结果,有一班大学教授们,居然为女子开放了讲座,而且在公会堂为女子开讲演会,开发女子智识,女子于是始得入大学。陆军大臣管辖的医学,也都为女子开放了。但是这种恩典,只有一年。到了 1862 年,那医学校又拒绝了女子入学,公会堂的讲演会也中止了。于是,一般女学生只得跑到德国瑞士求学去。

这时候一切革命党人的运动,非常猛烈,皇帝暗杀的风声,传遍俄国。亚历山大二世受过了第一次的狙击之后,大行反动的压迫。有进步思想的、有急进的意见的人,一遇着国事警察手,不是投狱,便是流放。就是稍有智识的也是在猜疑之列,何况女革命党员到处皆是,政府那能不忌讳呢? 所以女子要求高深智识的欲望,当然被政府摧挫了。

但是伊们虽然受了政府的压迫,求学的热诚仍然有加无减。伊们延请大学教授举行讲演会,设立大学预备学校,并筹办女子大学、女子医学,运动的进行十分猛烈。实行愚民主义的俄国教育部,终究不能设法来阻止。结果伊们虽不能进大学,却也有了听大学教授讲演的机会了。虽然亚历山大二世把伊们看作虚无党,看作革命家,嗾使国事警察来压迫也无效验,伊们终于把许多教育机关办成了。

同时那一大批在瑞士留学的妇女们,一面和亡命的革命党人从事革命的准备,一面向本国的姊妹们实行革命的宣传。伊们活动的精神,不但激动了俄国的人民,并且吓倒了俄国皇帝。亚历山大二世依旧实行其愚民的主义,把许多青年敢死的留学瑞士的男女革命家唤到本国来。伊们于是一方面要求本国政府替伊们设立四个大学校,贯彻了伊们往往求之不得的主张;一方面又将往日在瑞士研究而得的革命方法,传授于本国同胞的姊妹。

当专制政治极猖獗的时候,虚无党的恐怖主义也大流行了。革命的空气一日一日的浓厚起来。男女学生的革命运动,把俄国京城闹翻了。贵族、官僚,凡是以屠夫著名的都遭暗杀了,接着亚历山大二世也于 1881 年 3 月被人暗杀。于是大狱骤兴,女学生们上断头台,流西伯利亚的接踵相继。从前为高等教育而起的妇女运动,现在完全变成革命的妇女运动了。

此外再就妇女的参政运动说说。据俄帝国财产法,已婚妇女有管理自己的财产权,而选举权则除纳税妇女及有土地者外是没有的。19 世纪末叶,妇女亦有参政运动团体的组织,但在名为立宪实为专制的俄国,其无成功希望,自不待言,尤以 1906 年解散国会以后,参政运动完全受其阻碍,这或许也是逼迫妇女参加社会革命的一个原因。

1905 年的革命失败以后,党人的活动大受妨害,不得不静待时机以谋再举。先驱的妇女们,都继续着"到民间去"的运动方法,或者向农民宣传,或者从事劳动运动,进行社会革命的工作。

1917 年 3 月革命爆发了。妇女中急进的分子,都加入布尔什维克,主张无产阶级的革命即时实现。缓进的分子都加入克伦斯基派,对于民主的革命表示满足。当时加入克伦斯基政府的著名人物,如巴尼那,曾做过克伦斯基政府的阁员;如革命祖母勃来希柯夫斯基,曾做过俄罗斯共和国国会第一任的主席。

但是属于布尔什维克的妇女们,伊们要完成无产阶级的革命,依然在群众中继续着革命的准备,极力反对那违背无产阶级而与联合国及绅士阀握手的克伦斯基政府,并且反对该政府的主义和主张。

1917 年 6 月 9 日,伊们在劳动妇人团体机关杂志编辑部指挥之下,干了第一次反对战争的大示威运动。又这年 5 月里,彼得格勒洗衣女工 4000 人,干了一次大罢工,要求将洗衣工场收归市有。当时虽然没有得着胜利,可是不久伊们的主张终究贯彻了。

1917 年 11 月,做无产阶级革命的先驱的,也是彼得格勒各大工场中纤维女工人的同盟罢工。伊们成群结队拥到市内来,煽起了彼得格勒市无产者革命的烽火,布尔什维克一举掌握了俄国的政权,建设了男女平等的社会主义共和国。

真正的妇女解放,如前面所引的列宁一段话,竟在劳农俄国首先实现了。社会主义与妇女解放的关系如何,做女权运动的人们大概可以明白了。(未完①)

(原载 1922 年 9—12 月上海《民国日报》副刊《妇女评论》第 59、61、63—68、70 期,署名李鹤鸣编述)

---

① 本文未见有续篇。——编者注

责任编辑:武丛伟

图书在版编目(CIP)数据

李达全集.第二卷/汪信砚 主编. —北京:人民出版社,2016.12
ISBN 978－7－01－016880－7

Ⅰ.①李… Ⅱ.①汪… Ⅲ.①李达(1890—1966)–全集 Ⅳ.①C52

中国版本图书馆 CIP 数据核字(2016)第 252440 号

李达全集

LIDA QUANJI

第二卷

汪信砚　主编

人民出版社 出版发行

(100706　北京市东城区隆福寺街 99 号)

北京新华印刷有限公司印刷　新华书店经销

2016 年 12 月第 1 版　2016 年 12 月北京第 1 次印刷

开本:710 毫米×1000 毫米 1/16　印张:26.75

字数:430 千字

ISBN 978－7－01－016880－7　定价:139.00 元

邮购地址 100706　北京市东城区隆福寺街 99 号

人民东方图书销售中心　电话 (010)65250042　65289539